DE VERLOREN DOCHTER

Pamela Simpson

DE VERLOREN DOCHTER

Van Holkema & Warendorf

Oorspronkelijke titel
Fortune's Child
Uitgave
Bantam Books, New York
© 1992 by Pamela Wallace and Carla Simpson

Vertaling
J.A. Westerweel-Ybema
Omslagontwerp
Julie Bergen
Omslagdia
ABC Press/World View

Unieboek bv
Postbus 97
3990 DB Houten

ISBN 90 269 7283 0   CIP   NUGI 340

Hoofdstuk 1

18 september 1990
San Francisco

Op een dag ga ik terug. Dan zal ik ontdekken wie me dit heeft aangedaan en ik zal hem laten boeten.

Die woorden, neergekrabbeld in het dagboek van een vijftienjarig meisje, stonden de vrouw even helder voor de geest alsof ze die nu voor haar ogen zag staan. Terwijl ze daar op het trottoir stond en opkeek naar de strenge, indrukwekkende voorgevel van het grote Fortune-gebouw, dacht ze: Het heeft twintig jaar geduurd en ik heb tot de laatste dag gewacht, tot het laatste uur, de laatste minuut, maar nu ben ik hier eindelijk. En ik zal dat voornemen uitvoeren. Ze was zó opgewonden dat ze haar gevoelens nauwelijks kon beheersen. Haar hele leven als volwassene had ze op dat moment gewacht, zich erop voorbereid. Nu was het zover en ze was zowel bang als opgewonden. Ze had er geen idee van wat er zou gebeuren als ze dat gebouw zou binnengaan. Ze wist dat nu op een of andere manier het verleden begraven zou kunnen worden.

Maar ondanks het feit dat ze vastbesloten was haar plan uit te voeren, aarzelde ze toch nog voor ze het enorme gebouw binnenging omdat het zo bedreigend leek. De Fortune Tower, Embarcadero Center, in het hartje van San Francisco, verhief zich met zijn zesendertig etages hoog in de heldere ochtendhemel. Een enorme, indrukwekkende monoliet, die alle omringende granieten en betonnen gebouwen in het niet deed verzinken. Het gebouw stond daar even onwankelbaar als het imago van de machtige familie waarvan het de naam droeg.

Toen de vrouw aan die familie dacht, veranderde de uitdrukking op haar gezicht. Het kreeg een vastbesloten uitdrukking, zodat haar uitstekende jukbeenderen nog eens werden benadrukt, evenals de grote, donkere ogen en een volle mond, die bij de hoeken enigszins omhoogging. Op haar dertiende was ze gewaarschuwd dat die mond haar nog eens last zou bezorgen. En dat was dan ook gebeurd.

Ze dwong zich naar de grote deuren te lopen en passeerde een bloemenstalletje in het midden van het plein vóór het gebouw. Boeketten rozen, anjers, chrysanten en gipskruid vulden tientallen emmers en vazen. De koopman stak haar een rode roos toe, maar ze schudde haar hoofd en liep door, naar het gebouw toe. In het heldere

5

ochtendlicht torende het boven haar uit en in de gebronsde ramen werd het zonlicht weerkaatst.

In die nacht was het donker en stonden er geen maan of sterren aan de hemel...

Er kwam een pittig briesje uit de baai aanzetten, waardoor een lokje fijn, kastanjekleurig haar tegen haar wang werd geblazen. *Die nacht stond er geen wind. Het was bijzonder koud en doodstil, afgezien van het onheilspellende geluid van voetstappen die hen inhaalden...*

Het trottoir was vol keurig geklede zakenmensen die op weg waren naar vergaderingen, geüniformeerde koeriers en allerlei slag mensen die de straten van grote steden als San Francisco bevolken. *Er was niemand die hen kon helpen...*

Even drong het geluid van gelach van twee passerende meisjes tot haar door; toen verdwenen ze in de menigte. *Ze hoorde alleen het angstaanjagende geluid van sirenes in de koude duisternis...*

Haar gehandschoende vingers sloten zich om de handgreep van haar leren aktentas toen ze het grote beeldhouwwerk – een anker – passeerde en de deuren met gebronsd glas bereikte die haar toegang tot het Fortune-gebouw zouden verschaffen.

Ze zag haar spiegelbeeld in de glazen deur, een lange, slanke verschijning in een klassiek, duifgrijs mantelpak. Toen ze de deur openduwde, werd een nauwkeurige kopie weerkaatst in de gebronsde ramen – een tweetal beelden die haar deden denken aan twee vijftienjarige meisjes die precies op elkaar leken.

'Je zult voor ons beiden moeten leven.'

De woorden weergalmden in haar hoofd. Zelfs na al die jaren was ze de klank ervan nog niet vergeten, al waren ze op een bevende fluistertoon gesproken. De deur viel achter haar dicht, maar de woorden bleven haar bij terwijl ze naar de koperen deuren van een rij liften liep.

Hoewel haar mond intussen droog van angst was, stapte ze toch de lift in. Ze moest haar belofte houden.

Op de achttiende etage gingen de liftdeuren met een zacht zoemgeluidje open. Een dik grijs tapijt dempte haar voetstappen toen ze door de foyer naar het bureau van de receptioniste aan de rechterkant liep. Uit een gedetailleerd rapport van een privé-detective wist ze dat de directiekantoren en vergaderzaal zich links in de gang bevonden. Ze glimlachte koeltjes tegen de receptioniste en liep handig om het jonge meisje heen.

'Kan ik u helpen?' riep het meisje haar nog na en ze kwam snel achter haar bureau vandaan.

De grote teakdeuren van de vergaderzaal bevonden zich aan het eind van de gang. Met afgemeten passen liep de jonge vrouw door de zwarte, marmeren ingang. Heel even aarzelde haar hand op de koperen klink van de deur en er voer een golf van nervositeit door haar heen. Koper en teak.

Dat waren de stempels van de geschiedenis van een scheepvaartonderneming, een geschiedenis die meer dan honderdvijftig jaar oud was en dateerde uit de tijd van de schoeners met hun vele zeilen en van de klippers. Maar tegenwoordig betekenden die deuren iets anders – ze waren deuren die toegang tot het verleden gaven.

Achter de deuren hoorde ze gedempt druk pratende stemmen. Plotseling klonk bijna naast haar het geïrriteerde stemgeluid van de receptioniste. 'U mag daar niet naar binnen! Er is een directievergadering aan de gang.'

De jonge vrouw haalde diep adem en slikte om de brok in haar keel weg te krijgen. Net toen de receptioniste haar bereikte, duwde ze vastbesloten de klink van de deur omlaag en stapte de vergaderzaal binnen.

De moderne mahoniehouten vergadertafel, ingelegd met zwart jade, nam het hele midden van het vertrek in beslag. Aan het hoofd van de tafel stond een zware, mahoniehouten, met leer beklede stoel, waarin de president van de onderneming, Richard Fortune, had plaatsgenomen. Twaalf leren, met koper beslagen Gunlockestoelen stonden rondom de bewerkte rand van de tafel. Op zes daarvan zaten de leden van de familie Fortune, die de raad van beheer vormden. Ross McKenna, de directeur, zat op de zevende stoel.

Toen ze, met de overrompelde receptioniste op haar hielen, de vergaderzaal binnenstapte, keek iedereen verbaasd op.

'Het spijt me, meneer Fortune,' verontschuldigde de receptioniste zich. 'Juffrouw, u moet weggaan. Dit is een besloten vergadering...'

'Voor leden van de raad van beheer,' maakte de vrouw de zin voor haar af en ze had al haar zelfbeheersing nodig om vooral geen angst te tonen. Ze wendde zich tot de leden van de raad. 'Ik heb begrepen dat de vergadering om tien uur moet beginnen. Dat is het nu precies.'

Ze waren allen verbaasd over haar koele manier van optreden. Allen, behalve Ross McKenna. De verbaasde blik op zijn gezicht had snel plaatsgemaakt voor een peinzende uitdrukking. Hij kneep zijn ogen halfdicht terwijl hij haar met een licht verbaasde en geamuseerde blik opnam. Hij was de enige die op zijn stoel achteroverleunde en ontspannen leek. Maar ze wist dat dat rustige uiterlijk bedrieglijk was. Hij moest door die onverwachte onderbreking evenzeer in de war zijn geraakt als de anderen. Hij slaagde er alleen beter in zijn verwarring te verbergen.

'Zeg, toe nou, zet haar eruit, zodat we kunnen opschieten!' mom-

7

pelde een keurig verzorgde vrouw van middelbare leeftijd tegen de receptioniste.

'Dat is niet nodig, juffrouw Bennett,' zei de vrouw en legde haar diplomatenkoffertje op de vergadertafel.

Toen wendde ze zich weer tot de kring mensen om de tafel.

'Mijn naam is Christina Fortune. Het is vandaag mijn vijfendertigste verjaardag en ik ben gekomen om mijn erfdeel op te eisen.'

Hoofdstuk 2

Er viel een doodse stilte in de vergaderzaal.

Christina had zich dat moment wel duizend keren voorgesteld, zich afgevraagd hoe ze zouden reageren – met verbazing, verontwaardiging en woedende kreten die haar eis afwezen. Nu zag ze verschillende gelaatsuitdrukkingen om zich heen, variërend van ongeloof en irritatie tot uitgesproken woede.

Een scherp lachje van een vrouw verbrak de ingevallen stilte. 'Ik neem aan dat we hadden kunnen wéten dat er minstens nog één persoon meer zou komen opdagen om te beweren dat ze Christina is, en die is nu op het laatste moment verschenen,' zei Diana Fortune en stond op van haar stoel.

Ze liep naar de wand aan het andere eind van het vertrek, waar de spiegelbeelden van de mensen om de tafel in de glazen panelen zichtbaar waren. Ze drukte kort op een van de panelen, dat vervolgens terugweek, en er kwam een welvoorziene bar te voorschijn, waarna ze een drankje voor zichzelf inschonk. 'Maar je bent te laat, lieve kind!' Ze hief haar glas op alsof ze op haar wilde toosten. 'Al moet ik toegeven dat je wèl wat meer stijl hebt dan de anderen.'

Ze wilde net haar glas leegdrinken toen Richard op een scherpe toon, die zijn irritatie verraadde, zei: 'Ga zitten, Diana. Wacht ten minste tot na de lunch om aan je cocktails te beginnen.'

Oom Richard. Mijn belangrijkste tegenstander, dacht Christina. Alles aan hem was volmaakt – het klassieke, goed gesneden pak dat hij droeg, zijn bruine haren met enkele grijze ertussen, waarvan er niet één verkeerd zat, de gebruinde huid, die erop wees dat hij tenniste of misschien de passie van de hele familie voor zeilen deelde. Zelfs zijn nagels glansden en waren uitstekend gemanicuurd.

De naam, de sociale positie, het geld, hij had het allemaal – behalve de macht. Die was hem zijn hele leven als volwassene ontglipt. Tot vandaag. Nadat Christina's aandelen in de onderneming eenmaal door de rest van de familie waren verdeeld, zou Richard eindelijk in staat zijn het volledige beheer van Fortune International op zich te nemen. Van de hele familie had híj het meest te verliezen als haar eis werd gehonoreerd.

Diana Chandler zette haar glas met een harde klap neer op het

9

marmeren blad van de bar. Ze keek haar broer nijdig aan, maar zei niets terwijl ze naar haar stoel terugliep.

Tante Diana. Christina had haar altijd mooi gevonden. Nu, begin vijftig, was ze nog steeds een opvallend aantrekkelijke vrouw, die haar zachtblonde haren in een wrong in haar slanke nek had samengetrokken. Het strenge kapsel moest de indruk wekken van raffinement in eenvoud. Maar er werd tè veel door onthuld – de strakke huid, die chemisch was bewerkt om een jeugdige glans terug te krijgen en het enigszins opgeblazen gezicht, dat erop wees dat er collageeninjecties waren geweest om ongewenste rimpeltjes te doen verdwijnen. Ze had nu een schoonheid die verried dat eraan was geschrapt, gesneden en getrokken.

Naast zijn vrouw zat oom Brian, die heel rustig leek. Hij was nog geen zestig, maar zag er jaren ouder uit. Hij was ingenieur geweest bij Fortune International en met de dochter van de baas getrouwd. Ze hadden drie zoons gekregen, die de dynastie zouden kunnen voortzetten, en nu zaten ze in de raad van beheer. Maar het was slechts een schijnpositie. Diana beheerde hun aandelen in Fortune International, net zo goed als ze hun levens controleerde.

De oudste zoon, Steven, was de voornaamste erfgenaam, want Richard had geen kinderen. Christina was verbaasd dat Steven in de loop van de jaren zo weinig veranderd was. Hij was lang en knap, op een bijna tè zeer in het oog lopende manier, als een mannelijke mannequin. Hij had dik, goudbruin haar en de ijsblauwe ogen van zijn moeder.

Op zijn achttiende was hij al heel zelfverzekerd geweest en als allround atleet in alle takken van sport altijd de sterkste, de snelste en de beste. Nadat hij Stanford had doorlopen, de universiteit waar alle leden van de familie Fortune naartoè gingen, had hij zijn plaats in de onderneming ingenomen, in de veilige wetenschap dat hij die eens zou beheren. Verleden jaar was hij aangesteld als directeur, belast met de werkzaamheden van de onderneming in Hongkong.

Van charme die hij tentoon kon spreiden – als hij dat wenste – was evenwel niets te merken toen hij zich tot Christina wendde. 'Eruit, voordat we je eruit laten góóien.'

'Je bent absoluut niet veranderd, Steven. Je vond het altijd al leuk bevelen uit te delen,' merkte Christina op. Ze wist dat ze hem even van zijn stuk had gebracht en maakte gebruik van zijn verwarring. 'Jíj stond erop kapitein te zijn toen we met dat scheepje in de baai gingen varen. Weet je nog wel dat jóuw te grote zelfvertrouwen ons toen deed kapseizen?'

Ze wist wat voor uitwerking die laatste opmerking zou hebben en moest inwendig lachen om zijn stomverbaasde uitdrukking.

'God-nog-aan-toe,' mompelde Jason Chandler, 'dat was ik totaal vergeten!' Hij staarde haar met zijn donkere, felle ogen aan. Hij was jonger dan Steven en leek met zijn korte, slanke gestalte, donker haar en donkere ogen op zijn vader. Na de dood van haar ouders was Jason de enige op de hele wereld geweest van wie Christina had gehouden en die ze vertrouwde.

Ze glimlachte aarzelend in zijn richting. Eens hadden ze elkaar erg na gestaan, maar die laatste avond, nu twintig jaar geleden, hadden ze een flinke ruzie gehad. Zijn uitdrukking was behoedzaam.

Hij ging door en zei: 'We hebben toen zeker een uur geploeterd om dat verdomde ding weer goed in het water te krijgen.'

Ze knikte en nam de draad van het verhaal op. 'We zouden vermoedelijk allemaal verdronken zijn als de kustwacht niet net op tijd was gearriveerd.'

'Dit is níet te geloven! Hier wist niemand anders iets van af!'

'Ik hoopte al dat je je dit zou herinneren, Jase,' zei ze zachtjes en gebruikte zijn familiare bijnaam.

'Herinneren?' zei Diana ongelovig, terwijl ze opstond van haar stoel. 'Hoe kan hij zich een volmaakt vreemde herinneren? Maar verdraaid, je bént goed. Alleen niet goed genoeg. Het is beter dat je nu vertrekt, voor we de politie erbij halen. Je hebt er geen idee van met wie je hier te maken hebt, juffrouw... wíe je ook bent. Maar ik verzeker je dat je níet Christina Fortune bent. Die is dood.'

Christina schrok. Ze had verwacht dat ze haar eis zouden afwijzen, maar was niet voorbereid geweest op het gif in Diana's stem.

'Het spijt me je te moeten teleurstellen, maar zoals jullie allemaal kunnen zien, ben ik springlevend.'

Nu sprak Andrew, Diana's jongste zoon, voor het eerst. 'Dit verandert de hele zaak.' Zijn blik ontmoette heel even de hare en gleed toen weer weg; het was niet te zeggen of hij haar al dan niet geloofde.

Hij was twee jaar jonger dan Christina en had, net als Jason, de donkere ogen van zijn vader en leek ook, net als zijn vader, steeds bezorgd de wereld in te kijken. Hij kwam overeind. 'Het is duidelijk dat we vandaag niet tot zaken zullen komen,' zei hij, terwijl hij naar de aanwezigen om de tafel keek. 'Ik laat het aan jullie over deze onverwachte wending, die de kwestie heeft genomen, te behandelen. Ik moet terug naar mijn huis.'

'Ga zitten,' beval Diana haar zoon. 'Dat walgelijke straatgespuis, over wie jij je zo druk wilt maken, kan wel even zonder jou. Dit is veel te belangrijk.'

Christina zag hoe hij bloosde van verlegenheid en machteloze woede en kreeg medelijden met hem. Toen hij nog jong was, was hij ook al steeds zo verlegen en overgevoelig geweest. Nu staarde hij naar het jaarverslag voor hem en onderdrukte zorgvuldig zijn gevoelens.

11

enige die haar aankondiging rustig opnam, was Ross McKenna. Hij had zijn benen kalm over elkaar geslagen en keek raadselachtig voor zich uit. Tien jaar geleden had Katherine Fortune, Christina's grootmoeder, hem in de onderneming gehaald. Als executeur-testamentair van haar ouders en beheerder van Christina's bezittingen voerde zij het beheer over de aandelen die het meisje van haar vader had geërfd. Daardoor had zij alle zeggenschap over Fortune International, in elk geval tot Christina's vijfendertigste verjaardag. Als Christina vóór die datum niet terugkwam om haar erfenis op te eisen, zouden de aandelen tussen Richard en Diana worden verdeeld.

Katherine beheerde de onderneming met ijzeren hand en een aangeboren inzicht in de handel met de landen langs de Stille Oceaan die haar echtgenoot, Alexander, nog verder had ontwikkeld. In de loop van de laatste jaren was ze door ouderdom en haar slechter wordende gezondheid gedwongen geweest meer en meer op Ross McKenna te steunen. Maar ze weigerde haar greep op de onderneming te verminderen ten gunste van haar tweede zoon, Richard.

Katherine wist precies wat ze deed toen ze Ross aanstelde. Volgens *Forbes* werd hij beschouwd als een van de tien meest gerespecteerde – en sommigen zeiden zelfs 'gevreesde' – zakenlieden ter wereld. Hij en Richard lagen voortdurend met elkaar overhoop, maar zolang de aandelen in handen van Katherine waren, won Ross elk gevecht. Nu Christina's aandelen verdeeld zouden worden, zou Richard de hele onderneming in zijn macht kunnen krijgen, omdat Diana met haar aandelen altijd met hem meestemde. Het was een publiek geheim dat zijn eerste daad zou bestaan uit het ontslaan van Ross McKenna.

Christina wist dat haar eis alles voor iedereen zou veranderen – ook voor Ross. Als haar eis werd ingewilligd, zou zíj – en niet Ross of Richard – de onderneming in haar macht hebben.

Ze had foto's van hem gezien en was voorbereid geweest op het feit dat hij er zo goed uitzag met zijn donkere uiterlijk. Ze had hem als bijna te knap afgedaan, met zijn hoekige trekken, keurig geknipte haren, krachtige kin en vastbesloten volle mond. Maar zoals hij daar zat, ging er een harde, mannelijke uitstraling van hem uit die haar uit haar evenwicht bracht.

Zijn pak wees op de beste kleermakers in Hongkong. Niet zo eentje voor wie de toeristen zich verdrongen, maar de anderen, die in een zijstraat te vinden waren en alleen bekend bij mensen die in Hongkong woonden. Bij die kleermakers was hun naam met de hand in Chinese karakters in de linkermanchet gestikt. De stof was onberispelijk en de snit alsmede de pasvorm waren volmaakt. Het jasje was op haast nonchalante wijze niet dichtgeknoopt, maar ook dat

12

was bedrieglijk. Die man deed níets nonchalant. Ze had het gevoel dat de ontspannen manieren, de goedzittende kleding en die blikken waarmee hij haar opnam allemaal bedrieglijk waren.

Zijn ene mondhoek was een eindje opgetrokken – de enige aanwijzing dat hij door dit alles toch enigszins werd geraakt – en zijn donkerblauwe ogen waren tot spleetjes samengeknepen. Het was een hard gezicht, misschien zelfs een gezicht dat niets vergaf. Ze had ertegenop gezien de strijd met Richard te moeten aanbinden. Nu zag ze in dat hij een nog veel taaiere tegenstander zou zijn.

Steven stond bruusk op van zijn stoel. 'Ik heb genoeg van dit gedoe.' Hij staarde Christina aan, maar zijn oom weerhield hem met een hand op zijn arm.

Richard staarde over de vergadertafel haar richting uit. 'Met ingang van hedenochtend zijn alle aanspraken op Christina's bezittingen ongeldig.'

Christina haalde diep adem. Haar vingers klemden zich om de handgreep van haar diplomatenkoffertje. Ze had dit talloze keren gerepeteerd en zichzelf voorgehouden dat het gemakkelijk zou gaan – naar binnen wandelen, zeggen wat ze te zeggen had en dan vertrekken. Nu moest ze haar best doen rustig te blijven toen ze de sloten van het koffertje liet openklikken.

'Mijn advocaat heeft gistermiddag laat een gerechtelijk bevel van het hooggerechtshof ontvangen waardoor de verdeling van de trustaandelen wordt geblokkeerd en mijn eis formeel wordt vastgesteld.'

Ze nam een geelbruine map uit haar koffertje en gooide die midden op tafel. 'Er zijn kopieën van de betreffende documenten gemaakt. Jullie zullen ontdekken dat alles in orde is.' Haar donkere ogen keken het vertrek rond en namen de gezichten op van degenen die om de conferentietafel zaten. 'De verdere gegevens in de map zullen een antwoord verschaffen op alle vragen die er mogelijk bestaan. De naam van mijn advocaat staat op de begeleidende brief.' Ze knipte het koffertje dicht. 'Ik ben bereikbaar in het Hyatt Regency.'

Haar blik dwaalde naar Jason, de enige in de kamer die werkelijk genegenheid voor de jeugdige Christina Fortune had gekoesterd. Ze zag verwarring, pijn en een hardnekkige hoop in zijn ogen. Dacht hij aan die laatste avond? Aan die felle woordenstrijd? Woorden die te gemakkelijk kwamen en nooit meer konden worden teruggenomen? Was het mogelijk dat Jason verantwoordelijk was voor hetgeen er daarna had plaatsgevonden?

Of was het een van de anderen?

Er ging een vlaag van pijnlijke emotie door haar heen, alsof er een oude wond openging die maar niet definitief wilde helen. De angst en het gevoel van vernedering die zij had onderdrukt, kwamen opnieuw naar boven, met afschuwelijke beelden die ze nooit helemaal van zich af had kunnen zetten, hoe wanhopig ze dat ook had geprobeerd. Plotseling kreeg ze het gevoel dat ze het daar geen seconde langer kon uithouden. Ze draaide zich om en liep langs de verschrikte receptioniste, waarna ze de deur achter zich dichttrok.

In de lift rilde ze van angst, angst die ze in de vergaderzaal niet had willen tonen. Ze was alleen, leunde tegen de achterwand van de lift en sloot toen haar ogen. En ze voelde opluchting. Na al die jaren waarin ze had geprobeerd het verleden te ontlopen, gevolgd door een nog langere periode waarin ze had geprobeerd alles te verwerken, had ze eindelijk de beslissing genomen. Ze was aan een proces begonnen, dat even nodig als angstaanjagend was.

Enkele minuten later stapte ze naar buiten, de heldere zonneschijn van San Francisco in. Even bleef ze staan en liet zich erdoor verwarmen. Al die helderheid deed de vreselijke herinneringen weer naar het verleden verdwijnen.

'Wie is ze, verdomme?' vroeg Steven nijdig.

Diana drukte verwoed haar sigaret uit. 'Hier zit moeder vast achter!' Zonder notitie te nemen van Richards woorden van zojuist liep ze weer naar de bar. Daar sloeg ze snel een flinke borrel achterover en schonk toen haar glas onmiddellijk weer vol. 'Ze zei dat ze te ziek was om de vergadering bij te wonen! Maar dat was maar een truc! Ik wist dat ze iets dergelijks zou doen. Ze wil de macht niet uit handen geven.'

Jason keek weemoedig voor zich uit. 'Maar... ze lijkt zo veel op Christina. Ik zag iets aan haar, rond haar ogen.'

'Het is een oplichtster,' verklaarde Richard, 'net als al haar voorgangsters.'

Andrew kwam overeind. 'Ik vertrek. Jullie laten me wel weten wat jullie met haar hebben gedaan?'

Deze keer probeerde Diana niet hem tegen te houden.

Ross keek op van de open map die voor hem lag en sprak nu voor het eerst. 'Ik denk niet dat het zo gemakkelijk zal gaan.'

'Wat bedoel je daar nou weer mee?' vroeg Diana, die met een vol glas in haar hand terugliep naar haar stoel.

Ross sloot de map. 'Katherine weet hier niets van af,' verkondigde hij ronduit. 'Dan had ze het me wel verteld. En ik verzeker jullie dat het gerechtshof nooit een gerechtelijk bevel had afgegeven als men daar niet van mening was dat haar eis gegrond was.'

'Dat is belachelijk!' Diana zette met een klap haar glas op tafel neer. De whisky gutste over de rand en maakte een plasje op het zwart jade oppervlak. 'Christina is dóód. Als mijn moeder die verklaring jaren geleden had aanvaard, zouden we nooit zijn lastig ge-

vallen door al die oplichtsters die hebben geprobeerd Christina's erfenis in te pikken.'
'De dood van Christina is nooit bewezen,' hielp Ross haar herinneren. 'Haar lijk is nooit gevonden.'
'De politie heeft haar kleren en papieren in dat slonzige motel in Tucson gevonden. God mag weten waarom, maar ze is weggelopen, maakte verkeerde vrienden en werd vermoord. Dat overkomt opstandige tieners nogal eens. De autoriteiten namen aan dat het ook háár was overkomen.'
'Het doet er niet toe wat de autoriteiten aannamen. Katherine heeft het nóóit geloofd.'
'Natuurlijk niet. Ze weigerde ook de waarheid te aanvaarden toen mijn broer en zijn vrouw bij dat zeilongeluk verdronken. Ze accepteerde het pas toen dagen later hun lichamen werden gevonden. En na Christina's verdwijning begon dat circus opnieuw.'
De whisky begon vat op haar te krijgen en ze werd gevaarlijk onverstandig. 'Dat hebben we de afgelopen twintig jaar steeds weer moeten horen. En nu verschijnt die vrouw zo maar uit het niets en verwacht van ons dat wíj geloven dat zij Christina is.'
Ze sloeg met haar vuist op tafel. 'Ik verdom het nòg eens twintig jaar te wachten, of hoe lang het ook mag duren voordat moeder eindelijk de waarheid accepteert. Of... sterft!'
'Zo is het wel genoeg,' sneed Richard haar verder de pas af.
'Het is níet genoeg!' Ze wendde zich tot haar broer. 'Jij zei dat deze vergadering maar een formaliteit was, de laatste stap om die erfenis voor eens en voor altijd te regelen.' Haar stem trilde van woede. 'Wat ben je van plan aan die vrouw te doen?'
'Ze beschikt over een gerechtelijk bevel. Wettelijk kunnen we de trust dus niet verdelen, zoals we van plan waren. Het zal een paar dagen duren voor we dit geregeld hebben.' Hij keek allen aan tafel om beurten aan. 'Ik zal dit wel regelen, net zoals ik de voorgaande gevallen heb geregeld. Dreigen met een arrestatie wegens fraude, of een paar duizend dollar, zullen wel helpen.'
Rustig zei Ross: 'Ik ben het niet met je eens.'
'Wat bedoel je?'
Ross gebaarde naar de map die hij snel had doorgebladerd. 'Zij is níet als een van die anderen. Ze weet dat we zullen proberen haar eis af te wijzen, te ontzenuwen, en ze heeft een indrukwekkende hoeveelheid gegevens over haar achtergrond verzameld.'
'Dat zal het ons alleen maar gemakkelijker maken,' zei Richard ongeduldig. Als hij iets wilde hebben, wilde hij er niet op wachten, en hij had twintig jaar gewacht om de volledige zeggenschap over Fortune International te krijgen.
Ross keek even naar een kaartje dat aan de map was bevestigd.

Het was een door het Hyatt verschaft kaartje met daarop de naam van het hotel, het adres en telefoonnummer in reliëf. Zij had er haar naam, Christina G. Fortune, bijgeschreven. Hij stond op, klemde de map onder zijn arm en draaide zich om naar de deur. Daar bleef hij staan, op de plek waar zojuist nog de jonge vrouw had gestaan die beweerde Christina Fortune te zijn, en dacht even na.

'Ik vermoed dat haar prijs hoger zal zijn dan jullie bereid zijn te betalen.'

Pas laat in de middag keerde ze terug naar het Hyatt Regency. De lobby was gigantisch en stond vol grote bomen in potten, abstracte bronzen beelden en in het midden een fontein, waaromheen water zachtjes over de marmeren tegels spatte. Aan beide zijden van de lobby bevonden zich exclusieve winkeltjes. Aan één kant zaten hotelgasten te dineren in een omgeving die een volmaakte afspiegeling was van een tuin. In het middelste paviljoen was een modeshow aan de gang en aan de andere zijde stonden bruiloftsgasten in een rij te wachten om een bruidspaar te feliciteren; naast hen was een ingewikkeld kunststuk van ijs te zien, dat twee zwanen voorstelde.

De beroemde liften, die eruitzagen als vergulde vogelkooien, kwamen geruisloos van bovenliggende etages omlaag om gasten in de lobby af te leveren en anderen naar hun kamers terug te brengen of naar de exclusieve daktuin met het restaurant vanwaar ze van een adembenemend uitzicht over San Francisco konden genieten.

Het was druk in het hotel met zijn honderden gasten, en juist daarom had Christina het gekozen. Ze gaf de voorkeur aan de anonimiteit waarin je in een groot hotel werd ondergedompeld; daar was het gemakkelijk onopgemerkt in de menigte op te gaan.

Ze haalde haar boodschappen af bij de receptie. Er waren er slechts twee, discreet in enveloppen gestopt. Ze stopte ze in de zak van haar jasje en was van plan ze later in haar kamer te lezen.

Na haar bezoek aan het gebouw van Fortune was ze regelrecht naar haar advocaat gegaan, die ze speciaal voor deze kwestie in de arm had genomen. Hij was natuurlijk benieuwd naar de resultaten van de vergadering, vooral omdat ze erop had gestaan zelf de kopieën van het gerechtelijk bevel af te leveren, in plaats van de gebruikelijke procedure te volgen en ze door een ambtenaar van het gerechtshof te laten bezorgen.

Hij vertelde haar nu wat ze verder kon verwachten – de gebruikelijke attesten en formulieren die zouden worden ingediend om tijdelijk haar eis te blokkeren. Die procedure zou de tegenpartij tijd geven om te bewijzen dat haar eis niet-ontvankelijk was. Hij waarschuwde haar ook dat Richard Fortune ongetwijfeld een detec-

16

tive in de arm zou nemen om de gegevens, die zij in haar map had verstrekt, te controleren.

Even kreeg ze een onrustig gevoel. Ze had het allemaal verwacht en zich erop voorbereid, maar toch voelde ze zich ellendig bij de gedachte dat ze haar leven had uitgeleverd aan mensen die elk detail van de afgelopen twintig jaar zouden oprakelen en zouden zoeken naar elk voorval dat haar in diskrediet kon brengen.

Ze voelde zich nog moe van de emotioneel geladen sfeer in de vergaderzaal, maar ook door de langdurige gesprekken met haar advocaat. Nu liep ze de lobby door en haar enige wens was naar haar kamer te kunnen gaan en te proberen zich in een warm bad te ontspannen. Misschien zouden haar getergde zenuwen dan enigszins tot rust komen.

Eerst zag ze hem niet. Toen stond hij op van een tafeltje vlakbij, in het tuinrestaurant, en ze bleef onmiddellijk staan. De angst die ze zojuist nog had gevoeld, werd intenser. Ze had in die indrukwekkende vergaderzaal niet alle gevaren achter zich gelaten – ze waren haar tot hier gevolgd. Ze had het gevoel van een dier dat beslopen werd en in een hoek gedrongen.

Toen hij zeker wist dat ze hem had gezien, bleef Richard Fortune opzettelijk staan, zodat zij naar hem toe moest komen in plaats van zelf de laatste stappen te doen.

Macht. Ze werd er weer aan herinnerd. Zelfs nu viel hij op tussen de gasten die in het restaurant van een late lunch genoten. Hij was een opvallend harde, arrogante man die niet zou toegeven, maar zich tot aan het eind toe fel zou blijven verzetten.

Christina kon hem niet negeren. Ze liep langzaam op hem toe en probeerde heftig het bekende gevoel van angst te verbergen dat haar keel en maag dichtkneep. Op een of andere manier was hij daar, zoals hij daar alleen tegenover haar stond, nog meer intimiderend dan toen hij werd omringd door de andere leden van de familie.

'Dag,' zei ze, en hield haar toon neutraal.

'Ik vond dat we samen nog eens moesten praten.'

Ze ging op een stoel zitten en hij nam er een die aan de overkant van het tafeltje stond, waardoor hij de grootst mogelijke afstand tussen hen creëerde. Rustig beantwoordde ze zijn koele, onderzoekende blik, vast van plan zich niet te laten kennen. Maar inwendig beefde ze.

Even daarna begon hij: 'Je beseft natuurlijk wel dat die eis van je snel zal worden afgewezen. Je kunt toch onmogelijk hopen dáármee iets te bereiken.'

'Het gerechtshof schijnt van mening te zijn dat die wel degelijk rechtsgeldig is.'

'Jij bent níet Christina Fortune.'

'Weet je dat zo zeker?' vroeg ze meteen.

'Absoluut zeker. Als mijn nichtje nog leefde, zou ze al veel eerder zijn teruggekomen.'

Dat was het kritieke punt; ze had geweten dat haar dat onmiddellijk voor de voeten zou worden geworpen wanneer ze zich vertoonde. Ze had haar antwoord voorbereid en gaf het nu op een rustige manier, die volkomen tegenstrijdig was met haar innerlijke nervositeit. 'Ik was niet van plan terug te keren. Ik kom nu pas omdat – als ik het nu níet deed – ik mijn erfenis zou verspelen.'

Zijn smalle mond plooide zich tot een ironisch glimlachje. 'Natúúrlijk, de erfenis! Christina's aandelen in de onderneming zijn miljoenen waard. Dat geld heeft al verscheidene oplichtsters aangetrokken. Jij bent alleen de laatste.'

Vóór ze daarop iets kon zeggen, vroeg hij kortaf: 'Hoeveel?'

Ze raakte in de war. 'Ik begrijp je niet.'

'Tienduizend moet voldoende zijn om je de aftocht te doen blazen.'

Ze staarde hem aan. Ze had geen omkoping verwacht.

Toen ze niets zei, ging hij door. 'Twintigduizend?' Hij nam haar taxerend op. 'Ik neem aan dat jij, gezien alle moeite die je hebt gedaan, vindt dat het meer moet zijn. Goed dan, vijftigduizend. Dan heb je al je onkosten eruit, plus de kosten van de terugreis naar de plek waar je vandaan bent gekomen.'

Ze zei niets. Hij legde haar zwijgen verkeerd uit en zei: 'Probeer niet nóg meer los te krijgen. Dit is mijn laatste bod. Accepteer het en verdwijn zonder verder deining te veroorzaken. Of ik klaag je aan wegens fraude en dan kom je in de gevangenis terecht, met níets.'

Hij greep in de binnenzak van zijn jasje en haalde een pen en chequeboek te voorschijn. Toen hij het leren omslag had opengedaan, zei hij: 'Ik zal hem aan toonder uitschrijven, want ik ben ervan overtuigd dat je me je echte naam niet zult willen zeggen.'

Christina stond bruusk op en stootte per ongeluk tegen het tafeltje aan. 'Heb je je zó van de anderen afgemaakt?'

'Soms. Af en toe was dreigen met een gerechtelijke vervolging al voldoende.' Hij ging op minachtende toon verder: 'Mensen als jij hebben allemaal hun prijs.'

'Ik neem geen cent van je aan – behalve waarop ik wettig recht heb.'

Richard stond op. 'Dan word je als de zoveelste oplichtster aan de kaak gesteld en verlies je uiteindelijk alles.'

De herinnering aan een ander verlies, zo fel dat het bijna fysiek leek, kwam bij haar boven. 'Ik heb alles dat van enig belang is al verloren,' antwoordde ze, meer naar waarheid dan hij ooit zou kunnen bevroeden.

Of wist hij het?
Wist hij wat er die avond twintig jaar geleden was gebeurd?
Was híj het geweest?

De plotselinge achterdocht verscherpte haar angst en ze had moeite rustig te blijven, terwijl ze zich het liefst had omgedraaid en weggehold was. Ze dwong zich langzaam te lopen – niet te hollen – om zo bij hem vandaan te komen.

'Je bent een oplichtster!' riep hij haar na. 'Dat zal ik bewijzen! En dan zal ik je totaal vernietigen!'

Ze bleef even staan, keerde zich langzaam om en ontmoette zijn harde, koude blik. 'Dat heeft iemand twintig jaar geleden al eens geprobeerd. Maar hij is er niet in geslaagd en het zal jóu ook niet lukken.'

Hoofdstuk 3

Christina sloot de deur van haar suite op de veertiende etage van de centrale toren. Het kamermeisje had de zware gordijnen voor de ramen dichtgetrokken en de kamer was in duister gehuld.

Iets in die plotselinge duisternis en de omtrekken van de meubels, die als vage vormen voor haar oprezen, maakte dat ze aarzelde. Ze huiverde, hoewel het niet koud was. Ze kreeg dat gevoel vaak 's ochtends, wanneer haar zintuigen nog niet helemaal vrij van slaap waren en het in haar slaapkamer donker was. Of als ze 's avonds laat naar huis terugkeerde en merkte dat ze had vergeten een lamp te laten branden, maar ook wel de zeldzame keren dat de stroom uitviel en alle lichten uitgingen.

Ze was bang in het donker. Het bracht herinneringen naar voren aan een donker steegje, twintig jaar geleden. Soms waren die herinneringen zó levendig dat het leek of ze weer terug zou zijn in dat steegje als ze nog één stap zou verzetten.

Nu schopte ze haar schoenen met hoge hakken uit en dwong zich door de kamer te lopen om de overgordijnen open te trekken. De late middagzon scheen door de ramen naar binnen en ze voelde zich meteen een stuk beter. Maar een geprikkeld gevoel, dat haar gesprek met Richard had achtergelaten, dreef haar het terras op, waar ze kon genieten van het prachtige uitzicht over de stad en de baai.

Ze had geweten dat hij haar felste tegenstander zou zijn, want tenslotte was hij degene die het meest te verliezen had. Ze had zich grondig voorbereid op haar confrontatie met hem en dacht dat ze ertegen opgewassen zou zijn. Maar toen het gebeurde, was ze nog nerveuzer geweest dan ze had verwacht. Bij zijn onverwachte verschijning in het hotel had ze de grootste moeite gehad om rustig te lijken.

Hij had duidelijk gemaakt al het mogelijke te zullen doen om haar eis af te wijzen. Zou zich dat ook uitstrekken tot maatregelen om haar fysiek letsel toe te brengen? vroeg ze zich af. Ze hield zich voor dat ze nu te ver ging. Als hij zich eenmaal zou realiseren dat hij haar eis niet-ontvankelijk kon laten verklaren, zou hij haar accepteren. Tenslotte was het een familiekwestie.

Maar het was een familielid geweest dat twintig jaar geleden zo'n gewelddadige rol had gespeeld. Zou dat Richard zijn geweest? Zou de jaloezie, die hij zijn hele leven ten opzichte van zijn broer Michael had gekoesterd, hem tot iets dergelijks hebben aangezet? Ze kon er niet meer aan denken. In plaats daarvan concentreerde ze zich op het fantastische uitzicht. Op dat tijdstip van de late namiddag leek de tijd tussen dag en nacht stil te staan. De zon gleed naar het westen en vormde, beneden in de straten met betonnen en stalen reuzen, allerlei schaduwen. Op de baai kwamen mistflarden in beweging, die langzaam de steunpilaren van de Golden Gate-brug insloten en de kustlijn van Marin County in sluiers hulden.

Ze sloot haar ogen en ademde de koele lucht in van het frisse briesje daarboven op de veertiende etage. Ze had geen last van hoogtevrees; integendeel, hoogte stimuleerde haar. Ze had het gevoel zich boven de wereld te bevinden en neer te kijken op alles onder haar. De sensatie boven alles verheven te zijn en alles in haar macht te hebben, was heel geruststellend.

De hemel was de ene minuut zalmroze van kleur terwijl de Stille Oceaan de gesmolten zon opslokte en werd toen zacht lavendelkleurig. Ze had de laatste paar jaren in Boston gewoond, als ze niet voor zaken op reis was, en hield van vrijwel alles in die stad – de seizoenen, de historische sfeer en de weelderig groene parken. Maar nergens ter wereld waren de zonsondergangen te vergelijken met die in Californië.

Ze bleef nog wat talmen en genoot van de verdwijnende schoonheid in de lucht boven haar, terwijl overal in de stad lichtjes begonnen te schitteren. Dadelijk zou het helemaal donker zijn en dan zou San Francisco glinsteren als een met juwelen bezette kroon aan het puntje van het schiereiland. De nare ontmoeting met Richard vervaagde en ze hield zich voor dat alles in orde zou komen. Ze had de kracht die ontstaat nadat je het ergste hebt overleefd en er taaier en veerkrachtiger uit te voorschijn bent gekomen. En ze had zich jaren voorbereid op die strijd. Ze kon alle hindernissen aan die Richard zou opwerpen. Hij werd voortgedreven door een gevoel van machtswellust, maar zij werd gedreven door een veel dieper gaande emotie. Sommige mensen zouden het wraak noemen, maar zij noemde het liever gevoel voor gerechtigheid.

De opgekomen bries was kil en vochtig en ze stapte haar suite weer in. Daar trok ze haar grijze suède jasje uit en legde het nonchalant over de rug van de bank. In de slaapkamer deed ze haar gouden oorbellen af en een kleine ring van zwart onyx, die ze altijd droeg, evenals een polshorloge – en legde alles op de toilettafel. Toen trok ze de rest van haar kleren uit, die ze op het bed gooide.

Met alleen nog een teddy van witte kant en zijde aan, liep ze terug naar de zitkamer en nam een drankje uit de bar – een flesje Pouilly

21

Fumé Grand Cru. De wijn kalmeerde haar en ze zette de televisie aan, waar de nieuwslezer juist het plaatselijke nieuws van zes uur aankondigde.

Ze maakte de enveloppen met de boodschappen open, die ze bij de receptie had aangenomen, en zag dat de eerste afkomstig was van haar advocaat, die haar vroeg hem de volgende ochtend op te bellen. Ze legde die opzij. De tweede boodschap luidde slechts: *Boven op het Hyatt. Zeven uur. Ross McKenna.*

De geprikkeldheid die ze had meegenomen naar haar kamer, werd nu intenser. Ze had die middag al een confrontatie gehad en wist niet of ze er tegen nòg een was opgewassen. De meeste vrouwen zouden nieuwsgierig worden als ze een uitnodiging van zo'n buitengewoon knappe man kregen. Maar Christina wist dat er slechts één reden was waarom hij haar wilde spreken.

Als slechts de helft waar was van hetgeen ze over hem wist, dan kon hij bijzonder vasthoudend zijn als hij iets wilde. Er stond geen telefoonnummer bij waarop ze hem kon bereiken, en ze was er vrijwel van overtuigd dat dit met opzet was nagelaten. Op die manier kon ze dan niet onder zijn uitnodiging uit.

Macht. Ze werd er weer aan herinnerd, net als eerder met Richard. Er waren mensen die macht hadden en anderen die erdoor gemanipuleerd werden. De familie Fortune en Ross McKenna behoorden tot degenen die macht hadden. Ze wilden haar manipuleren, hetgeen ze niet zou toestaan. Ze had te lang gewacht en te hard gewerkt, te lang om zich door die macht angst te laten aanjagen.

Ze nam de telefoonhoorn op en toetste het nummer van Fortune International.

'Het spijt me,' was het antwoord van de boodschappendienst, 'maar iedereen is vanavond al naar huis. Ik kan wel een boodschap voor u overbrengen.'

'Ik heb een boodschap voor meneer McKenna.'

'Meneer McKenna is al een paar uur geleden vertrokken.'

'Is er een ander nummer waar ik hem kan bereiken?'

'Hij heeft geen nummer achtergelaten.'

Christina mompelde kortaf goedendag en gooide toen de hoorn op de haak. 'Verdraaid!'

Haar woede nam toe, dat voelde ze in al haar zenuwuiteinden. Ze sloot haar ogen en maseerde over de pijnlijke plek aan haar rechterslaap. De vergadering, het lange gesprek met haar advocaat en de confrontatie met Richard hadden haar dodelijk vermoeid. Ze had geen zin in nog een gesprek die dag. Ze had tijd nodig om zich te ontspannen, over alles na te denken wat er die dag was voorgevallen en te overwegen wat ze nu moest doen.

Ze nam de hoorn weer op en belde het restaurant op de daktuin, waar ze een boodschap achterliet. 'Wanneer meneer McKenna komt, wilt u hem dan zeggen dat ik vanavond verhinderd ben?' Nadat ze dat had geregeld, belde ze room service en bestelde haar diner. Toen ging ze de badkamer in, trok de teddy uit en liet zich in het warme water in de marmeren badkuip glijden om zich heerlijk te ontspannen.

Het zou nog een uur duren voordat room service haar diner bracht. Intussen leunde ze tegen het speciaal gebouwde einde van de kuip aan, sloot haar geest af voor alle gedachten en liet zo de warmte de spanning uit haar spieren weken. Door de open deur hoorde ze de nieuwslezer die met een nieuw onderwerp begon.

'... De politie meldt dat gisteravond in Oakland, aan de oever van het water, een tienermeisje doodgestoken is gevonden...'

Plotseling kwam het allemaal weer bij haar boven. Zelfs na al die jaren was de herinnering eraan verschrikkelijk...

'Kom! Gauw! Deze kant op!'

Twee vijftienjarige meisjes holden het donkere steegje in, waarbij het ene meisje het andere aan de hand voorttrok. De stank van rottend afval hing overal zwaar om hen heen en af en toe struikelden ze bijna over de viezigheid die op de grond lag. Het leek of de duisternis naar doodsangst rook.

Hij was nu vlak achter hen. Ze hoorden het geluid van zijn voeten op de natte straatstenen en ze kwamen dichterbij. 'Gauw!'

Ze had gedacht dat dit een kortere weg was vanuit die verlaten straten in de industriewijk naar een drukkere straat, waar de daar aanwezige mensen veiligheid zouden betekenen. Nu was ze daar niet meer zo zeker van.

'Ik kan niet meer!' jammerde het andere meisje. Ze kon nauwelijks meer adem krijgen en hing aan de hand van haar vriendin.

'We halen het wel.' Inwendig was ze doodsbang, maar ze durfde haar angst niet te tonen. Ze moest sterk zijn, voor hen beiden.

De twee meisjes leken zó veel op elkaar dat ze zusjes hadden kunnen zijn; beiden hadden donkere haren en donkere ogen, fijne trekken en beloofden mooie jonge vrouwen te worden. Maar ondanks hun opmerkelijke fysieke gelijkenis bestond er een groot verschil tussen hen. Het meisje dat voorop liep, was duidelijk de sterkste. Haar vriendin was tengerder, angstiger en kon niet meer op tegen haar doodsangst.

Ze sloegen een volgend steegje in, dat evenwel doodliep. Ze draaide zich snel om en wilde haar vriendin mee terugtrekken, maar bleef toen onmiddellijk staan. Een lange, krachtig gebouwde man blokkeerde de ingang van het steegje.

'Verroer je niet, krengen die je bent!' beval hij. Zijn stem was zacht en dreigend. 'Jullie gaan met mij mee.'

'Nee!' riep ze, en deed langzaam een paar passen achteruit, weg van hem. Ze duwde haar vriendin achter zich en hoopte wanhopig dat iemand hen zou horen. De hand die zich om de hare klemde, verstijfde en ze hoorde een zacht gejammer van angst.

'Ik zei dat jullie met mij meegaan!' herhaalde hij. Zijn ogen stonden hard en zijn mond vormde een streep van woede. Hij had zijn handen voor zich uitgestoken. Terwijl hij langzaam op hen toe kwam, viel er een glimp licht op het staal van het mes dat hij in zijn ene hand hield. Zonder waarschuwing deed hij een uitval naar hen.

Het eerste meisje probeerde hem weg te duwen, maar hij pakte haar arm beet en draaide die om tot het pijn deed. Ze verzette zich tegen hem en schreeuwde tegen haar vriendin dat ze weg moest hollen. Ze mochten zich niet aan hem overgeven. Het was altijd nog beter in dat stinkende steegje te sterven dan toe te geven aan wat hij met hen van plan was.

Haar vriendin klemde zich aan haar vast, doodsbang voor de overvaller, maar nog banger om de ander los te laten. In de schermutseling viel een gouden ketting met een ingewikkeld bewerkte jade hanger op de grond.

Plotseling flitste het mes door de lucht. Er weerklonk een lang aangehouden pijnkreet door de duisternis en een lichaam zakte neer op de straatstenen, terwijl het bloed een, donkere plas onder haar vormde.

De angstaanjagende sirene van een naderende politieauto werd hoorbaar. De aanvaller nam daarop de benen en het voorste meisje knielde neer bij haar vriendin die bloedend en bewusteloos op de grond lag. Ondanks de tranen die langs haar wangen stroomden, zag ze het goud van de ketting glanzen, ze raapte hem op en liet hem in haar zak glijden.

Een tijd later zat ze op de eerstehulppost van het ziekenhuis, haar handen in elkaar gewrongen op haar schoot. Het was allemaal háár schuld, hield ze zich verwijtend voor. Zij had beloofd dat ze hen beiden veilig uit handen van die souteneur zou houden. Hij had hen al dagen beslopen en talloze malen geprobeerd hen te dwingen zich bij de groep jeugdige prostituées te voegen die voor hem werkte.

Ze had de steeds groter wordende angst van haar vriendin gekalmeerd en haar beloofd dat alles best in orde zou komen.

Ze waren enkele dagen na elkaar in New York gearriveerd, weggelopen, zoals zo vele andere tieners die in de stad ronddoolden. Alleen daar konden hun paden zich kruisen, want ze kwamen uit totaal verschillende milieus. Hun achtergrond was zo anders als klasseonderscheid kon zijn. Christina Grant Fortune, erfgename van een grote scheepvaartonderneming in San Francisco, was in weelde en met de voorrechten van Pacific Heights opgegroeid, maar Ellie Dobbs werd grootgebracht omringd door de armoede en ellende van een terrein met caravans, even buiten Memphis, Tennessee.

Ze hadden elkaar ontdekt omdat ze zo veel op elkaar leken, maar ze hadden meer gemeen dan slechts een opvallende gelijkenis. Ze deelden de nachtmerrie van dezelfde traumatische ervaring die beiden had gedwongen van huis weg te lopen. Dat, zowel als hun steunen op de ander om in leven te blijven, vormde een hechte band tussen hen beiden. Het was een band die gebaseerd was op liefde en vertrouwen in een tijd en onder omstandigheden die zeldzaam waren.

Nu hoorde het meisje het geluid van voetstappen op de met kleurloos linoleum bedekte vloer. Met ogen nat van tranen en wanhoop keek ze op. De jonge dokter van de eerstehulppost die nog maar net met zijn opleiding klaar was, kwam langzaam naderbij.

'Is ze een zusje van je?' vroeg hij zachtjes.

Ze schudde haar hoofd. 'Nee... mijn vriendin.'

'Jullie lijken zo veel op elkaar... Ik dacht dat jullie misschien...'

Hij schraapte zijn keel en vroeg: 'Hoe staat het met haar familie?'

Ze negeerde de vraag. 'Komt alles weer in orde?'

Hij aarzelde, maar schudde toen langzaam zijn hoofd. Zijn ogen namen haar onderzoekend op, alsof hij probeerde vast te stellen of ze sterk genoeg was om de waarheid te verwerken. 'Het spijt me.'

Hij legde een hand op haar schouder en ging toen verder: 'Ze had al te veel bloed verloren voor ze haar hier binnenbrachten. We kunnen niets meer voor haar doen. Als je wilt, kun je naar haar toe.'

Hij nam haar mee naar de intensive care. Bij de deur aarzelde ze. Haar vriendinnetje lag bleek en stil op het witte bed en haar asgrauwe gezicht was mooi, maar zielig. Het donkere haar lag slap op het witte kussen. Er hingen slangen aan haar lichaam alsof het de draden waren waaraan een marionet hangt. Apparaten stonden om het bed heen en in de kamer weerklonken zacht piepende en zoemende geluiden.

'Ik zal jullie alleen laten,' zei de dokter zachtjes en sloot de deur achter zich.

Het meisje stond daar en keek neer op haar vriendinnetje, terwijl ze vocht tegen haar tranen. Ze werd overweldigd door een schuldgevoel. 'Het is allemaal míjn schuld,' fluisterde ze.

De oogleden van haar vriendinnetje trilden even en gingen toen open. Ze probeerde ondanks de beademingsapparatuur te glimlachen. Door haar droge lippen fluisterde ze: 'Het is jouw schuld niet.'

'Het spijt me zo!'

Het meisje pakte de hand van haar vriendin vast en drukte die even stevig tegen zich aan, zoals ze in het steegje zich aan haar had vastgeklampt.

'Je hoeft je... niets te verwijten. Je bent mijn vriendin. Je hebt je leven voor mij gewaagd.'

'Je bent de beste vriendin die ik ooit heb gehad. Ik had daaruit moeten komen.' Ze slikte haar tranen in die haar bijna deden stikken en staarde op hun in elkaar geklemde handen.

'Je kon... niets doen.' Haar vriendin had grote moeite met ademhalen. 'Hij zat aldoor achter ons aan. Dat weet je.'

Het meisje voelde hoe haar vriendinnetje haar vasthield en was verbaasd over de kracht van haar greep.

'Ik wil dat je iets voor me doet,' zei haar al zwakker wordende vriendin. 'Je moet me beloven dat je het zult doen.'

Ze knikte snel. 'Wat je maar wilt.'

Het meisje op het bed lag doodstil en ze ademde alleen heel zwaar alsof ze al haar krachten verzamelde om iets te zeggen. 'Beloof me dat je zorgt van de straat af te komen. Ik weet dat je niet naar huis kunt, maar er móeten andere wegen zijn. Je kunt niet net zo eindigen als ik nu.' Ze zweeg even en haar donkere ogen keken haar vriendin onderzoekend aan, terwijl de druk van haar vingers bijna pijn deed. 'Jij zult nu voor ons beiden moeten leven.'

Haar stem stierf weg en haar oogleden vielen dicht; het leek of plotseling alle kracht uit haar wegvloeide. 'Beloof me dat...'

Het meisje klemde zich heftig vast aan de nu machtelozer aanvoelende hand, alsof ze de ander iets van haar kracht kon schenken om verder te leven.

'Ik beloof het,' zei ze, hoewel haar woorden te midden van de ritmische geluiden van de apparaten nauwelijks hoorbaar waren. 'En eens zal ik hen laten boeten voor wat ze ons beiden hebben aangedaan.'

Haar vriendin lag nu doodstil, met haar mond een eindje open en haar blauw geaderde en bijna doorschijnende oogleden waren over haar ogen gesloten. Nu klonk er een ander geluid, een aanhoudende, enkele toon van een apparaat, en zag ze de schittering van de groene streep die nu lijnrecht over de monitor liep.

Toen de dokter en de verpleegster kwamen aanhollen en haar opzij duwden, verliet ze versuft de kamer. Ze voelde zich eenzamer dan ooit.

In het kantoortje van de verpleegsters wachtte een priester. Ze herkende hem. Hij had de leiding van een Huis van Hoop, een toevluchtsoord voor kinderen die in de straten van New York leefden. Ze had hem vaker gezien terwijl hij tegen andere meisjes of jongens sprak, maar ze had het niet over zich kunnen verkrijgen hem te vertrouwen. Hij was dan wel priester, maar toch een man, en ze vertrouwde geen enkele man.

Hij liep op haar toe en stak zijn hand uit. Op zijn gezicht was een intens medeleven te zien. 'De dokter heeft me verteld wat je vriendinnetje is overkomen. Het spijt me zo, kind. Ik zou je graag willen helpen, als je me dat toestaat.'

'U kunt haar niet meer helpen!' barstte ze uit. 'Níemand kan haar helpen! Het is te laat!'

'Ik kan jóu helpen,' hield hij met zachte stem aan. Toen hij haar wantrouwen aanvoelde, voegde hij eraan toe: 'Dat is het enige wat ik wil – alleen maar helpen.'

Verteerd door schuld omdat ze niet in staat was geweest haar vriendinnetje te redden, had ze de priester de rug toegekeerd en wilde weglopen.

'Wil je verder leven?'

Ze bleef staan en draaide zich om. 'Wàt zegt u?'

'Of je verder wilt leven. Of dat je wilt sterven, net zoals je vriendin!' De woorden moesten hard klinken, dat was de bedoeling. 'Dat is de enige keus die je hebt. Je kunt met mij meegaan en je door mij laten helpen om een nieuw leven voor jezelf op te bouwen. Of je kunt weer de straat opgaan. Jij weet net zo goed als ik wat er daar op je wacht. En wil je dat?'

De harde waarheid van zijn woorden maakte dat ze bleef staan. Terwijl ze elkaar daar zo stonden aan te staren, dacht ze aan haar belofte. Ja, ze wist wat haar op straat wachtte. Als ze terugging, zou ze vermoedelijk op dezelfde manier aan haar eind komen als haar vriendin. Ze had haar beloofd dat ze verder zou leven... voor hen beiden. Op dat moment was de belofte aan haar vriendin belangrijker dan haar eigen leven.

De priester voelde dat zijn woorden indruk hadden gemaakt en hij ging door. 'Ik zal je familie niet inlichten, als je dat niet wilt. Ik hoop dat je op een goede dag zelf zult beslissen dat je dat wenst.'

Nooit! dacht ze, maar ze zei het niet hardop.

'Goed,' gaf ze na een innerlijke strijd toe.

Er lag absoluut geen zelfvoldaanheid in zijn glimlach, alleen opluchting, verzacht door vriendelijkheid. 'Goed. Dan wil je me nu misschien vertellen hoe je heet. Dat zal het ons gemakkelijker maken elkaar beter te leren kennen.'

Ze aarzelde. Kon ze hem vertrouwen, en tot hoe ver? Haar vingers sloten zich om de vergeten halsketting die onder in haar zak lag. Het goud voelde tegen haar hand koel aan en het jade was glad. Ze herinnerde zich een tijd – die heel lang geleden leek – toen ze anderen had vertrouwd.

Langzaam nam ze een besluit. Ze keek de priester recht in de ogen en zei: 'Ik heet Christina...'

27

Hoofdstuk 4

Christina stond voor de bewasemde spiegel in de badkamer en had zich in een dikke badhanddoek gewikkeld. Haar natte haren vielen tot over haar schouders. Terwijl ze met haar hand een brede boog over het glas schoonmaakte, hield ze plotseling op. Haar spiegelbeeld op het natte glas zag er veel jonger uit en vervaagde de fijne rimpeltjes in haar ooghoeken. Ze zag een jonge vrouw voor zich met lange, donkere haren...

'Is ze een zusje van je...? Jullie lijken zo veel op elkaar...'

Heel even was ze terug op de eerstehulppost van dat ziekenhuis en rook ze weer de scherpe, antiseptische geur die haar opnieuw angstig maakte en een vaag gevoel van misselijkheid bezorgde. Ze zag weer die koude, steriele wanden, voelde weer het gebarsten, versleten vinyl van de stoel met rechte rug waarin ze wanhopig haar vingers drukte en hoorde het gedempte, zwiepende geluid van schoenen met zachte zolen op linoleum toen de dokter door de lange gang op haar toe kwam.

Ze kreeg een brok in haar keel.

'Jij zult nu voor ons beiden moeten leven...'

De wasem verdween langzaam van de spiegel en de illusies en herinneringen verdwenen eveneens. Nu was het gezicht dat haar aanstaarde dat van een rijpe vrouw, met bleke wangen, ondanks de warmte in de badkamer, en met ogen die vol tranen stonden.

'O, God...' Ze leunde tegen de betegelde badkamerwand en voelde zich plotseling zwak.

Ze had geweten dat het niet gemakkelijk zou zijn daarheen te gaan, maar ze had zichzelf ervan verzekerd dat er na twintig jaar wel een emotionele muur moest zijn opgebouwd. Toch leken het geen twintig jaar geleden en was het of het allemaal de vorige dag was gebeurd.

Omdat ze het niet had verwacht, was ze niet voorbereid op de angst die ze nu voelde – dat moest ze zichzelf bekennen. Het was een angst die voortsproot uit het bewustzijn dat ze wel erg kwetsbaar was. Twintig jaar geleden had ze zich voorgenomen dat haar zoiets nooit meer zou overkomen. Die kwetsbaarheid had haar eens tot slachtoffer gemaakt en daar was geen eer mee te behalen. Als je ergens het slachtoffer van was, dan verloor je een uiterst belangrijk onderdeel van jezelf – je onschuld. Als je die eenmaal kwijt was, kon je haar nooit meer terugvinden.

Ze pakte de föhn en zette hem op de hoogste stand. De stroom warme lucht loste al haar herinneringen op en verplaatste ze naar het verleden.

Toen ze klaar was met haar haren te drogen, begon de nieuwslezer net met het laatste nieuws. 'Vanavond, net voor de uitzending, heeft Channel Six News vernomen dat de aankondiging van belangrijke veranderingen bij Fortune International, de scheepvaartmaatschappij met hoofdkantoor in San Francisco, enkele dagen zal worden uitgesteld. Deze wijzigingen in de machtsstructuur van de onderneming werden verwacht onmiddellijk na de verdeling van de aandelen uit de trust van de erfgename van de onderneming, Christina Fortune, die twintig jaar geleden is verdwenen. Na enige tijd nam men aan dat ze dood is.'

Christina liep de zitkamer in en zag een oude foto van een jong meisje op het scherm verschijnen. Ze staarde ernaar terwijl de man doorging met zijn verhaal.

'In de afgelopen twintig jaar is Fortune International het toneel geweest van een verbitterde strijd om de macht tussen Katherine Fortune, de weduwe van de scheepsmagnaat Alexander Fortune, en hun zoon Richard. De afgelopen maanden hebben er vele geruchten de ronde gedaan over problemen bij de scheepvaartmaatschappij, waarvan alle aandelen in familiebezit zijn. Financiële experts trokken daaruit de conclusie dat ze wel konden voorspellen dat de aandelen op de beurs zouden worden aangeboden om te helpen de moeilijkheden van de onderneming te stabiliseren.'

Het nieuws eindigde en het station begon aan de uitzending van plaatselijke reclameboodschappen, maar zij zag nog steeds de foto van een lachend, vijftienjarig meisje met lang, donker haar en donkere ogen voor zich.

De zoemer bij de toegangsdeur van haar suite ging over. Room service. Haar maag knorde en hielp haar eraan herinneren dat ze sinds het ontbijt geen hap meer had gegeten. Ze spoedde zich de badkamer in, pakte een satijnen badjas met donkerblauw paisleypatroon van de haak op de deur en trok die aan.

'Ik kom eraan,' riep ze, terwijl ze snel met haar vingers door haar haren streek. Ze pakte een paar dollarbiljetten uit haar tas om de man een fooi te geven en liep toen naar de deur.

'Het spijt me. Ik was in de badkamer...' begon ze buiten adem uit te leggen toen ze de deur opentrok. Midden in de zin bleef ze steken en staarde verbaasd Ross McKenna aan.

Ross was al even verbaasd. Ze zag er ook zo anders uit dan de vrouw die de afgelopen ochtend de vergaderzaal binnen was komen lopen en koeltjes had verkondigd Christina Fortune te zijn. Ze was nu nonchalant, terwijl ze die ochtend zo formeel was geweest. Hij was blijkbaar gekomen toen ze net uit bad kwam en niet was opgemaakt, hetgeen ze trouwens ook niet nodig had. Haar smetteloze huid vertoonde een zachte blos, die zich uitstrekte van haar slanke hals naar de uitsnijding waar de zijden kamerjas sloot. Haar lange, kastanjebruine haren hingen los en nog wat vochtig om haar schouders.

Hij had die middag een tijdlang zitten kijken naar oude foto's van de jeugdige Christina Fortune en zocht nu naar gelijkenissen tussen dat meisje en de vrouw die voor hem stond. Als je in aanmerking nam dat er intussen twintig jaar waren verstreken, bestond er een treffende gelijkenis tussen het meisje op de foto's en deze vrouw met haar fijne, aristocratische trekken – de rechte neus, hoge jukbeenderen, ronde kin, zinnelijke trek om de mond en donkere, expressieve ogen, die wel van helder amber leken onder de boog van haar fijne wenkbrauwen.

Hij dwong zichzelf weer aan het doel van zijn bezoek te denken en zei: 'We zouden eens moeten praten.'

Ze stond achter de half geopende deur en gebruikte die als een schild. 'Ik heb bij room service mijn diner besteld.' Haar stem klonk als een mengeling van honing en rook, diep uit haar keel, nog iets dat hij die ochtend niet had opgemerkt.

'Ik ben zo vrij geweest die bestelling af te zeggen,' zei hij.

Haar hand gleed omhoog langs de rand van de deur, alsof ze van plan was hem voor zijn neus dicht te smijten. 'Daar had je geen recht toe en ik heb niet toegestemd in een ontmoeting. Ik probeerde een boodschap voor je af te geven, maar je had ervoor gezorgd nergens bereikbaar te zijn.'

Er verscheen even een soort glimlach om zijn lippen. 'Ik was niet van plan je de kans te geven mijn uitnodiging te weigeren.' Toen voegde hij eraan toe: 'Toen of nu.' Vóór ze kon reageren, zei hij snel: 'We moeten vroeg of laat toch dit gesprek voeren. Ik geloof dat, hoe eerder we het doen, des te beter het is.'

'Ik ben werkelijk erg moe. En ik ben vandaag al een keer bedreigd. Dat is wel voldoende.'

Hij kwam tot de logische gevolgtrekking. 'Door Richard.'

Ze knikte.

Even voelde hij woede in zich opkomen dat Richard zijn toevlucht tot dreigementen had genomen. Zelfs als deze vrouw een oplichtster was, dan was dat nog niet op zijn plaats. Hij wilde niet vergeleken worden met Richard. 'Ik ben Richard Fortune niet en neem geen toevlucht tot dreigementen. We moeten tòch praten, vandaag of morgen. Laten we het maar nu meteen doen.'

'Luister eens, ik ben niet gekleed om uit te gaan.'
'Ik wacht wel.' En hij voegde eraan toe: 'En vertel me nu niet dat je vanavond je haar moet wassen.' Hij stak zijn hand uit en tilde een nog vochtige lok op. 'Dat heb je al gedaan.' Ze keek hem lange tijd aan. 'Ik geloof dat het geen zin heeft te blijven weigeren.'
'Dat is ook zo.' Ze zuchtte geïrriteerd. 'Goed dan. Maar ik heb wel een paar minuten nodig. Bedien jezelf maar aan de bar.' Met die woorden verdween ze in de aangrenzende slaapkamer.
'Ik had eerder gedacht dat je vanavond was uitgegaan om het te vieren,' merkte hij luid op.
'Het is een lange dag geweest,' riep ze terug vanuit de andere kamer, waarvan de deur op een kier stond.
'Ja, ik kan me voorstellen dat je een vol programma had. Eerst die vergadering en daarna gesprekken met de plaatselijke pers.' Hij keek op toen ze op de drempel verscheen.
'Ik heb aan de pers geen gegevens verstrekt over problemen bij de onderneming.'
Hij trok een wenkbrauw op. 'O nee? Ik dacht dat de pers onderdeel van je strategie vormde.'
'Ik hou liever zo veel mogelijk alles in de familie,' antwoordde ze, en verdween toen weer in de slaapkamer.
Terwijl hij zat te wachten, inspecteerde hij de zitkamer, de halflege fles wijn en het suède jasje dat zo nonchalant over de rug van de sofa was gedrapeerd. Hij pakte het op en bekeek het eens, maar eigenlijk wist hij niet waarnaar hij zocht. Misschien iets persoonlijks, een onthullend briefje in de zak, een etiket dat erop zou wijzen dat dit een deel vormde van een pas verworven garderobe – allerlei dingen die hem iets meer zouden kunnen vertellen over deze vrouw, die beweerde dat ze Christina Fortune was.
Het jasje was gekocht bij een kleine, exclusieve zaak in Boston. Het was duidelijk duur, even elegant als de vrouw die het droeg en rook heel vaag naar parfum. Er was iets bekends en verleidelijks aan die geur, die zijn zinnen beroerde, maar was te subtiel om gemakkelijk thuis te brengen.
Hij had het jasje net weer neergelegd toen ze de kamer binnenkwam. Hij had half en half verwacht dat ze iets wat sexy was zou dragen. Hij kwam tenslotte uit het vijandelijk kamp en als ze hem over de streep zou kunnen krijgen, zou dat haar zaak helpen. Maar ze verraste hem. Ze droeg een korte, mosgroene rok met een jasje in dezelfde tint met smalle, zwarte strepen. De simpele maar elegante snit ervan maakte duidelijk dat het van een exclusieve ontwerper kwam. De blouse die ze eronder had aangetrokken, was van zwarte

zijde en de bijouterieën die ze droeg, bestonden uit eenvoudige oorbellen met parels, afgezien van de ring en het horloge, die hij al eerder had opgemerkt. Ze had haar haren in het midden gescheiden en in haar nek teruggetrokken, onder een met parelmoer bezette gouden speld. Eenvoudig en toch elegant. Precies de soort élégance die je zou verwachten van een vrouw als Christina Fortune, die in weelde en overvloed was opgevoed.

Hij rook weer dezelfde parfum als van het jasje. Die geur was zacht en muskusachtig en had toch iets exotisch, als een verleidelijk gefluister. Hij vond de lucht nu nog bekender, maar kon hem nog steeds niet thuisbrengen.

Was zij Christina Fortune?

Het gezicht, het haar en de ogen klopten. Maar honderden vrouwen, alleen al in San Francisco, beantwoordden aan de beschrijving van Christina.

Hij wist weinig van de werkelijke Christina af, alleen dat ze ruim twintig jaar geleden, toen ze vijftien was, enkele maanden na de tragische dood van haar ouders plotseling en onverklaarbaar was verdwenen. Ze had blijkbaar heel weinig meegenomen, alleen enkele persoonlijke bezittingen, waaronder familiefoto's – het was niet meer dan in een handtas kon worden gestopt. Wekenlang hadden de politie en daarna privé-detectives, die honderdduizenden dollars kostten, elke aanwijzing onderzocht en alle rapporten bestudeerd over weggelopen meisjes die aan de beschrijving voldeden.

Uiteindelijk vonden ze haar kleren en een identiteitskaart als studente in een afgelegen motel even buiten Tucson, in Arizona. Er werd vermoed dat ze het slachtoffer van een misdaad was geworden. Dat kwam vaak voor, tè vaak. Jongens of meisjes liepen weg, maakten verkeerde vrienden en het eind was dat ze vermoord werden.

De politie beschouwde de zaak als afgedaan, maar de privé-detectives hielden zich er nog wel mee bezig en kwamen af en toe met gegevens aan. Er werd een lijk van een meisje met donker haar en donkere ogen gevonden en de familie werd verzocht om het te komen identificeren, maar het bleek niet Christina te zijn. Ze leek van de aardbodem te zijn verdwenen, alsof ze nooit had bestaan.

Nog jaren daarna weigerde Katherine Fortune te accepteren dat haar kleindochter dood was en ze bleef geloven dat Christina op een goede dag zou worden gevonden. Ze haalde Ross zuiver als een tijdelijke maatregel de onderneming binnen; hij moest haar helpen die te leiden totdat Christina zou terugkeren en haar rechtmatige plaats zou innemen als degene met de meeste aandelen.

Maar de tijd verstreek. De voorwaarden van het testament van Michael Fortune waren duidelijk – Christina zou op haar vijfendertigste haar erfdeel ontvangen, op een leeftijd waarvan hij dacht dat ze rijp genoeg zou zijn om de verantwoordelijkheid op zich te nemen. Tot dan moest Katherine haar belangen behartigen. Als Christina om een of andere reden haar aandelen niet zou opeisen, zouden ze tussen Richard en Diana worden verdeeld. En nu was die ochtend, op het laatste moment, deze jonge vrouw komen opdagen en had haar erfenis opgeëist.

Hij nam haar op nu ze hem naderde. Omdat ze lange, slanke benen had, stond die korte rok haar goed. De doorzichtige zwarte kousen glansden alsof ze van echte zijde waren en ze droeg schoenen met hoge hakken, waardoor ze bijna even lang was als hij.

Ze bleef vlak voor hem staan en zei: 'Omdat je het door mij bestelde diner hebt afgezegd, moet je dit maar betalen.'

Hij moest toegeven dat ze koel bleef, ondanks alle tegenwerking. 'Natuurlijk!'

Ze verlieten de suite en liepen door de gang naar de rij liften. De eerste die op hun etage de deuren opende, was bijna vol.

'Er is beneden een vergadering aan de gang,' vertelde Ross haar.

'Laten we maar zien of we er nog een plaatsje vinden.'

Hij legde zijn hand op haar rug om haar een eindje naar voren te duwen, en terwijl hij dat deed, voelde hij haar aarzelen.

'Ik vind het niet erg om te wachten,' zei ze.

'Zo gemakkelijk kom je niet van me af! Nu ga je met me mee dineren.' Hij stapte de lift in en trok haar mee. Die was vol, maar iedereen ging een eindje opzij om nog wat plaats te maken.

De deuren gingen dicht en ze kreeg weer het gevoel alsof haar maag wegzonk terwijl de lift in beweging kwam. Toen ze om zich heen keek, zag ze een menigte gezichten die allemaal even verveeld keken. Ze balde haar vuisten en bad dat ze snel het restaurant zouden bereiken.

Het was verschrikkelijk warm in de volle lift. Ze hoorde het zachte geruis van een avondjapon en iemand schraapte zijn keel. Ergens achterin werd zachtjes een gesprek gevoerd. De lift stopte nog eens en iedereen veranderde van plaats. Ze stond nu met haar rug tegen de wand en had haar hand stevig om de koperen leuning geklemd.

Het leek of het eeuwen duurde. Elke keer dat de lift stilhield om mensen te laten uitstappen of anderen te laten instappen, voelde ze weer lichamen tegen zich aandrukken.

Ze dacht dat ze eroverheen was geraakt. Ze had al eerder van liften gebruikgemaakt, maar niets gevoeld. Nog diezelfde middag, maar toen had het haar niets gedaan. Maar dit was anders. Dit maakte allerlei herinneringen los die ze wilde vergeten... *Die hitte, dat klamme vlees van anderen tegen zich aan, die onfrisse adem in haar gezicht.*

Eindelijk kwam de lift met een zachte bons op de bovenste verdieping tot stilstand en gleden de deuren open, zodat de entree van het restaurant zichtbaar werd. Met gesloten ogen draaide ze zich om naar de achterwand van de liftcabine en greep de leuning vast.

'Is er iets?'

Langzaam haalde de bezorgde stem van Ross haar terug naar het heden en ze opende haar ogen. Zijn hand greep haar elleboog beet en zo ondersteunde hij haar enigszins. De lift was leeg, want de andere gasten waren al uitgestapt. Ze voelde dat ze nog eens nieuwsgierig naar haar omkeken.

Ze maakte zich los uit zijn greep. 'Een beetje duizelig. Ik heb de hele dag nog niet gegeten.' Toen ze uit de lift stapte, haalde ze een paar keer diep adem. Het gevoel van hulpeloze doodsangst verdween langzaam naar de achtergrond.

De ober leidde hen over een dik, blauw tapijt naar een tafeltje bij het raam. Pas toen ze daar al een paar minuten zaten, merkte Christina dat het restaurant langzaam ronddraaide en een groots uitzicht over de stad bood, van de kustlijn van Noord-Californië en de Stille Oceaan.

Het diner was bijzonder goed – andijviesla, balletjes zalm in dillesaus en een gegrillde antipasto. Ze had honger en zou ervan genoten hebben als ze niet had geweten dat ze van de overkant van de tafel af steeds nauwkeurig in de gaten werd gehouden.

Ross verspilde geen tijd aan beleefde praatjes en begon meteen: 'Laten we aannemen dat je Christina bent. Waarom ben je dan zo lang weggebleven?'

De manier waarop hij zijn zin had ingekleed, meer als een constatering dan ermee te kennen te geven dat zij onmogelijk werkelijk Christina kon zijn, legde nadruk op het verschil tussen hem en Richard. Ontsteld merkte ze dat ze hem eigenlijk wel mocht.

Ze koos zorgvuldig haar woorden. 'Ik ben teruggekomen toen het móest.' Voor hij daarover een vraag kon stellen, ging ze weer door. 'Ik heb jullie alle achtergrondinformatie in die map gegeven. Je kunt die laten controleren.'

'Dat heb ik al gedaan.'

Opnieuw werd ze aan macht herinnerd. Het soort macht dat betekende dat je je mensen op de juiste plaats had en in staat was allerlei gegevens te controleren door alleen een telefoonhoorn op te pakken of computerarchieven te raadplegen. Als Ross ook maar de kleinste onjuistheid had ontdekt in de gegevens die zij had verstrekt, zou hij dat aan de advocaten van Fortune hebben doorgegeven om haar eis te weerleggen. Hij was hier omdat hij geen onjuistheden had ontdekt in hetgeen ze hem had verteld.

De ober bracht een glanzende zilveren koffiekan, schonk een geurig kopje in en liet de kan achter op hun tafel. Ze nam een slok van de sterke, naar hazelnoot smakende koffie en voelde hoe stimulerend die werkte.

Intussen hield Ross aan: 'Waarom ben je weggegaan?' Ze aarzelde en wist dat hij meer wilde weten dan de blote feiten die in de map vermeld stonden. Maar ze was niet van plan hem die intieme gegevens over haar te verstrekken. Zachtjes verklaarde ze: 'Nadat mijn ouders bij dat zeilongeluk waren omgekomen, werd het allemaal heel... moeilijk. Ik kon me tot niemand wenden en voelde me volkomen alleen.'

'Christina Fortune verloor haar ouders, maar ze had nog meer familie, plus een financieel beschermd leventje. Waarom zou ze dat allemaal in de steek laten?'

'Ik had mijn redenen,' snauwde ze, geïrriteerd om zijn aanhouden. Dit alles ging hem niets aan en ze was vastbesloten er niet op in te gaan. 'Ik deed wat ik toen noodzakelijk achtte. En daarna werd het steeds moeilijker terug te gaan, hoe langer ik wegbleef.' Ze haalde diep adem. 'Het heeft heel lang geduurd voor ik de toestand eindelijk kon aanvaarden.'

Hij bleef een tijd zwijgen. Toen zei hij, op een zachtere toon, die veel minder agressief klonk: 'Vertel me eens wat meer over je ouders.'

Oppervlakkig beschouwd leek de vraag onschuldig. Ze hadden kunnen doorgaan voor twee mensen die hun diner wat rekten en een gewoon gesprek voerden om elkaar nader te leren kennen. Maar ze waren niet zo maar twee mensen. Ze waren tegenstanders, en ze kon zich niet veroorloven hem te onderschatten.

'Ik ben ervan overtuigd dat je alle belangrijke details kent.'

'Toch zou ik graag willen dat jij me het nodige vertelt. Het meeste wat ik over Michael Fortune weet, komt uit de gegevens van de maatschappij.'

Ze merkte dat hij haar op de proef wilde stellen en nam nog een slokje koffie voor ze eindelijk antwoordde: 'De familie van mijn moeder kwam uit Zuid-Californië. Ze heeft mijn vader tijdens hun studie ontmoet. Nadat ze Stanford hadden afgemaakt, zijn ze getrouwd. Ik geloof niet dat mijn moeder en mijn grootmoeder erg op elkaar gesteld waren.'

'Waarom niet?'

Ze wist het antwoord maar al te goed – omdat Laura Fortune sterk het gevoel had dat Katherine als moeder gefaald had en ze had niet geaarzeld om dat ook te zeggen. Maar dat wilde ze niet aan Ross vertellen. Tenslotte was hij in zeker opzicht toch maar een employé van de onderneming, ook al leidde hij die nu. Hij had er geen recht op de intiemste familiegeheimen te kennen.

Ze schudde haar hoofd. 'Dat was een zaak tussen hen beiden.'
'Waren er geen andere kinderen?'
'Voor ik geboren werd, had mijn moeder een miskraam gehad, en naderhand nog twee. Daarna hebben de artsen haar gewaarschuwd geen verdere pogingen te doen nog meer kinderen te krijgen.'

Hij nam haar nauwkeurig op terwijl hij zei: 'Katherine heeft me eens verteld dat er vijf jaar leeftijdsverschil was tussen Michael en Richard.'

Ze doorzag de vrij duidelijke val en verbeterde hem. 'Mijn vader was zes jaar ouder dan Richard.'

'En jij werd hier geboren en opgevoed, beschermd door alle voorrechten en het kapitaal van de familie Fortune.' Zijn toon liet doorschemeren dat hij daarin geen voldoende redenen kon ontdekken waarom een jong meisje zou weglopen. Hij wist niet dat al die weelde haar geen bescherming had geboden.

Ze dwong zich hem aan te kijken. 'Ik ben in Hongkong geboren,' verbeterde ze hem.

'O ja, dat betekent een dubbele nationaliteit voor degenen die in de kroonkolonie uit buitenlandse ouders werden geboren.'

Opnieuw probeerde hij haar op een fout te betrappen. 'De mensen die er wonen, noemen Hongkong het "Territory",' hielp ze hem herinneren. 'Ik weet zeker dat u dat weet, meneer McKenna, want u bent er zelf ook geboren en grootgebracht.'

'Je weet blijkbaar veel van me af.'

'Ik heb mijn huiswerk goed gemaakt.'

'Waar ben je na het overlijden van je ouders heen gegaan?'

'Naar mijn grootmoeders huis, Fortune Hill, op Pacific Heights. Richard en zijn vrouw Alicia woonden daar ook. In die tijd konden hij en mijn grootmoeder het samen beter vinden.'

'Wat is er gebeurd op de avond waarop jij bent weggelopen?'

Hij kwam zo maar uit het niets, de vraag die doordrong tot de kern van de zaak. Ze aarzelde, want ze wist dat hij erop wachtte dat ze ook maar één foutje zou maken. Met aarzelende stem begon ze: 'Mijn grootmoeder gaf een feestje. Het eerste na de dood van mijn ouders, toen enkele maanden geleden. De hele familie was aanwezig. Het was een gekostumeerd feest ter gelegenheid van Halloween.'

'Waarom ben je weggelopen?'

Die regelrechte vraag riep met een flits een plotselinge herinnering op. Er drukte een zwaar lichaam tegen haar aan en ze voelde de hete adem op haar gezicht. Pijn en doodsangst.

Iets van hetgeen ze voelde, moest zichtbaar zijn geworden op haar gezicht, want de uitdrukking van Ross verzachtte enigszins en hij vroeg bezorgd: 'Voel je je wel goed?'

Nee, dat deed ze niet, maar ze weigerde hem te tonen hoe kwetsbaar die ene vraag haar maakte. 'Ik had mijn redenen om weg te gaan,' zei ze alleen. 'En ze gaan jou niet aan.'

'Ik geloof dat, als je me een reden zou geven, dat toch een leugen zou zijn, zelfs als je Christina bent.'

'Ik hoef jou niet uit te leggen waarom ik wegging. Ik moet alleen bewijzen degene te zijn die ik ook werkelijk ben.'

Hij leunde achterover op zijn stoel en bestudeerde haar aandachtig. Ze was intelligent en onbuigzaam, en bijzonder sexy, maar op een manier die ze zelf wilde. Hij vroeg zich af wat er nodig zou zijn om haar haar zelfbeheersing te doen verliezen. Maar het had absoluut geen zin om daar nu verder gedachten aan te wijden, hield hij zich voor.

In plaats daarvan zei hij: 'Je begrijpt zeker wel dat Richard al het mogelijk zal doen om je kwijt te raken.'

'Ja, dat weet ik. Hij heeft me al vijftigduizend dollar geboden als ik zou vertrekken. Toen ik dat weigerde, dreigde hij me te zullen vernietigen. Je ziet dus dat ik vandaag al een gesprek heb gehad en ik zie geen enkele reden om er nog een te hebben.'

Ross was geïntrigeerd. Zelfs een ontzaglijk hebberige bedriegster zou zo'n bod niet afslaan. 'Wat heb je gezegd toen hij je die som aanbood?'

'Hetzelfde wat ik nu tegen jou zeg. Ik ben niet te koop en laat me niet bedreigen.'

Er verscheen een glimlachje om Ross' lippen. 'Dat gesprek moet zo ongeveer het hoogtepunt van Richards dag zijn geweest. Hij is er altijd trots op dat hij iedereen kan krijgen waar hij hem of haar wil hebben.'

Ze had wel verwacht dat hij een reactie zou tonen, maar niet deze. 'Ik geloof niet dat hij er erg gelukkig mee was,' gaf ze met een zeker vertoon van humor toe.

'Ik vind dat je het daarmee wel heel zacht uitdrukt.'

Ze vond de toon van zijn stem prettig, de zware klank, die elegant werd gemaakt door het beschaafde Engelse accent. Hij had tenminste geen dreigementen aan haar adres geuit of geprobeerd haar af te kopen... nog niet.

Ze moest oppassen met Ross McKenna. Hij was de gevaarlijkste tegenstander van de hele groep, want hij kon charmant en volkomen onvoorspelbaar zijn. Ze herinnerde zich wat ze over hem in een artikel in *Forbes* had gelezen. Hij was zevenendertig, in Hongkong geboren en getogen en er was heel weinig over zijn familieachtergrond bekend; het leek of hij uit het niets te voorschijn was gekomen. Met zijn werk voor een investeringsbank in Canada had hij zijn studie aan een kleine universiteit daar bekostigd.

Na het behalen van zijn graad was hij teruggekeerd naar Hongkong, waar hij voor een grote internationale bank was gaan werken. Het bleek dat hij even sluw als zeer ambitieus was en algauw daarna was hij door Katherine Fortune gerekruteerd. In de loop van de jaren had hij een flink financieel belang in de onderneming opgebouwd. Hij had bijna evenveel te verliezen als de leden van de familie Fortune en ze kon zich niet voorstellen dat hij dat alles uit zijn vingers zou laten glippen als resultaat van de machtsstrijd tussen Richard en Katherine Fortune. Hij had relaties op het hoogste niveau van de internationale zakenwereld en het zou niet de eerste keer zijn dat een belangrijke topfiguur van een grote instelling door het aanwenden van zijn invloed met privé-middelen een firma overnam. Ze vroeg zich af of hij ook zoiets had overwogen.

Hij had twee keer geprobeerd haar op een leugen te betrappen, maar beide keren was ze hem te slim af geweest. Ze hield zich voor dat hij even gevaarlijk was als Richard, maar op een veel subtielere wijze.

Met tegenzin moest hij toegeven aan zijn bewondering voor haar. 'Je bent heel goed, weet je! Veel beter dan de anderen.'

Ze was verbaasd over het onverwachte compliment. 'Bedoel je dat ik de test heb doorstaan?'

Hij keek haar strak aan. 'Ik zei: béter dan de anderen, en niet *absoluut overtuigend*. En het gaat hier ook niet om míjn overtuiging. Er is iemand die veel beter in staat is je te beoordelen. Iemand die Christina Fortune haar hele leven heeft gekend, totdat ze is verdwenen. Ik heb voor morgenochtend een ontmoeting geregeld.'

Wie zou dat zijn? vroeg ze zich af. Hij kon het over allerlei mensen hebben, maar zij wist nu niet over wie. Ze wist dat het ook geen zin zou hebben dat te vragen. Het was duidelijk dat hij op het verrassingselement rekende om haar te betrappen als ze niet op haar hoede was.

Hij legde zijn servet op tafel en vroeg om de rekening. Toen die werd gebracht, tekende hij voor het bedrag.

Deze keer was de lift gelukkig leeg en zwijgend gingen ze naar beneden – een zwijgen dat haar bijna te veel werd tegen de tijd dat ze de deur van haar appartement hadden bereikt. Ze had het gevoel dat ze bezig waren een psychologisch schaakspelletje te spelen en te proberen elkaars volgende zet van tevoren te peilen.

Hij nam het kamerpasje van haar over en deed de deur voor haar open. Toen zei hij: 'Morgen zal mijn secretaresse je bellen om je de tijd en de plaats van de ontmoeting te vertellen.'

Zelfs nu, terwijl hij haar pasje teruggaf, was ze zich bewust dat hij met opzet zorgde haar niet Christina te noemen; dat had ze eerder die avond ook al gemerkt. Het deed haar eraan herinneren dat hij, evenals Richard Fortune, haar als een oplichtster beschouwde.

Ze zei: 'Luister eens, als ik níet Christina Fortune ben, hoe komt het dan dat ik zoveel van de familie weet?'

'Dat is gemakkelijk genoeg. Het is een bekende familie, en er zijn veel kranteartikelen over verschenen. Je moet heel wat naslagwerk hebben verricht.'

'Maar ik weet persoonlijke dingen die nooit ergens gepubliceerd zijn,' hield ze aan.

Zijn blauwe ogen namen haar peinzend op. 'Ja, dat is zo. Ik denk dat je een privé-detective in de arm hebt genomen om dat soort dingen te weten te komen.'

Dat had ze inderdaad gedaan, maar ze was niet van plan dat aan Ross te bekennen. 'Zelfs een privé-detective zou nooit de persoonlijke zaken te weten komen die ik ken. Alles wat ik nog weet van dat zeilongeluk met mijn neven in de baai... en al het andere. Alleen Christina Fortune kan dat soort dingen weten.'

Hij sprak haar niet tegen en bleef even zwijgen voordat hij eindelijk met tegenzin opmerkte: 'Ik moet toegeven dat je me voor raadsels plaatst. Als je een oplichtster bent, moet je al die gegevens uit een of andere bron hebben verkregen, maar tot nu toe weet ik nog niet welke. Niemand in de familie zou een reden hebben om je te helpen. Integendeel.'

'Dus moet ik de echte Christina zijn.'

Hij schudde zijn hoofd. 'Nee, dat hoeft niet. Maar we zullen zien wat er morgen bij die ontmoeting gebeurt.' Hij maakte de zin bruusk af. 'Ik verzeker je dat, als je een oplichtster bent, ik precies zal uitvinden hoe je te werk bent gegaan.'

En zonder verder nog een woord te zeggen, draaide hij zich om en liep weg.

Ze ging haar suite in en sloot zorgvuldig de deur achter zich. Eenmaal binnen, bleef ze even staan en dacht diep na; daarna liep ze naar de slaapkamer en pakte haar diplomatenkoffertje uit de kast. Ze maakte het open en nam er een klein, versleten, in leer gebonden boekje uit. Met gouden letters stond op het omslag DAGBOEK. Ze sloeg het zo maar ergens open...

1 september 1968. Vanavond heeft Jason me gekust!!! Het was zo zalig, maar ook zo triest, want morgen moeten we beiden naar verschillende scholen en zullen we elkaar wekenlang niet zien. Onze families zijn zo wreed hierover en rukken ons uit elkaar...

De woorden waren zo bekend. Ze had ze vaak gelezen en herlezen. Ze sloeg het boekje dicht en keek om zich heen om te proberen er een veilige bergplaats voor te vinden. Eindelijk schoof ze het tussen de matras en de springveren van het bed. Ze duwde het heel ver naar achteren, zodat een dienstmeisje dat het bed opmaakte het niet kon vinden.

Hoofdstuk 5

De volgende ochtend stond ze vroeg op en koos met zorg wat ze die dag zou aantrekken – een rechte jurk met een hoge, ronde halslijn. De elegante, zachtblauwe linnen stof deed de eenvoud van de jurk nog eens extra uitkomen. Daaroverheen droeg ze een bijpassende lange, zwarte mantel, waarvan de grote kraag en omgevouwen manchetten een zacht zijden voering in dezelfde kleur blauw onthulden. Die kleur stond haar bijzonder goed, maar ze had beide kledingstukken niet gekozen omdat die haar schoonheid beter deden uitkomen. Ze had het ensemble genomen omdat het in dezelfde kleur blauw was uitgevoerd die het handelsmerk van de scheepvaartmaatschappij Fortune was.

Om halfnegen belde de secretaresse van Ross McKenna om haar te zeggen dat ze om negen uur door een limousine zou worden opgehaald voor een gesprek met de heer Phillip Lo. Christina fronste haar wenkbrauwen toen ze de hoorn neerlegde. Dat was dus de persoon over wie Ross de vorige avond had gesproken – degene die de jeugdige Christina zo goed had gekend. Phillip Lo was al bijna veertig jaar de advocaat van de familie Fortune en de persoonlijke raadsman van Katherine, die ze het meest vertrouwde. En Christina's peetvader. Als iemand haar kon herkennen, dan was hij het wel.

Maar was dat zo? vroeg ze zich af. Tenslotte was dat alles twintig jaar geleden. Lo was al over de zeventig en geestelijk misschien niet meer zo scherp als hij destijds was geweest. Het was een verontrustende gedachte dat haar eis in de handen rustte van een oudere man die misschien wel, maar mogelijk ook niet, in staat zou zijn zich haar duidelijk te herinneren. Christina was bijna even nerveus bij de gedachte straks tegenover Lo te staan als ze de vorige dag was geweest toen ze tijdens de directievergadering naar binnen was gegaan.

Om precies negen uur belde de hotelportier om te zeggen dat de limousine voor de hoofdingang stond te wachten. Toen Christina naar de auto liep, hield een geüniformeerde chauffeur het portier voor haar open. Ze stapte in en zag dat er niemand op de achterbank zat. Ross had blijkbaar verkozen haar niet te vergezellen en was opnieuw met opzet niet bereikbaar.

Tegen de tijd dat ze arriveerde bij Lo's kantoor in een drie etages hoog Victoriaans gebouw dat op een locatie lag waar de financiële wijk aan Chinatown grensde, was ze hypernerveus. Het was een buurt met een vreemde mengeling van oude en nieuwe gebouwen, waar enkele fraaie, oude, Victoriaanse dames uit het negentiende-eeuwse San Francisco de grond deelden met enorm hoge wolken-krabbers en een van de kostbaarste stukken onroerend goed ter wereld vertegenwoordigden.

De receptioniste zei haar dat de heer Lo op de tweede etage op haar wachtte en verwees haar naar de lift. Dat was nog een echte lift uit het Victoriaanse tijdperk, een eenvoudige, koperen kooi, die heel langzaam omhoogging. Toen ze de tweede etage bereikte, duwde Christina het hek open en werd door een jonge Chinese welkom geheten. 'Goedemorgen. Gaat u maar met mij mee, als u wilt.' Ze leidde Christina door een gang met vaste vloerbedekking naar een ouderwetse, mahoniehouten dubbele deur.

Christina bereidde zich geestelijk voor op wat ze achter die deur zou vinden. Alles wat ze de afgelopen twintig jaar had gedaan, elke keus die ze had gemaakt, elk doel dat ze zichzelf had gesteld – het was er allemaal op gericht geweest zich hierop voor te bereiden. De ondervraging van Ross de vorige avond tijdens hun diner was een kleinigheid geweest vergeleken met wat haar nu te wachten stond. Het was een ding zich tegenover een volkomen vreemde te bevinden die heel weinig van Christina Fortune af wist, maar het was iets heel anders zich straks te moeten presenteren bij iemand die haar heel goed had gekend.

De secretaresse klopte zachtjes en deed de deur toen open.

Ze wachtten op haar toen ze naar binnen kwam: Richard, Steven Chandler, Ross en een kleine, oude, Chinese heer – Phillip Lo.

Ze keek naar Ross, die haar blik slechts heel kort beantwoordde. Richard weigerde haar aan te kijken en Steven schonk haar slechts een spottend lachje. Phillip Lo nam haar nauwkeurig op. Op dat moment wist ze precies hoe mensen zich moesten hebben gevoeld die tijdens de Spaanse Inquisitie voor de hoge geloofsrechters moesten verschijnen.

Hij stond op om haar te begroeten en leunde enigszins voorover, waarbij hij met zijn broze gestalte steun zocht door de op zijn bureau uitgespreide vingers. 'Goedemorgen,' zei hij, met een stem die bestudeerd beleefd was zonder enige warmte of een welkomstgroet in te houden.

De uitdrukking in zijn ogen verraadde niets achter de glazen van zijn bril zonder rand. Zijn spaarzame haren waren mooi wit, maar zijn huid was ongerimpeld. Hij stak zijn hand niet naar haar uit toen hij zich aan haar voorstelde. 'Ik ben...'

'Dag, meneer Lo,' zei ze zachtjes. Toen begroette ze hem op de manier waarop Chinezen oude en gerespecteerde vrienden begroeten. 'Ik hoop dat u het goed maakt, dat uw kinderen zich in een goede gezondheid verheugen en het geluk u met uw vereerde naam toelacht.'

'Jezus! Moeten we nog lang met dit spelletje doorgaan?' barstte Steven los, en zijn stem klonk heel ongeduldig. 'Laten we dit nu maar gauw afhandelen.'

Ze zag de uitdrukking op het gezicht van Richard en van Steven. De een hield zich in en kon steunen op de ervaring van talloze lastige confrontaties, maar de ander was opvliegend en onrijp.

'Ja, laten we dit afhandelen. We hebben allemaal wel wat beters te doen,' stemde Richard in.

Lo wendde zich beleefd en onbewogen tot Richard. 'Wil je alsjeblieft míj deze bijeenkomst laten leiden?'

'Doe het dan snel! Ik heb vandaag nog andere besprekingen.' Hij ging ongeduldig op de rand van een stoel zitten en was duidelijk niet van plan het zich gemakkelijk te maken. Hij had niet het voornemen hier lang te blijven.

Steven liep naar het grote raam achter Lo's bureau, leunde tegen de vensterbank en keek naar buiten.

Ross ging op een stoel zitten, zo ver mogelijk van Richard af.

Hij is dus alleen toeschouwer, dacht ze, een die rustig in een hoekje zit en wacht of er geaarzeld wordt en kijkt of er ook maar de kleinste vergissing wordt begaan.

Ze keerde Ross weloverwogen haar rug toe en vestigde al haar aandacht op Lo, terwijl ze probeerde zich alles te herinneren wat ze van hem wist. Zijn grootvader was in China geboren en getogen en naar de Verenigde Staten geëmigreerd. Lo respecteerde de beide culturen die zijn leven hadden gevormd en hield zich aan alle twee. China met zijn tienduizend jaar geschiedenis en tradities had hem een sterk ontwikkelde familiezin verschaft en Amerika bood hem mogelijkheden.

De tweeledigheid van zijn leven kwam tot uiting in de plaats die hij voor zijn kantoor had uitgekozen en waar hij nu al meer dan vijftig jaar zijn rechtspraktijk uitoefende. Het Victoriaanse gebouw weerspiegelde zijn sterke banden met de door hem overgenomen Amerikaanse tradities, terwijl de locatie – vlak bij Chinatown – op de onverbrekelijke banden des bloeds met China wees.

Hij en Christina's grootvader hadden hun leven opgebouwd in de verschillende culturen van Hongkong, Hawaii en San Francisco. Toen de vriend stierf met wie hij zijn leven had gedeeld, had Lo de plichten van een onofficiële oom op zich genomen en Alexanders oudste zoon Michael geleid toen hij zijn plaats innam als hoofd van Fortune International. Toen Michael stierf, had hij Katherine als raadgever gediend omdat zij de ontzagwekkende taak had verworven de onderneming nu te leiden. Hij had Christina vanaf haar geboorte tot haar vijftiende jaar gekend, had Michaels testament opgesteld en alle regelingen getroffen voor de trust met Christina's erfenis.

Hij reageerde op Christina's begroeting met de woorden: 'U hebt enige kennis van de ouderwetse manieren.'

'Ja. Dat is iets dat ik niet gauw zal vergeten.'

Even bleef hij haar zwijgend bestuderen. Toen wees hij op een stoel die voor zijn bureau stond en zei: 'Neemt u alstublieft plaats.'

Hij wachtte tot ze zat voor hij weer op de grote leren stoel achter het bureau ging zitten. 'Ik heb gehoord dat u gisteren op hoogst dramatische wijze de vergadering binnen bent komen lopen.'

'Ik was er niet van overtuigd of de raad van beheer me zou toelaten als ik een formeel verzoek indiende. Dus gaf ik er de voorkeur aan gewoon te verschijnen.'

Hij knikte. 'U hebt vermoedelijk gelijk als u denkt dat men niet bereid zou zijn geweest u te ontvangen.' Hij ging verzitten. 'U weet dat er in het verleden al meer pretendenten zijn geweest?'

'Ja. Dat heb ik van tijd tot tijd gelezen.'

'En u hebt heel veel gelezen over de onderneming en over de familie Fortune.' Het was de vermelding van een feit, geen vraag.

'Ik heb er heel weinig over gelezen. De laatste paar jaren verbleef ik in Boston. De kranten daar vermelden slechts zelden iets over de familie.'

'Maar abonnementen op plaatselijke bladen waarin de familie Fortune en de onderneming vaak worden vermeld, zijn overal in de wereld te verkrijgen.'

'Ik heb geen abonnementen genomen. Dat kunt u controleren.'

'Dat hebben we al gedaan.' Hij drukte op de knop van zijn intercom om zijn secretaresse te roepen, die in een stoel achter Christina plaatsnam. 'Ik zou u graag enkele vragen willen stellen die ons in deze zaak misschien kunnen helpen. En als u er geen bezwaren tegen hebt, zou ik uw antwoorden willen laten vastleggen.'

Ze klemde haar handen stevig in elkaar op haar schoot en was vastbesloten niet te tonen hoe gespannen ze was. 'Vraagt u me maar wat u wilt.'

Hij begon. 'Herinnert u zich wanneer u voor het eerst Hongkong hebt bezocht?'

Ze glimlachte tegen hem. 'U weet heel goed dat ik in Hongkong ben geboren en daar bijna twee jaar heb gewoond. Toen keerden mijn ouders terug naar San Francisco.' Haar gezicht kreeg een peinzende uitdrukking. 'Laat eens zien, de volgende keer dat ik naar Hongkong ging, was ik zes. Dat jaar stond mijn vader me toe de Queen's Cup-races in de Jockey Club bij te wonen.'

Lo knikte. 'Dat weet ik.' Toen voegde hij eraan toe: 'Ik was ook bij die races.'

'Ja, dat is zo. Dat herinner ik me nu. U was daar met ons.' Lo's onbewogen gelaatsuitdrukking verhardde zich plotseling. 'Dat is wel genoeg. U kunt gaan.'

'Was dat alles wat u me wilde vragen?'

'Het is voldoende.'

'Maar...' Ze aarzelde, omdat ze niet zeker wist wat ze moest zeggen of doen. Had hij haar geaccepteerd of niet? Op dezelfde volkomen effen toon die hij vast tegenover al zijn cliënten gebruikte, zei hij: 'Ik moet u prijzen. De gelijkenis is opmerkelijk. Als we elkaar op straat zouden ontmoeten, zou de gelijkenis me onmiddellijk zijn opgevallen.'

Ze keek hem ontsteld aan. 'U gelooft me niet?'

'U hebt uitstekende voorlichting gehad. Maar uw antwoord op mijn laatste vraag was onjuist. Het was natuurlijk maar een kleinigheid, maar alleen de naaste familie kon het weten. Ik was die dag níet op de Jockey Club.'

Ze fronste haar wenkbrauwen. 'U was er wèl, meneer Lo. U kwam heel laat, net op tijd voor de laatste race. De zoon van een neef van u was ernstig ziek en u was met uw familie in het ziekenhuis tot het gevaar was geweken. Ik herinner het me omdat hij maar een jaar ouder was dan ik en we samen hadden gespeeld. Ik maakte me bezorgd om hem.'

Ze keek hem strak aan. 'U nam nog een foto toen de jockey me schrijlings op het winnende paard zette.'

Lo kneep zijn sluwe ogen een beetje dicht. 'Het was een roodbruine jonge hengst met vier witte sokken.'

'Nee, het was een zwarte, jonge merrie. Ze veroorzaakte nogal wat opschudding. Iedereen had ertegen gewed omdat ze een merrie was. Maar mijn vader had erop gewed en zei tegen me dat vrouwen nooit onderschat moesten worden.'

Lo was duidelijk onder de indruk. 'Is het dan toch zo?' fluisterde hij.

Christina boog zich voorover. 'Ik bèn Christina, meneer Lo.'

Het bleef een tijdje stil en de sfeer was gespannen, maar hij zei niets. Toen ging hij langzaam verder: 'Als u werkelijk Christina Fortune bent, dan is er één vraag die belangrijker is dan al het andere. Waarom bent u weggegaan?'

Het leek of haar keel werd dichtgeknepen. 'Het is al zo lang geleden. De reden waarom ik ging, was alleen voor mij belangrijk.'

Stevens gezicht was verwrongen van woede toen hij door het kantoor heen op haar toe kwam. 'En nu, na twintig jaar, kom je hierheen en verwacht van ons gewoonweg te aanvaarden dat je Christina bent en maar even de onderneming aan jou over te dragen? Vergeet het maar! Je bent een oplichtster!'

Lo zei met beleefde maar flinke stem: 'Misschien is het beter als je buiten wacht, Steven.'

Voor Steven kon tegenspreken, zei Richard: 'Ga maar terug naar kantoor. Ik heb je hulp nodig om onze vergadering van vanmiddag voor te bereiden.' Toen Steven opstandig keek, voegde hij eraan toe: 'Ik regel dit wel. We bespreken het verder als ik terugkom.'

Zonder nog een woord te zeggen, stevende Steven het kantoor uit en smeet de deur achter zich dicht.

Lo wendde zich weer tot Christina. 'Ik vrees dat, ondanks uw uitgebreide kennis van de familiezaken, er nog steeds geen onweerlegbaar bewijs bestaat dat u Christina Fortune bent. En zonder een dergelijk bewijs...'

Zijn stem stierf weg. Ze besefte dat, wat hem betrof, de bijeenkomst beëindigd was. Ze had zijn vragen beantwoord en zelfs gegevens verstrekt die niemand behalve de echte Christina kon weten. Maar het was niet voldoende.

Het was tijd om haar laatste troef uit te spelen.

Ze stond op, maar in plaats van te vertrekken, maakte ze haar tas open. Voorzichtig nam ze er een antieke gouden ketting uit met een jade hanger van een met de hand gesneden draak, op zijn achterpoten, fel en in aanvalshouding. Ze legde het sieraad voor Lo op het bureau neer.

'Dit wordt Tai-sing genoemd. Het is een van de negen draken die volgens de overlevering de aloude bewakers zijn van de haven van Hongkong. Ik ben ervan overtuigd dat u dit herkent.' Haar heldere blik ontmoette de zijne. 'Mijn vader heeft me deze ketting op mijn veertiende gegeven.'

Voor de eerste keer verscheen er een emotionele blik in Lo's ogen. 'Als dit echt is, dan is het vrijwel van onschatbare waarde,' fluisterde hij.

'Mijn grootvader heeft deze ketting aan mijn grootmoeder geschonken en op verzoek van mijn vader gaf zij het sieraad tegen haar zin aan mijn moeder, op haar trouwdag. De ketting is al zes generaties lang doorgegeven aan de vrouwen in de familie Fortune, al sinds Hamish Fortune de eerste keer de Chinese Zee bevoer.'

Richard stond op uit zijn stoel. 'Dat kan nooit echt zijn!'

Lo gebaarde dat hij weer moest gaan zitten. Hij deed blijkbaar zijn uiterste best zich te beheersen, maar zijn vingers trilden toen hij ze teder over de jade hanger liet glijden en voorzichtig de omtrek van de draak betastte.

'Er zijn reprodukties geweest,' zei hij zacht. 'Imitaties.'

Zijn bedoeling was haar duidelijk. Imitatie – zoals alle jonge vrouwen die hadden beweerd Christina Fortune te zijn.

'U kent de geschiedenis van de Tai-sing in mijn familie,' hielp ze hem herinneren. 'Hij werd aan Hamish Fortune gegeven als symbool van de bloedband met de familie van Wang Tsi, een koopman, nu honderdveertig jaar geleden, toen mijn betovergrootvader voor het eerst met een lading van China naar Hawaii voer. Hamish Fortune redde de eerstgeboren zoon van Wang Tsi het leven.'

'U hebt de geschiedenis goed bestudeerd,' was het commentaar van Lo. Maar zijn ogen glinsterden van opwinding terwijl hij de hanger met zijn vingers om en om draaide.

'Het is mijn familiegeschiedenis,' zei ze zachtjes.

Hij legde het medaillon voorzichtig neer op zijn bureau. De gelijkenis met de oude Chinese heerser was een griezelige afspiegeling van zijn raadselachtige uitdrukking. 'Er zijn mensen die me kunnen zeggen of dit medaillon authentiek is,' zei hij. 'Ik denk nu aan zo iemand en zou u willen verzoeken het medaillon een paar uur bij me te laten, als u het me wilt toevertrouwen.'

Ze keek naar de hanger. Er hing voor haar zoveel van af, haar verleden en haar toekomst. Ze keek Lo weer aan en knikte toen met tegenzin.

Hij verzekerde haar: 'Ik zal het vanmiddag voor vijf uur bij u in uw hotel laten terugbezorgen.'

Het was duidelijk dat de bijeenkomst ten einde was. Ze zei: 'Goed dan. Dank u dat u met me hebt willen spreken.' Terwijl ze opstond, kruisten haar blikken heel even die van Ross McKenna, maar zijn gelaatsuitdrukking was even onbewogen als die van Richard Fortune. Ze werd eraan herinnerd dat – hoe anders hij de vorige avond had geleken dan Richard – hij toch ook veel te verliezen had.

'Is het echt?' vroeg Ross, nadat ze het kantoor had verlaten.

Lo schudde langzaam zijn hoofd. 'Ik heb niet de nodige kennis en gezag om dat te kunnen beslissen en zal een vriend van me, de curator van de Chinese culturele tentoonstelling in het museum, ernaar laten kijken.'

'Natuurlijk is het niet echt!' Richard stond op. 'De echte ketting was een kostbaar kunstvoorwerp. Daar zou Christina nooit zomaar mee rondlopen.'

Lo keek hem aan met een raadselachtige blik. 'Je moeder liet Christina deze ketting in de safe van Fortune Hill bewaren in plaats van in een bankkluis.'

'Wat? Dat heeft ze me nooit verteld!'

'Ze wist dat je het niet goed zou vinden. Ze besefte heel goed dat het gevaarlijk was zo'n kostbaar stuk thuis te bewaren, maar Christina smeekte haar erom. Het was het laatste dat Michael Christina gaf voor hij en Laura de dood vonden. Het betekende zo veel voor het meisje.'

Veelbetekenend voegde hij eraan toe: 'Het halssnoer verdween op dezelfde avond dat Christina werd vermist en het is logisch om aan te nemen dat zij het heeft meegenomen.'

Richard zweeg heel lang. Toen zei hij woedend: 'En toch geloof ik niet dat het echt is.' Hij stond weer op. 'Informeer me zodra die expert het heeft bekeken.'

Hij liep de kamer door, maar toen hij bij de deur aankwam, hield Ross hem tegen. 'Ik heb niets gehoord over een vergadering vanmiddag. Waarover gaat die?'

Richard zei afwijzend: 'Niets belangrijks; voor jou de moeite niet waard. Ik loop met het "Pacific Rim Cartel" de scheepvaartverdragen even door.'

Ross was onmiddellijk achterdochtig. Als Richard zijn aanwezigheid op een bijeenkomst niet wenste, dan moest hij zorgen er juist wel bij te zijn. 'Dan zul je het niet erg vinden als ik ook kom,' zei hij gladjes. 'We moeten alle details met Steven behandelen voor hij naar Hongkong terugkeert, want die overeenkomst heeft direct betrekking op onze zaken in het Verre Oosten. We kunnen ons ditmaal niet veroorloven dat er iets misgaat.'

Richard kon nauwelijks zijn woede achter een beleefd antwoord verbergen. 'De vergadering is in mijn kantoor; om vier uur vanmiddag.'

'Ik zal zorgen aanwezig te zijn.'

Richard draaide zich om, verliet het kantoor en de zware mahoniehouten deur viel met een klap achter hem dicht.

'Je lijkt wel een kat die over grond loopt die zich onder zijn poten beweegt,' merkte Lo op, terwijl hij dat oude Chinese gezegde aanhaalde.

'Daar betaalt Katherine me voor,' antwoordde Ross met een droog glimlachje. 'Ik ben eraan gewend geraakt.' Toen keek hij wat somberder. 'Denk je dat het medaillon echt is?'

Lo pakte de hanger weer op en inspecteerde hem zorgvuldig. 'Het is zeer vakkundig bewerkt. Het goud is heel oud, maar ik kan niet zeggen of het medaillon echt is of niet. De Tai-sing is voor mijn vriend van het museum iets waarvoor hij bijzondere belangstelling heeft. Toen Michael het aan Christina gaf, heeft hij het voor de verzekering van een verklaring van echtheid voorzien. Mijn vriend was er kapot van toen het twintig jaar geleden verdween. Hij heeft foto's en heel gedetailleerde beschrijvingen van het medaillon, maar wat belangrijker is: hij is een Chinees en expert op het gebied van oude kunstvoorwerpen. Hij weet wel of het echt is of niet.'

Ross zei: 'Ik moet naar de havenautoriteiten en de ingenieurs voor de laatste inspecties van de nieuwe tanker voordat we lading innemen. Bel me zodra je iets weet.'

Lo boog even zijn hoofd. 'Je zult de eerste zijn die ik zal bellen.'

Het gesprek kwam door toen Ross in de machinekamer met de ingenieurs de laatste veiligheidsvoorzorgen inspecteerde van de *Fortune Star*, het nieuwste schip van de onderneming. Toen hij de hoorn aannam van de hoofdmachinist, fronste hij zijn wenkbrauwen, want Lo moest schreeuwen om zich boven het geluid van de stemmen tussen de stalen wanden van de machinekamer hoorbaar te maken.

Ross was verbijsterd. 'Weet je het absolsuut zeker? Er bestaat geen enkele twijfel?'

'Absoluut niet,' antwoordde Lo. 'Het medaillon is authentiek. Wil je dat ik Richard bel?'

'Nee, ik zie hem zo dadelijk en dan vertel ik het hem wel.' Hij zweeg even en voegde eraan toe: 'Katherine zal het nu moeten weten.'

'Ik heb al een gesprek met haar aangevraagd.'

Langzaam zei Ross: 'Dit verandert alles.'

Lo was dat met hem eens. 'We moeten heel voorzichtig zijn, want er staat veel op het spel. Niet alleen de onderneming, maar ook de emotionele toestand van een oude en kwetsbare vrouw die al meer dan haar deel aan tragedies heeft moeten dragen.'

Twee uur later, na een korte vergadering, verlieten de vier mannen die een consortium vertegenwoordigden waarin de financiën van de 'Pacific Rim' waren belegd de vergaderkamer. De mannen, drie Aziaten en een Australiër, verwonderden zich erover dat de raad van beheer de vorige dag de vergadering had uitgesteld zonder tot zaken te zijn gekomen. Voordat ze op verdere uitleg hadden kunnen aandringen, had Ross hun verzekerd dat alles in orde was. Richard had geen keus en moest zeggen het met Ross eens te zijn. Ze wensten geen van beiden dat deze mannen zouden weten dat er de vorige dag een jonge vrouw in de vergaderzaal was geweest die beweerde Christina Fortune te zijn. Het laatste wat zij nodig hadden, waren nieuwe speculaties over de financiële betrouwbaarheid van de firma.

Richard verklaarde dat de verdeling van de trust was uitgesteld omdat er nog enkele bescheiden nodig waren die binnenkort beschikbaar zouden zijn.

Zodra de deur achter de mannen gesloten was, zei Ross: 'Ik heb zojuist met Phillip Lo gesproken. Het medaillon is echt!'

'Geen enkele twijfel?'

'We zullen nog een deskundige raadplegen.'

'Er bestaat aan deze kant van de Stille Oceaan niemand die veel van de Tai-sing af weet. En ik ben ervan overtuigd dat de regering van China absoluut niet zal meewerken om de echtheid van een medaillon vast te stellen dat eigenlijk een van haar oude kunstvoorwerpen is. Dat beschouwt men als gestolen waar.'

'Het betekent evenwel nog niet dat die jonge vrouw Christina is,' hield Richard vol. 'Als het echt is, dan heeft ze het vermoedelijk gestolen.'

'Misschien. Misschien ook niet. Maar één ding is duidelijk – we zullen met haar moeten onderhandelen, of je het leuk vindt of niet.'

Na die woorden verliet Ross het vertrek en terwijl hij naar zijn kantoor liep, draaiden de gedachten rond in zijn hoofd. De mogelijkheid dat deze vrouw werkelijk Christina zou zijn, maakte alles gecompliceerder. Tot de vorige dag had hij zich alleen om Richard bezorgd hoeven te maken. En ondanks het feit dat hij wist dat Richard hem kwijt wilde, vertrouwde hij erop uiteindelijk te zullen winnen. Nu moest hij zich opwinden over een mysterieuze vrouw die binnenkort het beheer over de onderneming zou kunnen voeren terwijl Ross vastbesloten was dat híj dat zou gaan doen.

Zodra hij alleen was, maakte Richard met een sleutel de la van zijn bureau open en nam er een boekje uit dat privé-telefoonnummers bevatte die zijn secretaresse niet had. Hij vond het nummer dat hij wilde hebben en nam de hoorn op. Bij de tweede keer dat de bel overging, werd er opgenomen.

'Ja?'

'Ik heb een opdracht voor je.'

'Waar gaat het om?'

'Ik wil dat je wat gegevens voor me verzamelt.'

'Wat voor gegevens?'

'Niet de gewone die iedereen ergens kan krijgen. Dit is een andere zaak. Ik wil een volledig onderzoek,' zei Richard nadrukkelijk.

'Dat zal u geld kosten.'

Richard fronste zijn wenkbrauwen. 'Dat kost het altijd.'

'Wie wilt u laten nagaan?'

'Ik heb een map. De gegevens daarin brengen je wel op weg.'

'Hebt u een naam voor me?'

'Ja,' antwoorde Richard. 'Christina Grant Fortune.'

Aan de andere kant van de lijn was het even stil en toen zei de stem: 'U hebt me twintig jaar geleden haar verdwijning laten nagaan. Voorzover ik kon vaststellen, wezen alle bewijzen erop dat ze vermoedelijk dood was.'

'Er is nu een vrouw opgedoken die beweert Christina te zijn. Ik wil dat je haar achtergrond controleert, alles nagaat wat er over haar te vinden is, vooral dingen waarvan ze liever niet heeft dat anderen er iets van af weten.'

De man aan de andere kant van de lijn grinnikte. 'Ik begrijp het. U wilt dat ik zo diep spit dat u haar kunt begraven.'

'Precies,' antwoordde Richard en hing op.

Hij streek de haren van zijn slapen weg en trok de boord van zijn zijden overhemd glad. Hij was niet van plan toe te staan dat deze vrouw, wie ze ook was, zijn zorgvuldig voorbereide plannen zou doen mislopen. Zelfs als zou blijken dat ze de echte Christina was.

Ross liep de foyer in die vlak bij de grote lobby van het Hyatt Regency lag. Na een langdurig gesprek met Katherine had Ross om vijf uur Christina gebeld en haar uitgenodigd samen iets te gaan drinken. Ze was begonnen met te weigeren en stemde pas toe toen Ross verklaarde dat dit hem de kans zou geven haar de hanger terug te geven. Ze had echter niet naar de resultaten van het onderzoek geïnformeerd. Aanvankelijk verbaasde hem dat, maar toen besefte hij dat zij – als ze werkelijk Christina Fortune was – ervan overtuigd zou zijn dat het medaillon tegen elk onderzoek was opgewassen. Als ze een oplichtster was, dan spreidde ze een ongelooflijke koelbloedigheid tentoon.

Ze zou hem in de lobby ontmoeten en hij wachtte daar op haar. Even later zag hij haar uit de lift komen en op hem toe lopen. Er kwamen slechts twee mensen na haar uit de lift. Haar gezicht was nu helemaal niet bleek of van streek, niet zoals hij die eerste avond in de overvolle lift had gezien.

Ze zag er koel en elegant uit in een zwarte, zijden japon met lange mouwen, die hoog aan de hals aansloot en een terughoudende indruk zou hebben gemaakt als hij niet al haar rondingen had getoond. Ross merkte dat een paar mannen waarderend naar haar keken en besefte dat hij dat zelf ook deed.

Ze kon nog zo haar best doen een koele en beheerste indruk te maken, maar hij voelde dat het allemaal een zorgvuldig opgebouwd schild was om een kwetsbare, vurige aard te beschermen. Wat zou ervoor nodig zijn om door dat schild heen te komen? vroeg hij zich af. Om het vuur onder al dat ijs te vinden?

Beleefd zei ze: 'Goedenavond.'

'Dank je dat je met me wilt praten.'

'Ik had weinig keus, hè? Tenslotte heb je mijn medaillon.'

Hij glimlachte. 'Beticht je me van afpersing?'

Ze hield haar hoofd schuin terwijl ze hem aankeek en haar donkere haren vielen een eind over haar schouders. Ross vroeg zich af hoe het zou aanvoelen met zijn handen in dat haar te woelen.

'Weet je dat je me vrijwel nooit een regelrecht antwoord geeft? Meestal antwoord je met een andere vraag.'

Hij pakte haar zachtjes bij de elleboog terwijl ze de lobby verlieten en wachtten tot de chauffeur de limousine had voorgereden. 'Dat is toch de beste methode om iemand geïnteresseerd te houden?' vroeg hij lachend.

'Zie je wel? Nu doe je het weer!' wees ze hem terecht.
'Neem me niet kwalijk. Macht der gewoonte.'
'Het komt zeker doordat je met mijn oom moet werken.'
Het was de eerste keer dat ze Richard haar oom noemde.
Het wees er ook op dat ze heel goed wist dat er tussen Richard en Ross een conflictsituatie bestond betreffende de leiding van de onderneming. Terwijl de limousine wegreed, overhandigde Ross haar een klein, gebeeldhouwd kistje van kersehout. 'Je hanger. Veilig en wel.'
'Dank je,' mompelde ze, en maakte het kistje open.
Ze deed wat onhandig terwijl ze probeerde het slotje om haar hals dicht te maken.
'Laat me je even helpen,' bood Ross aan.
Ze trok haar haren weg en boog zich voorover terwijl hij de sluiting dichtmaakte. Zijn vingers raakten luchtig de zachte huid van haar nek aan en hij voelde iets wat hij niet wilde voelen – de hitte van een plotselinge seksuele aantrekkingskracht.
Gezien het feit dat ze opeens haar adem inhield en zich bruusk van hem terugtrok, merkte hij dat zij ook iets dergelijks had gevoeld.
Onmiddellijk probeerde ze de stemming weer op een onpersoonlijk vlak te krijgen door hem te vragen: 'Waar gaan we heen?'
Hun chauffeur reed voorzichtig door het drukke avondverkeer door de Embarcadero-wijk naar Market Street en reed toen de grote weg op, Highway 101, in zuidelijke richting, waardoor ze de stad achter zich lieten.
'Ben je bang dat ik je wil ontvoeren?'
'Is dat je plan?' vroeg ze met een glimlach.
'Het restaurant waar ik heen wil, is nooit vol en het uitzicht daar is ongelooflijk.'
Bijna een half uur lang reden ze zwijgend verder. De luxe van de limousine zonderde hen af van het drukke verkeer om hen heen en van de felle lichten, die oplichtten nu het donkerder werd. Toen ze de snelweg hadden verlaten, reden ze in de richting van de luchthaven en ze keek hem verbaasd aan, maar zei niets.
Ze reden om het hoofdgebouw heen en toen door een afgesloten weg tussen de hangars van de luchtvaartmaatschappijen door. De limousine begon langzamer te rijden toen ze een rij kleine hangars bereikten die bijna vlak aan het water stonden, langs de startbanen die zich als een reusachtige arm in de Baai van San Francisco uitstrekten. Net drie dagen geleden was ze over die baai komen binnenvliegen.
De chauffeur reed nu over een eenbaansdienstweg tussen twee hangars zonder namen door en vervolgens op het korte stuk asfalt dat toegang gaf tot de startbanen, stopte, stapte uit en kwam het portier voor hen openen. Ross stak haar zijn hand toe.

Toen ze uitstapte, keek ze eerst naar Ross en toen naar het glanzende blauw en witte straalvliegtuig met het logo van Fortune op de staart. Een jeugdige steward kwam het trapje af om hen te begroeten. 'Goedenavond, meneer McKenna. We hebben toestemming om te vertrekken en zijn klaar voor de start.'

'Goed. Laten we dan maar onmiddellijk gaan.'

Christina wendde zich tot Ross. 'Waar breng je me heen?' vroeg ze.

Zijn hand sloot zich stevig om haar arm toen hij haar het trapje opleidde. 'We vliegen naar Hawaii. Katherine wil je spreken.'

Hoofdstuk 6

Het was bijna middernacht toen het vliegtuig op Keahole Airport landde. De kleine luchthaven, slechts een groepje open gebouwtjes met een strodak, was op dat uur bijna verlaten.

Tijdens de vlucht van vijf uur hadden ze vrijwel geen woord gewisseld, afgezien van een paar beleefde zinnetjes toen de steward het diner serveerde. Ross had verwacht dat Christina boos zou zijn omdat ze werd meegenomen zonder dat het haar eerst was gevraagd. Een woedende uitval had hij wel aangekund. Hij hield zich voor geen keus te hebben, want deze tocht moest worden gemaakt, of ze nu de echte Christina was of een oplichtster. Maar er klonk een stemmetje ergens in hem dat zei dat hij toch iets meer consideratie had kunnen tonen en wat minder *droit du seigneur*-achtige arrogantie.

Hij voelde zich enorm opgelucht toen ze eindelijk geland waren. Terwijl ze naar de limousine liepen die aan de rand van het vliegveld stond te wachten, nam Ross Christina op en probeerde haar reactie te doorgronden. Maar ze bleef even gesloten als ze aan boord van het vliegtuig was geweest en hij had er geen idee van hoe ze het vond daar te zijn, op de plek waar de echte Christina zo'n groot deel van haar jeugd had doorgebracht.

Hij voelde dat een briesje als een zachte liefkozing uit de oceaan kwam en proefde zout in de lucht. De sfeer was daar toch anders dan in San Francisco of Hongkong, hoewel die steden beide eveneens aan de oceaan grensden. Hier was de lucht zwaar van de geur van exotische bloemen. Palmen zwaaiden zachtjes heen en weer en alleen hun silhouet was te zien tegen de nachtelijke hemel. Hij wist dat zich in de verte de ruwe, zwarte oppervlakte bevond van oude lavastromen, die tot aan de zee doorliepen.

Dit deel van Hawaii was heel anders dan de rest van de eilanden, waar de exotische, weelderige, tropische pracht had plaatsgemaakt voor rijen hotels en overbevolkte stranden. Elk jaar weer stroomden de mensen Honoloeloe binnen en dachten dat het een paradijs was, met zijn hoge hotels die elkaar verdrongen terwijl het op het kleine stukje strand met wat branding wemelde van de toeristen.

Diezelfde toeristen overspoelden eveneens de openluchtmarkten en gaven geld uit voor 'authentieke' souvenirs van het eiland die de week daarvoor uit Taiwan of van de Filippijnen waren ingevoerd. Ze mengden zich tussen de zeelieden in 'Shit Street', die vol was met twijfelachtige bars en gretige jonge vrouwen gehuld in sarongs, en waren ervan overtuigd het paradijs te hebben gevonden.

Maar die plek hier was het ware paradijs. Toen het geluid van de straalmotoren wegstierf, klonk er alleen nog het zachte geluid van de bries die door de palmbladeren ruiste en wat gemompel van de stemmen van de onderhoudsmonteurs die op hun aankomst hadden gewacht. Elke keer dat Ross daar Katherine kwam bezoeken, voelde hij hoe indringend en hypnotisch de verleidelijke aantrekkingskracht van die plek was.

Een paradijs.

Er zat ook seksuele energie in, subtiel en zwoel, die hem diep trof en waardoor zijn gedachten werden overgeschakeld op dingen die niets met de hersenen te maken hadden.

Deze keer reageerde hij niet als anders; hij ontspande zich niet en verheugde zich evenmin op een korte onderbreking van de druk van zijn belangrijke baan. Deze keer bevond zich een vreemde in het paradijs. Een vreemde die misschien alles zou veranderen.

De chauffeur, een man van middelbare leeftijd die in Hawaii geboren en getogen was, hield het portier voor hen open. Ross knikte tegen hem. 'Hoe is het met je, Kane?'

'Heel goed, dank u, meneer McKenna.'

Kane glimlachte beleefd tegen Christina, maar zei niets. Hij was na Christina's verdwijning voor Katherine gaan werken en had haar dus nooit gekend. Hij bezat de rustige gereserveerdheid van een goed getrainde bediende, maar toch zag Ross een intense nieuwsgierigheid in Kanes donkerbruine ogen.

Hij weet dus ook waarom ze hier is, dacht Ross, en verwonderde zich weer eens over de wonderbaarlijke snelheid waarmee geruchten zich onder het personeel verbreidden. Helaas had niemand van de kleine staf bedienden op de Fortune Ranch Christina gekend. Niemand zou haar kunnen herkennen – of niet herkennen – de mysterieuze vrouw die naast hem in de comfortabele luxueuze limousine zat.

Niemand... behalve Katherine.

Terwijl de limo vaart zette op de snelweg die de bochten langs de Kohala-kust volgde, moest Ross aan zijn telefoongesprek met Katherine denken. Phillip Lo had haar eerder in de middag al gebeld en haar het nieuws verteld dat er weer iemand was opgedoken die de erfenis van haar kleindochter opeiste. Toen Ross later met haar sprak, was ze niet van streek of boos, maar even beheerst als altijd.

'Weer iemand die een stuk van de taart wil hebben,' zei ze streng.

'Deze vrouw schijnt beter voorbereid te zijn dan de anderen,' vertelde Ross haar.

'Dat is me verteld. Phillip schijnt te denken dat het beter is dat ik persoonlijk kennis met haar maak. Hij maakt zich te veel zorgen.' 'We hebben wel met de kwestie van die hanger te maken,' bracht Ross haar in herinnering. Aan de andere kant van de lijn bleef het even stil. Toen ze weer sprak, klonk haar stem onnatuurlijk, het enige uiterlijke teken van emotie. 'Ik neem aan dat Phillip gelijk heeft.' Ze zweeg even en nam toen snel een besluit. 'Goed dan. Breng haar vanavond maar hierheen. Maar geef haar niet de kans erover na te denken of zich beter voor te bereiden dan ze al is. Het zal laat zijn als je aankomt. Ik zie haar de volgende ochtend wel. Het zal niet zo veel tijd in beslag nemen.' Haar stem werd krachtiger. 'Ik weet zeker dat ik haar na vijf minuten het bos instuur.' En toen had ze opgehangen.

Ross verwonderde zich vaak over Katherines stalen zenuwen en zelfbeheersing. Ze vertoonde nooit enige emotie, verraadde geen enkele zwakheid. Die wonderbaarlijke wilskracht had haar in staat gesteld de dood van haar man en oudste zoon te verwerken, beiden in hetzelfde jaar. En de verdwijning – en vermoedelijke dood – van haar kleindochter het jaar daarop.

Sindsdien had ze Fortune International geleid met dezelfde autocratische heerszucht die Katharina de Grote bezat. Pas toen ze een eind in de zeventig was en een slechte gezondheid haar dwong zich terug te trekken op de ranch waar de grondslag voor het Fortune-rijk was gelegd, had ze zichzelf toegestaan meer en meer op Ross te vertrouwen.

Hij had de energie en beweeglijkheid die zij nu miste en voerde haar ambitieuze plannen voor de onderneming uit, maar was daarom niet zonder meer haar slaaf. Hij was bot wanneer hij het niet met haar eens was en stond erop de dingen op zijn manier te doen wanneer hij voelde dat die beter was dan haar ideeën. Ze kon die houding niet helemaal waarderen, maar tolereerde die omdat hij haar duidelijk had gemaakt liever te vertrekken dan bevelen uit te voeren waarmee hij het niet eens was.

In de loop der jaren, sinds ze hem in de onderneming had gehaald, hadden ze toch een zeker respect voor elkaar ontwikkeld. Hij wist niet zeker of hij haar mocht, maar bewonderde haar karaktersterkte.

Nu keek hij naar de vrouw die naast hem zat. Verontrust besefte hij dat zij dezelfde karaktersterkte leek te hebben. Had ze die van Katherine? Of was het gewoon iets dat bij een slimme oplichtster hoorde?

Ze had haar gezicht van hem afgewend en staarde in het donker naar de heuvels rechts. Voor het eerst sinds ze die vergadering van de raad van beheer was komen binnenvallen, had hij de kans haar goed op te nemen.

Hij dacht aan de foto's die hij van Christina Fortune had gezien – een knappe, donkerharige tiener met een ontroerende uitdrukking in haar amandelvormige bruine ogen. Ze had eruitgezien als een meisje dat tot een echte schoonheid zou opgroeien. Zou ze er hebben uitgezien als de vrouw naast hem? vroeg hij zich af terwijl hij haar gezicht in het vage licht in de auto scherp opnam. Het was mogelijk. De gelijkenis was niet exact, maar in twintig jaar kon er veel veranderen.

Deze vrouw had dezelfde klassieke gelaatstrekken als het meisje op de foto's, al was haar gezicht nu voller dan dat van Christina destijds was geweest. Christina had haar haren lang en recht gedragen, op de manier zoals eind van de jaren zestig mode was. Deze vrouw had haar met een zachte golf erin en het was zo geknipt dat het tot bijna op haar schouders viel.

Het maanlicht dat door de raampjes naar binnen viel, vormde zachte licht- en schaduwplekken op haar gezicht. Zelfs in de comfortabele auto zat ze kaarsrecht en was blijkbaar niet bereid zich te ontspannen. Ze had een zekere uitstraling, dat moest hij bijna met tegenzin toegeven.

Opnieuw rook hij haar subtiele parfum en merkte tevreden op dat het noch te zoet noch te indringend was, het was precies zoals parfum moest zijn. De vrouw die zijn eerste minnares was geweest, had datzelfde exotische parfum gebruikt.

Hij was toen negentien. Hij had er toen nog geen idee van wat hij met zijn leven wilde beginnen en was meteen na school aan het werk gegaan als chauffeur op een bestelwagen. Anna Chin was van Europees-Aziatische afkomst, de mengeling van Europeanen en Chinezen die je in Hongkong veel aantrof.

Het waren mensen die in het verborgene leefden, vaak voortgekomen uit een onwettige verhouding, onderdeel van beide culturen en toch door geen van beide erkend, vooral in die klassensamenleving waar de beperkingen bijzonder strikt waren. Ze werden door iedereen gemeden en kregen alleen ondergeschikt werk.

De jonge mannen werkten in de havens of verborgen zich aan boord van een vertrekkend schip – ze deden alles om uit Hongkong te ontkomen. Als het mogelijk was, emigreerden ze naar de Verenigde Staten of Canada, waar de klassenverschillen niet zo sterk waren. De vrouwen hadden echter minder keus. Onontwikkeld en verarmd, werden ze vaak door hun moeders in de steek gelaten en velen van hen werden door familieleden verkocht of werden prostituée. Slechts enkelen hadden geluk als ze de kans kregen om de maîtresse te worden van een buitenlandse diplomaat of zakenman.

Anna was de maîtresse van een Zweedse zakenman. Ze was ouder dan Ross, hoewel ze hem nooit haar ware leeftijd had onthuld. En volgens de tijdloze traditie van de ervaren oudere vrouw van de wereld en de onervaren jongeman wijdde ze hem in de kunst van de liefde in.

Hij woonde bijna vier maanden met haar samen terwijl de Zweed voor zaken in Europa was en ze bracht hem alle erotische macht van de zinnen bij: gezicht, gehoor, tastvermogen, smaak en geur. Hij leerde de allure van een vrouw te waarderen die vol zelfvertrouwen is wat haar seksualiteit betreft, het aanvoelen van een vrouwenhuid als die eerst koel is en dan heet wordt door opwinding. De zachte geluidjes van een vrouwenadem wanneer de koelheid verandert in passie, de smaak van een vrouwenmond, haar huid en alle donkere, gevoelige plekjes, alsmede de geur van een vrouw – een geur die speciaal haar eigen is en haar onderscheidt van alle anderen.

'Een echte dame gebruikt alleen de beste en meest subtiele geur,' had ze eens gezegd. 'En als ze dan weggaat, moet die geur blijven hangen, nauwelijks merkbaar maar toch opwindend.'

White Ginger. Witte gember. Dat was de naam van de parfum die ze gebruikte. Hij was even exotisch en mysterieus als de vrouw die hem voor het eerst de sensuele betekenis van die twee woorden had bijgebracht. De vrouw die nu naast hem zat, gebruikte diezelfde onopvallende en toch verleidelijke geur. Het was precies het soort parfum die een goed opgevoede vrouw als Christina Grant Fortune zou kiezen.

Plotseling draaide ze zich om en keek uit het raampje tegenover haar, waarbij ze hem erop betrapte dat hij haar opnam. Hij merkte dat ze precies wist wat hij zojuist nog had gedacht – was ze de werkelijke Christina of een oplichtster? Merkwaardig genoeg vertrok haar volle mond – een mond bedoeld voor diepe, lange kussen – zich tot een bijna onzichtbaar glimlachje. In plaats van nerveus te worden door zijn taxerende blikken schenen ze haar te amuseren.

'Je zult het nooit kunnen merken door me alleen maar steeds weer aan te kijken.'

Ze had gelijk, en hij werd er nijdig om.

'Katherine zal het wel merken,' zei hij meteen. Ze was zo zelfverzekerd, zo vol zelfvertrouwen. Hij wilde door die façade heen breken. 'Daar zou ik me maar bezorgd om maken als ik jou was.'

Ze sperde haar bruine ogen verder open en even leek het of haar zelfverzekerdheid een schok kreeg. Ze leek niet alleen nerveus, nee, erger, ze leek bang. Hij was verrast te merken dat hij haar wilde kwetsen en had toch, vreemd genoeg, een hekel aan zichzelf toen hij daarin scheen te zijn geslaagd.

Maar onmiddellijk was het masker terug en verborg ze haar emoties weer. Nuchter zei ze: 'Als ze me niet herkent, komt dat omdat ze me vrijwel nooit zag. Ze had nooit tijd voor iemand, niet eens voor haar eigen kinderen. Mijn grootvader – en later de onderneming – waren alles wat in haar leven telde.' Daarna voegde ze eraan toe: 'Toen hij stierf, wierp ze zich helemaal op de onderneming. Ze had nooit tijd voor haar kleinkinderen. Het was altijd haar secretaresse die onze cadeautjes uitzocht. En als we in het huis in San Francisco op bezoek kwamen, zorgden de bedienden er altijd voor dat we haar niet stoorden. Na het overlijden van grootvader had ze het veel te druk om te zorgen dat de onderneming bleef voortbestaan als een monument voor hem, om zich ooit ten opzichte van ons als een grootmoeder te gedragen.'

Ross schrok ervan; dat klonk precies zoals hij van Katherine zou verwachten. Aan de andere kant, hield hij zich voor, was het precies het soort slim excuus dat een oplichtster zou gebruiken om als haar verdediging te gebruiken voor het geval Katherine haar niet herkende.

Zwijgend reden ze een paar minuten door en toen vroeg Christina: 'Wat zijn al die lichten?'

Hij volgde haar blikken en zag dat ze naar de fel verlichte omtrek van de pas gebouwde hotels en flats langs het strand keek. 'Dit gebied ontwikkelt zich snel,' verklaarde hij.

'Grootmoeder moet dat vreselijk vinden. Ze was altijd tegen verdere bebouwing. Heeft zij land verkocht?'

'Richard en Diana waren de eigenaren van deze grond. Het hoort allemaal bij Richards ontwikkelingsproject, een gezamenlijke onderneming met Japanse investeerders, om hier een badplaats op te zetten en Fortune International meer kapitaal te bezorgen.'

Haar vraag was logisch, want de werkelijke Christina zou verbaasd zijn over al die veranderingen op dat deel van het eiland sinds zij er de laatste keer was geweest. Maar ze was niet de echte Christina, hield hij zich voor. Ze was een knappe imitatie, en Katherine zou haar ongetwijfeld meteen doorzien. Dan konden ze haar wegsturen en mocht ze blij zijn eraf te komen zonder een aanklacht wegens diefstal van het halssnoer van Christina Fortune.

'Ik ben ervan overtuigd dat je na al de research die je hebt gedaan alles weet over bezittingen en ontwikkelingen.' Hij wachtte op een reactie, maar ze keek weer door het raampje naar buiten. De rest van de weg legden ze zwijgend af.

Toen ze het noordelijkste puntje van het eiland bereikten, begon de auto langzamer te rijden en sloeg vervolgens een privé-weg in. Op een zwart, smeedijzeren bord dat tussen twee zuilen van lavarotsen hing, stond trots de naam 'Fortune Ranch' vermeld.

De weg slingerde omhoog tussen de weelderig groene hooglanden, die een fel contrast vormden met de sombere, oude lavastromen en de ongerepte witte stranden.

Ze passeerden weiden, afgezet met witte hekken. De koplampen beschenen dommelende paarden en vee. Al het land om hen heen, tot aan de verre horizon toe en nog verder, was eigendom van Katherine Fortune – meer dan tachtigduizend hectare; het was de grootste veeboerderij in privé-bezit in Amerika.

Enkele minuten later hield Kane stil voor de hoofdingang van het woonhuis van de Fortune Ranch. Het was een van de weinige nog resterende historische plantages op Hawaii en omstreeks de eeuwwisseling door Christina's overgrootvader gebouwd. Het huis stond te midden van hoge palmen, overvloedig groeiende varens en *ohia*bomen en was groot, maar toch zag het er prettig uit met zijn brede balkons en veranda's, gewitte muren en enorme ramen.

Kane hield het portier open voor Ross en Christina en ze stapten uit op de met grind bedekte oprit. Ross merkte dat ze haar handen gebald langs haar zijden liet hangen. Als ze de echte Christina was, zag ze nu de plek waar ze als kind vele zomers met haar ouders had doorgebracht. Als ze een indringster was, zou ze nu spoedig aan de kaak worden gesteld.

Ze volgden Kane door de enorme dubbele deur en over gladgeboende teakhouten vloeren. Het was stil in het huis, afgezien van het zachte gefluister van het tropische briesje dat door de opengelaten ramen naar binnen woei. Bij de ingang waren de lampen aan gelaten en de gangen baadden in licht. Toen ze de slaapkamers achteraan op de parterre bereikten, bleef Kane voor een open deur staan en zei: 'Dit is uw kamer, juffrouw.'

Ross merkte dat hij niet zei 'Juffrouw Christina'.

Kane liep de kamer door, draaide het licht boven de toilettafel aan en opende de dubbele deuren die naar de veranda leidden.

'Hier ligt alles wat u nodig kunt hebben.' Hij wees naar een keur van kosmetische en toiletartikelen die stonden uitgestald. 'In de kast hangen kleren.' Hij wendde zich vervolgens tot Ross, die zei: 'Dank je, Kane, dat is alles.'

Net in de kamer draaide Christina zich om. Ze had haar vingers om de jade hanger geklemd en vertoonde kringen onder haar ogen. 'Het ziet ernaar uit dat er aan alles is gedacht.' Haar stem had een beschuldigende klank. 'Je had me wel kunnen zeggen waar je me vanavond heen wilde brengen.'

'Katherine dacht dat het beter resultaat zou hebben als ik je niet waarschuwde.'

Ze knikte. 'Dat is weer net iets voor haar.' Toen voegde ze eraan toe: 'En jij doet altijd alles precies zoals Katherine vraagt.'

'Niet altijd. Maar in dit geval was ik het wel met haar eens.' Hij voegde er niet aan toe dat hij er tijdens de vlucht spijt van had gekregen.

Zoals ze daar op de drempel stond, met haar vermoeide ogen, zag ze er heel teer uit. Op vriendelijke toon zei hij: 'Zorg maar dat je nu wat rust krijgt. Morgenvroeg wil Katherine je spreken.'
Haar donkere ogen keken hem aan. 'En nemen we dan een vroege vlucht terug naar San Francisco?' vroeg ze veelbetekenend.
'Ik blijf een paar dagen,' antwoordde hij. 'Katherine en ik hebben nog enkele zaken te bespreken.'
'Juist. Je bent dus al tot de slotsom gekomen dat ik niet Christina Fortune ben.'
'Het doet er weinig toe wat ik denk,' antwoordde Ross effen. Maar beiden wisten dat het een leugen was.
'Welterusten dan,' zei ze kortaf.
'Welterusten,' antwoordde hij, terwijl ze de deur meteen achter hem sloot.

De droom was altijd dezelfde – de andere kinderen staarden hem aan en hun gelaatsuitdrukking was wreed en treiterend. Toen schreeuwde een oudere jongen: 'Jij bent een bastaard, je hoort hier niet.' De andere kinderen namen het over en riepen: 'Je hoort hier niet... je hoort hier niet...'
Hij holde weg en zocht wanhopig naar zijn moeder. Zij zou hem troosten en geruststellen; zij zou hem tegen de andere kinderen beschermen en tegen hun geplaag.
Hij holde het schoolplein af, langs de prachtige, ijzeren hekken en stenen muren, de drukke straat op vol karren, fietsen, kooplieden en oude Chinese vrouwtjes, die met hun tandeloze mondjes onderhandelden over een magere kip die aan haar poten was opgehangen.
Hij liep de ene straat na de andere door, viel en bezeerde zijn knieën. Het witte overhemd van zijn schooluniform was gescheurd en zat vol vuile vlekken. Hij stond weer op en holde verder. Hij moest naar zijn moeder. Zij zou alles weer in orde maken en ervoor zorgen dat de andere kinderen hem niet meer uitlachten.
Hij liep door een steegje waar de was hoog boven de straat tussen de huizen te drogen hing en wist dat dit een deel van de stad was waartegen zijn moeder hem gewaarschuwd had. Hij liep een ander straatje in, en nog een, totdat hij de bekende weg vond die naar de kade leidde. Toen liep hij een heuvel op, waar kleine huizen stonden. Ze zagen er vervallen en oud uit, maar hij holde door tot hij er het huis vond waarvoor een mimosaboom in een kleine tuin stond.
Hij holde het trapje ervoor op en deed de deur open. Tot zijn verbazing hoorde hij stemmen. Zijn moeder had gezegd dat zijn vader die dag op bezoek zou komen, maar toen hij had gesmeekt om thuis te mogen blijven en zijn vader te spreken, had ze treurig gekeken en gezegd dat dat onmogelijk was. Zijn hart sprong op bij het idee dat hij zijn vader nu toch zou zien, want dat gebeurde zelden.

Hij snelde de kleine huiskamer in en zag zijn vader, die hij kende van een oude foto. Hij had dure kleren aan – een zijden pak met een smetteloos wit overhemd en een glimmend gouden horloge. Hij was een indrukwekkende figuur en Ross had diep ontzag voor hem. 'Wat doet hij hier?' Ross hoorde de woede in zijn vaders stem. 'Dat weet ik niet,' zei zijn moeder bezorgd. 'Hij hoort op school te zijn.' Ze kwam op hem toe en knielde voor hem neer. Haar vingers voelden koel en kalmerend aan op zijn warme voorhoofd. 'Wat is er, schat? Wat is er gebeurd? Moet je je kleren eens zien!' Ze gaf hem geen standje. Dat deed ze nooit. Haar stem was even kalmerend als haar handen, maar hij zag de frons op haar voorhoofd en wist dat hij iets had gedaan dat ze niet goedvond.

Hij kon geen woorden vinden om haar alles uit te leggen en begon opeens weer te huilen, maar nu kon hij daar niet mee ophouden. Intussen stond zijn vader naar hem te kijken met dezelfde afwijzende blik in zijn ogen die hij gezien had op de gezichten van de kinderen op het schoolplein.

'Stuur hem weg, Barbara. Ik wil dit met jou onder vier ogen bespreken.'

Hij zag de boze uitdrukking in zijn moeders ogen. Haar gezicht was heel bleek toen ze de tranen van zijn wangen veegde. Vervolgens stond ze langzaam op en keek zijn vader aan.

'Ik stuur hem niet weg. Hij is mijn zoon!' Haar stem was zacht maar duidelijk. 'Hij is ook jóuw zoon.'

'Hier hebben we het al eerder over gehad, Barbara. Deze situatie is verre van gemakkelijk.'

'Verre van gemakkelijk?' De stem van zijn moeder trilde van woede. 'Is dat alles dat het voor je betekent – een lastige situatie? Lieve God, we hebben het hier over een kleine jongen!'

Ze zweeg, probeerde zich te beheersen, wendde zich toen weer tot Ross en glimlachte hem geruststellend toe. 'Ik wil graag dat je naar je kamer gaat, schat. Maar neem eerst een paar koekjes uit de stopfles. Dan praten we er later over wat er op school gebeurd is.'

Hij keek van zijn moeder naar zijn vader, die hij nauwelijks kende. Hun gelaatsuitdrukkingen waren heel verschillend. Zijn moeders gezicht drukte liefde uit, en tederheid. Zijn vader keek kil en harteloos, terwijl hij zijn blikken afwendde. Op dat moment, waarop zijn vader weigerde naar hem te kijken, wist hij... dat zijn vader niets met hem te maken wilde hebben.

Hij trok zich terug uit zijn moeders omhelzing en holde het gangetje door naar de kamer achter in het huis. Hij smeet de deur achter zich dicht, holde naar zijn bed en begroef zich onder het beddegoed. Maar hij kon nog steeds de stemmen horen... *Je hoort hier niet.* En hij wist dat het kwam omdat zijn vader niet bij hen in huis woonde... hem niet wenste te zien...

Badend in zijn zweet werd Ross wakker. Zijn blote borst was vochtig en zijn zwarte haren plakten tegen zijn hoofd. Even voelde hij een steek van de oude, bekende pijn terwijl hij daar in het donker lag in die onbekende omgeving – de pijn die dat jongetje had gevoeld in dat kleine huis, al die jaren geleden. Toen herinnerde hij zich waar hij zich nu bevond en de pijn trok weg, evenals de gezichten van de kinderen met hun getreiter. Het duurde echter lange tijd voor zijn vaders gezicht verdween.

Toen hij zich weer beheerst had, gooide hij het laken af, stond op en liep naakt naar de openslaande deuren. Zo stapte hij het balkon op en ademde de koele nachtlucht in; het gevoel van het nachtelijk briesje op zijn blote lichaam was heerlijk.

Hij had er geen idee van hoe laat het was, maar duidelijk al heel laat. In de verte zag hij een zilveren streep aan de horizon, die duidelijk maakte dat de dag op het punt van aanbreken stond.

Zoals altijd hield hij zich voor dat het belachelijk was zich zorgen te maken om dromen uit zijn jeugd. Hij was nu een man en geen klein jongetje meer. Hij had geleerd het verdriet om zijn onwettigheid te verdringen en voor zichzelf op te komen, zich te verweren. En hij had geleerd te winnen, zoals zijn tegenstanders steeds weer ontdekten. Maar in het holst van de nacht, wanneer hij alleen was, kwamen de dromen terug, om hem eraan te herinneren dat de pijn nog steeds aanwezig was – de dromen stamden uit een tijd waarin rangen en standen alles betekenden en een bastaardkind niet geaccepteerd werd.

Plotseling hoorde hij een geluid en keek naar de veranda onder hem. Nog iemand kon blijkbaar niet slapen. Hij zag de jonge vrouw die zich Christina Fortune noemde over de houten reling leunen rondom de veranda. Ze keek in de nacht, zich onbewust van het feit dat hij slechts enkele meters boven haar stond.

Haar haren hingen in de war om haar schouders, alsof ook zij een rusteloze slaap had gehad. Ze had een witzijden nachtjapon aan die tot op haar enkels viel, maar in de laag uitgesneden halslijn waren haar volle borsten duidelijk te zien.

Ze was adembenemend mooi, op een manier die hem niet eerder was opgevallen toen hij haar in haar klassieke mantelpakjes en met een zorgvuldige make-up zag. Hij voelde hoe er een gevoel van begeerte in hem opkwam, veel sterker dan toen hij haar in de auto had zitten bekijken. Als de omstandigheden anders waren geweest, zou hij naar haar toe zijn gegaan en haar snel en zonder veel moeite hebben verleid. Op dat tijdstip van zijn leven, na vele verhoudingen, wist hij heel goed dat hij voor vrouwen aantrekkelijk was.

Hij stelde zich voor hoe hij de dunne schouderbandjes van haar nachtjapon langzaam en voorzichtig omlaag zou trekken en zou genieten van het genot dat het hem verschafte om haar uit te kleden. Dan zou hij haar kussen, eerst teder en daarna steeds ruwer en indringender.

Maar de toestand liet geen begeerte, verleiding en bevrediging toe. Dit was een zakelijke kwestie. Uiterst belangrijk. En morgen zou alles voorbij zijn, wanneer Katherine deze intrigerende indringster de laan zou uitsturen.

Hij wilde net weer zijn kamer binnenlopen, toen hij een geluid van beneden hoorde opstijgen – een snikje, dat zielig en heel bedroefd klonk. En toen gefluisterde woorden die een wereld van gevoel vertolkten... *'O God, ik had niet hierheen moeten gaan.'*

Plotseling wendde ze zich af van de leuning van de veranda en sloeg haar armen om zich heen alsof ze nog een kind was. Hij zag hoe ze onder het balkon verdween waarop hij stond.

Wat had dat te beduiden? Was ze een bedriegster die nu absoluut moest weten dat ze tegen de confrontatie van de volgende ochtend niet was opgewassen? Of was ze de echte Christina, die door wanhoop overweldigd werd door het idee dat Katherine haar misschien nooit zou willen accepteren? En zou ze dezelfde pijn voelen als het jongetje destijds, toen zijn vader hem niet wilde zien?

Hij had niet willen geloven dat ze werkelijk Christina Fortune kon zijn, maar hij begreep haar gevoel van pijn en verlies al te goed, en nu wist hij niet meer wat hij moest geloven.

Om negen uur de volgende ochtend ging Ross naar Katherine in de formele studeerkamer. Ze gebruikte die kamer vrijwel nooit meer, en hij begreep dat ze van plan was haar zogenaamde kleindochter te ontvangen tegen een achtergrond die buitengewoon indrukwekkend was.

Die kamer vertoonde niets van de gebruikelijke nonchalance van Hawaii. Hier werd de teakhouten vloer bedekt met kostbare Aubusson-tapijten in levendige tinten donkerrood en goud. In de kamer stond met donkerrood leer overtrokken meubilair. Drie wanden waren bedekt met boekenkasten, tot aan het plafond toe vol met in leer gebonden uitgaven. Aan de vierde muur hingen fantastische schilderijen van Renoir, Degas en Monet.

En in het midden, op de ereplaats, hing een portret van Hamish Fortune, de scheepskapitein die honderdvijftig jaar geleden naar dit eiland was gekomen, met een kleindochter van koning Kamehameha de Grote was getrouwd en de grondvesten had gelegd voor de Fortune-dynastie.

Hamish was een man met verweerde trekken, felrood haar en diepblauwe ogen, die eruitzag alsof hij liever aan dek van een schip was dan op de stoel te zitten waarop nu Katherine Fortune zat te wachten. Hij was naar die eilanden gekomen, op weg naar San Francisco vanuit China, met een lading kostbaar sandelhout, een klein zakje even kostbare parels en een jade medaillon.

Hij verkocht het sandelhout tegen een enorme prijs en met veel winst, bood koning Kamehameha, in ruil voor de hand van zijn kleindochter, de parels aan en gaf zijn bruid het antieke jade medaillon. Zij bracht op haar beurt een grote bruidsschat mee aan land die het begin vormde van de Fortune Ranch.

Hamish bleef de China-route bevaren en zette de eerste intereiland stoomvaartmaatschappij op, die hij daarna uitbreidde naar San Francisco. Hij was een sluwe man, die nooit zijn eenvoudige afkomst was vergeten maar niet in het verleden leefde. Hij voerde vee in uit Californië en Texas, bracht het over naar de uitgestrekte, weelderige wildernis van Hawaii en breidde zijn belangen uit naar suikerriet en ananas. Al zijn kostbare ladingen werden verscheept met klippers, schoeners, stoomschepen en uiteindelijk trawlers en tankers van Fortune.

Naast het portret van Hamish Fortune hing er een van zijn vrouw Leah. De vroegere bewoners van Hawaii waren heel mooi en zeer vrijmoedig. Ross vroeg zich af of Hamish zijn vrouw naar waarde had geschat, om haar eigen charme en niet om de enorme bruidsschat die ze had meegebracht.

Katherine volgde de blikken van Ross en merkte fel op: 'Hij was geen gemakkelijk mens. De bewoners van de eilanden hielden van hem omdat hij hun manier van leven respecteerde en niet op hen neerkeek omdat ze, volgens hem, heidenen waren. De later gekomen bewoners van Hawaii haatten hem echter. Hij wist hoe hij iets kon verkrijgen waar hij zijn zinnen op had gezet. Maar ik vermoed dat je niet kunt bereiken wat hij deed zonder hier en daar vijanden te maken.'

Haar stem klonk zacht en zwoel; haar afkomst uit het Zuiden van Noord-Amerika was er nog in te horen. Ross dacht dat die stem haar aantrekkelijkste bezit was geweest als jong meisje, want ze was niet opvallend mooi. Ze was wel een vrouw die overal aandacht had getrokken, want ze had een zekere uitstraling en dat was belangrijker dan schoonheid. Zelfs nu ze oud en teer was, grijze haren had en een gezicht vol rimpels omdat ze haar leven lang veel in de buitenlucht had vertoefd, kon hij nog zien wat Alexander Fortune zo onweerstaanbaar in haar had gevonden.

Ze ging verder: 'Ik heb tegen Kane gezegd haar hier te brengen. We zullen dit even afhandelen en dan kan hij haar regelrecht naar het vliegveld brengen. Over een paar uur vertrekt er een lijnvliegtuig. Ik vind geen redenen aanwezig om haar met het toestel van de onderneming te laten terugbrengen. Bovendien wil ik dat jij nog een paar dagen blijft. We hebben zaken te behandelen.'

Hij wist waarop ze doelde – de afgebroken vergadering van de raad van beheer, en de nieuwe die binnenkort zou worden gehouden en waarin moest worden bepaald waaraan de vorige was begonnen. 'Richard heeft de bovenhand,' zei Ross ronduit. 'Als de nalatenschap van uw kleindochter eenmaal verdeeld is, zal hij genoeg aandelen hebben om u te overvleugelen. Dan heeft hij alles in handen, tenzij wij Diana en de anderen kunnen overhalen met ons mee te stemmen.'

'Dat zullen ze nooit doen.'

'Zelfs niet als ze inzien dat Richard niet de juiste persoon is om de onderneming te leiden?'

Katherine glimlachte, maar het was geen vrolijke glimlach. 'Je begrijpt mijn familieleden niet. Niet een van hen geeft iets om de onderneming. Ze willen er alleen zo veel mogelijk geld uit vergaren.'

'Dan kunnen we verder niets doen, want dat zou de enige kans zijn om de teugels in handen te houden.'

'Er is altijd nog iets dat gedaan kan worden – als we moed genoeg hebben. Ik moet Richard op een of andere manier een halt toeroepen. Hij zal de maatschappij aan de hoogste bieder verkopen, want het enige dat hij wil, zijn contanten. Dat zou Alexander nooit hebben gewild. En ik wil het niet laten gebeuren. Dat weiger ik!'

Hij bewonderde haar vasthoudendheid, maar had het gevoel dat het deze keer geen enkele zin had. Hij had aangenomen dat hij Diana en haar zoons zou kunnen overhalen zijn kant te kiezen wanneer ze eenmaal inzagen dat Richard de onderneming niet zo doelmatig zou kunnen beheren als hij. Maar als Katherine gelijk had en ze alleen geïnteresseerd waren er geld uit los te krijgen, dan was de toestand hopeloos en zou Katherine verliezen. En dan zou Ross gedwongen worden om zijn andere plan uit te voeren, namelijk een overname met eigen middelen.

Langzaam zei hij: 'Richard heeft gisteren een bespreking gehad met een groep buitenlandse investeerders.'

Ze vestigde haar scherpe ogen op hem. 'Wie waren dat?'

'Zakenlieden uit Taiwan, Zuid-Korea, de Filippijnen en Australië.'

Ze kneep haar ogen een beetje dicht. Vier van de invloedrijkste landen rondom de Stille Oceaan. 'Waar ging die over?'

'Niets dat heel belangrijk klonk. Maar ik kreeg sterk de indruk dat – als ik er niet bij was geweest – de agenda er heel anders zou hebben uitgezien.'

'Wat bedoel je?'

'Ik geloof dat Richard vreemde investeerders binnen wil halen.'

'Dat kan hij niet doen!' Er verscheen een woedende blik in de lichtblauwe ogen van Katherine Fortune en haar stem trilde van emotie.

'Hij kan het doen als hij de aandelen uit de trust in handen heeft. Dan verkoopt hij er juist genoeg om kapitaal binnen te halen om de rente uit te betalen aan de banken die de lening verschaften voor die zes nieuwe tankers.'

'Buitenstaanders die een deel van Fortune International bezitten.' Ze schudde haar hoofd en was duidelijk ontsteld. Toen klemde ze haar hand nog wat steviger om de knop van de stok die ze sinds kort moest gebruiken. Haar bleke, tere huid was doorschijnend geworden nu ze oud was en er was een net van blauwe aderen zichtbaar. 'Ik heb mijn man beloofd dat zoiets nooit zou gebeuren!' Haar stem trilde. 'Als Michael nog in leven was...'

Ross zag hoe ze een vlaag van emotie moest verwerken die haar dreigde te overweldigen nu ze aan haar oudste zoon dacht. Het lichaam mocht dan zwak zijn, maar de onbuigzame wil die haar door zo veel tragedies heen had geholpen, was nog steeds aanwezig.

'Wat ik ook moet doen, ik zal niet toestaan...' Ze aarzelde even en ging toen door, 'dat mijn zoon deze onderneming met stukjes en beetjes verkoopt, alleen maar om aan zijn eigen hebzucht te voldoen.'

Op dat moment werd er eerbiedig geklopt en heel even leek het zelfvertrouwen van Katherine een schok te krijgen. Toen beheerste ze zich achter haar indrukwekkende uiterlijk en zei met een stem die slechts een beetje beefde: 'Binnen.'

Kane kwam binnen en zei: 'Uw gaste is hier, mevrouw Fortune.'

Hij deed een stap opzij en de vrouw die beweerde dat ze de kleindochter van Katherine Fortune was, kwam binnen. Vlak bij de deur bleef ze staan, alsof ze aarzelde om door te lopen. Haar donkere ogen ontmoetten die van Katherine en al was er een zekere nervositeit in haar blikken waar te nemen, er lagen ook kracht en vastbeslotenheid in.

Ross was onder de indruk. Hij had sterke mannen in elkaar zien krimpen onder Katherines blikken, maar deze jonge vrouw bleek ertegen opgewassen. Hij keek nu van Christina naar Katherine en was verrast toen hij een schaduw van twijfel in de ogen van de oude vrouw zag.

Christina begroette de vrouw van wie ze beweerde dat ze haar grootmoeder was en zei alleen: *'Grandmère.'*

Ross zag hoe de uitdrukking van twijfel bij Katherine toenam.

Het kán niet waar zijn, dacht hij. Ze kan Christina Fortune niet zijn.

Of wel?

Hoofdstuk 7

Katherine hield plotseling haar adem in en haar stem trilde toen ze vroeg: 'Wàt zei je daar?'

'*Grandmère*,' herhaalde Christina. 'Toen we nog klein waren, vroeg u ons u zo te noemen.' Ze keek Katherine strak aan en wendde haar blikken niet af, zoals mensen gewoonlijk deden als ze tegenover Katherine Fortune stonden.

Christina ging op een effen toon verder: 'U zei dat het beter klonk dan grootmoeder. U had zelf uw grootmoeder zo genoemd toen u in Louisiana opgroeide.'

Katherine dacht aan haar jeugd in de armste buurt van de Franse wijk in New Orleans... hoe ze naast haar grootmoeder door de nauwe straatjes van de Vieux Carré liep en hoorde hoe het geluid van paardehoeven voor de rijtuigen zich vermengde met de muziek die straatmuzikanten maakten. Dan liepen ze naar de top van de dijk en keken uit over de modderige Mississippi. En ze hoorde haar geliefde *grandmère* nog zeggen: 'Katherine, eens zul je alles hebben wat je nu niet hebt. Dat beloof ik je, kind. Je zult liefde en geluk in het leven vinden en rijkdom zoals je je nu niet kunt voorstellen.'

Het waren slechts de romantische dromen van een vrouw die zelf een hard leven vol teleurstellingen had gehad en voor haar enige kleinkind meer wenste. Het was ironisch dat haar grootmoeder gelijk had gekregen. Ondanks het feit dat ze arm en niet bepaald mooi was, had Katherine al die feiten bereikt. Helaas was dat te laat geweest om ze nog met haar geliefde grootmoeder te kunnen delen.

Ze werd overrompeld door een snijdend gevoel van verlies om de onontwikkelde vrouw die als werkster had gezwoegd en haar had opgevoed toen haar moeder was gestorven en haar vader haar in de steek had gelaten. Dat gevoel van verlies was iets dat haar vaak was overkomen – toen ze haar man had verloren, die ze had aanbeden, haar lievelingszoon en... haar kleindochter.

Ze vestigde al haar aandacht op de jonge vrouw die voor haar stond en vroeg: 'Wie heeft je dat verteld? Wie heeft je zulke persoonlijke gegevens over mijn kleindochter verstrekt?'

'Niemand heeft me iets verteld. Ik ben Christina. Hoe zou ik dat soort dingen anders weten?'

Hoe, inderdaad, dacht Katherine. Ze beheerste zich en wendde zich tot Ross, die zwijgend naast haar bureau stond. Hij had geen woord gezegd, maar ze wist dat hem niets ontging. Hij was messcherp, en juist daarom had ze hem destijds in dienst genomen en vertrouwde ze op hem. Maar in deze situatie kon ze niet op hem vertrouwen; dit moest ze alleen doen. 'Ga weg. Ik wil alleen met haar praten.'

Aan de manier waarop hij zijn mond vertrok, zag ze dat hij dit niet verstandig vond, maar het kon haar op dat moment niet schelen wat hij dacht. Later mocht hij haar zijn oordeel geven en zou ze naar hem luisteren. Maar nu niet. Nu had ze wat meer tijd nodig met deze jonge vrouw, die beweerde haar kleindochter te zijn.

'Uitstekend,' zei Ross, maar met tegenzin. 'Roep me als u me nodig hebt.' De blik die hij de jonge vrouw schonk, sprak boekdelen. Hij geloofde niet dat ze de waarheid sprak. En Katherine geloofde dat evenmin. Maar ze moest te weten komen hoe die jonge vrouw feiten wist die alleen leden van de familie Fortune konden weten.

Toen Ross de deur achter zich sloot, keken de twee vrouwen elkaar aan. Eindelijk zei Katherine: 'Je kunt maar beter gaan zitten. Dit zal wel wat langer duren dan ik gedacht had.'

De jonge vrouw nam plaats op de sofa die tegenover het bureau stond en Katherine begon. 'Eerst moet ik beslissen hoe ik je moet noemen.'

'Ik heet Christina.'

Daar was Katherine niet van overtuigd. 'Dat beweer jij.'

De jonge vrouw stak haar kin uitdagend omhoog. 'U zult me bij een of andere naam moeten noemen. Waarom dan niet Christina?'

Katherine zweeg lange tijd voor ze eindelijk toegaf. 'Goed dan, ik zal je Christina noemen.' Toen voegde ze er scherp aan toe: 'Voorlopig. Maar ik kan me niet herinneren dat mijn kleindochter zo oneerbiedig was.'

'Ik was vijftien toen u me voor het laatst hebt gezien en gesproken. Dat is twintig jaar geleden. Ik ben veel veranderd.'

'Dat roept direct een kritieke vraag op. Als je Christina bent, waarom ben je dan weggegaan?'

Dit was een vraag die elke bedriegster vrijwel onmogelijk te beantwoorden zou vinden. Katherine verwachtte dat de jonge vrouw nu zou aarzelen, verontschuldigingen zou maken en uiteindelijk met een of andere vage uitleg voor de dag zou komen die niet kon kloppen. Dan kon Katherine haar wegsturen en de hele onsmakelijke zaak van zich afzetten.

Toen Christina haar ogen neersloeg en het oogcontact verbrak, was Katherine ervan overtuigd dat ze het onmogelijk vond met een waar klinkend verhaal voor de dag te komen. Maar toen Christina eindelijk opkeek, was haar gezicht bleek en waren haar ogen wijd opengesperd van emotie. Haar stem was niet veel meer dan een gefluister. 'Ik was vreselijk ongelukkig en eenzaam. Ik had niemand tot wie ik me kon wenden. Er was niemand – niet één mens – die van me hield nadat mijn ouders waren gestorven.'

Het antwoord zowel als de duidelijk zichtbare emotie kwam totaal onverwacht. Ze moest een volleerd toneelspeelster zijn, afgezien van het feit dat ze een leugenaarster was. 'Ik was er voor mijn kleindochter,' zei ze onmiddellijk.

Christina's ogen werden donker van woede. 'U was er nooit voor iemand, behalve voor grootvader, en later voor de onderneming. Het enige waar u om gaf, was de onderneming, en grootvaders dromen daarover.'

De schuld hierom, die Katherine al jarenlang diep had verdrongen, kwam plotseling naar boven. Elk woord dat die jonge vrouw zei, was waar, en de waarheid was pijnlijker, zelfs na al die jaren, dan Katherine zich had kunnen voorstellen. Ze nam haar toevlucht tot de verdediging. 'Mijn kleindochter had heel wat meer dan ik op haar leeftijd had en werd uitstekend verzorgd.'

'Verzorgd?' Christina stond op en liep door de kamer heen en weer. Toen wendde ze zich weer tot Katherine. 'Een kind heeft liefde nodig, niet alleen geld. Waar was die liefde toen ik haar nodig had?'

Katherine stond op uit de antieke stoel achter het bureau en boog zich voorover, met haar handen op het bureau uitgespreid. 'Ik hield van mijn kleindochter!'

Christina's stem beefde. 'Hoe kunt u dat zeggen? U wendde zich van me af! U kent niet eens de betekenis van dat woord!'

'Ik heb me niet van je afgewend.'

'U stuurde me naar Richard en Alicia, maar zij wilden niet opgescheept worden met de plichten, verbonden aan mijn opvoeding, maar dat kon u niet schelen. U wilde niet met de zorg voor mij worden opgezadeld.'

Katherine staarde haar aan en probeerde achter deze verschijning te kijken, naar een periode twintig jaar terug, toen deze jonge vrouw nog een meisje was. Lieve God, dacht ze, was het werkelijk mogelijk dat zij Christina was?

Het leek of alle kracht uit haar wegtrok en ze zonk vermoeid terug op haar stoel en haar stem trilde. 'Toen leek het de beste oplossing. Nadat je vader...' Ze verbeterde zichzelf snel, 'nadat *mijn zoon* was gestorven, moest ik de leiding van de onderneming op me nemen. Richard en Alicia woonden op Fortune Hill en het leek zinvol dat zij Christina verder zouden opvoeden.'

'Richard haatte me.' Christina's stem klonk gesmoord. 'Net zoals hij altijd mijn vader heeft gehaat.'

69

'Dat is niet waar!' Katherine verhief haar stem. Toen beheerste ze zich, want ze merkte dat die jonge vrouw haar op een leugen had betrapt. Richard hàd Michael altijd gehaat, al vanaf de tijd dat ze beiden nog heel klein waren. Haar beide zoons waren altijd erg ambitieus geweest en totaal verschillend. Beiden hadden dezelfde agressieve instelling van hun vader geërfd. Alexander had hen altijd bijgebracht dat er nooit een andere keus was: ze moesten winnen. Winnen betekende alles; daarbij vergeleken telde niets anders. Maar het grote verschil tussen haar zoons had gelegen in hun manier van winnen.

Michael was een felle strijder, die evenzeer genoot van de strijd als van het feit te winnen. Hij was een goede verliezer, die nooit het gevoel scheen te hebben dat verliezen hem een slechter mens maakte. Maar voor Richard was winnen een zaak van leven of dood en hij deed alles om zijn doel te bereiken. Als hij eens verloor, kon hij vreselijk boos worden en lang blijven wrokken.

Ze was altijd blij geweest dat Michael de oudste was en eens zijn plaats als hoofd van Fortune International zou innemen.

Toen stierf Alexander in 1968 en Michael werd president en voorzitter van de raad van beheer, maar minder dan een jaar later was ook hij dood, samen met Christina's moeder. Ze hadden een ongeluk bij het zeilen gekregen. Richard had aangenomen dat hij nu alle zeggenschap kreeg, maar Katherine vertrouwde het niet aan hem toe de onderneming te leiden met hetzelfde gevoel voor eer en integriteit dat zowel Alexander als Michael had bezeten. Sindsdien waren zij en Richard in een verbitterde strijd gewikkeld.

Katherine keek naar de jonge vrouw, die rusteloos heen en weer liep en wist dat ze gelijk had, of ze nu wel of niet haar kleindochter was. Zij had Christina nooit aan Richard mogen toevertrouwen.

Het gesprek verliep helemaal niet zoals zij in haar gedachten had en ze was niet op zo'n emotionele aderlating voorbereid geweest. Waar had die jonge vrouw al die persoonlijke gegevens over de familie vandaan gehaald? Katherine blééf geloven dat ze een oplichtster was, maar wel een die over bijzondere inlichtingen beschikte.

'Wie heeft je hiertoe aangezet?' vroeg ze boos. 'Mijn dochter, of misschien een van mijn kleinzoons?'

'Denkt u nu werkelijk dat een van hen er iets bij zou winnen als ze mij zouden helpen?'

Nee, dacht Katherine, natuurlijk niet. Ze hadden er niets bij te winnen en alles bij te verliezen. Zij moesten over de aandelen in de trust kunnen beschikken om de leiding van de onderneming te kunnen overnemen.

Katherine ging door. 'Phillip vertelde dat je veel over de familie wist. Het heeft geen zin als ik je nu dezelfde vragen stel die hij heeft gesteld. Op die manier kun je kennelijk niet gestrikt worden. Maar ik heb een paar eigen vragen.'

Christina ging weer zitten. 'Vraag maar wat u wilt.' Haar stem klonk rustig en beheerst, hoewel Katherine voelde dat ze op haar hoede was. De jonge vrouw had niet zoveel zelfvertrouwen als ze wilde doen voorkomen.

'Waar heb je die hanger vandaan?'

Christina's vingers gingen onwillekeurig naar het medaillon dat ze om haar hals droeg. Toen liet ze haar hand in haar schoot vallen. 'Mijn vader heeft het me op mijn veertiende verjaardag gegeven. Het is een erfstuk van de familie.'

Ze vestigde haar blikken op de tafel en op de beide portretten. 'Hamish Fortune gaf het aan zijn bruid uit Hawaii toen hij naar dit eiland kwam en is door elke generatie doorgegeven aan de oudste zoon. Grootvader Alex gaf het op uw trouwdag aan u en u gaf het aan mijn moeder toen ze met mijn vader trouwde.'

Katherine dacht dat dit gegevens waren die iedereen had kunnen krijgen die regelmatig de verhalen over de familie las. Of misschien had het gestaan in oude kranteverslagen uit de tijd dat haar kleindochter was verdwenen. De vraag was: Waar had deze jonge vrouw die hanger gekregen, als ze niet Christina was?

Toen ging ze verder. 'Hoe noemde je moeder je toen je klein was?'

'Kiki. Zo sprak ik Christina uit, en zij gebruikte dat naampje omdat ze het leuk vond. Ik was twaalf toen ik haar vroeg ermee op te houden, want ik vond dat het zo kinderachtig klonk.'

Ook dat was iets dat ze misschien in een krant had gelezen, dacht Katherine. Er hadden immers vaak verhalen over Michael Fortune en zijn gezin in tijdschriften en dagbladen gestaan. Katherine zou er iets anders op moeten vinden om die jonge vrouw als leugenaarster aan de kaak te stellen. Haar gelaatsuitdrukking bleef zorgvuldig neutraal toen ze vroeg: 'Wat is er met de pony gebeurd die je als kind had?'

Zoals ze verwacht had, bracht die vraag haar meer in de war dan alles wat haar tot dan toe was gevraagd. Ze keek verbaasd en herhaalde alleen: 'Pony?'

Katherine liet de stilte tussen hen lang voortduren. Toen glimlachte ze even en was ervan overtuigd dat ze haar eindelijk had betrapt.

'Je hebt nooit een pony gehad,' zei ze. 'Je wilde er een hebben, net als alle kinderen, maar je vader zei dat je het maar moest doen met de paarden hier op de ranch.'

'Ik weet dat ik geen pony heb gehad,' antwoordde de jonge vrouw onmiddellijk en ze leek geïrriteerd. 'Uw vraag maakte me in de war. Ik dacht dat u het had over een van de paarden waar ik hier wel op reed.'

Katherine leunde achterover in haar stoel en verzamelde haar gedachten. Ze kon deze jonge vrouw blijkbaar niet intimideren. Het zou uren en misschien wel dagen duren om iets te ontdekken waarvan gezegd kon worden dat het een onweerlegbaar bewijs van oplichting was.

'Goed,' zei ze eindelijk, 'vertel me dan eens wanneer je bent weggegaan en wat je de afgelopen twintig jaar hebt gedaan.'

'Ik heb een bus naar New York genomen. Ik had wat geld – ongeveer tweehonderd dollar. Een tijdje leefde ik met andere kinderen gewoon op straat. Toen mijn geld opraakte, ging ik naar een tehuis dat de katholieke Kerk daar had. Ze hebben me geholpen mijn school af te maken. Daarna ben ik in Boston naar de universiteit gegaan en de afgelopen vijftien jaar heb ik voor een investeringsbank gewerkt.'

Katherine dacht daar even over na. Het zou eenvoudig zijn die. gegevens te controleren en de vrouw zou dus wel de waarheid spreken. Als dat zo was, dan was ze toch wel onder de indruk. Wie ze ook was, het was duidelijk dat ze niet dom was of onvoorbereid. 'Het klinkt alsof je een succesvol leven leidde. Waarom ben je dan teruggekomen?'

'U weet waarom. Als ik niet zou zijn teruggekomen, zou mijn erfenis naar de rest van de familie gaan.'

'Je geeft dus toe dat je alleen om het geld bent teruggekomen,' zei Katherine, en haar stem klonk grimmig voldaan. 'Ik denk dat dit het eerste eerlijke antwoord is dat je me vanochtend hebt gegeven.'

'U weet evengoed als ik dat het geld dat ik erf is vastgelegd in aandelen van de onderneming, en mijn vader gaf veel om die zaak. Ik wil er deel van uitmaken.'

'Je wilt nogal wat!'

'Het is mijn erfdeel,' hield Christina vol. 'Het enige dat ik van mijn ouders over heb. En ik heb er lange tijd op gewacht.'

Het kwam Katherine voor dat die woorden een veel grotere betekenis hadden dan zo op het oog leek. De jonge vrouw was een oplichtster, daarvan was ze overtuigd, maar toch had ze iets.

Het lieve, jonge ding dat ze zich herinnerde, zou nooit tegen haar gesproken hebben zoals deze jonge vrouw had gedaan, of haar hebben aangekeken alsof ze alleen maar minachting voor haar voelde. De kleindochter van wie ze dacht dat ze haar kende, zou nooit zijn weggelopen. Maar Christina was wel weggelopen. Deze jonge vrouw zei dat ze op straat had geleefd, en Katherine kon zich goed voorstellen wat ze daar uit had moeten staan.

Katherine was zelf in armoede opgegroeid en begreep zoiets. Ze wist hoe vastbesloten en soepel je moest zijn om dat te overleven. Maar haar kleindochter was in een beschermde omgeving groot geworden en had allerlei voorrechten genoten. De enige tegenslag die Christina ooit had gekend, was de dood van haar ouders. Dat was afschuwelijk, maar in die tijd was ze niet alleen geweest. Ze had een familie die om haar gaf. Had zij de kracht bezeten die nodig was om zonder hulp op de been te blijven? En als ze er al in geslaagd was door te gaan, zou ze dan zijn opgegroeid tot een krachtige en vastbesloten jonge vrouw als deze teneinde om haar erfdeel te vechten?

Katherine zei eindelijk, en haar stem klonk ongewoon spijtig: 'Mijn kleindochter betekende veel voor me. Ik wilde alleen het beste van alles voor haar. En ik hield innig van haar.'

Christina bleef haar lang aankijken voor ze reageerde. 'Misschien deed u dat, op uw manier. Maar u hebt het míj nooit getoond.'

Nee, moest Katherine inwendig toegeven, dat heb ik nooit gedaan. Ze bracht een hand naar haar voorhoofd. Het gesprek had diep opgeborgen en onverwerkte gevoelens plotseling omhooggebracht en ze voelde zich te oud en te moe om dat allemaal aan te kunnen.

Ze sloot haar ogen en zuchtte diep. Toen opende ze langzaam haar ogen weer en keek de jonge vrouw voor haar aan. 'Wie ben je?' vroeg ze. 'Ik eis dat te weten.'

'Dat heb ik u al verteld.'

Katherine schudde langzaam haar hoofd en haar stem beefde van vermoeidheid toen ze zei: 'Mijn kleindochter is twintig jaar geleden gestorven. De politie was ervan overtuigd.'

'Ze had het bij het verkeerde eind,' zei Christina slechts.

Katherine maakte een zwak gebaartje. 'Ga weg.'

Christina stond langzaam op. Het was dus voorbij. Ze had er geen idee van wat ze nu moest doen. Wilde Katherine dat ze nu onmiddellijk vertrok? Of had Christina haar toch enigszins overtuigd?

De stem van de oude vrouw hield haar bij de deur staande. 'Je blijft hier nog enkele dagen. Ik heb tijd nodig om over dit alles na te denken.' Het was geen verzoek of een uitnodiging, maar een bevel waarvan ze verwachtte dat het zonder meer zou worden uitgevoerd. Toen voegde ze eraan toe: 'Kane wacht voor de deur op je. Stuur hem naar binnen.'

Katherine keek toe hoe ze het vertrek verliet en ondanks alles voelde ze een sprankje hoop, maar ze schrok ervoor terug dat na al die jaren te bekennen.

Christina zat op de veranda en keek naar de weelderig groene weiden en, in de verte, de oceaan. Het water schitterde met allerlei zonneplekjes in de heldere ochtend. Zeilboten met felgekleurde zeilen schoten over het water. Af en toe zag ze de fontein en zacht gebogen rug van een van de voorbijtrekkende walvissen. Die waren vroeg dit jaar, want normaal kwamen ze pas in december of januari.

Die ochtend vroeg had het geregend, het soort zacht, kort regentje dat zo vaak op de eilanden voorkwam, waardoor nu alles van het vocht glinsterde. In de verte, boven de bergen, stond een regenboog. Als kind had ze geloofd dat regenbogen toverdingen waren. Dat was voor de tijd geweest dat het leven zo angstaanjagend werd dat zelfs de schoonheid van een regenboog de lelijkheid ervan niet kon verdrijven. Toen had ze niet meer in regenbogen geloofd en kon zich niet voorstellen dat ze het ooit weer zou doen.

Ze zat daar en nipte van de thee die het inheemse meisje haar had gebracht. De warmte van de sterke, donkere vloeistof werkte kalmerend na de emotioneel dodelijk vermoeiende confrontatie met Katherine. Zelfs meer dan Richard of Ross was Katherine de sleutelfiguur tot haar succes of falen. Toen Christina de deur van de studeerkamer had geopend en tegenover Katherine had gestaan, had ze beseft dat deze bedrieglijk teer ogende vrouw – en niet Richard of Ross – haar ergste tegenstandster was.

Richard was hard en vastbesloten en ze nam zijn dreigementen niet lichtvaardig op. Na al die lange en frustrerende jaren had hij eindelijk iets binnen zijn bereik wat hij uit alle macht wilde hebben en hij zou zich door vrijwel niets laten weerhouden haar te beletten hem dat te ontnemen.

Ross was om heel andere redenen gevaarlijk. Vanaf het moment dat ze hem in de vergaderkamer had zien zitten, had hij gevoelens bij haar opgeroepen die ze niet tegenover zichzelf wilde bekennen noch eraan wilde toegeven. Hij was een heel aantrekkelijke man, die heel anders was dan alle mannen die ze gekend had. Hij was beschaafd en ontwikkeld. Toch vermoedde ze dat, als je die beschaving en ontwikkeling verwijderde, hij meedogenloos kon zijn en even hard als Richard – vooral als hij iets graag wilde hebben. Hij wilde ook in de toekomst Fortune International beheren en die macht zou hij niet zonder strijd aan haar overdragen.

Katherine was anders. De onderneming was haar hele leven. Ze had zich er vol overgave aan gewijd en jarenlang met Richard om de leiding ervan gevochten. Ze was niet van plan die onderneming nu over te dragen aan iemand van wie ze dacht te weten dat die een oplichtster was.

Maar de gebeurtenissen van die ochtend waren veel ingrijpender geweest dan Christina verwacht had. Ze had niet gedacht dat haar gevoelens zo diep gingen. Ze waren zo intens dat ze er angstig door werd.

Ze moest vechten om ze zorgvuldig onder controle te houden. Als ze dat niet deed, zou Katherine haar wegsturen en dan zou ze de kans kwijtraken om het werkelijke doel te bereiken dat haar daarheen had doen gaan.

Ze had Katherine verteld dat ze was gekomen om haar erfenis op te eisen. Dat was inderdaad het duidelijke motief, een dat Katherine, en alle anderen, gemakkelijk kon aannemen. De waarheid was echter veel ingewikkelder – en afschuwelijker.

Als Katherine haar eis afwees, zou het vermoedelijk onmogelijk zijn om in een gerechtelijke strijd te bewijzen dat ze recht had op de erfenis. Ze voelde dat Katherine haar niet wenste te geloven. Omdat, als zij Christina was, dat Katherine zou dwingen de pijnlijke waarheid te erkennen dat zij op een of andere manier tegenover haar kleindochter was tekortgeschoten, en zelfs in zekere zin schuld had aan Christina's verdwijning, nu twintig jaar geleden.

Ze had die ochtend even een glimp opgevangen van de pijn die Katherine zo hardnekkig probeerde te verbergen. Dat had ze niet verwacht en het had haar verrast. Heel even had ze gedacht dat Katherine haar geloofde... of haar wilde geloven. Alles wat ze over Katherine wist en alles wat ze in de afgelopen twintig jaar over haar activiteiten had gelezen, hadden haar niet voorbereid op die glimp van emotionele kwetsbaarheid.

'Mag ik bij je komen zitten?'

Ze schrok op bij het geluid van Ross' stem. Ze was zo in haar eigen gedachten opgegaan dat ze hem niet de veranda had horen opkomen.

'Ga je gang,' mompelde ze en probeerde onverschillig te lijken. In de twee dagen die ze deze man nu kende, had ze ontdekt dat het onmogelijk was zich in zijn tegenwoordigheid volkomen op haar gemak te voelen.

Ze merkte dat hij nu heel ontspannen was, of dat in elk geval leek te zijn. Hij ging bij haar aan het tafeltje zitten en schonk zich een kop thee in, die hij op de Engelse manier klaarmaakte – met wat melk. Dat zou haar niet moeten verbazen, dacht ze. Hij was tenslotte in Hongkong opgegroeid en daar was de Engelse invloed overwegend.

Hij zag er even goedverzorgd en rustig uit als altijd, maar zijn reputatie – die ze uit de kranten kende – paste niet bij zijn beschaafde uiterlijk; hij zou in zaken een heel ruwe benadering toepassen. In geen van de artikelen die ze had gelezen, had iets over zijn familie en achtergrond gestaan. Wat voor achtergrond het ook was, ze voelde dat het geen deftige omgeving met veel voorrechten zou zijn.

Eén belangrijk feit hadden al die artikelen onthuld – hij was in staat om volkomen meedogenloos op te treden. Maar dat was ze zelf ook, bedacht ze.

Enigszins scherp zei ze: 'Je bent zeker verbaasd dat ik nog hier zit. Je had verwacht dat Katherine me met het eerste het beste lijnvliegtuig zou terugsturen, hè?'

Zijn glimlach kwam onverwacht en was ontwapenend. Ze voelde iets in zich opkomen en hield zich voor die glimlach niet te vertrouwen, ongeacht wat voor verontrustende fysieke reacties die ook bij haar teweegbracht. Ze leunde achterover tegen de leuning van de veranda en steunde aan elke kant op een hand.

'Ja,' antwoordde hij. 'Ik heb je klaarblijkelijk onderschat.'

'Blijkbaar.' Ze keek hoe hij een teugje van zijn thee nam en hoe zijn lange vingers behoedzaam het prachtige kopje van Limogesporselein vasthielden. Hij keek beschouwend.

'Waarom noem je haar Katherine en niet je grootmoeder?'

'Ze is nooit een echte grootmoeder voor me geweest. Onze verhouding was heel... afstandelijk.'

'Maar je hebt hier elke zomer gelogeerd,' bracht hij haar in herinnering.

'O ja?' Ze glimlachte, wendde haar gezicht van hem af en keek uit over de oceaan. 'Mijn neefjes en ik kwamen hier elke zomer een paar weken, maar we kregen Katherine dan nauwelijks te zien. Ze was altijd druk bezig met de onderneming of de ranch en liet ons onder de hoede van de bedienden, die zich niet te druk om ons maakten. We hadden een heerlijke tijd – wij vieren, de bedienden en de mensen van de ranch. Eerlijk gezegd was het veel fijner als zij er niet bij was.'

'Je was niet erg op je familie gesteld, hè?'

Ze draaide zich fel om en keek hem strak aan. 'Enkelen van hen vind ik heel aardig. Hoe sta jij ten opzichte van hen?'

'Ze zijn geen familie van míj. Het doet er niet toe of ik hen mag of niet.' Toen keek hij enigszins vermaakt. 'Ze lijken nu niet bepaald de ideale Amerikaanse familie te vormen – liefde, appeltaart en dat soort dingen.'

'Ze zijn schatrijk en hebben veel macht. Dat brengt niet altijd de beste eigenschappen bij mensen boven.'

'Dat is zo. Ik bof dat ik alleen maar met hen moet werken.'

'Als ik niet was komen opdagen en mijn erfenis was verdeeld, dan zou je niet lang meer voor hen blijven werken.'

Hij kneep zijn blauwe ogen halfdicht. 'Waarom denk je dat?'

'Het is een publiek geheim dat jij en Richard het nooit samen hebben kunnen vinden. Jij vertegenwoordigt Katherine en zij wil de onderneming handhaven zoals die was toen Alexander Fortune de leider was. Richard wil een deel aan buitenlandse investeerders verkopen om meer kapitaal ter beschikking te krijgen. Als hij daar niet in slaagt, wil hij naar de beurs. Jij bent de enige die hem daarbij in de weg staat. Het enige wat hij nodig heeft, zijn voldoende aandelen om Katherine weg te stemmen en dan zorgt hij ervoor jou de laan uit te sturen. Daarna benoemt hij hier ongetwijfeld Steven tot directeur.'

'Je schijnt veel van de onderneming af te weten!'
'Daar heb ik voor gezorgd. Tenslotte is het ook míjn onderneming.'
'Dat staat nog te bezien! Katherine heeft niet geaccepteerd dat je haar kleindochter bent.'
Christina keek weer naar de glooiende weilanden rondom de ranch en naar de oceaan, die zich tot in het oneindige scheen uit te strekken. 'Dat komt nog wel,' zei ze rustig.
'Je lijkt vol zelfvertrouwen.'
'Dat moet ook wel. Ik moet een belofte houden...' Er klonk iets triests in haar stem dat hij nog niet eerder had gehoord, dezelfde treurigheid die hij de vorige nacht toevallig had vernomen. Ross kneep zijn ogen weer halfdicht. 'Wàt heb je beloofd?' Heel even leek ze niet op haar hoede te zijn en hij zag de kwetsbaarheid achter die façade van onbewogenheid.
Toen beheerste ze zich weer en verklaarde alleen: 'Ik heb mezelf beloofd dit te doen.'
Hij wist dat ze niet van plan was er meer over te zeggen en zei: 'Katherine vroeg me je te vertellen dat ze je bij het diner wil spreken. Ze is niet zo sterk als iedereen denkt en jullie gesprek heeft haar zeer vermoeid. Ze wil nu eerst de rest van de dag rust nemen en vroeg me jou intussen het eiland te laten zien.'
Ze liet zich hierdoor geen moment beetnemen. 'Wat ze je eigenlijk gevraagd heeft, is een oogje op me te houden, me nog meer vragen te stellen en mijn antwoorden te controleren om te zien of je me op een leugen kunt betrappen.'
Er verscheen een glimlach om zijn lippen. 'Precies.'
'Heb ik enige keus?'
'Nee.'
Ze gaf zonder meer toe. 'Goed dan. Wat voor plannen heb je?'
'Ik dacht dat we een paar van Christina's lievelingsplekjes zouden kunnen bezoeken.'
'En kijken of ik ze me herinner?'
Hij nam geen notitie van de scherp gestelde vraag. 'Misschien is het het beste als je je badpak aantrekt en daar een short overheen doet.' Toen keek hij uit over de uitgestrekte groene weiden. 'Het wordt een warme dag en misschien wil je hier of daar gaan zwemmen. Dat vind je vast fijn. Katherine heeft me verteld dat Christina een goede zwemster was.'
'Ik wou dat je ophield met over mij in de derde persoon te spreken. Ik bèn Christina.'
Hij glimlachte raadselachtig. 'We zien wel.'
Ze vond een short, een topje en een badpak in de kleerkast in de logeerkamer en vroeg zich af van wie die waren. Ze vroeg het aan het

kamermeisje, dat enigszins verlegen verklaarde dat Steven Chandler vaak meisjes als logée meenam. Ze kreeg het gevoel dat zij ook een van die 'vriendinnetjes' was nadat ze de afgelopen nacht die nachtjapon had aangetrokken, en nu de badkleding – een vluchtige gast die voor een weekend of vrije dag was uitgenodigd en van wie verwacht werd dat ze daarna vertrok.

Ross liet de kap van de witte Mustang neer voordat ze van de ranch vertrokken. Ze reden over de Queen Kaahumanu Highway, langs de Anaehoomalu Baai en de luchthaven.

De zon leek de hitte bijna vloeibaar te maken en scheen met grote kracht op hen neer terwijl ze het grijze lint van de snelweg volgden. Christina had haar haren in een paardestaart bij elkaar gebonden en er een sjaal omheen gebonden. De wind maakte het voeren van een gesprek onmogelijk. Ze liet haar hoofd tegen de hoofdsteun rusten en genoot van het licht, de wind en de zoute zeelucht.

De zon van Hawaii scheen verblindend op het water en het was lang geleden dat ze aan zoveel zon was blootgesteld. Toch had ze als kind al niet gauw aan zonnebrand geleden, want ze had het soort donkere, goudkleurige huid dat bij donkere haren en dito ogen paste.

Ross had een wit, katoenen short aan en een blauw T-shirt, dat bij de kleur van zijn ogen paste. Met zijn donkere huid hoefde hij niet op te passen voor de zon. Ze vroeg zich af of hij van nature zo'n donkere huid had of af en toe vrij nam van zijn drukke werk om in de buitenlucht te zijn.

Op de achterbank stonden een picknickmand en een kleine koeltas met drankjes. Ross was blijkbaar van plan de hele dag met haar op stap te gaan. Ze begreep het motief maar al te goed. Katherine had hem ongetwijfeld opdracht gegeven haar naar alle plekjes te brengen die Christina Fortune als kind had gekend. Als ze iets niet herkende of niet op de juiste manier reageerde, zou dat koren op Katherines molen zijn en kon ze daarmee Christina's eis ontzenuwen.

Alles stond nu op het spel. Dit was de belangrijkste test en ze móest slagen. Maar de spanning die ze tot in haar zenuwuiteinden voelde, werd niet alleen veroorzaakt door de noodzaak om Katherines goedkeuring te veroveren. Ze kwam ook voort uit het feit dat ze met Ross alleen was. En ondanks al haar pogingen kon ze er niets aan doen: ze was zich maar al te zeer van hem als man bewust.

Ze bestudeerde hem terwijl hij al zijn aandacht aan de slingerende weg schonk. Het T-shirt paste hem goed en verraadde de spieren van zijn borst en schouders. De short onthulde dat hij een slank middel had en lange, gespierde benen. Ze begreep dat dit niet het lichaam was van een man die zijn tijd uitsluitend doorbracht in het vliegtuig van de onderneming of achter een bureau in een kunstmatig verlicht kantoor hoog in een wolkenkrabber in San Francisco of Hongkong. Het was het lichaam van een man die aan harde fysieke oefening gewend was.

Ze dacht aan tennis of squash, maar zette die gedachte van zich af. Ze kende Ross McKenna nog maar kort, maar ze had het gevoel dat hij voor dat soort spelen geen interesse had. De uitdaging om een bal over een net of tegen een muur te slaan, was voor hem niet groot genoeg.

Ze zag de zware, hoekige botten van zijn gezicht. Aan zijn gebogen neus, hoge jukbeenderen en stevige kin was duidelijk zijn Britse afkomst te merken.

Hij keek heel even van opzij naar haar en in het moment dat hun blikken elkaar ontmoetten, scheen de lucht vervuld te worden van een seksuele spanning die even krachtig en roekeloos was als plotseling en onverwacht.

Ze zat doodstil, haalde nauwelijks adem en vroeg zich af of hij hetzelfde gevoel had gekregen. Zijn gelaatsuitdrukking was enigszins anders geworden. Toen wendde hij zich bruusk af en keek alleen nog naar de weg.

Het gevoel van intense seksuele aantrekkingskracht verdween onmiddellijk, alsof dat nooit had bestaan.

Maar het was er geweest. Ze kon niet doen alsof er niets was voorgevallen.

Ross was gevaarlijk op een manier die ze nu pas goed ontdekte. Ze begreep dat er veel meer op het spel stond dan een erfenis en een oude belofte die moest worden gehouden. Haar hart was erbij betrokken geraakt.

Hoofdstuk 8

Christina keek om zich heen en naar het weelderige, groene kokos-palmenbosje dat langs de rand van het halvemaanvormige strand lag, naar de kleine, ondiepe lagune, de massieve stenen muur die de lava gevormd had die daar eens langs had gestroomd en naar een hoog gebouwtje met een rieten dak.

'*Pu'uhonua*,' fluisterde ze. Toen keek ze Ross aan en vertaalde: 'Dat betekent "toevluchtsoord".'

'Herken je het?' vroeg Ross en bekeek haar oplettend.

Ze wist precies wat hij bedoelde. 'Mijn ouders namen me vaak mee hierheen om te picknicken; ik was toen nog vrij klein. Ik vond het hier fijn om te zwemmen. Pas toen ik ouder werd, begon ik de betekenis van deze plek te beseffen.'

'En wat is die?'

Ze was ervan overtuigd dat hij evenveel van dit plekje af wist als zij. 'Het is een heilige plek, een toevluchtsoord, het oude tehuis van een *ali'i*, een heersend opperhoofd. Verslagen krijgslieden konden hier een toevluchtsoord zoeken, waar hun vijanden hen geen kwaad zouden kunnen doen. Mensen die de *kapu* hadden verbroken, kwamen hierheen. De bewoners van Hawaii geloofden dat het breken van de heilige *kapu* de goden beledigde, en dan reageerden die goden door lavastromen, vloedgolven of aardbevingen te sturen. En als dus iemand de *kapu* had verbroken, werd hij opgespoord en gedood, tenzij hij dit plekje al had bereikt.'

Ross kende de oude legende, maar de manier waarop zij die bijna kinderlijk verklaarde, ontroerde hem. 'En als hij het had klaargespeeld tijdig hier te zijn?' hield hij aan.

'Dan werd er een vergiffenisceremonie verricht door de *kahuna pule*, de priester, en werd alles vergeven. Dit was een plek gewijd aan het leven waar iemand een nieuwe kans kreeg.' Weer klonk er die spijtige klank in haar stem die aangaf dat er meer was dan ze wilde loslaten.

'Een nieuwe kans,' herhaalde Ross peinzend. Hij stond vlak bij het water, met zijn rug naar de lagune, en de zachte bries waaide de haren van zijn voorhoofd. Hij zag er zelf bijna uit als een *ali'i*, met zijn zwarte haren, donkere huid en het air van gezag. Christina kon zich hem gemakkelijk voorstellen als heerser over een koninkrijk, net zoals hij geheerst had over het rijk dat Fortune International omvatte.

Op dat moment begreep ze heel goed waarom Katherine hem boven alle anderen had verkozen om de onderneming te leiden. Hij had de onwankelbare vastbeslotenheid, het zelfvertrouwen en de kracht die nodig waren om een multinationale onderneming zoals Fortune International te leiden en om te strijden met Richard Fortune, of met wie dan ook die zou trachten het van Katherine Fortune te bemachtigen. Ze wist dat hij ook haar zonder genade zou bestrijden. Plotseling was ze bang voor hem en kon nog maar net voorkomen dat ze onder zijn doordringend onderzoekende blikken begon te beven.

'Ben je werkelijk Christina Fortune en daarom teruggekomen, voor een nieuwe kans?' vroeg hij.

Ze werd door die vraag overvallen. Ross kwam veel dichter bij de waarheid dan hij kon vermoeden en ditmaal waren haar gevoelens niet genoeg onder bedwang onder haar zorgvuldig beheerste uiterlijk.

'Ik...' begon ze, en wendde toen haar ogen af om naar de *ki'i* te kijken – een stuk uitgehouwen steen dat op een rots in de ondiepe lagune stond. Daarachter bevond zich de Grote Muur, die eens de hutten van de gewone mensen had gescheiden van het gebied van het koninklijk paleis. Ze keek naar de tempel, overal naar, als ze maar niet naar Ross hoefde te kijken.

Maar hij hield aan. 'Ben je naar San Francisco gekomen omdat je daar een soort toevluchtsoord zocht?'

Haar gedachten vlogen twintig jaar terug, naar die verschrikkelijke nacht toen twee jonge meisjes wanhopig hadden gezocht naar een veilig plekje, niet alleen om hen te beschermen tegen de man die hen achtervolgde, maar ook tegen de nachtmerrie die ze beiden, elk afzonderlijk, hadden beleefd en hen naar de gevaarlijke straten van New York had gedreven.

'Ik geloof niet dat er ergens ter wereld nog een veilige plek bestaat,' fluisterde ze. 'Zelfs niet hier, op *Pu'uhonua*.'

'En hoe staat het met vergiffenis?'

Ze keek hem nog steeds niet aan en zei op zachte toon: 'Dat schijnt nog het moeilijkste van alles te zijn.'

Nu dwong ze zich haar blikken op hem te richten. Er lag een ontroerende uitdrukking in zijn ogen, die een kwetsbaarheid onthulde waartoe ze hem nooit in staat had geacht. Verbaasd zag ze dat hij zichzelf op dat moment ook niet volledig kon beheersen.

'Wat denk jíj van vergiffenis?' vroeg ze. Ze wist eigenlijk niet waarom die vraag bij haar was opgekomen, maar zodra ze hem gesteld had, wist ze dat ze een teer punt had geraakt.

81

Er was woede te zien in zijn blauwe ogen. 'Ik vind dat zij als deugd veel te hoog wordt aangeslagen. Mij lijkt wraak veel zinvoller dan vergiffenis.'

'Dan hebben we toch íets gemeen.'

Voor hij haar verder kon ondervragen, zei ze: 'Ik heb nu genoeg van al die ondervragingen en ga zwemmen.'

Ze keerde hem de rug toe, trok haar short en topje uit en liet ze op het zand vallen; daarna schopte ze haar sandalen uit. Ze was zich ervan bewust dat hij naar haar keek toen ze het water in rende, in het ondiepe gedeelte waadde en zich toen in het diepere deel wierp. Op die beschutte plek was het water rustig en er stonden geen hoge golven die haar tegenhielden. Met zekere, snelle slagen zwom ze weg van het strand, weg van Ross en zijn verwarrende vragen en zijn nog meer verwarrende persoonlijkheid. Ze zorgde ervoor niet te ver weg te zwemmen. Ze wist dat de stroom buiten de inham heel verraderlijk kon zijn en haar kon meesleuren als ze zich te ver waagde. Langzaam ontspande haar lichaam zich in het water, dat warm en helder was. Onder zich zag ze scholen felgekleurde tropische vissen zwemmen en veelkleurig koraal. Ze draaide zich met haar gezicht naar het strand, begon te watertrappen en keek naar de prachtige achtergrond. Ondanks het feit dat ze tegen Ross had gezegd dat er nergens meer toevluchtsoorden bestonden, voelde ze zich aangetrokken tot die plek. Als er nog zoiets als een toevluchtsoord zou bestaan, dan zou het daar zijn, in die lieflijke, rustige omgeving.

Als ze eindelijk had bereikt wat ze wenste, zou ze daar misschien eens kunnen terugkeren en proberen de vergiffenis te vinden die haar al twintig jaar ontgaan was en haar vaak ziek en ellendig maakte op een manier die ze zelf niet kon verzachten.

Misschien.

Ze zag Ross op het strand zitten en naar haar kijken. Haar armen en benen werden moe en ze besloot terug te keren naar de wal. Maar toen ze naar Ross toe zwom, die was opgestaan om haar op te wachten, was ze er niet van overtuigd of ze zich naar een toevluchtsoord begaf of naar gevaar.

Toen ze zich op het strand begaf, zag ze dat hij een deken had uitgespreid en de picknickmand had geopend. In plaats van de gebruikelijke kartonnen bordjes en plastic bekers die de meeste mensen bij een picknick gebruikten, zag ze porseleinen borden met gouden randen, echt tafelzilver en kristallen wijnglazen. Er was van alles: een fles witte wijn, koude kip en ham, pâté uitgesmeerd op dunne crackers en een heerlijke hoeveelheid vruchten van Hawaii – guave, appels, mango en papaja, allemaal in plakken gesneden.

Ze pakte een dikke badhanddoek die op een uiteinde van de deken opgevouwen lag en droogde er haar gezicht mee af. Toen sloeg ze hem om haar schouders en ging met gekruiste benen op de deken zitten. Ross keek toe zonder een woord te zeggen. Ze was zich intens bewust van het feit dat ze zo vlak bij elkaar waren... dat hun badpakken slechts weinig bedekten en ze zo eenzaam op dat afgezonderde stuk strand zaten. En van Ross, die haar onafgebroken in de gaten hield en erop wachtte dat ze iets zou zeggen of doen dat niet klopte, iets dat haar zou verraden.

Ze was vast van plan hem die zenuwenoorlog niet te laten winnen en dwong zich hem recht aan te kijken, zonder haar blikken af te wenden. Hij was bijna – maar niet helemaal – te knap om serieus te nemen. Christina had de ervaring dat mannen die zo knap waren als hij meestal oppervlakkig waren. Maar deze man niet. Hij was onweerstaanbaar op een manier die ze niet van zich af kon zetten.

Ze merkte hoe fijn de stof van zijn T-shirt was geweven, zag het logo van de ontwerper en rook de sandelhoutgeur van zijn eau de toilette. En zijn handen – die zagen er merkwaardig ruw uit voor iemand die verder zo verfijnd was. Haar hart begon sneller te slaan en haar hand beefde een beetje toen ze die uitstak om een stuk vrucht te pakken. Bij het bijten in het zachte, witte vruchtvlees van de appel merkte ze plotseling dat ze een enorme honger had. Ze had niet ontbeten en probeerde zichzelf ervan te overtuigen dat ze daardoor, en door het zwemmen, opeens zo'n honger had gekregen.

'Ik hoop dat je de lunch die Katherine voor ons heeft laten klaarmaken lekker vindt. Ze zei dat dit allemaal lievelingskostjes van je waren.'

'Heerlijk,' zei ze, en nam een stuk koude, gegrillde kip.

'Probeer die ham eens, die is uitstekend,' zei hij, en bood haar een plak aan.

Ze schudde glimlachend haar hoofd. 'Ik eet geen varkensvlees. Dat weet Katherine.'

Hij zei niets, maar ze zag dat zijn gelaatsuitdrukking een beetje veranderde. Hij had geprobeerd haar op een fout te betrappen, maar zonder succes; het zou veelbetekenend zijn geweest als ze de ham had aangenomen. Weer een horde die ze genomen had.

Zwijgend aten ze door en keken naar het water, dat zachtjes op het strand kabbelde, luisterden naar de bries die door de reusachtige palmbladeren ruiste en voelden de warme zon op hun rug. Toen ze gegeten hadden, hielp ze hem de mand inpakken en bleven ze zitten om de laatste wijn op te drinken. Ze ademde de frisse zeelucht in en dacht eraan hoe anders die rook was dan de vervuilde lucht in Boston. Maar ja, alles op dit eiland was anders dan in Boston. Anders en beter. Ze merkte dat ze wenste hier eeuwig te kunnen blijven en nooit meer al die dilemma's onder ogen te moeten zien die haar in de wereld daarbuiten wachtten.

Ze moest heimelijk lachen. Ze was niet de eerste die door het paradijs werd aangelokt en vroeg zich af of Ross dezelfde gevoelens koesterde, of hij zich ooit helemaal ontspande en achter die muur van gereserveerdheid vandaan kwam waarmee hij zich had omringd. Nu ze zo naar hem keek, voelde ze instinctief dat het beeld dat hij aan de buitenwereld toonde geen nauwkeurig zelfportret was. Hij had te veel eigenschappen van een ruwe straatvechter in zich, die te zien waren aan de manier waarop hij zich gedroeg.

Hoe zijn achtergrond ook was, hij was veel te hard om met een zilveren lepel in zijn mond te zijn geboren. Hij was een zeer bekwaam leider van een van 's werelds grootste ondernemingen die zich nog in privé-handen bevond. Hij had zich omhoog gevochten en ze wist dat hij dat gevecht had geleverd om aan de top te blijven.

Terwijl ze naar hem keek, was ze zich bewust van de harde spieren onder zijn T-shirt, en dat maakte haar onrustig. Het bracht haar de al opgedane indruk in herinnering dat hij altijd meer zou eisen – van zichzelf, zijn werk en van een vrouw die bereid zou zijn te riskeren verliefd op hem te worden.

'Je bent bezig me te analyseren,' zei hij plotseling, en verbrak daarmee de tussen hen hangende stilte.

Ze verborg haar gedachten achter een glimlach. 'Mag dat niet? Jij bent al bezig mij te analyseren vanaf het moment dat ik de vergaderzaal binnenkwam.'

'Dat hoort bij mijn werk. Ik moet bewijzen dat je een oplichtster bent, waarvan ik ook overtuigd ben. Maar dat houdt niets persoonlijks in.'

'O nee?' kon ze zich niet weerhouden te vragen.

Ze vond het leuk te zien dat haar vraag hem op een of andere wijze van zijn stuk bracht, maar hij keerde de rollen meteen weer om. 'Is er iets persoonlijks in jouw ontleding van mijn persoon?'

'Natuurlijk niet!' beweerde ze. Maar dat was een leugen, en geen beste. Hoezeer ze ook haar best deed zich te overtuigen dat ze hem niet als man moest beschouwen, was de waarheid toch dat ze zich intens fysiek van hem bewust was. Met elke inademing van de geur van zijn eau de toilette. Met elke blik waarmee ze meer details omtrent zijn verschijning in zich opnam – een wit littekentje onder zijn oog, de manier waarop zijn volmaakte mond een harde, smalle lijn werd als hij boos werd of heel aantrekkelijk zachter wanneer hem iets beviel.

Ze dwong zich op te houden met die gevaarlijke gedachtengang en was woedend op zichzelf omdat haar hart er sneller door ging kloppen. De afgelopen twintig jaar had ze er hard aan gewerkt haar emoties en reacties onder alle omstandigheden in bedwang te houden, maar de afgelopen dagen had ze echter steeds het gevoel dat ze op het punt stond die controle kwijt te raken. Ze had geweten dat het niet gemakkelijk zou zijn en was daar op voorbereid geweest. Maar er was één kant aan de situatie waarmee ze geen rekening had gehouden – Ross McKenna.

Ze besloot dat het veiliger was geen notitie van hem te nemen en slechts van de rust en eenzaamheid te genieten. Dit plekje kwam zo dicht bij het idee van het paradijs dat ze alles in zich wilde opnemen, al was het maar even. Ze zette alle gedachten aan Katherine Fortune en de onderneming van zich af, evenals de gedachten aan het enorme fortuin dat op het spel stond, en richtte zich uitsluitend op het heden. Toen kreeg ze een gevoel van rust en dat was iets dat ze in heel lange tijd niet meer gevoeld had.

Even vergat ze dat Ross niet zo maar een vriendelijke metgezel op dit heerlijke plekje was en wendde zich tot hem om iets te zeggen. Hij boog zich over haar heen en haar schouder raakte even de zijne aan.

Ze trok zich bruusk terug en hij hield haar met één hand in evenwicht. Een heerlijk moment lang hielden zijn blikken de hare vast, zochten haar gezicht af, gleden toen omlaag naar haar hals en ten slotte naar haar borsten, die onder het luchtige, natte badpak duidelijk te zien waren. Zijn ogen bleven daar maar heel even hangen voordat hij ze weer op haar gezicht richtte, maar het was lang genoeg voor haar om zich af te vragen hoe het zou zijn als ze hem kuste.

Snel zette ze die gedachte van zich af. Vergeet niet wie hij is, waarschuwde ze zichzelf.

Ze trok zich terug van zijn aanraking en voelde toch nog iets als een intense warmte op haar huid. 'Sorry,' zei ze.

Met een stem die ietwat onvast was geworden, merkte hij op: 'We kunnen nu maar beter gaan, want we hebben nog een aantal plekjes op het programma staan.'

Terwijl Ross de deken opvouwde, trok Christina haar short en topje aan, liet haar voeten in de sandalen glijden en haalde toen een kam uit haar tas om haar natte haren even flink door te kammen. Daarna wandelden ze zwijgend terug naar de auto, die op een parkeerplaatsje vlak bij het strand stond.

Op het strand hadden zij en Ross heel even hun psychologische oorlogvoering opzij gezet en een paar minuten waren ze slechts een man en een vrouw die samen van een heerlijk plekje genoten. Het was een opluchting weg te gaan van dat plekje dat veel te afgelegen lag en te verleidelijk voor haar was. Toch had ze in zekere zin ook in dat toevluchtsoord willen blijven, want daar was ze in staat geweest te ontsnappen aan de herinneringen aan het verleden en de onzekerheid van haar toekomst.

Ross was duidelijk van plan haar mee te nemen naar alle plekjes op het eiland die Christina Fortune ooit had bezocht. De prachtige Kealakekua-baai, waar Michael Fortune vaak met zijn zeilboot voor anker was gegaan zodat hij en Christina konden gaan snorkelen... De kleine blauwe kerk, die gebouwd was op de fundamenten van een oude heidense tempel waar Christina's ouders getrouwd waren in een eenvoudige, besloten dienst die heel San Francisco verbaasd had doen staan... En de fantastische Akaka-watervallen, waar de familie vaak ging picknicken.

Bij elk oponthoud vertelde Christina plichtmatig hoe belangrijk die plek voor haar persoonlijk was geweest. Ross luisterde dan zwijgend en stelde zelden vragen.

Ze reden noordwaarts over Highway 11, over de hellingen van de Mauna Loa en langs de groene koffiegordel van Kona. Christina, die gewend was aan het lawaai en de spanningen van het leven in een grote stad, was verrukt over de rustige, ontspannen en landelijke sfeer van dat deel van het eiland. De weg slingerde zich flink omhoog en daar werd de lucht koeler en het uitzicht op de oceaan voor hen ongelooflijk mooi.

Laat in de middag stopten ze bij een vervallen cafeetje langs de weg om een kop koffie te drinken. Het gebouwtje leek gevaarlijk dicht aan de rand van de steile heuvel te staan. Ze gingen op de veranda zitten en zagen een landschap voor zich dat een van het mooiste was dat Christina ooit had gezien. Op de voorgrond bevonden zich de smaragdgroene weiden met vee en paarden, die langzaam naar de diepblauwe oceaan in de verte afdaalden. Vanaf de veranda was de hele lengte van de kust van Kona te zien en Christina keek ontspannen vanuit haar stoel rond en genoot van het ongelooflijke uitzicht, dat haar steeds weer verbaasde.

Even vergat ze waar ze was, waarom en met wie. Ze liet zich gaan en dronk slechts al die natuurlijke pracht in.

'Ongelooflijk,' mompelde ze, meer tegen zichzelf dan tegen Ross.

Maar hij antwoordde: 'Ja. Nog wel. Maar als wij, *haoles*, onze zin krijgen, wordt het hier straks een soort kermis met hoge hotels en flatgebouwen.'

Ze keek hem verrast aan. 'Ik dacht dat jij als zakenman dergelijke ontwikkelingsplannen zou toejuichen.'

'Al ben ik een zakenman, daarom ben ik nog geen plunderaar. Voordat de missionarissen hier kwamen, was het hier een echt paradijs. Zij zorgden dat de naïeve bewoners van Hawaii kleren aantrokken en dat hun natuurlijke openheid werd verdrongen en ze met de erfzonde werden belast.'

'Wat een heiden ben je, Ross McKenna!' zei Christina lachend.

'Ik ben een Engelsman die op Brits grondgebied is geboren en getogen. Dat houdt in dat ik kolonialisme begrijp en ook wat het met een naïeve bevolking doet. Zelfs nu zijn er nog stille plekjes op dit eiland waar de *haoles* niet heen kunnen gaan zonder gevaar te lopen door de inheemsen te worden afgerammeld.'

'Waarom?'

Ross fronste zijn wenkbrauwen. 'Omdat ze, heel begrijpelijk, verbitterd zijn om hetgeen hen is aangedaan en wat ze allemaal verloren hebben.'

'Maar kunnen ze dan niet terugvechten, via de gerechtshoven of het politieke stelsel?' vroeg Christina.

Ross schudde zijn hoofd. 'Je begrijpt niet hoe corrupt alles hier is. De macht berust bij de grote landeigenaren, de ondernemingen die eigenaren zijn van de badplaatsen, en de eigenaren van de reusachtige ranches. De inheemse bevolking is machteloos.'

Macht. Zelfs daar, in dat prachtige paradijs, kon er niet aan ontkomen worden, besefte Christina.

Ross brak zijn betoog af. 'We moeten weg; er is nog één plekje op onze lijst.'

Terwijl ze naar de auto liepen, keek Christina hem vragend aan. Hij had haar in het café verrast en een houding onthuld die ze nooit van hem zou hebben verwacht. Had zijn houding ten aanzien van macht en het misbruiken ervan een persoonlijke ervaring ten grondslag? vroeg ze zich af. Zo ja, dan zou hij dat toch nooit toegeven, dat begreep ze wel. Maar ze bleef zich afvragen wat voor geheimen zijn persoonlijkheid nog meer verborg.

Toen ze Waikoloa Beach bereikten, het strand dat hun laatste halteplaats was voor ze naar huis zouden terugkeren, was Christina lichamelijk en geestelijk doodmoe. Ze peinsde en probeerde iets belangrijks en persoonlijks te vinden dat betrekking had op Waikoloa, maar kon niets ontdekken. Zenuwachtig balde ze haar vuisten en ontspande ze weer terwijl ze wachtte tot Ross haar zou gaan ondervragen. Deze keer had ze geen antwoord klaar.

Tot haar verbazing stelde ze opgelucht vast dat hij deze keer geen woord zei. Hij ging rustig naast haar op het zand zitten en keek naar de hemel, die allerlei adembenemende tinten oranjerood, lavendel en goud aannam terwijl de ondergaande zon een gouden pad over het water wierp. Toen ze besefte dat hij niets zou zeggen, kon ze zich ontspannen en ademde de koele, zoute zeelucht diep in en uit. Het was daar zo prachtig en rustig, bijna even fantastisch als op *Pu'uhonua*. Ze wilde niet terug naar de ranch en weer plaatsnemen tegenover Katherine, die een hele dag had gehad om na te denken over hun gesprek van die ochtend en plannen voor haar verdere strategie te smeden. Maar ze moest wel. Het was zoals ze tegen Ross had gezegd: ze moest een belofte houden.

'Het wordt tijd dat we teruggaan,' zei Ross zacht.

Heel even dacht Christina bijna dat ook hij niet veel zin had om terug te gaan.

Ze reden zwijgend terug naar de ranch. Tegen de tijd dat ze daar aankwamen, was het donker en het hele huis fel verlicht. De limousine stond geparkeerd op de brede, cirkelvormige oprit bij de hoofdingang. Even vroeg ze zich af of die daar was geplaatst om haar terug te brengen naar het vliegveld en ze keek Ross vragend aan.

'We hebben bezoekers,' merkte hij op, niet erg verbaasd en bijna alsof hij dat verwacht had. Maar het betekende tenminste dat Katherine blijkbaar niet van plan was haar die avond nog weg te sturen.

Uit alle ramen beneden scheen licht en toen Christina naar binnen liep, hoorde ze uit een ver afgelegen plaats in het huis het geluid van stemmen. Kane stond hen bij de ingang van de ranch op te wachten.

'We hebben gasten van het vasteland,' verkondigde hij.

'Alles in orde met Katherine?' vroeg Ross.

Kane glimlachte. 'Alles voor elkaar. Ze vroeg me tegen u beiden te zeggen dat het diner over een uur wordt opgediend. Ze dacht dat u zich waarschijnlijk nog voor het eten wilde verkleden. Er wordt in de eetkamer opgediend.'

'Heeft ze verder nog iets gezegd?'

Christina wist dat Ross op een aanwijzing hoopte waaruit zou blijken of Katherine een beslissing omtrent haar had genomen. Maar de gelaatsuitdrukking van Kane bleef onbewogen. 'Ze zei alleen dat ze graag u beiden om acht uur zou zien.'

Ross draaide zich om, legde een hand onder Christina's elleboog en leidde haar de gang door naar haar kamer. 'Ik had dit al verwacht,' zei hij peinzend.

'Wat is er? Wat is er gebeurd?'

Ze hadden de deur van haar kamer bereikt en Ross leunde met zijn schouder tegen de deurpost, zijn handen onverschillig in de zakken van zijn short geduwd. Maar de uitdrukking in zijn ogen was verre van onverschillig. 'Richard en Diana dineren met ons.'

'Richard?' De ongeruste reactie was instinctief na haar laatste ontmoeting met hem en ze probeerde die indruk ongedaan te maken. 'Die had ik niet verwacht...'

'Je zult ontdekken dat, voor zover het Richard betreft, het altijd verstandig is het onverwachte te verwachten. Dat voorkomt veel verbazing.'

'Dat klinkt alsof je uit ervaring spreekt.'

Hij glimlachte. 'Zo is het ook. Het is het eerste dat Katherine me leerde, en het bleek een waardevolle les.'

'Je begrijpt natuurlijk dat van jou hetzelfde gezegd kan worden,' wees Christina hem terecht.

'Of van jou, als het erop aankomt,' gaf hij meteen terug. 'Vanaf het moment dat je die vergaderzaal binnen kwam lopen.'

Ze bracht het gesprek op een ander onderwerp dan zichzelf. 'Wist je dat hij hierheen zou komen?'

Hij lachte zo'n beetje. 'Laten we maar zeggen dat het me niet verbaast. Eigenlijk had ik hem hier vanochtend vroeg al verwacht. Een van zijn mensen moet iets fout hebben gedaan.'

'Fout gedaan?'

Hij keek haar weer aan. 'Een van zijn spionnen.' Hij legde het verder uit. 'Hij heeft er verscheidene in de onderneming. Ze worden er goed voor betaald om hem van alle voorvallen op de hoogte te houden die niet via de normale kanalen bekend worden. En er zijn ook nogal wat mensen buiten de onderneming die hij uit zijn eigen zak bekostigt.'

Ze was stomverbaasd. 'Dat klinkt als een soort geheime operatie!'

'Ja, en een heel ernstige. Richard speelt om te winnen, altijd. Vergeet dat nooit! Het spelletje dat jij nu speelt, zou weleens gevaarlijker kunnen zijn dan je denkt.'

Ze hadden samen zo'n heerlijk dag doorgebracht dat ze bijna vergeten was dat ze verschillende standpunten innamen. Maar het dreigement dat in zijn laatste woorden verborgen zat, herinnerde haar er snel weer aan wie ze waren en wat er op het spel stond.

'Je denkt zeker te weten dat Katherine mijn eis zal afwijzen, hè?'

'Ik ken haar beter dan wie ook. Al was het heel moeilijk voor haar om te aanvaarden dat haar kleindochter dood was, toch is Katherine een realiste. Twintig jaar lang heeft ze deze onderneming geleid zoals Alexander Fortune zou hebben gedaan als hij nog geleefd had. Het gaat er niet om of dat juist is of niet. Maar zij zou nooit aan een volkomen vreemde willen overdragen wat er nu is opgebouwd.'

Haar gezicht werd harder. 'Ik zal niet zonder strijd opgeven.'

'Je kunt niet tegen Richard en Katherine beiden vechten,' wees hij haar terecht. 'En daar zou het uiteindelijk op neerkomen.'

'Je kunt niet zeker weten dat ik niet Christina Fortune ben.'

Hij hief zijn hand op. Ze reageerde instinctief en trok zich onmiddellijk terug; de blik in haar ogen toonde aan dat ze op haar hoede was.

Haar reactie verraste hem. 'Ik was niet van plan je te slaan,' verzekerde hij haar rustig. Hij wist niet wat hij daarvan moest denken, behalve dat hij nu een indruk van haar kreeg die hij uit geen enkel detectiverapport had gekregen. Hij hief zijn hand weer op en streelde zacht met de achterkant van zijn vingers over haar wang, zoals hij ook met een schrikachtig dier zou hebben gedaan.

'Ik wilde zeggen dat je haren en ogen de juiste kleur hebben. Je schijnt je heel veel dingen te herinneren...'

Ze moest haar uiterste best doen zich niet tegen zijn aanraking te verzetten. Ze reageerde altijd instinctief als een man zo'n bruuske beweging maakte. Sommige wonden heelden nooit en de nachtmerrie van sommige herinneringen verdween nooit helemaal. Maar de onverwachte zachtheid van zijn aanraking maakte haar bijna nog meer van streek dan haar aanvankelijke angst.

'Wat zul jij nu tegen Katherine zeggen?' vroeg ze, en haar stem trilde.

Hij boog zich naar haar toe en even, net als die dag op het strand, vroeg ze zich af hoe het zou zijn om hem te kussen. In twee dagen was ze voldoende van deze man te weten gekomen om zich te kunnen voorstellen hoe dat zou zijn. Hij zou geen beweging te veel maken en vast heel veel ervaring hebben. Maar ze vermoedde dat hij nog een kant had die snel onbeheersbaar zou worden. Dat bezorgde haar angst, maar wond haar ook op.

Hij stak zijn vinger uit en streek daarmee langs de omtrek van haar volle onderlip. 'Ik hoef haar niets te zeggen; ik ken Katherine. Ze heeft ongetwijfeld al beslist wat ze gaat doen.'

Het hart zonk haar in de schoenen. 'Juist. Je hebt eigenlijk al steeds geweten wat ze zou beslissen, hè?'

'Ik ben er bijna van overtuigd. Tenslotte ben je niet de eerste jonge vrouw die beweert Christina Fortune te zijn, maar je bent wel de meest overtuigende.'

Zijn hand was omlaag gevallen en hij zei nu: 'Ik zie je om acht uur wel weer.'

Toen ze haar kamer binnenging, hield ze zich voor dat Ross zich kon vergissen. Katherine had misschien nog geen beslissing genomen. Maar al haar hoop verdween toen ze het licht bij de toilettafel aandeed. Het licht viel in de openstaande kleerkast en ze zag dat alles wat ze had gedragen tijdens de vlucht van San Francisco hierheen keurig gewassen en gestreken was en in een lichte klerenzak hing, klaar voor de reis.

De bedoeling was duidelijk – ze zou binnenkort het eiland moeten verlaten, misschien zelfs al dezelfde avond, als dat mogelijk bleek.

Ze liet zich neerzinken op het bed. Ross had dus toch gelijk gehad. Katherine had een beslissing genomen. Verdere gesprekken of vragen waren niet meer nodig.

Ze voelde hoe ze een steek in haar hart kreeg. Hoe had het zover met haar kunnen komen en hoe was het mogelijk dat ze jarenlang zorgvuldig plannen had gesmeed en nu uiteindelijk toch faalde?

Terwijl ze haar short, het topje en haar badpak daaronder uittrok, had ze het gevoel half verlamd te zijn. In de aangrenzende badkamer draaide ze de hete douche ver open. Vloeibare warmte sloeg neer op haar lichaam en verdreef de koude angst die tot onder haar huid was gekropen. In haar hoofd tolden de gedachten rond terwijl het water over haar heen bleef stromen.

De hitte maakte dat ze zich ging voelen alsof ze een lappenpop was en alle spanningen verdwenen. Heel lang bleef ze zo staan en probeerde nergens meer aan te denken. Het riep gedachten op aan de zwoele hitte die dag op het strand, en de nog zwoelere hitte die uitging van de nabijheid van Ross.

Twintig minuten later had ze haar haren gedroogd en ze los over haar schouders laten vallen. Zoals ze al eerder die dag had gemerkt, hing de kast vol kleding. Eerder die dag had ze iets sportiefs en praktisch gezocht, maar nu had ze iets formelers nodig, dat een juiste keus zou zijn voor het formele diner dat Kane had aangekondigd.

Ze vond een mouwloze japon van blauwe zijde met een lijfje met alleen schouderbandjes en een heel wijde rok, volmaakt voor de benauwde warme avond en toch ook formeel genoeg voor het diner.

Precies een uur nadat ze beneden ieder een kant waren opgegaan, liep ze door de gang voor haar kamer en zag dat Ross al op haar wachtte. Hij stond tegen de trappaal geleund en had een wit, linnen pak aan, met daaronder een donkerblauw overhemd dat aan de hals openstond. Zijn donkere haren waren nog nat van de douche en hij had ze strak naar achteren gekamd. Zijn donkere huid was door die middag aan het strand nog bruiner geworden. De kleur van zijn overhemd paste mooi bij het biologerende blauw van zijn ogen. En ook nu hing die vage geur van eau de cologne om hem heen die haar zinnen prikkelde toen hij op haar toe kwam lopen. Een onverschillig soort élégance. Er was geen andere manier om zijn verschijning te beschrijven.

'Witte Gember,' zei hij, terwijl hij vlak voor haar bleef staan en een merkwaardige uitdrukking op zijn gezicht kreeg.

'Wat zeg je?'

'Je parfum,' lichtte hij toe. 'Je gebruikt altijd Witte Gember.' Toen boog hij zich een klein eindje naar haar toe.

Opnieuw was haar natuurlijke reactie zich onmiddellijk terug te trekken en een veilige afstand tussen hen beiden aan te houden. Maar ze wist dat het onverstandig was zich terug te trekken als ze met een man als Ross te maken had. Hij was doortastend en beslist, net zoals zij was geweest toen ze de vergaderzaal was binnengekomen. Het was nu de tijd niet zich snel terug te trekken. Dat zou hem er alleen maar van overtuigen dat ze zo op haar hoede was om haar bedrog niet te openbaren. En ze wilde hem en alle anderen laten zien dat ze niet bang was en geen bedriegster.

Ze glimlachte vaag terwijl ze haar hoofd omdraaide en keek hem van opzij aan, terwijl ze bad dat haar gelaatsuitdrukking alle verwarring zou verbergen die zijn nabijheid bij haar opriep. Maar alles viel meteen in duigen toen hij zijn hand uitstak en zijn vingers zacht haar huid beroerden bij het aanraken van de jade hanger, die net even boven haar een stukje zichtbare borsten hing.

Nog geen half uur tevoren had ze gevonden dat ze bofte omdat ze een japon had gevonden die zowel koel als formeel was, vooral gezien de tropische hitte om hen heen. Nu voelde ze een ander soort hitte – de hitte veroorzaakt door die lange, soepele vingers.

'Misschien is het niet zo verstandig die hanger nu te dragen,' zei hij, terwijl hij zijn blik van het medaillon op haar ogen richtte.

'Het betekent zo veel voor me,' mompelde ze.

Zijn vingers sloten zich om de hanger, waarbij zijn knokkels langs haar huid gleden en haar weer deden denken aan de eerdere indruk van pure energie en macht die ze gekregen had en vlak onder het oppervlak lag.

'Het behoort aan de familie Fortune,' zei hij.

Haar vingers sloten zich om de zijne en probeerden zijn greep op de hanger los te maken. 'Het behoort aan míj toe.'

'We zullen zien,' zei hij, en streelde over haar wang, zonder haar te waarschuwen voor dat fysieke contact.

Toen haar hand afwerend omhoogkwam, greep hij die en legde die op zijn arm. 'Ik zal je in het hol van de leeuw brengen. Katherine wacht!'

Katherine wachtte inderdaad, samen met haar gasten. Kane opende de schuifdeuren naar de formele eetkamer en Christina zag als eerste Richard. Zijn blik boorde zich in de hare toen ze binnenkwam en gleed daarna koel weg. Diana Chandler zat naast haar moeder en zag er slank en elegant uit; ze had haar haren met een ingewikkelde wrong boven op haar hoofd vastgemaakt met een schildpadkam. Brian stond op de achtergrond.

Diana's blik was beschuldigend. 'Werkelijk, Ross, wat sluw van je om deze bedriegster plotseling mee te nemen om moeder te ontmoeten, zonder de rest van ons daarover één woord te vertellen. Je zou bijna gaan denken dat je er iets mee voorhad.'

'Er was niets sluws of plotselings aan, Diana,' vertelde Ross haar rustig, terwijl hij langs Christina heen naar de bar liep om een drankje in te schenken.

'Ik stond erop haar te ontmoeten,' zei Katherine en keek even naar Christina, maar meteen wendde ze haar ogen af.

'Toch had Ross wel aan iemand kunnen vertellen dat hij het vliegtuig van de zaak nam,' hield Diana aan.

'Dat heb ik ook gedaan.' Ross liet rustig twee ijsblokjes in een glas vallen en schonk er toen Chivas Regal overheen. 'Ik heb het tegen de captain en de co-piloot gezegd.'

Richard zei geïrriteerd: 'Laten we nu ter zake komen. We hebben allemaal veel te doen en de vergadering moet opnieuw worden vastgesteld.' Iedereen begreep wat hij bedoelde.

Kane verbrak de dreigende stilte die in de kamer was blijven hangen door aan te kondigen dat het diner gereed was.

'Goddank,' zei Diana. 'Dan kunnen we deze zaak eindelijk uit de wereld uithelpen.' Ze liep de kamer door en gaf haar echtgenoot een arm. Richard begeleidde Katherine aan tafel, waardoor Ross overbleef om Christina te vergezellen.

Hij nam haar hand in de zijne. Toen ze zich verzette, trok hij hem stevig naar zich toe zoals hij al eerder had gedaan en streek even over haar vingers, die op zijn mouw lagen. Het was bijna een spottend gebaar, vooral gezien het feit dat hij ervan overtuigd was dat Katherine op het punt stond haar eis af te wijzen.

De tafel deed de grote rijkdom en de geschiedenis van de Fortune-dynastie duidelijk uitkomen. Het porselein was een prachtige soort Limoges met een gouden rand, waarvan Christina wist dat het fraaie emaille patroon even zeldzaam als oud was. Ze was zich ervan bewust dat dit, evenals alle andere schatten in huis, door een Fortune-klipper naar het eiland was gebracht.

Het barokke zilver was van Reed & Barton en het kristal Baccarat. De donkerrode wijn die Kane inschonk, deed de in het kristal verborgen facetten heel mooi uitkomen.

De lucht was zwaar en overal hing de geur van wilde hibiscusbloemen, die in de tuin overvloedig groeiden. Het gesprek aan tafel verliep moeizaam. Diana probeerde haar moeder erin te betrekken, maar deed alsof ze een seniele oude vrouw was, die moest worden beziggehouden. Brian zat zwijgend aan de andere kant van de tafel, op een of andere manier – net als altijd – alsof hij er niet bij hoorde. Christina had een plaats gekregen tegenover Katherine en Ross zat aan haar rechterhand.

Christina was zich amper bewust van de spijzen die werden opgediend en proefde er nauwelijks van. Ze had het gevoel een veroordeelde te zijn die op de beul wachtte en vroeg zich af wanneer Katherine een eind aan de ellende zou maken.

Plotseling klonk er een gebiedend geluid van zilver tegen kostbaar kristal toen Katherine hun aller aandacht opeiste. Diana keek alsof ze zich eigenlijk verveelde en Brian trok met zijn mes figuurtjes op het linnen tafelkleed. Richard leunde achterover met het gemak van iemand die precies weet wat er gaat gebeuren en alleen maar wacht tot het gebeurt.

Ross, naast haar, staarde peinzend naar zijn wijnglas.

Christina's vingers sloten zich om het servet dat op haar schoot lag toen Katherine langzaam opstond van het hoofd van de tafel.

Toen ze Katherines grimmige gelaatsuitdrukking zag, wist Christina dat ze gefaald had. Nu zou Katherine verklaren dat ze een oplichtster was en haar bewering afwijzen dat zij Christina Fortune was.

Hiermee kan het toch niet afgelopen zijn! hield ze zich voor. Dat kàn niet! Ik wìl het niet! Ik heb een belofte gedaan. Ze werd steeds nerveuzer en kreukelde het servet tussen haar handen terwijl ze naar Katherine luisterde.

'Het is lang geleden dat zo veel leden van de familie Fortune met elkaar hier aan tafel hebben gezeten,' begon ze, en keek met een raadselachtige blik rond. Haar ogen rustten heel even op Christina, maar dwaalden toen naar Diana, Brian en uiteindelijk naar Richard. En terwijl ze elk apart opnam, leek het of ze de persoon in kwestie meteen taxeerde.

Ross keek aandachtig toe.

'En daarom wil ik een toost uitbrengen,' kondigde Katherine aan. Ze pakte haar wijnglas op, hield het omhoog en keek toen Christina strak aan. 'Ik toost op mijn *kleindochter*, Christina. Welkom thuis, lieverd!'

Hoofdstuk 9

Al het lawaai was allang voorbij en het huis griezelig stil toen Christina over de veranda voor haar kamer liep. Nadat Katherine haar opmerkelijke en totaal onverwachte aankondiging had gedaan, had ze Christina gevraagd hen te verlaten. Ze zei dat het beter was dat zij nu alleen met de anderen verder praatte. Terwijl Christina zich verwijderde, zag ze een blik van overdonderd ongeloof op het gezicht van Ross. Deze keer liet zijn gebruikelijke zelfbeheersing hem in de steek en zijn trekken onthulden precies wat hij dacht. Evenals de anderen was hij stomverbaasd over Katherines woorden. Hij had dat niet verwacht en begreep het niet.

Christina begreep er evenmin iets van. Katherines plotseling veranderde houding leek ook zinloos. Christina had het afgelopen uur diep nagedacht om er een verklaring voor te vinden, maar had niets ontdekt.

Wat was Katherine van plan? Meende ze wat ze zei?

Christina geloofde niet dat Katherine werkelijk had gemeend wat ze zei, vooral niet na het gesprek dat ze die ochtend hadden gevoerd. Het was vooral verbazingwekkend dat Katherine niet eens meer had gewacht op het verslag van Ross hoe de dag was verlopen. Ze had haar beslissing genomen terwijl Christina met Ross weg was.

Het avondbriesje leek rusteloos, paste bij haar stemming en bracht de bladeren in beroering van de geurige hibiscusstruiken die langs de veranda groeiden. Christina was zo in haar gedachten verdiept dat ze schrok toen er op haar deur werd geklopt. Ze ging haar kamer in en riep: 'Binnen.'

Katherine betrad het vertrek en zag er doodmoe uit. 'Ik zal niet veel van je tijd in beslag nemen,' begon ze op vermoeide toon. 'Er is veel te bespreken. De zaak moet wettig worden geregeld, maar het meeste kan wel tot morgen wachten. Het enige wat je vanavond nog moet weten, is dit – ondanks wat ik tegen Richard en Diana zei, geloof ik absoluut niet dat je mijn kleindochter bent.'

Christina was niet verbaasd. Het was allemaal te glad verlopen en Katherine had haar te snel aanvaard. Dat was hetgeen ze had verwacht. Ze had er geen idee van wat voor spelletje de oude vrouw speelde, maar ze wist dat het heel gevaarlijk was.

Katherine ging op een stoel met een hoge rug zitten en haar houding was koninklijk. De rimpels om haar mond schenen nog dieper dan anders en haar huid had de tint van broos perkament. Haar handen trilden van inspanning en vermoeidheid en ze liet ze op de knop van haar stok rusten. Haar stem was niet zo krachtig als zojuist en onthulde hoe de avond haar fyiek en geestelijk had vermoeid. Maar haar scherpe ogen stonden absoluut helder en er ontging haar niets toen ze die doordringend op Christina richtte.

Ze voelde Christina's onuitgesproken vragen en daarom ging Katherine door: 'Er is iets dat je goed moet begrijpen over families die over veel geld en macht beschikken. Meestal hebben de vrouwen in die families geen enkele zeggenschap over het geld of over de familieonderneming. Ze zijn opgevoed om passief te blijven en alleen als ornament te dienen.'

Haar stem veranderde een klein beetje, want oude herinneringen maakten nog steeds emoties in haar los. 'Ik kom uit een heel arme familie, maar ben goed getrouwd. In de afgelopen vijfenvijftig jaar heb ik heel veel geleerd door zorgvuldig de stand te observeren waarin ik getrouwd ben. En ik heb gemerkt hoe de uitwerking van die behandeling op die vrouwen is. Ze worden behandeld als kinderen en krijgen geen enkele kans enige invloed uit te oefenen.'

Christina keek haar verbijsterd aan. 'Wat heeft dat allemaal met mij te maken?'

'Dat hoor je dadelijk. Je moet goed begrijpen dat heel rijke families als een patriarchaat zijn. De mannen hebben de macht, niet de vrouwen. Zelfs als een dochter een enig kind is, erft ze maar zelden enig familiekapitaal. Integendeel. Er wordt verwacht dat ze alles in het werk zal stellen om een schitterend huwelijk te doen. En dan wordt de werkelijke macht van de familie overgedragen aan haar echtgenoot.'

'Maar ú hebt de leiding van Fortune International,' merkte Christina op.

'Alleen de afgelopen twintig jaar. Toen mijn man stierf, liet hij me een aanzienlijk aandelenkapitaal na en maar enkele aandelen aan onze dochter. De grootste aandelenpakketten gingen naar onze twee zoons, en Michael erfde ook het beheer over de onderneming. Mijn man vond dat een man de onderneming moest leiden, en die man moest zijn oudste zoon zijn.'

Haar stem trilde. 'Hij kon niet weten dat Michael jong zou sterven of dat Richard egoïstisch en ontrouw zou blijken te zijn. Terwijl ik de aandelen van mijn kleindochter beheerde, had ik de macht in de onderneming in handen en kon die leiden zoals Alexander zou hebben gewenst. Maar als die aandelen onder Richard, Diana en Diana's kinderen worden verdeeld, dan verlies ik mijn greep op de maatschappij. Diana zal met Richard mee stemmen, want ze is even hebzuchtig als hij, en dan heeft hij alle macht in de onderneming in handen.'

Christina begon het te begrijpen. Ondanks alles kreeg ze toch respect voor Katherines vastbeslotenheid en sluwheid.

Katherine herhaalde: 'Ik geloof geen moment dat jij mijn kleindochter bent, maar ik ben bereid zelfs een overeenkomst met de duivel te sluiten als dat betekent dat ik de macht in Fortune International in handen houd en ervoor zorg dat de onderneming verdergaat.'

'En nu ziet u mij als die duivel,' zei Christina effen.

'Ik beschouw je als een vrij overtuigende oplichtster, maar je verschijning past me op dit moment uitstekend!'

Christina probeerde haar woede van zich af te zetten. 'Wat verwacht u eigenlijk precies dat ik zal doen?'

'Ik verwacht dat je op Fortune Hill gaat wonen, waar mijn bedienden een oogje op je kunnen houden. En ik verwacht dat je doet wat ik zeg. In naam zul je het hoofd van de onderneming zijn, maar je neemt van mij bevelen aan en doet de dingen zoals ik wens. Volgens de map die je mijn familie bij de vergadering hebt gegeven, heb je een indrukwekkende staat van dienst, dus zul je het niet zo moeilijk vinden mijn plannen voor de onderneming uit te voeren.'

'Met andere woorden: ik moet uw marionet worden, net zoals Ross McKenna al die jaren is geweest,' zei Christina ronduit.

Tot haar verbazing lachte Katherine zachtjes. 'Je zou Ross McKenna nooit een marionet kunnen noemen; dat zul je gauw genoeg merken.' Haar stem werd harder. 'Het belangrijkste is dat je precies doet wat ik zeg.'

Christina kwam sterk in de verleiding om te zeggen: Nee, dat doe ik niet. Daarom ben ik niet teruggekomen. Maar ze dwong zich haar irritatie om Katherines overheersende houding in bedwang te houden en vroeg nu: 'En wat is de plaats van Ross in zo'n regeling?'

'Waar die altijd is geweest. Jij zult voor hem werken en alle belangrijke gegevens aan hem rapporteren, terwijl je je rol als mijn kleindochter speelt.'

'En als ik weiger?'

Katherine lachte even. 'Dat doe je niet. Wat je ook mag zijn, dom in elk geval niet. Als je mijn aanbod niet aanvaardt, stel ik je als oplichtster aan de kaak. En dat betekent dan het einde. Dan zou je alleen nog je toevlucht kunnen nemen tot een kostbare en langdurige rechtszaak, en ik verzeker je dat ik me met hand en tand zal verzetten. Je ziet vast wel in dat je zo'n proces nooit kunt winnen.'

Christina keek haar strak aan. 'Ik denk van wel.'

'Ben je bereid vele jaren en een groot kapitaal te besteden om te proberen je gelijk te bewijzen?'

Christina aarzelde en wist dat Katherine gelijk had. Een proces zou kostbaar zijn en veel tijd in beslag nemen, en er bestond geen enkele garantie dat ze zou winnen. Ze wist veel te goed dat het recht in de wereld niet altijd zegevierde. Meestal niet, en dan won degene die het meeste geld ter beschikking had. Zelfs als Christina zou winnen, zou de onderneming intussen failliet kunnen gaan of door Richard verkocht kunnen worden en zou een eventuele overwinning haar nog niets opleveren.

Er waren nog belangrijker dingen in het spel. Als ze het voorstel van Katherine niet aannam, zou ze van de familie afgesneden zijn. Ze was teruggekomen om een veel belangrijker reden dan haar erfenis op te eisen. En om daarmee haar doel te bereiken, moest ze de familie kunnen bereiken.

Ze ontmoette Katherines blik en wist dat ze geen keus had. 'Goed dan,' zei ze.

Katherine scheen verbaasd dat ze zich zo snel gewonnen gaf. 'Je begrijpt toch alle voorwaarden van onze afspraak wel goed?'

Christina knikte. 'Ja, ik begrijp alles.'

'Laat dan ook tot je doordringen dat ik elk moment van mening kan veranderen. Ik hoef alleen maar te zeggen dat je me bedrogen hebt, en dat is gemakkelijk genoeg voor je, want ik ben een oude, zwakke vrouw. Ik zou dan ongetwijfeld meteen de steun van mijn... hele liefhebbende familie krijgen.'

Christina's mond vertrok zich tot een soort glimlachje. 'U bent lang niet zo zwak als u iedereen wilt doen geloven.'

Katherine keek haar nu geïnteresseerd aan. 'Misschien hebben jij en ik ten slotte toch nog wel wat gemeen. We zijn beiden bereid ver te gaan om te krijgen wat we willen hebben. Ik ben blij dat we elkaar begrijpen.'

Ze stond op en steunde zwaar op haar stok. 'Er is nog één ding – je moet me altijd *Grandmère* noemen als er anderen bij zijn. Dat helpt onze charade, maar als we met z'n tweeën zijn, mag je dat woord niet gebruiken. Mijn kleindochter noemde me zo en jij bent mijn kleindochter niet.'

Zachtjes zei Christina: 'Hebt u de mogelijkheid weleens overwogen dat u zich vergist?'

'Ik vergis me niet,' antwoordde Katherine heel beslist.

Maar voor zover het Christina betrof, was de zaak daarmee niet klaar. Inwendig was ze woedend – een woede om wat ze in al die jaren vol eenzaamheid had moeten verduren toen ze zo naar iets of iemand had gezocht die als familie had kunnen dienen. En vooral woedend om het afschuwelijke voorval dat haar als vijftienjarige had doen weglopen van haar familie.

'U wìlt niet dat ik uw kleindochter ben, hè?' zei ze beschuldigend.

'Wat bedoel je?' snauwde Katherine.

'Als ik Christina ben, houdt dat in dat u gefaald hebt op een moment dat ik uw steun hard nodig had.'

Heel even leek het of Katherines harde houding anders werd, en de uitdrukking in haar ogen werd zo angstig en zorgelijk dat Christina dacht dat ze misschien te ver was gegaan. Misschien omdat ze in zoveel opzichten op elkaar leken en beiden zo veel hadden verloren, voelde ze onverwachts mededogen met Katherine, en ze kreeg een schuldgevoel. Wat Katherine ook misdaan had, dit verdiende ze niet.

'Sorry,' zei ze, en stak een hand uit naar de oude vrouw.

Maar Katherine beheerste zich alweer en haar gelaatsuitdrukking was afwerend en haar toon koel toen ze zei: 'Morgen ga je terug naar San Francisco. Ik verwacht dat je morgenavond je intrek op Fortune Hill neemt. We zullen een diner geven om formeel mijn...' Ze zweeg even en maakte toen droogjes haar zin af. '... *kleindochter* weer in de familiekring te installeren.' Haar toon klonk bijna spottend, alsof ze wist hoe oppervlakkig de betekenis van *familie* was, als die werd toegepast op de familie Fortune.

'Bent u er ook bij?'

Katherine schudde haar hoofd. 'Ik reis zelden meer en je zult alles zelf moeten doen. Maar te oordelen naar wat ik van je gezien heb, kun je dat wel aan. Bel me zodra je klaar bent. Ik heb een aantal instructies voor je die de leiding van de zaak betreffen, nu de kwestie van de trust geregeld is. We moeten snel handelen, voor Richard tegenmaatregelen neemt.'

'U verwacht dus nog steeds dat hij zal proberen mijn eis af te wijzen, ondanks dat u me in het openbaar hebt erkend?'

Bij de deur bleef Katherine aarzelend staan. 'Er staat veel op het spel, beste kind. Richard heeft verwacht eindelijk alle macht in handen te krijgen, maar nu ziet hij dat hem die ontnomen wordt. Vergis je niet: hij zal alles doen om me tegen te houden.'

Langzaam liep ze de kamer uit en sloot de deur achter zich.

Christina bleef lange tijd staan waar ze stond en verwerkte hetgeen er zojuist was gebeurd. Ze had gewonnen!

Nu kon ze al haar aandacht en energie richten op de werkelijke reden waarom ze was teruggekomen. Maar op een of andere manier vond ze het moeilijk dat nu te doen en de confrontatie met Katherine had haar erg van streek gemaakt. Ze had verwacht een hekel aan Katherine te zullen hebben en was voorbereid geweest haar, wegens de enorme erfenis die op het spel stond, meedogenloos te bestrijden.

In plaats daarvan merkte ze medelijden met Katherine te hebben. Onder dat autocratische, zelfs harde uiterlijk voelde Christina de eenzaamheid en het feit dat de oude vrouw zich niet gelukkig voelde.

Ze was een vrouw die de mensen had verloren om wie ze het meeste gaf. Het ergste van alles was dat zij zelf de schuld was van het verlies van althans een van die mensen.

Haar niet vermoede gevoelens voor Katherine maakten die overwinning niet zo glorieus als ze verwacht had, maar het was in elk geval een overwinning.

Katherine zag Ross in de studeerkamer ijsberen. Hij was woedend. 'Wat denk je verdomme dat je doet?' vroeg hij.

Ze liep langzaam naar de bar en schonk een glas wijn voor zichzelf in en haar hand trilde toen ze de stop weer op de karaf deed. Ze nam een slokje en voelde de prettig aandoende warmte van de wijn, die langzaam naar beneden gleed. Toen ze zich enigszins had hersteld, zei ze: 'Ik heb de onderneming gered. En jouw positie erin.'

Ze viel zwaar neer op een stoel en uit alle lijnen van haar bleke gezicht sprak vermoeidheid.

'Als je het beheer van de onderneming aan die vrouw overdraagt, geloof je dan werkelijk dat zij me zal toestaan die te leiden zoals ik tot nu toe heb gedaan?'

'Ik draag niets aan haar over. Ze is mijn kleindochter niet.'

'Maar je hebt haar net erkend...'

'Daar had ik mijn redenen voor. Ik kan haar even gemakkelijk alsnog aan de kaak stellen. En dat heb ik haar duidelijk gezegd dat ik zal doen als zij niet mijn instructies opvolgt. Er is niets veranderd, Ross,' verzekerde ze hem. 'Zij zal aan jou verslag uitbrengen en jij gaat door de onderneming te leiden zoals ik wens. Hiermee hebben we tijd gewonnen – en daardoor gezorgd dat Richard nooit de kans zal krijgen alle macht in Fortune International aan zich te trekken. Die kans laat ons de vrijheid te bereiken te doen wat we wensen om de onderneming krachtiger te maken, zoals we al eerder hadden kunnen doen als we niet steeds in die strijd betrokken waren geraakt.'

Hij bleef heen en weer lopen. 'Richard zal dit nooit zonder meer over zijn kant laten gaan!'

'Dat weet ik ook wel. Vergeet niet, Ross, dat hij mijn zoon is.'

Hij keek haar lange tijd aan. 'Vermoedelijk heeft hij intussen al een privé-detective opdracht gegeven haar achtergrond na te gaan.'

'Vermoedelijk. En daarom wil ik dat jij er ook een in de arm neemt. We moeten voorbereid zijn op alle dingen die Richard eventueel zal ontdekken.' Ze streek met haar hand over haar voorhoofd, alsof ze zo haar vermoeidheid van zich af wilde zetten. 'Misschien is het het beste iemand in Boston te nemen, want daar beweert ze vandaan te komen. Maar laat het niet aan één persoon over. Ik wil dat je daarheen gaat en het onderzoek leidt. Het is van het grootste belang dat we alles over haar weten voordat Richard dat doet.'

Ross keek haar lang en onderzoekend aan. 'Ben je bereid die leugen te aanvaarden alleen om weer de leiding van de onderneming in handen te krijgen?'

'Ik ben bereid het te doen om de onderneming te redden. We weten beiden dat Richard alles zal vernietigen. Ik zou in mijn plicht tegenover mijn man tekortschieten, en in alles wat deze onderneming inhoudt, als ik dat toeliet.'

'Ik weet dat je gezegd hebt ervan overtuigd te zijn dat ze niet je kleindochter is, maar hoe kun je dat zo absoluut zeker weten? Er moeten vastgelegde feiten bestaan die haar eis kunnen staven of ontzenuwen – geboortebewijzen, gegevens in ziekenhuizen en bij tandartsen,' merkte hij op.

'Christina is in Hongkong geboren. Ze is prematuur op de wereld geholpen door een Chinese arts in een Chinees ziekenhuis. Haar geboortebewijs – als je het zo wilt noemen – vermeldt alleen dat er op een zekere datum een dochter van mijn zoon en zijn vrouw is geboren. Christina reisde op het paspoort en de visa van haar ouders en ze was te jong voor een rijbewijs toen ze verdween.'

'Bestaan er dan geen andere gegevens, hier of in Californië?'

'Hier was niets. Er bestonden doktersverslagen en tandartsgegevens in Californië, maar nu niet meer.'

Ross fronste zijn wenkbrauwen. 'Dat begrijp ik niet.'

Katherine zuchtte diep. 'Een paar jaar nadat Christina verdween, werden al haar medische gegevens aan mij op Fortune Hill gestuurd. Tegen die tijd waren er enkele gegadigden geweest, maar die bleken tot het oplichtersgilde te behoren. Kort nadat er weer een kwam opduiken, is er brand in het huis uitgebroken.'

'En – laat me raden – alle gegevens zijn verbrand.'

Katherine knikte. 'Het gebeurde opeens. Vermoedelijk is er een stuk brandend hout uit de haard op het tapijt gevallen. Het vuur kroop voort tot het bureau en de hele studeerkamer is uitgebrand.'

'En het alarmsysteem dan?' vroeg Ross, die aan het ingewikkelde systeem op Pacific Heights dacht.

'Dat was uitgeschakeld, wat heel goed uitkwam. Er bestonden blijkbaar problemen mee en de bedienden hadden het afgezet totdat het gerepareerd was.'

Ross keek haar strak aan. 'Richard,' zei hij.

Katherine glimlachte flauwtjes. 'Hij had er alles bij te winnen als Christina weg bleef. Als die gegevens vernietigd werden, bestond er geen enkele manier om te bewijzen dat een of andere vrouw die kwam opduiken werkelijk mijn kleindochter was.'

Ross moest lachen om de ironie van het geval. 'En zonder die gegevens kan hij evenmin bewijzen dat deze jonge vrouw níet Christina is.'

Katherine keek hem strak aan. 'Precies.'

Ross keek weer ernstig. 'Er is iets dat ik je nooit heb gevraagd. Het ging me niet aan. Maar nu zijn de omstandigheden veranderd en word ik betrokken in jouw onplezierige familieverhoudingen, of ik het wil of niet.'

Katherine leek op haar hoede. 'Wat bedoel je?'

'Waarom staan Richard en jij altijd als kemphanen tegenover elkaar?'

'Je hebt gelijk – dàt gaat je niets aan.'

'Nu wel,' hield hij aan.

Eerst zei ze niets. Al toen Michael en Richard nog heel klein waren, had Katherine gemerkt dat Richard iets gevaarlijks, iets meedogenloos had. Ze dacht aan Michaels eenentwintigste verjaardag, toen hij een stel vrienden had uitgenodigd voor een feest op Fortune Hill. Het feest was niet voor Richard bedoeld, maar hij was er toch binnengedrongen en had met de ouderen mee gedronken. Toen was een onschuldige grap van een van Michaels vrienden uitgelopen op een felle ruzie, maar Richard wilde niets terugnemen. Er ontstond een gevecht en Michael had met drie vrienden de vechtenden moeten scheiden.

Toen had Richard zich tot zijn broer gewend en wilde met hem op de vuist. Maar Michael weerde hem af en zei rustig: 'Toe nou, Rich, hou nou op!'

'Ik hou niet op!' had Richard geschreeuwd. 'Jij zult me niet ten opzichte van al deze mensen hier voor gek zetten!'

Andere jongens hadden Richard toen tegengehouden en Michael was gewoon weggelopen. Toen had Katherine, die alles had aangezien, voor het eerst moeten erkennen dat er een angstaanjagend verschil tussen haar beide zoons bestond. Ze was nooit die blik van verbitterde haat vergeten die ze op Richards gezicht had gezien toen hij zijn broer nakeek.

Nu zei ze, met een licht trillende stem: 'Een moeder moet van al haar kinderen houden; dat hoort zo. Al haar kinderen. Evenveel. Maar ook moeders zijn maar mensen. En kinderen ook. En soms...'

Ze zweeg en maakte toen de zin af met een dodelijk vermoeide stem, die veel pijn en verdriet verraadde. 'Soms zien we onze beste eigenschappen terug in onze kinderen. Maar soms ook... zien we de slechtste.'

Ze keek van hem weg. 'Meer kan en wil ik je niet zeggen. Ik ben nogal moe en ga nu maar naar bed. Het is een lange dag geweest.'

Ze stond op en bleef wat onvast staan; onmiddellijk stak hij zijn hand uit om haar te helpen. Maar ze duwde hem weg. 'Ik ben dan misschien wel oud, maar hoef nog op niemand te steunen.'

Na die woorden verliet ze de kamer, haar hoofd rechtop en met rechte schouders. Hij hoorde het getik van haar stok terwijl ze de gang in liep.

Alleen achtergebleven, dacht Ross na over wat Katherine omtrent Christina had gezegd. Hij kende de jonge vrouw die zich Christina Fortune noemde nu wat beter dan Katherine, en hij was er niet van overtuigd dat ze zich zou laten regeren. En zelfs als ze dat deed, dan was het nog altijd zo dat Katherine oud was en misschien niet lang meer te leven had en dan zou Christina de macht in handen kunnen krijgen. Hij twijfelde eraan of ze hem dan zou toestaan de leiding te blijven voeren. En dan zou Ross alles kwijtraken waarvoor hij zo hard had gewerkt.

Er verscheen een vastberaden uitdrukking op zijn gezicht. Hij had niet al die jaren Richard zo heftig bestreden om nu alles over te dragen aan een knappe oplichtster.

Hoofdstuk 10

Christina staarde door het ronde raampje van het vliegtuig naar buiten. Onder haar strekte zich een eindeloze, hier en daar onderbroken vlakte witte wolken uit, die wel een tovertapijt leken te vormen. En ze kreeg de indruk dat, als ze zou uitstappen, ze er zo overheen zou kunnen lopen. Na een tijdje verdwenen de wolken en zag ze het blauwe water van de Stille Oceaan op die heldere, zonnige dag onder zich glinsteren.

Het geluid van de motor veranderde en het vliegtuig maakte een flauwe bocht in de richting van de kust. Er waren daar weer wolken, die een vochtige mist vormden waardoorheen het toestel begon te landen. Stromen water gleden langs het raampje nu de atmosfeer buiten plotseling veranderde.

Christina boog zich voorover op haar stoel en duwde als een opgewonden kind haar neus tegen het glas om later meteen de adembenemende kust te kunnen zien. Zachtblauwe tinten werden in het vocht op de vleugels van het vliegtuig weerkaatst.

'Je zult met iedereen op je eigen manier moeten onderhandelen. Maar te oordelen naar wat ik van je heb gezien, speel je dat wel klaar.'

Die door Katherine uitgesproken woorden weerklonken steeds weer in haar hoofd, terwijl de stewardess de passagiers eraan herinnerde de riemen vast te maken voor de landing op de internationale luchthaven van San Francisco.

Christina wist niet zeker of ze Katherine wel mocht lijden, maar ze had respect voor haar. Ondanks het feit dat de vrouw al ouder was en niet zo gezond, waardoor ze gedwongen was zich op de ranch op Hawaii terug te trekken, was ze vastbesloten het beheer over Fortune International uit Richards handen te houden.

De vorige avond laat waren Richard, Diana en Brian met een lijnvlucht naar San Francisco teruggekeerd en Christina had hen niet meer gezien.

De volgende ochtend had Katherine op het vliegveld afscheid van Ross en Christina genomen. En ze had Christina verzekerd dat iedereen, ook Richard en Diana, aanwezig zouden zijn bij het officiële diner die avond op Fortune Hill.

'Richard zou zich, wat dat betreft, niet tegen me durven verzetten.

Tenslotte ben ik niet zo gezond meer. Hij zou weleens heel wat kunnen verliezen door me tegen te werken.'

Ondanks de krachtige woorden van Katherine viel het Christina op hoe broos de oudere vrouw eruitzag. Toen ze hen naar het vliegveld had gebracht, zag ze er bijzonder teer uit. Haar gezicht was vertrokken en oud, maar toen ze haar hand op die van Christina legde, vóór ze uit de auto stapte, was die heel vast.

'Vergis je niet. Richard geeft het niet zo maar op. Hij zal alles in het werk stellen om zich alsnog van het beheer over Fortune International meester te maken,' waarschuwde ze.

Terwijl ze nu keek hoe het vliegveld steeds dichterbij kwam, vroeg Christina zich af of Katherine opgewassen zou zijn tegen de strijd die op hen wachtte. Maar al haar twijfels verdwenen toen het vliegtuig stil stond en ze de pers op hen zag staan wachten.

'Katherine is druk bezig geweest,' merkte Ross droogjes op, maar niet erg verrast. Christina was stomverbaasd toen ze een filmploeg van een van de televisiemaatschappijen zich een weg zag banen tussen de onderhoudsmensen door, die uit de hangar waren gekomen en nu de rol van lijfwachten op zich hadden genomen en probeerden de pers op een afstand te houden.

'Ik had er geen idee van...'

'Katherine gelooft in de macht van de pers, en ze weet hoe ze die moet gebruiken,' verklaarde Ross. 'Ze kent de eigenaren van de *Chronicle* al jaren. De verschijning van een verloren gewaande erfgename is een fantastisch nieuwtje, na alle speculaties dat Richard het beheer van de onderneming op zich zou nemen. Ik hoop dat je voor de camera niet te verlegen zult zijn.'

Buiten, voor het vliegtuig, verdrongen zich nu journalisten, filmploegen en mensen van de televisienieuwsdiensten. Christina wierp Ross een moordzuchtige blik toe toen ze zag hoe een reporter met een microfoon in de hand zich naar voren worstelde.

'Wat moet ik tegen hen zeggen?' vroeg ze gespannen, boos over die onverwachte ontvangst.

'Je kunt vast wel iets verzinnen. Je bent er heel goed in om verrassende mededelingen te doen.'

Ze wilde net zeggen dat hem dat óók niet zo slecht afging, toen de co-piloot uit de cockpit kwam en zei: 'We kunnen onmiddellijk weer vertrekken als u zover bent, meneer McKenna.'

Christina staarde hem ontsteld aan. 'Ga je weg?'

'Ik moet voor zaken ergens heen,' antwoordde hij ontwijkend.

Ze verdrong haar paniekgevoelens toen ze begreep dat ze de pers alleen te woord zou moeten staan. 'Je zult me hierbij dus niet kunnen helpen?'

Heel even glimlachte hij. 'Als jij het durft op te nemen tegen de raad van beheer van Fortune International, dan zul je het met de pers ongetwijfeld ook alleen kunnen klaarspelen.'

'En vanavond?' vroeg ze, terwijl ze probeerde haar stem rustig te doen klinken. Zonder het echt te beseffen, had ze op zijn aanwezigheid gerekend om haar te helpen door het familiediner van die avond heen te komen. Het idee dat ze daar alleen heen zou moeten, gaf haar het gevoel dat Daniël moest hebben gehad toen hij zich in de leeuwekuil waagde.

Instinctief stak ze haar hand naar hem uit. Onder de stof van zijn mouw voelde ze zijn spieren en hoe hij op haar aanraking reageerde. Verlegen trok ze snel haar hand weer terug.

Er verscheen een merkwaardige uitdrukking op zijn gezicht. Ze dacht dat de spijt in zijn stem bijna echt klonk toen hij zei: 'Het spijt me dat ik weg moet.'

'Juist.' Wat voor zaken zouden hem dwingen nu meteen te vertrekken, zonder zelfs even naar kantoor te gaan? Op een rustige toon, die heel anders klonk dan ze zich voelde, zei ze: 'Katherine gooit me dus meteen voor de leeuwen!'

'Geen leeuwen – je familie,' verbeterde hij haar. Toen voegde hij eraan toe: 'Phillip Lo zal er ook zijn, om de gemoederen te kalmeren, indien nodig. Hij behandelt alle wettelijke facetten die aan de erfenis verbonden zijn en Katherine heeft al contact met hem gezocht. Ze doet nooit iets zonder Phillip erin te kennen. Ik blijf maar een paar dagen weg, en dat geeft jou de tijd je op Fortune Hill te installeren.'

Ze vond het een vreselijk idee om in het grote huis van de familie te trekken en was niet van plan daar lang te blijven, ongeacht wat Katherine wenste.

Vastbesloten de herinnering aan die elektrische flits tussen hen uit te bannen, deed ze erg haar best alles weer op een zakelijke voet terug te brengen. 'Ik was eigenlijk van plan morgen naar kantoor te gaan. Ik wil me zo snel mogelijk op de hoogte stellen van de lopende zaken.'

Ross haalde een zakenkaartje met het logo van Fortune erop uit zijn zak, draaide het om, zodat hij er een naam op kon schrijven en gaf het toen aan haar.

'Mijn assistent heet Bill Thomason. Hij is al door mij ingelicht en kan je met alles helpen.'

Ze was ervan overtuigd dat Thomason haar alleen zover zou helpen als Ross goedkeurde. Ze stopte het kaartje in haar schoudertas en zei: 'Goed dan. Tot ziens.'

Terwijl ze opstond, greep Ross haar nog even zachtjes bij haar bovenarm. 'Ik kom gauw terug,' herhaalde hij, alsof hij plotseling behoefte voelde haar gerust te stellen. Of misschien voelde hij dat ze geruststelling nodig had.

106

Ze keek hem koel aan. 'Ik denk dat ik het wel een tijdje alleen kan redden.'

'Tot ziens...' riep hij haar na, terwijl ze het vliegtuig verliet.

Toen ze het trapje afdaalde, hoorde ze hoe de jonge blonde reporter van de nieuwsdienst van Channel Six zijn inleiding afmaakte. '... We zijn hier op de internationale luchthaven van San Francisco, waar het toestel van Fortune International zojuist is geland. Daarmee wordt een nieuw hoofdstuk ingeluid in het twintig jaar oude mysterie van de verdwijning van de erfgename van de scheepvaartonderneming Christina Fortune...'

Terwijl Christina zich van het toestel verwijderde, hielpen mensen van de gronddienst haar zich een weg tussen de menigte door te banen en de gedachten tolden door haar hoofd. Wat waren die dringende zaken waardoor Ross zo nodig moest doorvliegen, meteen nadat ze waren geland? Waar ging hij heen? En waarom had hij geweigerd er met haar over te spreken?

Maar ze had geen tijd zich in die vragen te verdiepen. Zodra ze een eindje van het vliegtuig verwijderd was en het weer wegtaxiede, werd ze door de pers omringd, die vragen schreeuwde en microfoons voor haar gezicht hield. De limousine van de maatschappij stond op haar te wachten en na een kort 'Geen commentaar' stapte ze in. De chauffeur reed onmiddellijk weg.

Een half uur later bleef hij voor een van de zijingangen van het hotel staan. 'Het leek me dat dit beter was, juffrouw Fortune,' verklaarde hij, toen hij om de wagen heen liep om het portier voor haar te openen. 'Bij de hoofdingang staat vermoedelijk een troep verslaggevers, net als op de luchthaven.'

Ze glimlachte waarderend. Ze zou er niet tegen opgewassen zijn geweest om opnieuw een ontvangst als op de luchthaven te ondergaan. En het zou niet altijd zo zijn als ze ergens heen ging, stelde ze zichzelf gerust. Maar een stemmetje ergens in haar waarschuwde zachtjes dat de pers vastbesloten was meer over haar te weten te komen, net als Richard Fortune en Ross McKenna.

De chauffeur, een knappe jongeman met kortgeknipt zwart haar en pientere bruine ogen, bracht een hand naar zijn pet toen hij de hoteldeur voor haar opende. 'Ik heb opdracht u vanavond om zeven uur te komen ophalen, juffrouw Fortune.'

'Dat is goed...' Ze aarzelde, want ze wist niet hoe hij heette.

'Ik heet James, juffrouw Fortune. Ik ben uw chauffeur en breng u waar u maar heen wenst te gaan.'

Er was een aantal boodschappen voor haar bij de receptie en op haar kamer stonden bloemen van de staf van Fortune International. Haar telefoon hield niet op met bellen, totdat ze de centrale vroeg geen gesprekken meer door te geven.

In de loop van de dag was er een stapel telegrammen gekomen, met inbegrip van enkele van vrienden en zakenrelaties in Boston, die haar alleen als Christina Grant hadden gekend.

Het was duidelijk wie er achter dat alles stak. Ross had al gezegd dat Katherine in de macht van de pers geloofde, en ze was vastbesloten die in haar voordeel te gebruiken. Als zij de zaken in beweging bracht, zou het niet lang duren voor het hele land hoorde dat Christina Grant Fortune nog leefde en was teruggekeerd om haar erfenis op te eisen.

Toen James die avond de limousine door het stadsverkeer stuurde, was het koel en helder. Christina zag de telefoon en drukte op de knop voor de intercom.

'Wil je over Broadway gaan?' vroeg ze. 'Ik wil daar iets zien.' James knikte en sloeg bij Van Ness Broadway op. De omweg zou hen uiteindelijk naar Pacific Heights brengen. Toen ze bij de hoek van Baker Street en Broadway kwamen, vroeg ze hem langzamer te gaan rijden en even later zei ze: 'Ja, blijf hier maar even staan.'

Het grote, bakstenen gebouw met twee verdiepingen erop nam de hele hoek van Broadway en Baker Street in beslag. Het had ramen met verticale stijlen, terrassen vol bloemen en bood een prachtig uitzicht op de baai. De garages en bediendenverblijven lagen op de parterre en de vooringang leidde naar tuinen op verschillende niveaus, die vol stonden met primula's, terwijl door een zwaar smeedijzeren hek, dat met veiligheidssloten was afgegrendeld, bossen neerhangende bougainvilles zichtbaar waren.

Het hek stond tussen twee bakstenen zuilen en erboven bevond zich een smeedijzeren versiering. De letter F voor de naam Fortune was verwijderd en gaf het huis nú een trieste anonimiteit. Christina had er geen idee van wie daar tegenwoordig woonde – misschien een rijke bankier, arts of filantroop. Maar ze wist wie daar twintig jaar geleden hadden gewoond – Michael Fortune, zijn vrouw en hun dochter Christina.

Zwijgend liet ze het rookglas van het limousineraampje zakken. Het leek of ze een raam op het verleden opende...

'Woon jij in een villa?' fluisterde de vijftienjarige Ellie Dobbs eerbiedig.

'Woonde.' Christina legde de nadruk op de verleden tijd terwijl ze tegen elkaar geperst zaten in een wanhopige poging om warm te blijven in de vuile, verwaarloosde flat in de huurkazerne. Ze hoorden het zachte getrippel van ratten, die over de donkere vloerplanken liepen. 'Mijn grootmoeder woont nu met mijn oom en tante in het grote huis. Dat heet Fortune Hill.'

108

'God! Een hele heuvel die naar je familie is genoemd!' Ellie kon haar oren nauwelijks geloven. Ze rilde terwijl ze op een weggegooide vrucht knabbelde die ze in een vuilnisvat achter een restaurant hadden gevonden toen ze daar eerder die avond naar eten hadden gezocht. 'Zoiets kan ik me zelfs niet voorstellen,' zei ze ongelovig. Haar zuidelijke accent was duidelijk hoorbaar. 'Met bedienden, en zo?'

Christina lachte, maar het klonk verbitterd. Haar eigen stem was beschaafd, duidelijk, en benadrukte het verschil in afkomst van hen beiden – een verschil van geld en stand. Dat verschil tussen hen, dat in San Francisco heel belangrijk zou hebben geleken, verdween daar in de donkere koude straten van New York.

'Ja,' antwoordde ze rustig. 'Met bedienden.'

'Ik heb nooit gedacht dat mensen echt zo leefden,' zei Ellie vol ontzag. 'Het moet een soort sprookje zijn geweest.'

Dat had het alleen geleken, dacht Christina. In werkelijkheid was het vreselijk en angstaanjagend. Net zoals de maskers die iedereen met Halloween die laatste avond had gedragen.

Ellie klappertandde van de kou in het tochtige, kale gebouw terwijl ze dicht tegen elkaar aan kropen onder lagen weggegooide kranten en een platte, kartonnen doos. 'Vertel me er eens wat over. Vertel me alles. Misschien kan ik dan dit vreselijke gedoe hier vergeten.'

Christina glimlachte om Ellies bijna kinderlijke nieuwsgierigheid. 'Wil je alles weten van mijn huis op Fortune Hill?'

'Van allebei. Ik wil het allemaal in mijn verbeelding voor me kunnen halen, net zoals vroeger, toen mijn mama me voor het slapengaan verhalen vertelde over kastelen met ridders en prinsessen.'

Christina wreef haar handen over elkaar en stopte ze toen onder haar armen – zoals Ellie haar had geleerd – onder de versleten mantel die ze uit een doos had gepakt die voor een winkel in tweedehands kleren stond. 'Om het huis van mijn ouders waren terrassen en tuinen op verschillend niveau.'

Ellie viel haar in de rede. 'Had je een eigen kamer?'

'Ja, ik had mijn eigen slaapkamer en badkamer.'

'Je eigen badkamer? Dat geloof ik niet! Hoeveel kamers waren er wel in dat huis van jullie?'

Christina dacht even na. 'Veertien, als ik de kamers van de dienstmeisjes niet meetel.'

'Veertien? Hemeltje!'

'Er was ook een tennisbaan. Ik speelde vaak met mijn neven.'

'Je hebt me nooit iets over neven verteld,' viel Ellie haar weer in de rede. 'Hoeveel had je er?'

'Drie.' Nu ze over haar neven praatte, moest Christina denken aan Jason, en de afschuwelijke ruzie die ze de laatste avond hadden gehad. Ze huiverde en wilde dat ze haar herinneringen aan die laatste avond kon verdringen door de sprookjesachtige beschrijving hoe haar leven was geweest.

'Ik heb er foto's van,' ging Christina door. 'Wil je ze zien?'

'Natuurlijk!'

Uit een kartonnen doos in de hoek waarin Christina haar povere bezittingen bewaarde, haalde ze een dun, in leer gebonden boekje te voorschijn, waarin een stel foto's zaten.

'Wat is dat?' vroeg Ellie.

'Mijn dagboek,' gaf Christina toe, en ze lachte wat dom. 'Mijn moeder heeft het me gegeven toen ik twaalf werd en ik heb er elke dag in geschreven, tot...'

Ze zweeg.

Ellie drong niet verder aan. Ze wist wanneer en waarom Christina was opgehouden met het schrijven in haar dagboek. Ze nam de foto's van Christina aan en zei: 'Vertel me eens wie het allemaal zijn.'

'Dat is Steven,' zei Christina, en wees op een lange jongeman met een brutale grijns.

'Tjongejonge, díe is knap!' riep Ellie uit. 'Jammer dat hij je neef is.'

'Hij is inderdaad knap, maar hij weet het te goed.'

'Wie zijn die anderen?' vroeg Ellie, en wees op twee tienerjongens die zo veel op elkaar leken dat het wel broers moesten zijn.

'Dat zijn Andrew en Jason.' Christina aarzelde en ging toen wat verlegen door: 'Jason en ik, wij...'

'Je vond hem leuk,' zei Ellie lachend.

Christina bloosde. 'Tja, hij is heel lief. Nadat mijn ouders waren gestorven, was hij de enige die echt om me gaf.'

'Is dat jullie huis, waar ze voor staan?'

'Hm, ja. Dat is de achterkant, op het terras, bij het trapje dat naar het zwembad leidt.'

'Dat is me wat, zeg! Wanneer zijn jullie daar gaan wonen?' vroeg Ellie.

'Mijn vader heeft het voor mijn moeder gekocht toen ze gingen trouwen.'

Ellies donkere ogen glinsterden van opwinding. 'Net als een prins die de prinses meeneemt naar zijn kasteel.' Toen fronste ze haar wenkbrauwen. 'Ik ben nooit dichter bij een kasteel geweest dan op de Moeder de Gans-miniatuurgolfbaan bij ons in Memphis. Maar dat was niet echt. Jíj hebt in een echt kasteel gewoond.'

'Het was geen kasteel, alleen maar een groot huis.'

'Ga door,' drong Ellie aan. 'Vertel me er wat meer van.'

Ellie zei het niet, maar Christina wist dat ze meer over het huis wilde weten omdat dit haar hielp te vergeten – al was het slechts voor korte tijd – hoe ze daar in dat lege, koude huis zaten, alleen en bang, terwijl ze vergingen van de honger.

'We hadden een Chinese kok,' ging Christina door.

'Jezus! Zelfs een eigen kok?' Ellie deed of ze achterover flauwviel.

Christina lachte om Ellies reactie. 'Hij maakte altijd allerlei lekkere gerechten klaar als mijn ouders en diner gaven. Ze ontvingen vaak gasten.'

'Dat waren vast enorme feesten, waarbij iedereen prachtige jurken en juwelen droeg,' mompelde Ellie dromerig.

'Soms.' Christina dacht er wat spijtig aan terug. Nu had ze alleen nog haar herinneringen – en haar dagboek met de foto's, die ze er haastig had ingestopt toen ze die avond laat was weggelopen.

Nu ging ze weer door. 'In de keuken rook het altijd zo heerlijk. Onze kok heette Thomas Wing. Hij maakte vaak van die ingewikkelde Franse toetjes en dan vroeg ik hem koekjes met chocolade voor mij te maken. Hij zei dat daarvoor geen enkele kennis nodig was.' Christina deed de afkeurende stem van Thomas na.

'Vertel me eens wat hij nog meer klaarmaakte! Ik weet dat ik dan honger krijg, maar misschien kan ik me daardoor voorstellen dat deze twee rotte appels een of ander Frans toetje zijn.'

'Met Kerstmis maakte hij altijd een kersenfeesttaart. Je had hem moeten zien, Ellie! Die was van vanille-ijs en daaroverheen kersen en brandewijn. Vlak voordat die taart werd opgediend, steek je dan de kersen en brandewijn met een lucifer aan. Dan gaat alles branden en zo wordt het over het ijs gegoten. Het is heet, stroperig en zoet, heerlijk!'

'Kersenfeesttaart,' mompelde Ellie en watertandde. Ze maakte er een grapje over en zei met een overdreven accent: 'O, liever, we moeten werkelijk met nieuwjaar in de Plaza gaan dineren. En natuurlijk nemen we dan kersenfeesttaart!' Ze maakte een sierlijk gebaartje, alsof ze een sigarettepijpje door de lucht zwaaide. Toen begon ze onbedaarlijk te lachen.

'Ellie, wat kun jij toch mooi toneelspelen! Je zou actrice moeten worden.'

'Weet je, ik heb altijd actrice willen worden, zoals Mia Farrow in *Peyton Place*, of zelfs zoals Raquel Welch.'

'Je zou het best kunnen,' reageerde Christina onmiddellijk. 'Heus! Weet je nog wel dat je een paar dagen geleden Arnie nadeed? Je had precies dat Brooklyn-accent van hem. Je kunt heel goed mensen imiteren.'

Ellie had eerst gevleid gekeken bij Christina's bemoedigende woorden, maar haar uitdrukking was nu droevig. 'Soms is het gemakkelijker iemand anders te zijn dan mezelf.'

Beide meisjes zwegen even. De typerende stadsgeluiden op straat van gillende sirenes en auto's herinnerden hen eraan dat ze zich in een drukbevolkte stad bevonden. Maar in het gebouw waren ze met z'n tweeën, alleen en koud, terwijl ze zich aan elkaar vastklampten om bescherming en wat geruststelling te zoeken.

Ellie dwong zich tot een lachje en zei: 'Ik heb me altijd afgevraagd hoe het zou zijn om zo'n rijke meid te zijn. En kijk nou eens, hier zit ik in dit rothuis kou te lijden met zo'n meid.'

'We zijn een mooi stel, hè?' Christina moest lachen, ondanks hun vreselijke omgeving. 'O Ellie, jij vrolijkt me altijd weer op.'

'Vertel me nog wat meer,' hield Ellie aan.

'Tja, de tafel werd altijd gedekt met het mooiste kristal en porselein van mijn moeder. Dat porselein kwam helemaal uit Engeland en was ruim honderd jaar oud. Mijn betovergrootvader had het op een van zijn klippers naar San Francisco gebracht. Soms werd mijn grootmoeder te eten gevraagd, maar niet vaak, want zij en mijn moeder konden niet goed met elkaar opschieten. Ik zal nooit die keer vergeten dat ze te vroeg kwam. Ik was in de eetkamer en de tafel was al voor het diner gedekt. De burgemeester was ook uitgenodigd. Mijn grootmoeder kwam binnenlopen en betrapte me terwijl ik aan het hoofd van de tafel zat, een pizza at en mijn Pepsi dronk, waarvoor ik mijn moeders mooiste porselein en kristal gebruikte.'

'Wat zei ze?'

Christina giechelde en trok haar neusje op, keek zo afkeurend mogelijk en probeerde de stem van Katherine Fortune te imiteren. 'Lieve kind, wat doe je daar nu?'

'Wat zei jij?' vroeg Ellie, en deed of ze geschrokken was.

Christina sperde haar ogen onschuldig wijdopen. 'Ik zei dat ik pizza at en vroeg haar of ze ook een stukje wilde.'

Beiden lachten.

'Vertel verder,' fluisterde Ellie verlangend. 'Vertel me alles. Hoe alles eruitzag, smaakte en klonk, en hoe de mensen waren en wat jullie allemaal deden.'

Christina keek peinzend voor zich uit. 'Ik herinner me het geluid dat de avondjaponnen van mijn moeder altijd maakten – een soort geritsel. En ze droeg altijd hoge hakken, die je op de marmeren vloeren beneden hoorde tikken.'

Haar stem werd droeviger terwijl ze peinzend doorging. 'En ik herinner me het parfum dat ze gebruikte. Het heette Witte Gember. Ze bewaarde het in een kristallen flesje op haar toilettafel. Soms keek ik naar haar terwijl ze zich aan het kleden was. Als ze haar parfum opdeed, kreeg ik ook een beetje. Dat deed ze dan achter mijn oren en op elke pols. Ik weet nog dat het kriebelde, maar het rook heel lekker.' Ze zuchtte vol verlangen. 'Het gaf me het gevoel volwassen te zijn.'

112

Ellie voelde dat al die herinneringen haar vriendin treurig maakten. 'Je ging zeker ook naar een particuliere school,' zei ze, om van onderwerp te veranderen.

Christina bleef een tijdje stil. Toen zei ze: 'Nadat mijn ouders waren omgekomen, stuurde mijn tante me naar een kostschool. De Elizabeth Barrett Browning School voor Meisjes, in Pebble Beach. Ze zeiden dat die de beste in het hele land was en er zaten allemaal dochters van beroemde filmsterren en politici op. Maar ik wilde alleen terug naar huis.' Als ze eraan dacht hoe eenzaam ze zich had gevoeld, deed het nòg pijn.

Ellie zuchtte. 'God, het klinkt ècht als een sprookje. Waarom ben jij in godsnaam weggelopen?' Maar zelfs terwijl ze het vroeg, zei ze al: 'Sorry. God, wat stom van me! Vergeet maar dat ik het vroeg.'

Christina kromp nog meer in elkaar en probeerde de kou te verdrijven die zo diep in haar doordrong dat geen enkele warmte die meer kon bereiken. 'Het was geen sprookje.'

Ze keek Ellie aan en wist dat zij beiden wisten hoe het sprookje een nachtmerrie was geworden. Onder de kranten en kartonnen doos pakte ze Ellies hand beet. 'Ik ga daar nooit meer naar terug,' fluisterde ze.

Elliè sloeg haar arm stevig om Christina's schouders. 'Dat weet ik. En je hoeft ook nooit terug te gaan. We gaan geen van beiden terug. We redden het wel, wij tweetjes.'

Christina keek met wijd opengesperde donkere ogen haar vriendin aan. 'We redden het wel, hè?'

'Natuurlijk. Wij zorgen voor elkaar. Jij en ik.'

'Ik weet niet wat ik had gedaan als jij me niet had geholpen, Ellie.'

'Nou zeg, jij hebt míj veel meer geholpen. De smeris die me op die winkeldiefstal betrapte, had me opgepakt als jij hem niet had afgeleid zodat ik kon wegrennen.'

Christina glimlachte. 'Dat was heel slim van me, hè?'

'Nou en of! Je redde me daar, meid.'

'Vroeger hoefde ik nooit slim te zijn.'

'Op straat leer je van alles,' zei Ellie, en deed erg haar best om hard en vol zelfvertrouwen te lijken. Maar Christina wist wat er achter die woorden schuilging: Ellie was even bang als zij.

Aarzelend vroeg Ellie: 'Zou je het erg vinden me wat voor te lezen uit je dagboek uit de tijd toen je ouders nog leefden en alles nog goed was?'

Zachtjes antwoordde Christina: 'Nee, dat vind ik niet erg.'

Ze deed het dagboek open en bladerde er snel doorheen. 'Dit is een goed gedeelte. Ik herinner me nog dat ik dit opschreef; dat was een van de beste dagen uit mijn hele leven. Luister maar.' En ze begon aarzelend te lezen, terwijl de woorden werden verlicht door de heldere maneschijn die door een gebroken ruit naar binnen viel.

'15 juni 1967. Mijn moeder heeft me vandaag mee uit winkelen genomen bij Magnin's; we moesten een jurk kopen voor de viering van hun trouwdag. We vonden een prachtige jurk, helemaal van witte kant, met kleine rozeknopjes rondom de hals. Ze zei dat ik er heel volwassen in uitzag en toen knuffelde ze me en kreeg tranen in de ogen. Ik weet niet waarom ze zo bedroefd leek bij het idee dat ik ouder werd. Ik verlang er heel erg naar gauw volwassen te zijn...'

Hoofdstuk 11

'Juffrouw Fortune?' De op dringende toon gesproken woorden van James rukten Christina los uit haar dromen. 'Ze zitten op ons te wachten, juffrouw Fortune.'

'Och ja, natuurlijk,' zei ze, en knipperde de tranen uit haar ogen. Ze keek nog eens goed en drukte toen op het knopje om het portierraampje te sluiten.

Fortune Hill lag op slechts enkele minuten afstand rijden van het huis op Broadway, hoek Baker Street. Het gebouw nam een half blok in beslag en was het grootste privé-huis midden in San Francisco. De villa, die vijfentwintig kamers bevatte, was opgetrokken uit witte kalksteen en stond boven op een heuvel; het geheel leek meer op een park. De Franse barokstijl was kenmerkend voor een tijd waarin weelde en overvloed heel gewoon waren in San Francisco, een periode waarin het geld van een zeevarende koopman de basis had gelegd voor een parvenuachtige familie in de stad. Gezien vanaf het begin van de heuvel, terwijl de ondergaande zon de voorgevel in een fel licht zette, zag het eruit als een ingewikkeld vervaardigd versiersel boven op een taart.

James stopte voor de smeedijzeren toegangshekken. Hij nam de hoorn op en tikte de veiligheidscode in; daarna gingen de hekken langzaam open en reden ze de lange, cirkelvormige oprit op naar de luifel bij de voordeur. James stapte uit en liep om de auto heen teneinde het portier voor haar open te houden.

Er stonden al zeven auto's geparkeerd op de brede bocht van de oprit, die helemaal geplaveid was. Het zag ernaar uit dat iedereen al aanwezig was.

James nam haar hand om haar te helpen uitstappen. Ze draaide zich even om teneinde het prachtige uitzicht over de baai van San Francisco met de Golden Gate Brug in zich op te nemen. Alles baadde in het licht van de ondergaande zon, de gouden heuvels van Marin en het beruchte eiland Alcatraz. Volgens de talloze tijdschriftartikelen over de manier van leven van de rijkste en beroemdste inwoners had dit huis het prachtigste uitzicht in het hele gebied rondom de baai. Ze glimlachte flauwtjes terwijl ze zich voorstelde hoe Hamish Fortune had gestaan waar zij nu stond, trots op het feit dat hij rijk genoeg was geworden om het mooiste uitzicht van de stad te kopen.

Zijn kleinzoon, Alex, had het huis pas gebouwd en een veel kleiner afgebroken dat Hamish er had laten neerzetten. Alex was een slimme jongeman. In 1909 voorspelde hij al dat er oorlog zou komen en dat er dan een grote behoefte aan schepen zou bestaan. Hij liet een vloot bouwen en toen de oorlog uitbrak, was hij gereed. De schepen van Fortune sleepten voordelige contracten in de wacht voor binnenlandse scheepvaart met elk schip dat voor oorlogsdoeleinden beschikbaar kwam, zoals het vervoer van troepen, voorraden en wapens.

Na de oorlog stelden de al langer bestaande banden met het Verre Oosten hem in staat zijn verbindingen in de Stille Oceaan uit te breiden. In de daaropvolgende twintig jaar, tot aan het uitbreken van de Tweede Wereldoorlog, domineerde Fortune International op de handelsroutes naar Oost-Azië en werd Alexander Fortune een steenrijk man.

Hij had er tien jaar voor genomen om dat indrukwekkende huis te laten bouwen. Toen het klaar was, voelde hij de dringende noodzaak om nu een vrouw te zoeken en een gezin te stichten teneinde de Fortune-dynastie voort te zetten. Er bestond geen tekort aan rijke jonge dames in San Francisco en in het begin van de jaren dertig verloofde Alex zich met de dochter van een van de meest vooraanstaande families van de Westkust. Het was een schitterende verbintenis tussen twee belangrijke families. Maar toen leerde Alex op een zakenreis naar New Orleans de jonge secretaresse van een relatie van hem kennen, Katherine Marie Rawlins geheten.

Ze was geen bijzondere schoonheid, maar onder de zorgvuldig gecultiveerde goede manieren en spraak ging de vaste wil schuil van een jonge vrouw die in armelijke omstandigheden was opgegroeid en hard had gewerkt om een handelsopleiding te volgen. Haar boeiende zelfstandige houding en een diepe indruk makende stem verrasten en veroverden hem. Hij maakte avances en in plaats van keurig flauw te vallen of in zielige tranen uit te breken, reageerde ze met een passie die de zijne evenaarde. En Alexander werd onmiddellijk en hopeloos verliefd op de jonge vrouw, die wat spirit en ambitie betreft precies bij hem paste.

Hij ging terug naar San Francisco, verbrak zijn verloving en liet prompt Katherine komen. Twee weken nadat ze elkaar hadden leren kennen, waren ze getrouwd. Fortune Hill had een meesteres en Alexander Fortune een vrouw die hem in alle opzichten aanvulde. Een jaar na hun huwelijk werd Michael Alexander geboren, waarna Richard en Diana volgden. De Fortune-dynastie zou alvast tot in de volgende eeuw voortbestaan.

Terwijl ze daar zo stond en naar het huis staarde, besefte Christina dat ze eindelijk, na twintig jaar, weer familie had. En het werd tijd naar hen toe te gaan, of ze wilde of niet.

Terwijl ze de lage stoep met brede treden opliep die naar de voordeur leidde, ging de deur al open.

'Goedenavond, Parker,' begroette Christina de butler, die al veertig jaar op Fortune Hill werkte.

De slechtziende lichtbruine ogen achter de brilleglazen van de oude man werden een eindje verder opengesperd. Zijn haar was nu dunner en grijzer, maar de manier waarop hij min of meer minachtend op haar neerkeek, was nog dezelfde.

Hij schrok, maar was toch blij. 'Juffrouw Christina!'

'Ja, Parker, ik ben thuisgekomen.' Ze lachte zachtjes en bedacht hoe vaak hij het onderwerp van grappen was geweest die alle neven Fortune hadden uitgehaald. Het was een wonder dat hij die allemaal had overleefd.

'Juffrouw Christina!' herhaalde hij, niet in staat iets anders te zeggen.

'Hoe gaat het, Parker?'

'Heel goed, dank u. O, wat een heerlijke verrassing! Mevrouw Fortune vertelde het door de telefoon, maar ik kon het nauwelijks geloven...' Hij schraapte zijn keel en deed zijn best zijn gewone, onverstoorbare houding terug te vinden. 'Het is prettig u weer te zien, juffrouw. Het is al zo lang geleden!'

Voor het eerst hoorde Christina een niet te miskennen vreugde om haar terugkomst, en dat ontroerde haar diep.

Ze legde haar hand op zijn arm. 'Ja, het is lang geleden. Het is fijn je terug te zien. Is meneer Lo er al?'

'Ja, hij is net binnengekomen.'

Ze slaakte even een zucht van verlichting. 'Dan moet ik de anderen maar niet langer laten wachten.'

Hij bleef haar aanstaren. Toen hij merkte dat ze hem daarop betrapte, schraapte hij weer zijn keel en wilde iets zeggen, maar er kwamen geen woorden.

'Laat maar, Parker. Ik begrijp dat het een hele schok is.'

Zijn gerimpelde gezicht vertoonde plotseling een hartelijke glimlach. 'Ja, maar een prettige schok, juffrouw Fortune. Als u me nu wilt volgen? Iedereen wacht al in de salon.'

Ze hadden zich voor de gelegenheid op z'n mooist aangekleed, de mannen in avondkostuum en de dames in dure japonnen. Richard Fortune, met een drankje in zijn hand, keek op toen Christina op de drempel van de officiële eetkamer verscheen.

Ze was lang en elegant en had een schitterende blauwe, lange avondjapon aan. Daaroverheen droeg ze een bijpassende blauwe bolero met brede, witsatijnen revers, laag genoeg uitgesneden om haar lange, blote hals extra te benadrukken. Haar lange, donkere haren met een dieprode gloed erin glansden in het zachte licht van de indirecte verlichting en was samengetrokken in een strakke wrong. De strenge stijl liet haar trekken des te beter uitkomen, en die leken opvallend veel op die van het jonge meisje op de foto die op de zwarte ebbehouten vleugel stond.

Heel even bleef het stil en iedereen staarde naar de vrouw. die Katherine formeel als haar kleindochter had erkend.

De cognac die Richard had gedronken was niet voldoende om de woede te verminderen die hij al sinds de vorige avond had gekoesterd. Opnieuw voelde hij zich verraden en opnieuw was dat verraad van de kant van zijn moeder gekomen.

Hij had zijn hele leven aan de onderneming gewijd en de afgelopen twintig jaar had hij steeds strijd moeten leveren met zijn moeder om de leiding ervan. De onderneming was van hem, volgens recht en billijkheid, en hij zou het beheer ook in handen hebben gekregen als die vrouw daar niet was opgedoken om te beweren dat ze zijn allang verloren gewaande nichtje was. Katherine had haar veel te gemakkelijk aanvaard. Dat was merkwaardig en ongerust vroeg hij zich af wat zijn moeder van plan was.

Phillip Lo kwam het eerst door de kamer op haar toe om haar te verwelkomen, de jonge vrouw die zich Christina Fortune noemde.

Richard dronk zijn glas in één teug leeg en probeerde toen Phillip Lo de pas af te snijden. Hij stak zijn hand uit naar Christina en zei rustig: 'Laat mij de eerste zijn om je hier welkom te heten... terug op Fortune Hill.'

Het was geen handdruk, maar een stevige, bijna pijnlijke greep om haar rechterhand. Christina keek verbaasd toen Richard zich vooroverboog en haar luchtig op de rechterwang kuste. Toen trok hij haar arm om de zijne en wendde zich tot de andere leden van de familie.

'Hier is ze dan, allemaal,' kondigde hij aan. 'Onze Christina is thuisgekomen.'

Even werd er geaarzeld, alsof iedereen een pas achteruit wilde doen om een ander de kans te geven de eerste te zijn om haar te begroeten. Eindelijk zei iemand iets.

'Welkom thuis, beste kind.'

Christina wendde zich tot Alicia Fortune, die er prachtig uitzag, met een schitterende smaragd ketting om haar hals en een satijnen japon aan in dezelfde smaragdkleur, met zwarte strepen. Tante Alicia. In gedachten ging Christina even de indrukwekkende lijst van Alicia's sociale bezigheden na. Ze was voorzitster van de Stichting

Kinderziekenhuis, presidente van de Opera Vereniging en verder bij minstens tien andere liefdadigheidsinstellingen en dure organisaties betrokken. Ze organiseerde liefdadigheidsvoorstellingen en -bals, lunches en zeilfeesten. Zelf behoorde ze tot een van de oudste en invloedrijkste families uit San Francisco en was getrouwd in een al even machtige familie. Ze behoorde in alle opzichten tot de belangrijkste families van San Francisco. En Christina had een verschrikkelijke hekel aan haar.

'Tja, ik geloof dat je iedereen wel kent,' ging Alicia door en maakte een vaag gebaar naar de andere leden van de familie.

Richard viel haar in de rede. 'Natuurlijk kent ze iedereen!' Hij keek naar Christina. 'Tenslotte zijn we haar familie. Wij zijn de afgelopen twintig jaar niet zo erg veel veranderd. Christina had er absoluut geen moeite mee om dinsdag alle aanwezigen op de vergadering van de raad van beheer te herkennen.'

'O ja, natuurlijk, die vergadering.' Alicia wendde zich tot Steven, die bij de bar was gaan staan. 'Misschien wil Christina wel iets drinken.'

'Graag witte wijn,' zei Christina, terwijl de andere leden van de familie naar voren kwamen om haar de hand te drukken. Een aantal doordringende blikken werd op haar gericht, maar de uitdrukking van de ogen werd zorgvuldig verborgen.

Haar neef Andrew was de eerste die de vreemde, gespannen stilte verbrak. 'Is het niet heerlijk weer in de boezem van je liefhebbende familie terug te zijn?' Zijn stem klonk vreemd na verschillende drankjes en was uiterst cynisch. Hij keek gepijnigd. Maar toch voelde ze werkelijke warmte toen hij haar op de wang kuste. 'Welkom thuis, Christina.' Toen voegde hij er zacht aan toe: 'Ik hoop dat je weet wat je doet door terug te komen. Om je de waarheid te zeggen, was ik in jouw plaats weggebleven.'

'Ik ben lang genoeg weg geweest, Andrew,' zei ze, en voelde medelijden met hem door het verdriet dat ze onder het cynisme bespeurde.

Hij hief zijn glas naar haar op. 'Bel me maar als je me nodig hebt. En dat meen ik.'

Toen hij een stap achteruit deed, merkte ze dat haar neef Jason, die aan de andere kant van de kamer stond, naar haar staarde. Hij stond een beetje verwijderd van de anderen en keek haar strak aan. Wat zou hij denken? vroeg ze zich af. Dacht hij aan die laatste avond, toen ze zo'n ruzie hadden gehad? Wist hij nog wat voor afschuwelijke dingen hij toen tegen haar had gezegd?

Even keken ze elkaar strak aan en ze voelde hoe groot zijn tweestrijd was: moest hij haar geloven, of niet? Wat geschrokken stelde ze vast dat na al die tijd zijn gevoelens voor haar blijkbaar nog niet veranderd waren. Er hing nog steeds dat lieve maar treurige gevoel van een eerste liefde tussen hen: verlangen, hulpeloosheid – en op een of andere manier moest ze daar een eind aan maken.

'Lieve kind, het is fijn je terug te zien,' zei Brian Chandler en lachte wat verlegen.

Ze dwong zich niet langer naar Jason te kijken en schonk nu al haar aandacht aan zijn vader. 'Dank u wel, oom Brian.'

'Het is een hele verrassing! Je hebt iedereen hier versteld doen staan. Wat dat betreft, lijk je veel op Katherine.' Met een geruststellend gebaar gaf hij een kneepje in haar arm. Hij leek veel op Andrew, maar was niet zo cynisch; in haar oom voelde ze een enorme vermoeidheid. Ze herinnerde zich dat Brian nooit een gelukkige indruk had gemaakt. Hij had de pech gehad te krijgen wat hij hebben wilde – een huwelijk met de dochter van de baas – maar had daar nu zijn verdere leven spijt van.

'Ja, dat is zo,' viel Diana hem bij. De zilveren japon met kraaltjes zat haar als gegoten en toonde alle rondingen van haar stevige, slanke lichaam waaraan ze altijd hard werkte. Als je naar haar keek, zouden de meeste mensen Brian benijden omdat hij zo'n mooie vrouw had. Maar Christina wist wel beter.

De twee vrouwen keken elkaar aan. De uitdrukking op Diana's gezicht was koel en taxerend. Ze liet de drank in het glas dat ze in haar hand hield zachtjes ronddraaien. 'Ik denk dat je dit wel als een soort overwinning zult beschouwen.'

Christina keek haar uitdrukkingsloos aan. 'Ik wist niet dat er een strijd aan de gang was.'

'O nee?' Voor Christina kon reageren, ging ze verder. 'Katherine is dol op dit soort situaties. Leuk om op het laatste moment de regels van het spel te veranderen. Jij bent nu precies degene op wie ze wachtte. Maar dat zal ze je wel allemaal hebben uitgelegd. Vertel me eens, hoe lang zijn jullie samen bezig geweest met de voorbereidingen hiervoor?'

Brian schudde zijn hoofd. 'Diana, toe nou! Dit moet een gezellige avond worden.'

'Natuurlijk, schat.' Diana hief met een spottend gezicht haar glas op. 'En we zijn allemaal zo blij Christina weer te zien.' Ze liep weg en er bleef een loodzware stilte hangen.

Brian zei enigszins verlegen: 'Helaas drinkt Diana af en toe te veel.'

Christina lachte om haar gespannen zenuwen wat tot bedaren te brengen. 'Ik zou zelf ook best een drankje kunnen gebruiken.'

Hij keek haar plotseling begrijpend aan. 'Ik neem aan dat dit alles ook voor jou moeilijk is.'

'Inderdaad, ja.'

'Alsjeblieft,' zei Steven, en verscheen naast Christina, met een glas in zijn hand. 'Dank je,' zei ze.

Christina keek naar hem en zag hoezeer hij op zijn moeder leek. Als tiener was hij al knap geweest. Nu, eind dertig, leek hij wel een knappe filmster, met een charme die uiterst gevaarlijk kon zijn, al leek hij nog zo aardig. In de gegevens van de privé-detective had gestaan dat Steven nooit getrouwd was. Dat was ook best te begrijpen. Hij moest er waarschijnlijk niet aan denken zich de rest van zijn leven aan één vrouw te binden. Hij was altijd enorm aantrekkelijk voor vrouwen geweest en had er tientallen versleten, met een vaart en enthousiasme waarom zijn broers hem fel benijdden.

Hij bracht een toost uit, net zoals Katherine de vorige avond had gedaan. 'Op de terugkeer van de verloren dochter.' Zijn glimlach was lichtelijk spottend.

Christina was vastbesloten zich van dat alles niets aan te trekken, nam voorzichtig een paar slokjes wijn en wachtte totdat hij haar wat moed zou geven. Toen eindelijk werd aangekondigd dat het diner zou worden geserveerd, slaakte ze een zucht van opluchting. Zodra het diner voorbij was, was ze van plan zich te verontschuldigen en te vertrekken.

Brian was haar tafelheer. Toen ze samen de salon verlieten, kwam er een vrouw binnen die blijkbaar de huishoudster was en de vuile glazen weghaalde die op de verschillende tafeltjes waren blijven staan. Ze had een eenvoudige, zwarte japon aan en grijs haar, dat ze in een knot bij elkaar had getrokken.

Ze hield Christina staande. 'Welkom thuis, juffrouw Christina,' zei ze op zachte, eerbiedige toon. Onder het onverstoorbare masker van de goed getrainde bediende was de intense nieuwsgierigheid duidelijk te zien.

Christina keek haar verward aan. Ze had er geen idee van wie die vrouw was, maar het was duidelijk dat zíj haar wel kende en verwachtte herkend te worden.

De andere leden van de familie waren op de drempel van de eetkamer blijven staan en keken nu vragend naar Christina. Ze wist wat ze dachten – de echte Christina zou deze vrouw herkend hebben. Ze deed haar uiterste best haar zich te herinneren, maar het hielp niet. Ze raakte in paniek en trachtte wanhopig om die te verbergen.

'Ach... dank u,' mompelde ze eindelijk, als reactie tegen de huishoudster. Maar iedereen had gemerkt dat ze de naam van de vrouw niet gebruikte. Dat kòn ze ook niet, want ze kende hem niet.

Richard wilde wat zeggen, maar voor hij haar kon uitdagen – en Christina was ervan overtuigd dat hij dat van plan was – zei de huishoudster: 'Natuurlijk herinnert u zich mij niet na al die jaren. Ik ben Rose Maitland, en nu de huishoudster. Maar toen u nog thuis was, was ik alleen maar het binnenmeisje.'

Natuurlijk, dacht Christina, en opeens wist ze alles weer. Kort voor Christina was weggelopen, was Rose Maitland op Fortune Hill in dienst getreden. 'Dag, mevrouw Maitland,' zei Christina glimlachend. 'Ik beloof u dat ik nooit meer pindakaasvlekken op het hout zal maken.'

De opmerking deed de huishoudster opschrikken. 'Pindakaas? Hemel! Ik was die pindakaas op de mooie trap helemaal vergeten.'

'Je hebt het nooit tegen grootmoeder gezegd. Je zei dat het bijna zo goed was als citroenolie, maar het moet niet zo worden dat het hele huis naar pinda's ging ruiken,' hielp Christina haar herinneren.

Er verschenen tranen in de ogen van de vrouw en ze greep Christina's handen. 'Dat was ons geheimpje. Ik beloofde dat ik het nooit aan iemand zou verklappen, en jij beloofde...'

'... de pindakaas tussen het brood te houden,' maakte Christina de zin voor haar af.

'God, ja,' mompelde mevrouw Maitland. 'Ik zou nooit gedacht hebben zo iets te horen na al die jaren.'

Een lichte druk op haar arm maakte dat Christina merkte dat Brian haar wilde aanduiden dat ze moest gaan. 'Ik zie u nog wel, mevrouw Maitland,' zei ze.

Toen ze naar Richard keek, zag ze dat hij zijn wenkbrauwen fronste. Even had hij gedacht dat hij haar op een fout betrapte, maar tot zijn onuitsprekelijke teleurstelling had ze de bijna fatale situatie in een triomf voor zichzelf veranderd. Nu was alles in orde. Inwendig slaakte ze weer een zucht van opluchting. Maar ze was er heel na aan toe geweest – veel te na – om Richard te geven wat hij wilde hebben: een bewijs dat ze niet Christina was.

Terwijl ze doorliepen, keek ze op naar Brian om iets te zeggen en zag verbaasd een uitdrukking van verrassing op zijn gezicht. Ondanks zijn beleefde optreden had hij er dus ook aan getwijfeld of ze de echte Christina was. Het gesprek met mevrouw Maitland had hem duidelijk overrompeld.

Het diner was verrukkelijk, maar Christina at nauwelijks iets terwijl ze de niet zo erg subtiele vragen van haar familie beantwoordde.

Steven interrumpeerde het beleefde gesprek dat Alicia met veel moeite met Christina voerde. 'Maar waar ben je nu eigenlijk de afgelopen twintig jaar geweest, beste nicht?'

Ze nam een hapje andijviesalade en merkte dat alle gesprekken ophielden terwijl iedereen vol interesse op haar reactie wachtte. 'In de map die ik jullie allemaal heb gegeven, staat duidelijk dat ik de afgelopen jaren in Boston heb gewoond. Ik ben daar op school geweest, heb er gestudeerd en de laatste vijftien jaar ben ik bij Goldman, Sachs in dienst geweest, een internationale investeringsbank. Tijdens mijn studie ben ik daar in deeltijd begonnen en na mijn graad werd het een volle baan.'

'Heb je gewerkt?' vroeg Alicia verbaasd. De vrouwen uit de familie Fortune hadden nooit buitenshuis gewerkt. En dat was een van de redenen waarom Katherines beslissing om het beheer van de onderneming op zich te nemen iedereen zo in het harnas had gejaagd. Ze lachte flauwtjes. 'Dat kan ik me níet voorstellen.'

Steven vroeg: 'Wat voor werk heb je daar precies gedaan?'

'Ik was investeringsanaliste en consulent betreffende buitenlandse handel. Ik verstrekte raad aan onze cliënten.'

Brian was nu geïnteresseerd en vroeg: 'Ik meen ergens gehoord te hebben dat Goldman, Sachs met de federale regering heeft samengewerkt op de Oosteuropese markt, nu de grenzen van de landen van het Oostblok open zijn voor de vrije handel.'

'Ja,' antwoordde ze meteen. 'Ik heb in Genève vergaderingen daarover bijgewoond.'

Steven herhaalde: 'Genève? Zozo! Het ziet ernaar uit dat onze kleine Christina een invloedrijke zakenvrouw is geworden. Straks wil ze nog Fortune International overnemen. Grootmoeder moet maar op haar tellen passen.' Toen glimlachte hij listig en voegde eraan toe: 'Misschien is het het beste dat we dat allemaal doen.'

'Misschien wel,' gaf Christina hem onmiddellijk terug.

Tot haar verbazing lachte Steven en zei: '*Touché*, nichtje.'

Daarna verliep het gesprek gedwongen en nauwelijks beleefd. Christina was blij dat Brian naast haar zat. Af en toe voelde ze hoe hij haar geruststellend op haar hand klopte. Phillip Lo zat tegenover haar. Zo nu en dan keek hij haar aan en knikte haar vriendelijk toe.

Tegen de tijd dat het dessert werd opgediend had Christina maagpijn van de spanning en de dreigende sfeer.

Merkwaardig genoeg was het Richard die het gesprek gaande hield. Andrew zweeg, en ze vroeg zich af of hij zijn waarschuwing gemeend had. Af en toe keek ze op en zag Jason, die haar strak observeerde, maar zodra hun ogen elkaar ontmoetten, wendde hij zijn blik af. Liever dan wat ook zou ze willen weten wat hij dacht en zich herinnerde.

Christina was opgelucht toen Alicia aankondigde dat de koffie in de salon zou worden geserveerd. Ze moest weg uit de benauwende sfeer van de eetkamer.

'Familie kan heel vermoeiend zijn,' zei Brian veelbetekenend, toen hij haar naar de salon begeleidde. 'Alles in orde?'

'Ja. Maar ik denk dat ik toch even een luchtje ga scheppen.'

'Zal ik met je meegaan?'

'Nee, ik wil even alleen zijn,' verklaarde ze. Ze moest haar verwarde gevoelens weer de baas worden. De openslaande deuren naar het terras, dat toegang gaf tot de tuinen, stonden open. Ze stapte naar buiten en liep het terras over.

Boven de baai vormden de lichten van de Golden Gate Brug een boog over het water. Ze stapte de treden van het trapje af en de tuin in. De avondlucht koelde haar warme gezicht af en allerlei herinneringen bestormden haar en trokken haar mee naar het verleden. Ze volgde het geplaveide pad en wist precies waar het heen leidde.

Het zag er nog precies zo uit – het tuinhuisje aan het eind van de tuin. Twintig jaar geleden was een ontdaan vijftienjarig meisje datzelfde trapje afgerend en had hetzelfde pad genomen. Toen was Jason haar gevolgd...

'O, Jase!' Christina wierp zich in zijn armen. 'Ik ben zo gauw mogelijk van dat feest weggegaan. Ik vind het zo fijn je weer te zien en heb je vreselijk gemist.'

Hij pakte haar ruw bij de armen en duwde haar van zich af. Ze was stomverbaasd, want Jason was anders altijd zo teder en aardig voor haar.

'Dat zal wel,' zei hij boos. 'Twee maanden, en je hebt me zo erg gemist dat je zelfs niet de moeite hebt genomen me te schrijven of op te bellen.' Hij liep een eindje bij haar weg.

Ze staarde hem aan en probeerde zijn woede te begrijpen. 'Ik heb wèl gebeld en je ook geschreven. Elke dag. Waar heb je het over?'

Jason draaide zich met een slag naar haar om. 'Ik dacht dat we iets voor elkaar betekenden?'

'Dat is ook zo,' antwoordde Christina. 'Je weet hoeveel jij voor me betekent. Je bent de enige met wie ik kan praten, de enige die begrijpt hoe erg het voor me is nu mama en papa...' Haar stem trilde en brak. 'Ik heb je geschreven en gezegd dat ik een vreselijke hekel aan die nieuwe school heb en wachtte op jouw brieven. Maar er kwam er nooit een.'

'Ik heb je geschreven,' barstte hij woedend los, 'brieven en kaarten gestuurd, en een boek – dat boek met gedichten van Shelley, dat je wilde hebben. Je hebt alles teruggestuurd.'

Ze keek hem ontsteld aan, helemaal in de war. 'Ik heb ze níet teruggestuurd. Ik heb ze zelfs nooit gekregen. Jason, heus, je moet me geloven!' Ze liep op hem toe, pakte zijn hand en vervlocht haar vingers met de zijne, probeerde één enkel lief gebaar bij hem los te maken.

Maar hij rukte zich los. 'Ze zei al dat het fout was. Ze zei dat je me alleen maar gebruikte.' Ze voelde de pijn in zijn woorden.

'Wie?' Maar opeens wist ze het. 'Tante Diana?'

Hij knikte. 'Je hebt tegen me gelogen.'

'Ik heb niet tegen je gelogen.' Ze stak haar hand weer naar hem uit, maar hij duwde haar opnieuw weg en snelde het tuinhuisje uit.

De deur sloeg achter hem dicht.

'Jason! Laat me niet in de steek! Toe nou, Jason.' Ze barstte in tranen uit, liet zich tegen de wand van het huisje vallen en de duisternis sloot zich om haar heen.

Toen ze eindelijk doodmoe was en geen tranen meer over had, hield ze op met huilen. Ze voelde zich leeg, op een soort zeurende pijn na, diep in zich. Ze had er geen idee van hoe lang ze daar alleen was gebleven. Ze wist alleen dat Jason bij haar was weggelopen, en nu had ze niemand – niemand meer die ze kon vertrouwen, die om haar gaf.

Toen hoorde ze buiten op het pad stappen naderbij komen. Hij is teruggekomen! dacht ze en kreeg plotseling weer hoop.

De deur werd geopend en ze zag een donkere figuur naar binnen glijden, maar de maan had zich achter een wolk verscholen en het was pikdonker.

'Jason? Waar ben je? Ik kan je niet zien.' Ze glimlachte flauwtjes. 'Het spijt me zo. Toe, laten we nu geen ruzie maken. Jij bent alles dat ik heb.'

Ze hoorde zachtjes stappen op zich toe komen terwijl de figuur door het tuinhuisje liep. Toen schraapten er stoelpoten over de vloer en er klonk een vloek. Plotseling werd ze bang.

'Jason?' Ze deinsde langzaam achteruit. Het was niets voor Jason haar zo te plagen. Maar ja, toen hij wegging, was hij heel boos geweest.

'Jason?' riep ze weer. Voor ze nog een woord kon zeggen, werd er een hand op haar mond gelegd. Een andere hand sloot zich om haar pols en drukte die stevig achter haar rug.

'Christina...' Het was alleen een hees, niet te identificeren gefluister, angstig en griezelig in het donker.

Ze schreeuwde, maar de hand tegen haar mond smoorde het geluid. Doodsangst greep haar bij de keel toen ze de hete adem tegen haar wang voelde en de wrede vingers die aan haar Halloweenkostuum trokken. Ze had zich als sprookjesprinses verkleed...

Nu, twintig jaar later, hoorde Christina weer die stappen op het plaveisel. De deur ging krakend open en een vage, grijze figuur tekende zich als een silhouet af tegen de achtergrond. De adem bleef in haar keel steken en haar huid werd zo koud als ijs toen ze voelde hoe in het donker een hand naar haar werd uitgestoken en zich om haar pols klemde.

Hoofdstuk 12

Ross ging vaak voor zaken naar de Oostkust, maar hij had niet veel meer van Boston gezien dan de binnenkant van kantoren, hotels, restaurants en taxi's. Toch had hij er in verschillende jaargetijden genoeg van in zich opgenomen om te begrijpen waarom mensen er dol op waren. De steeds wisselende seizoenen met al hun diverse pracht maakte de stad juist bijzonder aantrekkelijk voor iemand die gewend was geraakt aan het weer in San Francisco, dat steeds min of meer gelijk was.

De nog overal hangende zomerse warmte voelde aan als voorbijgaand. Er hing iets verwachtingsvols in de lucht. De kille adem van de herfst was nog slechts enkele weken verwijderd. Hier, zo ver noordwaarts, trad de winter snel en koud in. Maar in elk jaargetijde lag de haven vol zeilboten, die ook in de verschillende kleine baaien en inhammen lagen. Ross kreeg het bekende verlangen om het water op te gaan, een dek onder zijn voeten te voelen deinen, de veranderingen in de wind te merken die je over het water kon zien aankomen en de onvoorspelbaarheid van de elementen, die zo'n enorme uitdaging voor een man en een boot konden betekenen.

Het was nu alweer weken geleden dat hij er met zijn eigen boot op uit was getrokken. En zoals alles er nu uitzag, zou het nog wel een tijd duren voor hij weer de kans kreeg. Hij had er behoefte aan. Hij wilde opgaan in de fysieke eisen van wind en water, maar het zou nog even moeten wachten. Alles zou moeten wachten totdat de zaak omtrent Christina Grant Fortune was opgelost.

Terwijl Ross in het kantoor van James Buchanan zat, in een van de fraaie oude kantoorgebouwen in het centrum van Boston, dacht hij dat de man er meer als een boekhouder uitzag dan als een privédetective. Hij was klein en slank, had keurige blonde haren en een grote, ronde bril op; het leek of hij zich meer op zijn gemak zou voelen met een rekenmachientje in de hand dan met een revolver. Maar hij was een van de kundigste detectives van Boston en had bijna vijfentwintig man in dienst.

Toen Ross hem uit Hawaii had opgebeld, had hij gezegd wat hij wenste, namelijk dat Buchanan zijn zaak persoonlijk op zich zou nemen. Kosten waren geen enkel beletsel, maar snelheid en nauwkeurigheid van de vergaarde gegevens, wel.

Buchanan bladerde in een dossier dat open voor hem lag op zijn keurig opgeruimde bureau.

'De gegevens die zij u in haar map heeft verstrekt, zijn juist. Ze haalde in Boston haar graad, werkte voor de firma's die ze opgaf en woonde op de adressen die ze vermeldde. Ze heeft geen strafblad en het schijnt dat ze een voorbeeldig leven heeft geleid. Het is echt het verhaal van een arm meisje dat zich rijk heeft gewerkt; ze heeft zelf haar studiekosten verdiend en begon bij Goldman, Sachs onder aan de ladder, om uiteindelijk een van hun meest gewaardeerde employées te worden.'

Hij glimlachte tegen Ross. 'Weet u, meneer McKenna, tegenwoordig doen we het grootste deel van onze onderzoekingen via computers. Die kunnen je vrijwel alles vertellen wat je van iemand wilt weten. Je moet alleen weten hoe je in de juiste systemen binnendringt. De computers zeggen ons dat Christina Fortune degene is voor wie ze zich uitgeeft. Hier gebruikte ze de naam Grant, maar u zegt dat dat eveneens een familienaam is. Het is niet ongebruikelijk dat mensen andere namen gebruiken, vooral als ze niet opgespoord willen worden.'

'U hebt níets bijzonders gevonden?' vroeg Ross sceptisch.

'We hebben wel iets heel interessants ontdekt. U vindt dat in de kopieën van haar bankafschriften. Er zijn verschillende chèques die ten gunste van één persoon zijn uitgeschreven.'

Ross bladerde in zijn dossier tot hij het vond.

Buchanan legde verder uit: 'Die betalingen hebben de afgelopen zes maanden plaatsgevonden en waren bestemd voor een privé-detective.'

'Welke?'

Buchanan schoof hem een visitekaartje toe. 'Ik ken die vent. Hij werkt hier in Boston en heeft maar één man in dienst. Maar hij heeft wel een goede reputatie.' Hij hief zijn hand op toen Ross wilde vragen of hij die man had ondervraagd.

'Ja, ik heb hem ondervraagd, maar dit soort dingen wordt als vertrouwelijk beschouwd. Hij wilde ons niets vertellen, en het is onmogelijk na te gaan waarom ze van zijn diensten gebruik heeft gemaakt.'

Ross stak het kaartje in zijn zak; daarna bladerde hij verder in zijn exemplaar van het rapport.

Het moest iets belangrijks betekenen. Waarom had Christina Grant Fortune een privé-detective in de arm genomen? De lijst van chèques op naam van die man gaf aan dat de laatste pas zes dagen geleden was uitgeschreven, vlak voordat ze naar San Francisco was vertrokken. Toch was het op zichzelf nog geen bewijs dat ze niet was wie ze pretendeerde te zijn. Ze beschikte over gegevens die geen enkele privé-detective had kunnen bemachtigen, en ze was in het bezit van die hanger.

Buchanan ging verder. 'Er is iets nog merkwaardigers dat u moet weten. Iemand anders probeert ook al haar gangen na te gaan.'

'Wie?'

'Ik weet het niet. Het schijnt geen man van hier te zijn, dus is het vermoedelijk een buitenstaander. Het enige dat ik weet, is dat hij op dezelfde gegevens uit is als wij. Kent u iemand die eveneens geïnteresseerd zou kunnen zijn?'

Richard. Het moest Richard zijn.

Ross voelde weer hoe dringend deze kwestie was. Hij moest zien de waarheid omtrent Christina te ontdekken voordat Richard dat deed. Je kon nooit weten wat hij met die gegevens zou doen.

Ross las verder en keek Buchanan aan toen hij klaar was. 'Dit verklaart alleen wat ze gedaan heeft nádat ze in het Huis van de Hoop kwam. Hoe staat het met haar leven daarvoor?'

Voor het eerst leek er iets van Buchanans zelfvertrouwen te verdwijnen. 'We hebben niets over haar leven vóór die tijd kunnen ontdekken. U kunt me geloven dat we het geprobeerd hebben, en hoe, maar het heeft niets opgeleverd. Er zijn geen schriftelijke gegevens van vóór die tijd, en zonder die...' Hij haalde zijn schouders op.

Toen ging hij door. 'U hebt me gezegd dat ze op straat rondzwierf. Honderden weglopers wonen op straat. Daar bestaan geen gegevens over, tenzij ze hulp inroepen, en dan nog alleen als ze het zelf goedvinden.'

'Hier staat dat de priester die het Huis van de Hoop leidde haar oppikte bij de eerstehulppost van het New York Memorial Ziekenhuis. Hebt u met hem gesproken?'

Buchanan knikte. 'Ik ben naar New York gevlogen en heb zelf een onderhoud met hem gehad. Een aardige, ouwe kerel, iemand die dichter bij een heilige komt dan ik ooit heb meegemaakt. Maar hij beschikte totaal niet over gegevens die ons konden helpen. Het enige dat hij van haar wist, was haar naam – Christina Grant. Ze weigerde over haar verleden te spreken of hem iets over haar familie te vertellen, zelfs niet waar ze vandaan kwam. Ze is een paar jaar gebleven, tot ze het einddiploma van de middelbare school had gehaald en is toen naar de universiteit vertrokken. Zijn naam, adres en telefoonnummer staan achter in het rapport.'

Ross sloeg de bladzijden om tot het eind en zag toen de naam – pater Paul Munro. Snel nam hij een besluit. 'Ik wil zelf met hem praten.'

Buchanan had al zo iets verwacht, al was hij geprikkeld dat Ross zijn gegevens in twijfel trok. 'Ik zal hem onmiddellijk opbellen en zo gauw mogelijk een afspraak voor u maken.'

Ross stond op om te vertrekken. 'Ik ben in mijn hotel bereikbaar. Wilt u me laten weten wanneer u een afspraak hebt geregeld?'

Terwijl Ross naar de deur liep, zei Buchanan: 'Als zij werkelijk Christina Fortune is, erft ze een groot kapitaal, nietwaar?' Ross knikte.

Peinzend zei Buchanan nog: 'Tja, ik begrijp dat er veel op het spel staat. Nou ja, ik weet niet of u dat wat helpt, meneer McKenna, maar ik heb in de loop van de tijd vaak de achtergrond van mensen uitgeplozen die zich voor een ander uitgaven. Ik denk echter dat zij werkelijk degene is die ze zegt te zijn.'

De volgende middag stond Ross in een straat in New York en keek naar de weinig indrukwekkende voorgevel van het Huis van de Hoop. Het vervallen gebouw in een deel van het centrum van Manhattan dat nog niet chique was geworden, was door een huisjesmelker geschonken die er alleen in geïnteresseerd was geweest het kwijt te zijn vóór de autoriteiten hem voor een eindeloze lijst overtredingen te pakken kregen.

Ross merkte dat er een ongewoon aantal tieners, de meesten onverzorgd en slordig, voor het gebouw rondhing. Binnen merkte hij dat het verrassend helder, smetteloos schoon en vrolijk was. Er hingen affiches met optimistische strijdkreten en platen met opbeurende afbeeldingen aan de witte wanden. In een grote huiskamer lagen wat jongelui in stoelen en keken naar de televisie, terwijl in de aangrenzende eetkamer een jongen bezig was een lange schraagtafel te dekken voor een maaltijd.

De tieners binnen zagen er wel verzorgd, goed gevoed en schoon uit – in elk opzicht.

'Kan ik u helpen?'

De jonge vrouw die Ross aansprak, was praktisch gekleed in een spijkerbroek en een te groot, wit overhemd. Maar toch ging er iets van rustig gezag van haar uit. Hij zei hoe hij heette en ze glimlachte vriendelijk. 'Natuurlijk, meneer McKenna, we verwachtten u al. Deze kant op.'

Ze bracht hem naar een kantoor boven. De deur stond open – Ross kreeg het gevoel dat die altijd openstond – en binnen zat pater Paul Munro, de stichter van het Huis van de Hoop.

Hij was een lange, magere, oude man, helemaal in het zwart gekleed, op de witte boord na. Hij had dun, wit haar en was enigszins gebogen. Zijn gelaatsuitdrukking was goedig en Ross dacht dat hij nog nooit zulke lieve ogen had gezien... ogen die hoop en medeleven uitdrukten.

Pater Paul stond op, stak Ross zijn hand toe toen de jonge vrouw hem voorstelde en maakte een gebaar naar Ross om te gaan zitten op een versleten leren stoel tegenover zijn bureau. Het Huis van de Hoop was met veel zorg en liefde en giften en gaven gemeubileerd. Maar het was duidelijk een instelling die voortdurend met geldtekort kampte.

'Ik weet waarom u komt,' begon pater Paul met zachte maar flinke stem. 'Ik vrees dat ik niets kan toevoegen aan de gegevens die ik al aan die detective heb verstrekt.'

'Dat begrijp ik, pater. Maar ik hoopte dat ik, door zelf met u te praten, misschien nog iets meer te weten kon komen, wat dan ook. Ziet u, de zaak is heel belangrijk. Er staat veel op het spel.'

'Ja, dat heb ik begrepen. De detective heeft me alles over die erfenis verteld.' De toon van de priester was beleefd, maar liet duidelijk merken dat hij niet te veel belang aan geld hechtte.

'Het gaat niet alleen om het geld,' hield Ross aan. 'Deze vrouw beweert de kleindochter van mijn werkgeefster te zijn. Als dat waar is, zou het heel veel voor mijn werkgeefster betekenen. Zo niet, dan is het een wrede truc, die het hart van een oude vrouw zou kunnen breken.'

De uitdrukking van de priester werd ernstiger. 'Geloof me, ik begrijp wat deze situatie voor gevolgen kan hebben. Daarom ook heb ik erin toegestemd de detective te vertellen wat ik wist, want gewoonlijk beschermen we alle gegevens omtrent onze kinderen. Het is de enige manier om hun vertrouwen te winnen. En dat verdienen ze ook.'

Ross knikte. 'Ik ben u dankbaar voor uw medewerking.'

'Wat wilt u nog meer weten?'

'Ik heb het rapport van de heer Buchanan gelezen en zal uw tijd niet verspillen door alles nog eens na te gaan dat u al verteld hebt. Maar ik zou iets meer willen weten over de manier waarop u Christina hebt leren kennen.'

De priester fronste zijn voorhoofd. 'Door mijn werk breng ik veel tijd door op de eerstehulpposten van ziekenhuizen. Dat hoort er nu eenmaal bij. Te veel kinderen komen daar terecht, als slachtoffers van geweld of als gevolg van drugmisbruik. Die avond was ik erheen gegaan om een jongen van veertien te bedienen.'

Hij zweeg, nog ontdaan door de herinnering, al was het al jaren geleden. 'Ik had zo mijn best gedaan hem van de straat af te houden,' fluisterde hij, met een stem die innig bedroefd klonk. 'Helaas, in zijn geval heb ik gefaald.'

'Zag u daar toen Christina binnenkomen?' hielp Ross hem.

'Nee, de jonge dokter van de eerstehulppost kwam bij me en vertelde me over haar. Ze was binnengekomen met een vriendinnetje dat met een mes was neergestoken.'

'Wat is er met die vriendin gebeurd?'

'Ze is gestorven, het arme ding. Ik probeerde zo lang mogelijk bij hen te zijn, ook al waren ze niet gelovig, maar dit was zo snel gebeurd dat ik haar niet meer tijdig kon bereiken.'

Ross wilde meer weten over het vriendinnetje dat Buchanan niet in zijn rapport had vermeld.

'Heeft Christina u iets over haar vriendin verteld?'

Pater Paul schudde zijn hoofd. 'Ze weigerde over haar te praten en was heel duidelijk van streek door haar dood. Ik herinner me dat ze me vroeg voor haar vriendin te bidden. Ze zei dat ze zelf niet gelovig was, maar haar vriendin wel.'

'Heeft de dokter nog iets over dat andere meisje gezegd... iets dat ze misschien gezegd heeft voor ze stierf?'

'Nee, niets.' Toen, alsof hij er nu plotseling aan dacht: 'Maar ik weet nog wel dat ze zo ontzettend veel op elkaar leken.'

Ross ging wat meer rechtop zitten. 'Hoezo, op elkaar leken?'

'Hij had eerst gedacht dat ze zusjes waren, maar Christina zei dat dat niet het geval was.'

'Weet u nog meer over dat meisje?'

'Helaas niet. Hoe hard het ook klinkt, maar ik moest haar dood van me afzetten. Christina ging voor. Zij leefde en er bestond een kans dat ik haar kon helpen om niet meer de straat op te gaan.'

Ross probeerde zijn opwinding te verbergen bij het horen van dit alles en zei: 'Herinnert u zich misschien toevallig nog de naam van die dokter?'

Pater Paul glimlachte. 'Ik ken Adam Bradford toevallig zelfs heel goed. In zekere zin doen we hetzelfde werk. We trachten beiden levens te redden. Ik ben al die jaren met hem in contact gebleven.' Hij pakte een pen en een stukje papier uit een la en schreef een naam, adres en telefoonnummer op. 'Ik weet niet of hij u meer kan vertellen dan ik. Maar hij zal u zeker te woord staan.'

Ross nam het papiertje aan en zei: 'Dank u zeer. Ik waardeer dat u mij hebt willen ontvangen.' Hij stond op om te vertrekken, maar aarzelde toen. 'Is het mogelijk voor mij het Huis van de Hoop een donatie te schenken?'

'Natuurlijk! We zijn niet zo dom om te proberen zonder geld te blijven bestaan. Eigenlijk zijn we volkomen afhankelijk van de giften die we binnenkrijgen.'

Hij begreep niet waarom hij plotseling de behoefte voelde om iets bij te dragen, behalve dat hij in zekere zin begreep wat het was om in de steek gelaten en vergeten te worden. Hij pakte zijn chequeboekje uit zijn binnenzak en schreef een cheque van vijf cijfers uit, die hij aan de priester overhandigde. Als hij weer terug op kantoor in San Francisco was, zou hij ervoor zorgen dat de Fortune Stichting het Huis van de Hoop boven aan de lijst van te steunen liefdadigheidsinstellingen zette.

Adam Bradfords kantoor was niet wat Ross had verwacht. Hij had aangenomen dat Bradford een welvarende dokter van middelbare leeftijd zou zijn, met een praktijk in een deftige wijk van New York. In plaats daarvan was zijn praktijk gevestigd in een oud maar gerenoveerd gebouw, in een verlopen buurt bij de universiteit van New York. In de korte straat stonden aan beide zijden allerlei slordige gebouwen waarvan flats waren gemaakt en bedrijfjes, die het hoofd nauwelijks boven water konden houden. Jarenlang had daar al de straat gedomineerd.

Op de muren van de bouwvallige huizen waren in allerlei kleuren graffiti aangebracht en op een zuil bij de ingang van de straat was een proclamatie van homoseksuele bevrijding over een oude poster voor een rock-concert met The Who als sterren geplakt.

Het bleek dat Bradfords kliniek een instelling was voor de bewoners van de straat, die er kosteloos terecht konden. Het wachtkamertje zat vol, in hoofdzaak met tieners en jonge volwassenen, die er arm en onverzorgd uitzagen. Gezien het feit dat de meeste artsen voor een lucratieve praktijk kozen, was Ross diep onder de indruk. Nu begreep hij pater Pauls raadselachtige opmerking dat hij en Bradford hetzelfde soort werk deden. Bradford was blijkbaar, evenals pater Paul, een bijzonder mens.

Ross gaf zijn naam aan de receptioniste, die eruitzag alsof ze hoogstens achttien of negentien was. Ze zei: 'O ja. De dokter verwacht u. Deze kant op.'

Ze leidde hem een smal gangetje door met aan beide zijden kasten en klopte toen op een deur waarop Privé stond. Iemand riep: 'Binnen' en ze maakte de deur open, zodat Ross naar binnen kon gaan.

Bradford was klein en mager, had slordig haar en een bleek, vermoeid gezicht. Ross begreep dat het leiden van deze kliniek een uiterst vermoeiende en financieel niet bepaald winstgevende zaak moest zijn. Toch had Bradford iets – zijn snelle, rustige glimlach en zijn ontspannen houding – dat zei dat deze man blij was met zijn keuze en nergens spijt van had.

'Ga zitten,' zei hij onmiddellijk. 'Meneer McKenna, nietwaar?'

'Ja. Fijn dat u me wilt ontvangen. U hebt het ongetwijfeld altijd erg druk.'

'Ja, helaas wel. Hier is altijd werk te doen. Daarom woon ik ook hierboven. Dat is gemakkelijker bij noodgevallen midden in de nacht.'

'Vindt u het erg als ik vraag waarom u dit doet in plaats van...' Ross zweeg, en wist niet goed hoe hij zijn gedachten moest uitdrukken.

Bradford glimlachte. 'U bedoelt, in plaats van een BMW te hebben en in een dure koopflat met uitzicht op de rivier te wonen?'

Ross knikte. 'Ja, ik moet zeggen dat ik zoiets verwachtte.'

Bradford lachte. 'Ik weet dat het ouderwets klinkt, maar ik ben arts geworden omdat ik de mensen wilde helpen – mensen die dat werkelijk nodig hebben, en geen deftige mevrouw die haar kraaiepootjes wil laten verwijderen of haar dijen bijgewerkt wil hebben. Er zijn genoeg plastisch chirurgen; ik heb met enkelen gestudeerd die nu tot de besten van dit land behoren. Maar ik besloot al lang geleden iets te willen doen dat belangrijk was, gezien het feit dat een mens maar eenmaal leeft. Hier heb ik het gevoel dat ik iets doe dat mee telt.'

Vóór Ross kon reageren, ging Bradford al verder. 'Kijk, ik wil u niet opjagen, maar er zitten nogal wat patiënten te wachten.'

'Dat begrijp ik. Ik kom meteen ter zake. Heeft pater Paul u verteld waarom ik hier ben?'

'Ja. Maar ik geloof niet dat ik u meer kan zeggen dan hij deed. Het meisje dat ik die nacht leerde kennen, was net zoals honderden anderen die op straat leven, toen en nu. Helaas is er op dat gebied weinig veranderd. Ze was duidelijk een wegloopster, diep in de zorgen en waarschijnlijk thuis misbruikt, maar vastbesloten in haar eentje verder te gaan. Ik heb haar nooit meer gezien, maar heb me wel vaak afgevraagd wat er van haar geworden zou zijn. Pater Paul zei dat ze, volgens u, heel goed is terechtgekomen.'

'Dat lijkt wel zo. Maar op het moment ben ik eigenlijk het meest geïnteresseerd in dat vriendinnetje van haar.'

Bradford leunde achterover in zijn versleten leren stoel en dacht even na, trachtte zich alles weer te herinneren. 'Destijds was ik verbaasd dat die meisjes zo op elkaar leken. Ik dacht dat het zusjes waren, maar ze zei dat dat niet zo was.'

'Herinnert u zich nog andere feiten over dat vriendinnetje?'

'Ze was duidelijk ook een wegloopster. Beiden waren ondervoed en broodmager, maar schoon. Ik kon geen spoor van drugsgebruik vinden. Het was een knap meisje. Met hetzelfde donkere haar en ogen, en ongeveer even oud.'

Ross zei: 'U schijnt zich veel van deze meisjes te herinneren. Het is al lang geleden en u ziet vermoedelijk veel jonge mensen langs u heen trekken. Waarom herinnert u zich zo veel van deze twee?'

Bradford wreef even over zijn kin. 'Ten eerste was er de gelijkenis. Die was heel bijzonder. Ze zeggen dat we allemaal hier of daar een dubbelganger hebben, en dat was zeker het geval met deze twee. Maar ja, u hebt gelijk, het is lang geleden, en ik zie er veel komen en gaan. Meestal vergeet ik ze weer. Maar het meisje dat die nacht stierf, was de eerste.'

'De eerste?'

Bradford stond op. Hij leek ontroerd terwijl hij een stapel dossiers oppakte. Toen liep hij naar de deur naar zijn wachtende patiënten en gebaarde Ross met hem mee te lopen. Terwijl ze naar de wachtkamer gingen, verklaarde hij: 'Ik was net in dat ziekenhuis begonnen. Het was mijn eerste ploegendienst op de eerstehulppost en dat kan iets verschrikkelijks zijn, want er wordt van alles binnengebracht. Sommige nachten kunnen de ambulances niet eens door de drukte wegkomen doordat er te veel achter hen is komen staan. Het is steeds weer een schok, maar die nacht vond ik het het ergst, omdat ik mijn eerste patiënte had verloren.'

Ross staarde hem aan. 'Het meisje dat was neergestoken?'

Bradford knikte. 'Als je met je studie klaar bent, denk je dat je immuun bent tegen de dood, in zeker opzicht. En dan gebeurt het – jóuw patiënt, iemand die je net nog in de ogen hebt gekeken, iemand die je wanhopig hebt getracht te redden, sterft – en dat vergeet je nooit meer. Die eerste blijft je eeuwig bij en herinnert je eraan dat, hoevelen je er ook mag redden, je toch niet God bent.'

Hij keek voor zich uit, maar ging toen verder. 'Misschien was dat de eerste keer dat ik werkelijk wist wat voor dokter ik wilde worden. Zoals ik al zei, dat vergeet je nooit meer.'

Hij aarzelde, maar maakte toen zijn betoog af met: 'Sorry, maar nu moet ik echt aan de slag.'

Ross bedankte hem en verliet de kliniek. Buiten op straat bleef hij lang op de stoep staan. Toen liep hij naar de dichtstbijzijnde telefooncel en belde Buchanan op.

Toen de privé-detective aan de lijn kwam, zei Ross kort en bondig: 'Ik wil dat u uitzoekt wie het meisje was dat die nacht met Christina op die eerstehulppost aankwam; het meisje dat is overleden.'

'Dat zal niet zo eenvoudig zijn.'

'Doe het tòch maar.'

Hij hing op en liep terug naar zijn auto, maar toen hij naar de luchthaven reed, dacht hij niet aan Christina of de kritieke situatie bij Fortune International. Zijn gedachten waren bij het jonge meisje dat twintig jaar geleden wás gestorven.

Wie was ze?

Hoofdstuk 13

In het tuinhuisje sloeg Christina's hart een slag over. *Het gebeurde weer!* Ze leunde met haar rug tegen een pilaar en keek verwilderd om zich heen. Kon ze ontsnappen? Maar er was slechts één deur, en die deed hij achter zich op slot. Haar knieën knikten en ze haalde, hijgend van angst, adem. Ze deed haar mond open om te schreeuwen, om hulp te roepen, maar het enige geluid dat ze voortbracht, was een zacht gesteun.

'Christina? Godnogtoe! Wat is er aan de hand?'

Ondanks haar doodsangst zag ze dat er een hand naar haar werd uitgestoken, maar er werd geen poging gedaan haar ruw beet te pakken. De stem, die heel bezorgd klonk, kalmeerde haar.

'Jason?' fluisterde ze. Het was een doodsbang stemmetje, dat bijna in haar keel bleef steken.

'Ja, ik ben het. Wie dacht je dat het was?'

Hij kwam in het halfdonker op haar toe en ze hief instinctief haar hand op om hem tegen te houden.

'Sorry,' fluisterde ze, terwijl ze probeerde zich weer te beheersen. 'Ik dacht dat je...'

'Wie dacht je in godsnaam dat ik was?'

Hij was nu dicht genoeg genaderd om in het schijnsel te komen van een lichtstraal vanuit het huis, die door de matglazen deur naar binnen viel.

'Ik weet het niet...' mompelde ze hulpeloos. 'Ik weet het niet.' De tranen sprongen haar in de ogen. Ze wist niet wie het geweest was, die avond in dat tuinhuisje, twintig jaar geleden. Daarom wist ze niet wie van de mannen uit de familie wel en wie niet te vertrouwen was. Wie van hen had Jason het tuinhuisje uit zien stormen, daarmee Christina alleen en uiterst kwetsbaar achterlatend?

Het was die avond heel donker geweest en Christina had haar overvaller niet duidelijk kunnen zien. Wie het ook was, hij had een Halloween-kostuum gedragen, en de enige mensen die bij het Halloween-feestje aanwezig waren, waren de leden van de familie Fortune geweest.

'Gaat het weer een beetje?' vroeg Jason.

Ze knikte. 'Het komt omdat ik hier niemand verwachtte. Je... je maakte me aan het schrikken.'

'Ik zag je hierheen gaan en wilde met je praten,' verklaarde hij.

Maar zij wilde niet met hem praten, niet hier, niet nu. Ze probeerde langs hem heen weg te lopen, vastbesloten het veilige huis weer te bereiken. Toen hij zijn hand uitstak om haar tegen te houden, kromp ze in elkaar. Hij zag haar reactie en fronste zijn wenkbrauwen, maar liet zijn hand onmiddellijk langs zijn zij zakken.

'Het is zo ongelooflijk dat je nog in leven bent... je bent hier. Ik móest je zien, met je praten... alleen.'

Hij aarzelde even, maar ging toen verder. 'Ik kon het niet begrijpen dat je zo plotseling verdween en dacht steeds dat je binnen een paar dagen wel weer zou opduiken. Maar dat gebeurde niet...' Hij maakte een hulpeloos gebaar met zijn ene hand. 'God, ik was zo nijdig op je!'

Zijn gelaatsuitdrukking was een weerspiegeling van zijn gevoelens. 'Ik dacht dat het je niets meer kon schelen. Het leek er veel op dat alles wat we tegen elkaar hadden gezegd, alles wat we voor elkaar hadden betekend, alleen maar een leugen was geweest. Ik meende die vreselijke dingen niet die ik tegen je zei. Ik was alleen erg bedroefd. O Chris, het was nooit mijn bedoeling je hier te verjagen.'

Hij zag er zo ongelukkig uit en zo kwetsbaar dat ze bijna de eenzame, onzekere tiener terugzag die hij toen was geweest. Ze wilde hem geruststellen en zeggen dat híj haar niet had verjaagd, maar ze wist niet zeker of ze dan wel de waarheid sprak.

Zonder nog een woord te zeggen, liep ze weg en liet Jason alleen in het tuinhuisje achter, alleen met de herinnering aan een grote jeugdliefde die totaal verkeerd was gegaan.

De volgende dag verhuisde Christina met tegenzin van het Hyatt Regency naar het huis op Fortune Hill. Onmiddellijk was ze genoodzaakt onder te duiken in een koortsachtig sociaal leven. Alicia had namens haar al verscheidene uitnodigingen aangenomen en het leek of heel San Francisco alles over haar wilde weten. De plaatselijke kranten stonden vol artikelen met de laatste gebeurtenissen over de story van de familie Fortune.

Phillip Lo prepareerde een eindeloze berg van papieren die ze allemaal moest tekenen: attesten, overdrachten van aandelen, bankkaarten voor haar handtekening en nog meer formulieren. Als Katherine eenmaal iets deed, deed ze het goed.

Diezelfde dag betrok Christina ook haar kantoor. Bill Thomason, de assistent van Ross, leidde haar overal rond en eindigde in een kantoortje, ver verwijderd van de kantoren van hem en Richard. Ze dachten dus dat ze haar daar wel op een zijspoor konden zetten. Nou, dan dachten ze verkeerd!

'Ik wil een ander kantoor hebben,' zei ze tegen Bill.

'Maar Ross zei...'

'Het kan me niet schelen wat Ross zei.' Ze wist dat ze meteen op haar stuk moest blijven staan, of ze zou zich volledig in een hoek laten dringen. 'Ik kies mijn eigen kantoor, en dat is niet in Timboektoe, zoals dit hier.'

Bill wist duidelijk niet hoe hij op haar eis moest reageren. Hij werkte voor Ross, maar Christina had nu de meeste aandelen in de onderneming. Ze zag zijn besluiteloosheid. Haar weigering zich bij Ross' beslissing neer te leggen, plaatste hem voor een dilemma.

Ze zei glimlachend: 'Maak je niet bezorgd. Ik neem de verantwoordelijkheid voor dit besluit op me.'

Bill zuchtte en glimlachte toen terug. 'Het zal wel een en ander losmaken, juffrouw Fortune.'

'Daarmee druk je het wel heel voorzichtig uit. En noem me alsjeblieft Christina.' En meteen voegde ze eraan toe: 'Ik regel het wel met Ross.'

Hij grinnikte. 'Als je dat kunt, ben je de eerste.'

Bill was ongeveer even oud als zij, had kortgeknipt rossig krulhaar en zachte, bruine ogen. Hij en Ross kenden elkaar al jaren, al sinds ze beiden in Canada hadden gestudeerd en ze ontdekte heel gauw dat Bill heel trouw was in deze vriendschapsband.

Bill gaf haar kopieën van de jaarverslagen van de laatste twee jaren. Beide waren ruim tien centimeter dik en hij dacht klaarblijkelijk dat ze daarmee wel een paar dagen zoet zou zijn. Ze twijfelde er niet aan of hij volgde duidelijk omschreven instructies van Ross op: hij moest haar met onbelangrijke zaken bezighouden tot Ross terugkwam en zelf de kwestie in handen kon nemen.

De volgende ochtend was ze verhuisd naar een kantoor naast dat van Ross en had ze de verslagen grondig bestudeerd. Ze stond op het punt Bill te bellen en om meer gegevens te vragen, toen Steven kwam binnenslenteren zonder zich eerst bij haar nieuwe secretaresse aan te dienen.

'Zozo,' begon hij. 'Je voelt je blijkbaar al helemaal thuis.' Hij keek naar de stapel werk op haar bureau en ging door. 'Ik zou me om al die dingen maar niet druk maken als ik jou was.'

'O nee? En waarom niet?'

'Omdat, ondanks het feit dat Katherine graag vanuit haar hoge plaats bevelen uitdeelt, vrouwen in deze onderneming nooit een actieve rol hebben gespeeld.'

'Dan wordt het tijd dat dat wel gebeurt.'

Hij ging op een hoek van haar bureau zitten en glimlachte naar haar. 'Een mooie vrouw zoals jij zou betere dingen met haar tijd moeten doen dan zich om saaie jaarverslagen te bekommeren.'

'O ja?'

'Ja, ik méén het. Je zou bijvoorbeeld kunnen gaan winkelen om iets liefs en sexy te kopen dat je kunt dragen als je vanavond met mij gaat dineren.'

Terwijl hij sprak, boog hij zich voorover en legde een hand onder haar kin. Zijn gezicht was vlak bij het hare en ze schrok van haar onwillekeurige fysieke reactie. Steven was echt veel te knap.

Ze maakte zich los en snauwde: 'Je schijnt te vergeten dat we volle neef en nicht zijn.'

'Zíjn we dat?' antwoordde hij en glimlachte plagend.

'Ja. Hou dus op met pogingen te doen om me te verleiden, Steven. Het is ordinair en heeft bovendien geen enkele zin.'

Op dat moment kwam Bill Thomason haar kantoor in met een paar dossiers die ze had opgevraagd. Bill was duidelijk niet onder de indruk van Steven. 'Is het vandaag niet je dag op de Jachtclub?' vroeg hij, met nauw verholen sarcasme.

Steven was onverstoorbaar, maar draaide zich langzaam om terwijl hij wegliep. Bij de deur bleef hij staan. 'Denk maar niet dat er hier iets gaat veranderen. Zoals ik al zei, vrouwen kunnen gewoonweg niet een onderneming leiden.' Zijn toon was buitengewoon discriminerend. 'Ze zouden zich moeten houden aan wat ze het beste kunnen.'

Toen hij weg was, onderdrukte Christina haar woede niet. 'Is hij altijd zo?'

Bill grinnikte. 'Het is ongelooflijk, maar vrijwel alle vrouwen schijnen een dergelijke behandeling leuk te vinden.'

'Hij moet maar eens inzien dat we in de jaren negentig leven en niet in de jaren vijftig,' antwoordde Christina.

'Dat zou niets helpen. Hij heeft een goed leventje en is een verwende, egoïstische rotvent. Ik ben ervan overtuigd dat hij altijd zijn zin heeft gekregen en dat hem dat verder ook wel zal lukken. De combinatie van geld en een knap uiterlijk schijnt voor de meeste vrouwen onweerstaanbaar te zijn.'

'Ja,' gaf Christina met tegenzin toe, en ze dacht eraan hoe zelfs zij even een reactie op Stevens verleidingskunstjes had gevoeld. Hoe kwam het toch dat slechte mannen altijd zo veel interessanter waren dan aardige kerels, zoals Bill?

Ze was onder de indruk van Bills openhartigheid, maar er toch ook enigszins door verrast. 'Jij laat je blijkbaar níet door Steven intimideren.'

'Ik werk niet voor Steven, maar voor Ross, en hij is de enige die me kan ontslaan.'

'En als Ross zelf nu eens wordt ontslagen?' vroeg ze, denkend aan het conflict tussen Ross en Richard.

Bill haalde zijn schouders op. 'Dan zou ik tòch weggaan. Ik zou nooit voor Richard willen werken.'

Toen veranderde hij van onderwerp en zei: 'Hier zijn de voorgaande tien jaarverslagen.'

Ze keek naar de stapel. Het werd tijd om Bill goed duidelijk te maken hoe de situatie was, dacht Christina. 'Hier heb ik niet om gevraagd,' zei ze. 'Die verslagen zijn openbaar en iedereen kan ze opvragen. Ik wil de financiële privé-verslagen zien. En ik wil een tot op de dag van vandaag bijgewerkt overzicht hebben van alle liquide middelen en andere activa, kopieën van alle uitstaande leningen, plus de schatting voor winsten en verliezen voor de eerstkomende vijf tot tien jaar.'

Bill had even tijd nodig om dat te verwerken. De ogen achter zijn brilleglazen drukten verbijstering uit. 'Dat is nogal wat! Het kan wel even duren voordat ik die allemaal bij elkaar heb.'

Ze glimlachte tegen hem. 'Of je zou me in het kantoor van Ross kunnen laten. Ik ben ervan overtuigd dat hij precies de gegevens heeft die ik zoek.'

'Dat kan ik niet doen. Hij kan je die gegevens zelf verstrekken wanneer hij straks weer terug is.'

'Van zijn reis naar Boston?' probeerde ze.

Hij keek geschrokken en ze wist dat ze het goed had geraden. Ross was in haar verleden aan het graven. Het verraste haar niets. Ze kende hem pas enkele dagen, maar wist al genoeg om in te zien dat hij alles in het werk zou stellen om de waarheid omtrent haar identiteit te ontdekken.

Ze had verwacht dat alles omtrent haar verleden zou worden nagegaan. Toch gaf het haar een onrustig gevoel dat Ross daar nu persoonlijk mee bezig was. Hij was niet iemand die zich met blote feiten tevreden zou laten stellen en zou dieper doorgraven – diep in haar hart en geest.

'Goed,' zei ze effen, en vroeg Bill niet verder uit over de reis. Hij zou haar toch niets meer vertellen. 'Als je me niet in zijn kantoor wilt laten, dan heb ik kopieën van al die gegevens nodig.'

Bill kreunde, want dat was een berg papierwerk. Maar hij knikte en zei zuchtend: 'Ik zal ervoor zorgen dat je alles krijgt.'

'Goed.' Ondanks het feit dat Bill Thomason duidelijk Ross trouw was, vond ze hem toch aardig. Hij was intelligent en scherpzinnig, bijna net zoals Ross. Hij dacht snel na en reageerde bijna nog sneller. Maar hij beschouwde haar belangstelling voor de onderneming niet als serieus. Evenals Ross, en zelfs als Steven, als het erop aankwam, probeerde hij haar tot hetzelfde niveau terug te brengen als Diana of Alicia – die geen enkele ervaring hadden en niet wisten wat het betekende een onderneming met de omvang van Fortune International te leiden.

Het deed haar denken aan iets dat Katherine tegen haar had gezegd voor ze van het eiland was vertrokken – dat vrouwen die in weelde geboren waren nooit de daaraan verbonden macht kregen.

Maar Christina was niet van plan zo maar te aanvaarden dat ze gepaaid werd met onbetekenende gegevens zoals die haar nu waren verstrekt, hoewel ze ervan overtuigd was dat Richard, Ross en zelfs Katherine dat wel beter vonden. Ze had veel op het spel gezet door hierheen te komen en haar erfenis op te eisen en was niet van plan een passieve rol toebedeeld te krijgen.

Ze glimlachte tegen Bill en zei met een ontwapenend lieve stem: 'Tussen haakjes, ik zou het zeer op prijs stellen als je me die gegevens uiterlijk morgenochtend zou willen brengen.'

'Morgen is het zaterdag,' wees hij haar terecht.

Ze keek hem strak aan en wist dat hij tijd probeerde te winnen tot Ross terug was. 'Dat weet ik wel.' Toen hij zich omdraaide en hoofdschuddend wilde weggaan, voegde ze eraan toe: 'Ik zou graag dat nieuwe schip zien. Kun je me straks naar de Embarcadero brengen?'

Zijn opgeluchte gezicht maakte duidelijk dat hij dit tenminste een redelijk onschuldig verzoek vond. 'Natuurlijk! We kunnen onmiddellijk gaan. Ik zal de limo van de maatschappij voor laten komen.'

Even later zaten ze samen in het luxueuze voertuig en ze zei: 'Je kent Ross zeker allang, hè?'

Bill was op zijn hoede. 'Ja.'

'Ik neem aan dat je trouw niets te maken heeft met je salaris of positie in de onderneming. Het is zeker vriendschap?' voegde ze eraan toe, en begreep volkomen hoe bindend dat soort banden kon zijn.

Hij knikte. 'Ja, we kennen elkaar al heel lang. Uit de tijd dat we beiden in het noorden studeerden. We hadden samen een flat voordat ik ging trouwen en ik bezorgde hem een baan bij de bank waar ik werkte. Je zou kunnen zeggen dat we samen onze intrede in de zakenwereld hebben gedaan.'

'En hij heeft de hem bewezen dienst nooit vergeten?' vroeg ze.

Bill lachte. 'Ja, zo is het. Toen we elkaar leerden kennen, waren we beiden ver van huis, zie je, en we kenden geen mens. Geen van ons tweeën had iemand anders die we konden vertrouwen. We kwamen beiden uit een achtergrond van kleine middenstanders en voelden ons heel anders dan de rijkere studenten uit belangrijke families. En we spraken af dat we voor elkaar zouden opkomen.'

'*Voor elkaar zouden opkomen*,' herhaalde ze, plotseling ver weg in eigen gedachten, want die woorden maakten haar verleden weer los.

'Wat zeg je?' vroeg hij.

'Ik denk dat vriendschap heel belangrijk is in het leven.'

'In de loop der jaren heeft die inderdaad voor mij heel veel betekend,' gaf Bill toe. 'Toen Ross hier kwam, was het eerste wat hij deed mij binnen de onderneming halen.'

'Zoiets past helemaal niet bij het imago van Ross McKenna – hard, sluw, totaal zonder scrupules of geweten als het op zaken aankomt,' merkte ze op.

'Je moet het niet verkeerd zien. Dat kan hij allemaal zijn, en nog veel erger. Ik heb gezien hoe hij kan zijn.'

'En hij zal even meedogenloos zijn als het erop aankomt zijn belangen in de onderneming veilig te stellen,' besloot ze.

Bill knikte. 'Er staat voor hem veel op het spel. En hij verliest niet graag.'

'Daar zal ik aan denken. Tussen haakjes, ik wil hem spreken zodra hij terug is.'

Bill wilde duidelijk graag van onderwerp veranderen voordat hij op gevaarlijk terrein terechtkwam en zei: 'Goed. Je hebt een secretaresse nodig voor al de boodschappen die je me doorgeeft.'

'Ik heb er al een. Die is gisteren begonnen. Ik heb haar ingezet op een speciaal project.'

Bill lachte en schudde zijn hoofd. 'Goed. Ik kreeg al zo'n vreemde tinteling in mijn vingertoppen – zo'n vaag gevoel dat er straks van me verwacht werd achter de schrijfmachine te gaan zitten en ik een onbedwingbare drang zou krijgen naar de lucht van Tipp-Ex.'

Ze lachte. 'Sorry, dat is geen werk voor jou.'

Hij deed of hij zich beledigd voelde. 'Ik vind dat een discriminerende opmerking. Weet je wel dat we een aantal secretarissen bij de onderneming hebben?'

Vervolgens vroeg hij: 'Houdt de familie je flink bezig?'

Ze kreunde. 'Natuurlijk, met alle mogelijke lunches, theedrinkerij en aanwezigheid bij opera- en toneelvoorstellingen. Alicia vindt dat ik me overal moet vertonen, om duidelijk te maken hoe eensgezind de familie wel is.'

'Dat klinkt alsof het uit de mond van Katherine komt,' zei hij.

Ze dacht het ook en zei dat. 'Het is juist iets voor Katherine. Ik geloof dat Alicia alleen maar bevelen van Katherine uitvoert. Tot nu toe ben ik erin geslaagd onder de meeste uitnodigingen voor thee uit te komen en vandaag heb ik ook een lunch afgeslagen. Ik hou niet van al dat gedoe. En op de achtergrond staat altijd de pers klaar.'

'Het is niet meer dan natuurlijk dat er van de zijde van de pers veel nieuwsgierigheid is en er veel word gespeculeerd. De familie Fortune heeft altijd deel uitgemaakt van de geschiedenis van San Francisco, al meer dan honderd jaar. En met alle publiciteit omtrent je verdwijning heb je heel wat stof doen opwaaien.'

Ze fronste haar wenkbrauwen. 'Het is vervelend. Ik heb uiteindelijk een onopvallende Toyota moeten huren om de verslaggevers van me af te schudden en parkeer ook op de gewone parkeerplaats voor de employés.'

Bill trok een wenkbrauw op. 'Dat is niet zo best voor je veiligheid.'

'Moet ik dan oppassen?'

'Je bent een rijke erfgename, weet je wel? Je zou beroofd kunnen worden, of zelfs ontvoerd.'

'We leven niet in Italië!' zei ze, en nam verder geen notitie van zijn melodramatische woorden. Toch, als ze terugdacht aan de zaak van de verkrachter die nooit was opgelost, realiseerde ze zich dat Bills opmerking hout sneed. Er bestònd gevaar voor haar door de manier waarop ze het middelpunt vormde van een omstreden kwestie.

De limousine stopte naast de steiger. Dichtbij zag ze de nieuwste aanwinst van de scheepvaartlijn, de *Fortune Star*. Net als alle andere schepen van de onderneming was ook dit glanzend witte vrachtschip in Hongkong geregistreerd. Het was een paar etages hoog en droeg op de achtersteven het blauwe Fortune-logo.

Ze moest haar hoofd in de nek leggen om het enorme schip in zijn geheel goed te kunnen bekijken en Christina voelde een zekere trots in zich opkomen. Zo moest elk lid van de familie Fortune zich ge-voeld hebben, al enkele generaties lang, dacht ze. Vanaf de tijd van de klippers met al hun zeilen die de Chinese Zee bevoeren en de stoomschiplijn tussen de eilanden die Hamish Fortune was begon-nen, tot deze stalen reus toe, ging er altijd een uitstraling van avon-tuur uit van de Fortune-schepen. Ondanks haar vaste voornemen om zakelijk te blijven en geen gevoelens te tonen, kon Christina haar opwinding toch nauwelijks onderdrukken. Fortune International was meer dan jaarverslagen of een grootboek en meer dan een bron van indrukwekkende geldbedragen. Er was een gedurfde en trotse geschiedenis aan de onderneming verbonden.

Op dat moment begreep Christina waarom de maatschappij zo-veel voor Katherine betekende en waarom ze zo met hand en tand vocht om de integriteit ervan te handhaven... die vast te houden.

Haar eigen reactie overviel haar en ze ontdekte dat ze Katherines trotse gevoelens en zorgen deelde.

Bill keek haar glimlachend aan. 'Indrukwekkend, hè?'

Ze knikte.

'Wil je aan boord gaan?' vroeg hij.

'Een andere keer. Ik moet nu terug naar kantoor en zien dat ik nog wat werk verzet.'

Toen ze naar de limousine terugkeerden, schraapte Bill zijn keel en stelde toen enigszins nerveus voor: 'Het is net lunchtijd en er zijn hier op de Embarcadero een paar prima gelegenheden.'

Ze vond het aardig dat hij zo verlegen met zijn voorstel om te lun-chen aan kwam dragen. 'Ik zou graag willen lunchen, maar niet in een deftig restaurant. Weet je wat ik echt graag zou willen hebben?'

Bill grinnikte. 'Geen idee.'

'Een hot dog. Met uien, kaas en chili. En een Coke erbij. Wat denk je daarvan?'

'Prima! Ik weet een goed zaakje – de beste hot dogs van de hele Westkust. Ik trakteer.'

Ze lachte. 'Afgesproken.'

Een half uur later hadden ze uit de muur bij Washington Square een paar verrukkelijke hot dogs verorberd en gingen op een bank op het pleintje zitten. Christina veegde haar mond af met het papieren servetje en zei: 'Dat was heerlijk. Hot dog zoals hij bedoeld is.'

'Ik ben verbaasd dat.jij hot dogs eet, gezien je achtergrond en zo,' merkte Bill op.

'Ik ben bij Rooney's in Fifty-seventh Street in New York gek geworden op hot dogs. Dat zijn de echte hot dogs voor liefhebbers. Als ik in de stad ben, ga ik er altijd heen.'

'Een gewoonte uit je verloren jeugd,' spotte hij goedig. Maar meteen keek hij weer ernstig. 'Sorry. Het was niet mijn bedoeling me ergens mee te bemoeien.'

'Toch wel, denk ik.' Ze herstelde zich sneller dan hij en was niet beledigd toen ze zei: 'Ross heeft je vast duidelijk omschreven instructies gegeven om alles omtrent mij te ontdekken wat je maar kon.'

Hij wilde dat niet ontkennen.

'Doet er niet toe.' Toen voegde ze er quasi-ernstig aan toe: 'Weet je dat een echt goede hot dog een van de drie beste manieren is om gegevens uit iemand los te peuteren?'

'O ja?'

'Natuurlijk.'

Bill lachte. 'En wat zijn de andere twee manieren?'

'Een dubbele portie chocolade-ijs met chocoladesnippers erover, en daaroverheen warme saus en marshmallow-room.'

'Goeie God!' riep Bill uit. 'Dat kan niemand overleven. Ik durf nu bijna niet meer te vragen wat de derde manier is.'

Ze knipoogde tegen hem. 'Gelijk heb je. Hou je maar aan hot dogs en chocolade-ijs.'

Toen, een beetje peinzend, vroeg ze: 'Vertel me eens wat over jezelf.'

Hij haalde zijn schouders op. 'Ik heb je al zowat alles verteld. Eigenlijk werk ik al vijftien jaar samen met Ross, op de een of andere manier.'

'Ik heb het niet over je zakenleven. Ik bedoel: vertel me eens wat over je persoonlijke leven.'

Plotseling leek hij verlegen. Hij voelde zich kennelijk niet op zijn gemak als hij over zijn privé-leven moest spreken. Maar Christina was er nieuwsgierig naar. Tot dan toe was hij de enige die ze in San Francisco had leren kennen die misschien uiteindelijk een vriend zou kunnen worden, en vriendschap was iets dat ze nu hard nodig had.

Bill schraapte zijn keel en begon aarzelend: 'Ik was enig kind...'

'Net als ik,' reageerde Christina, om hem aan te moedigen.

'Ja. Ik groeide op op een kleine boerderij in de buurt van Calgary, in Canada. Het enige dat ik altijd wilde, was daar weg te komen, en tot mijn verbazing is me dat gelukt ook.'

'Waarom verbaas je je daarover? Je bent intelligent en heel kundig.'

Dat compliment maakte hem verlegen. 'Dank je wel.'

'Maar er is toch meer in je leven geweest dan alleen je carrière? Je zei dat je getrouwd was.'

Hij glimlachte wat stroef. 'Je gaat wel recht op je doel af, hè?'

Ze glimlachte ook en zei: 'Dat spaart tijd.'

'Ja, dat zal wel. Het zit zo: ik ben een paar jaar getrouwd geweest. Ze heet Bonnie en geeft les op een kleuterschool. Maar...' hij zweeg en maakte toen langzaam de zin af, '... het ging niet.'

'Jammer,' zei Christina, en ze voelde oprecht met hem mee. 'Dat moet heel verdrietig voor je zijn geweest.'

Hij wilde haar nu niet aankijken. 'Ja,' fluisterde hij.

'Hoor eens, als ik me met iets bemoei dat me niet aangaat, moet je het zeggen. Maar als je erover wilt praten: ik kan goed luisteren.'

Hij keek haar aan en zijn ogen waren vochtig nu hij aan al het verdriet om dat verlies dacht. 'Ik weet dat het geen bemoeizucht van je is en waardeer je belangstelling. Het is alleen... nou ja, het helpt niets om erover te praten. Niemand kan er meer iets aan doen.'

'Maar het ziet ernaar uit dat je nog steeds om haar geeft.'

Hij knikte bedroefd. 'Ik denk dat dat blijvend is.'

'Geeft zij nog om jou?'

'De laatste keer dat ik haar heb gesproken, een paar weken geleden, zei ze van ja.'

'Misschien komt het dan allemaal nog in orde.'

Bill schudde zijn hoofd. 'We zijn te verschillend. Zij wil kinderen, en daarvoor wil ze een vader die thuis is als die kinderen opgroeien. En ik heb een baan die achttien uur per dag – soms vierentwintig uur – mijn volledige aandacht opeist.'

'Waarom probeer je niet iets minder in je werk op te gaan?' vroeg Christina. 'Je werk is alleen maar wat je doet, niet wie je bent.'

'Je begrijpt het niet,' was de reactie van Bill. 'Dan zou ik Ross moeten teleurstellen.'

'Dat kan hij toch wel aan?' zei Christina droogjes.

'Ik weet niet of ik het wel aankan. Ik heb te hard gewerkt en te veel bereikt om nu te riskeren mijn succes te verliezen omdat ik er niet alles voor zou willen inzetten.'

'En nu heb je iemand verloren die zoveel voor je betekent,' wees Christina hem terecht.

Bill zweeg een tijdlang. Toen ging hij verder op een toon die duidelijk aangaf dat hij genoeg had van dit gesprek. 'Je weet niet wat het betekent om met niets op te groeien en zo veel te willen.'

'O, maar dat weet ik heel goed,' zei Christina overtuigd.

Bill keek haar verrast aan, maar stelde geen vragen. Ze was opgelucht dat eindelijk eens iemand niet ging navragen.

Zwijgend liepen ze verder naar de limousine en eindelijk zei hij: 'Ik moet je iets zeggen. Je hebt volkomen gelijk wat mijn trouw aan Ross betreft, maar dat houdt nog niet in dat ik alles doe wat hij zegt zonder ooit vragen te stellen. Van nu af aan hoef je niet meer bang te zijn dat ik je voor hem bespioneer.'

Ze was ontroerd door zijn eerlijkheid. 'Dank je. Dat vind ik fijn; ik heb niet veel bondgenoten.'

'Nou, dan heb je er nu een.'

Ze glimlachte hem warm toe. 'Dank je. Luister eens, ik moet vanavond met Brian en Diana en Alicia en Richard naar de schouwburg. Ga je mee?'

Die uitnodiging overviel hem. 'Bedoel je... alsof we een afspraak hebben?'

'Nou ja, we moeten ons beiden keurig aankleden en je moet me komen afhalen. En misschien geef ik je dan wel een kus bij het afscheid. Ja, misschien kun je het dan wel een afspraak noemen.'

Bill grinnikte. 'Heel graag.'

Ross zat achter zijn bureau en doorliep de dringendste opdrachten die daar voor hem lagen. Het was zondagavond en het kantoor was voor het weekend gesloten, maar – typerend voor hem – was het toch het eerste adres waar hij na zijn terugkomst uit Boston naartoe was gegaan. 'Wat vroeg ze nog meer?' informeerde Ross.

'Noem maar op,' antwoordde Bill, die op een hoek van het bureau zat. 'Ze wilde alles zien dat ook maar íets met de onderneming te maken heeft. Ze wist precies wat ze wilde hebben en heeft het bliksemsnel doorgelezen. En ze heeft een eigen kantoor gekozen.' Hij wees met zijn hoofd naar de kamer naast die van Ross.

Ross fronste zijn wenkbrauwen. 'Waarom heb je dat goedgevonden?'

'Hoe stel je je voor dat ik dat had kunnen voorkomen? Ze weet wat ze wil, Ross, en heeft bovendien een enorm zakeninstinct. Ze heeft alles doorgelezen over scheepstonnage, handelsovereenkomsten en nieuwste gegevens betreffende concurrentie. En ze begrijpt alles.'

Geïrriteerd merkte Ross op: 'Je praat alsof je haar eigenlijk wel mag.'

'Het is nogal moeilijk dat níet te doen. Ze is heel anders dan ik verwachtte.'

'Wat bedoel je daarmee?'

'Ze heeft een enorme ervaring op zakengebied, is intelligent, weet veel en heeft een warme aard. En om je de waarheid te zeggen, is ze in avondkleding adembenemend.'

Het vermoeide gezicht van Ross vertrok. Hij probeerde door in zijn neus te knijpen de pijn daar te laten verdwijnen. 'Hoe weet je hoe zij er in avondjapon uitziet?'

'Ik ben vrijdagavond met haar naar de schouwburg geweest. Alicia wil haar in het sociale leven van San Francisco betrekken. Je weet hoe zij ervan geniet om het middelpunt te zijn, en de plotselinge verschijning van de vermiste erfgename van het Fortune-kapitaal heeft heel wat tongen in beweging gebracht.' Toen voegde hij eraan toe: 'Tussen haakjes, ze is dol op hot dogs.'

Ross keek op. 'Hot dogs?'

'Ik heb haar meegenomen naar een prima tentje...'

Ross viel hem in de rede. 'Heb je iets kunnen ontdekken dat níet in de map staat die ze ons heeft gegeven?'

'Alleen wat zij wilde dat ik wist.'

'En wat bedoel je daarmee?'

'Ik bedoel dat zij niet praat over wat ze als persoonlijk beschouwt. Op dat gebied heb ik niets uit haar los kunnen krijgen, en van nu af aan wil ik dat ook niet meer proberen. Ik vind het vervelend voor jou op spionage uit te gaan.'

Ross keek op van Bills heftigheid. 'Jij denkt dat ze de waarheid zegt.' Het was geen vraag, maar volgens hem een feit.

'Heb jij weleens aan de mogelijkheid gedacht dat ze wel degelijk Christina Fortune is?' was Bills reactie.

In Hawaii had Christina hem diezelfde vraag gesteld en tot de vorige dag was hij dat bijna gaan geloven.

Toen voegde Bill eraan toe: 'Ze wil dat je haar belt zodra je terug bent. Tussen haakjes, heb je in Boston iets ontdekt?'

'De privé-detective heeft de pater opgespoord die haar in New York heeft gevonden en meegenomen naar het Huis van de Hoop.'

'Kon hij je nog meer over haar vertellen?'

Bills interesse was groter dan Ross te pas kwam. Langzaam antwoordde hij: 'Hij heeft me enkele heel interessante dingen verteld die zij verkoos niet in die map op te nemen.'

'Juist.' Bill was duidelijk teleurgesteld. 'Wat betekent dat?'

'Dat is nu precies wat ik haar zal vragen.'

De volgende ochtend vond Christina in haar kantoor Ross op haar wachten.

'Ik wist niet dat je al terug was,' zei ze, en haar stem klonk enigszins geschrokken.

Hij keek op van de berg dossiers en mappen, die keurig op het lage dressoir opgestapeld lagen. Ze had er nog enkele onder haar arm die ze nu op het bureau legde.

'Ik ben gisteravond teruggekomen. Bill heeft me verteld dat je gegevens van en over de maatschappij hebt doorgelezen.' Hij sloot een van de mappen en keek haar strak aan.

Ze was vergeten hoe Ross McKenna iemand van zijn stuk kon brengen, hoe knap hij was en... hoe fel. Ze voelde zich onzeker onder de taxerende blikken van die doordringende blauwe ogen.

Ze legde haar schoudertas in de onderste la van het grote mahoniehouten bureau dat ze uit het magazijn had laten brengen. Het was een oud, massief meubel, met diepe laden, duidelijk een overblijfsel uit de vroegste tijden van de onderneming. Het leek op het bureau dat ze op een van de portretten van Alexander Fortune had gezien, op de ranch in Hawaii, maar ze twijfelde eraan of het hetzelfde was. Toch gaf het haar het solide, traditionele gevoel dat ze verkoos boven het koude uiterlijk van het moderne kantoormeubilair dat overal in de kantoren van Fortune stond.

Ze wilde hem vragen over zijn reis naar Boston, maar ze had het gevoel dat ze gauw genoeg zou horen wat hij daar had gedaan. Het was duidelijk dat Ross iets met haar wilde bespreken en ze was op haar hoede toen ze om het bureau heen liep.

'Wil je thee?' vroeg ze. 'Ik wel.'

'Dat kan Marie wel doen,' zei hij, doelend op de secretaresse die haar kantoortje voor dat van Christina had. Christina merkte dat zijn stem een harde klank had, die ze er vóór zijn vertrek naar Boston nog niet in gehoord had. Hij had haar steeds weer ondervraagd en geprobeerd haar op onjuistheden te betrappen, vanaf dat ze elkaar hadden ontmoet, maar hij had het gedaan met een zekere objectiviteit die haar ervan had overtuigd dat het bij hem alleen om een zakelijke kwestie ging.

Maar ze voelde dat dit bezoek aan Boston de situatie had gewijzigd. Hij had iets ontdekt.

Ze kreeg een onrustig gevoel terwijl ze Marie over de intercom vroeg een pot thee met twee kopjes te brengen. Even later verscheen de al wat oudere secretaresse met alles op een zilveren blad, dat ze op het dressoir zette.

Marie wilde inschenken, maar Ross weerhield haar. 'Ik doe het wel.' Hij knikte kortaf. 'Dank u.'

'Uw secretaresse vroeg me u te zeggen dat er vanmorgen al een paar telefoontjes voor u zijn binnengekomen, meneer McKenna,' zei ze.

'Zeg haar dat ze me geen gesprekken doorgeeft, en voor juf-frouw... Fortune geldt hetzelfde.'

De aarzeling duurde net lang genoeg om opgemerkt te worden. Dus waren ze weer terug bij af, dacht Christina. Ze ging achter het bureau zitten en klemde haar ijskoude handen op haar schoot in el-kaar.

Ross voegde eraan toe: 'En doe de deur alstublieft achter u dicht. Ik wens niet gestoord te worden.'

Marie ging weg en hij schonk voor zichzelf en Christina thee in. 'Suiker? Melk?'

Ze knikte bij beide en nam toen het kopje aan dat hij haar aan-bood. Het duurde even voor hij zijn eigen thee klaar had, waar hij langzaam suiker aan toevoegde en daarna de melk in omroerde, alsof hij de spanning wilde opvoeren. Toen nam hij een slokje en keek rond naar de antieke meubels om zich heen.

'Je hebt geen tijd verspild voor je hier je intrek nam,' zei hij neu-traal, maar er lag een zekere bedoeling achter de opmerking, die niet neutraal was.

Ze zette haar kopje neer en stond op. 'Ik heb veel te doen. Als je het niet erg vindt...' Ze liep het vertrek door naar het dressoir en pakte een dossier op.

'Wie is Ellie Dobbs?'

Even bleef ze staan, met haar rug naar hem toe. Ze steunde op haar gespreide vingers op het dressoir en bekeek het open dossier.

Toen haalde ze diep adem en haar stem klonk rustig toen ze einde-lijk antwoordde: 'Ze was iemand die ik lang geleden in New York City heb gekend.'

'Vertel me eens wat meer over haar.'

Christina draaide zich langzaam òm. Ze leunde tegen het dressoir aan, met aan elke kant van zich een hand, en keek hem aan. Wat wist hij? Hoeveel? vroeg ze zich wanhopig af. Langzaam begon ze en ver-dedigde zich zo goed mogelijk. 'We hebben elkaar op straat leren kennen toen ik pas in New York was aangekomen. We hadden veel gemeen.'

'Bijvoorbeeld?'

Ze probeerde rustig te lijken, maar haar maag voelde vreemd aan. 'We waren allebei vijftien jaar en net van huis weggelopen...'

'En jullie hadden allebei donker haar en bruine ogen. Jullie leken zelfs zoveel op elkaar dat men vaak dacht dat jullie zusters waren.'

Wat aarzelend gaf ze dat toe. 'Ja, sommigen dachten dat.'

'De dokter die ik in New York ontmoette, herinnerde zich vooral die gelijkenis.'

Op die manier was hij dus van Ellies bestaan op de hoogte geko-men – van de dokter. Ze klemde haar handen, met een onwillekeurig gebaar om zich te beschermen, voor zich in elkaar. Haar stem trilde. 'Dat was een vreselijke avond. Ik heb altijd geprobeerd die te vergeten.'

'Dat zal wel,' zei Ross beschuldigend.

Christina's ogen werden donker toen ze hem aankeek. 'Ik zei dat ik het geprobéérd heb. Ik zei niet dat ik erin geslaagd ben. Op een of andere manier vergeet je nooit de dood van een vriendin, vooral niet door de manier waarop het gebeurde.'

'Hoe is dat gebeurd?'

Ze aarzelde. Ze had er geen idee van wat hij allemaal had gehoord en dat maakte het moeilijk tegen hem te liegen, want misschien ontdekte hij dat.

'Ellie was al een paar weken in New York toen ik daar aankwam. We ontmoetten elkaar en ik hielp haar uit een moeilijke situatie. Toen gingen we naar een plek waar destijds veel kinderen bij elkaar kwamen. Met z'n allen leek het veiliger, denk ik. Ze leek veel zelfvertrouwen te hebben en sterker te zijn dan ik. We hadden iets gemeen – we hadden beiden het gevoel dat, al was het leven op straat nog zo verschrikkelijk, het toch altijd beter was dan naar huis terug te gaan.'

'Waar was haar thuis?' drong Ross aan, vastbesloten meer over Ellie Dobbs te weten te komen.

'Dat heeft ze me niet verteld.'

Hij geloofde haar geen moment en dat wist ze.

'Waarom was ze weggelopen?'

Christina zag bleek en haar stem was beverig. 'Ze zei me dat ze thuis moeilijkheden had. Haar vader was gestorven en haar moeder hertrouwd en ze kon niet met haar stiefvader overweg.'

Ross leunde achterover in zijn stoel, met zijn vingers peinzend tegen elkaar onder zijn kin.

Hij wist beter dan veel anderen wat het betekende en hoe eenzaam je je voelde als je huiselijke leven een aaneenschakeling van ellende was.

Nu was het de vraag wat er in het leven van Christina Fortune was gebeurd dat haar geen andere keus had gelaten dan weg te lopen.

'Waarom ben je weggelopen?' vroeg hij, en zijn stem klonk zo vastbesloten dat het duidelijk was dat hij deze keer een eerlijk antwoord eiste.

Ze keek hem niet aan. 'Ik liep hier gevaar.'

'Wat voor gevaar?' hield hij aan.

Haar ogen keken angstig toen ze eindelijk zijn blikken ontmoetten. 'Ik liep gevaar vermoord te worden.'

Hoofdstuk 14

Richard zat in zijn studeerkamer van het huis op Fortune Hill. De met houten panelen beklede wanden waren versierd met dure Engelse afbeeldingen, bronzen beeldhouwwerken en er stonden zware, donkerrode leren meubels. Richard had de kamer zelf ingericht, vastbesloten Alicia niet de kans te geven de stoelen met gebloemd cretonne te laten overtrekken en de tafels en het bureau in de stijl van Lodewijk XIV te nemen, met ranke pootjes, zoals ze overal in huis had gedaan. Dit was zíjn kamer, waar hij zich kon terugtrekken wanneer hij dat wenste. Het hele huishouden wist dat hij daar nooit gestoord mocht worden, behalve in geval van uiterste noodzaak.

Meestal genoot hij daar van zijn privacy, van de prettige, mannelijke sfeer in het vertrek. Maar die avond was hij vol verbitterde gevoelens, die de vreedzame rust dreigden te bederven. Toen hij de laatste bladzijde van het verslag van de privé-detective had gelezen, legde hij het met een klap terug op zijn bureau en vloekte zachtjes. Dat rapport was volkomen onbruikbaar, want de man had niets ontdekt dat Richard tegen Christina kon gebruiken.

Hoewel hij teleurgesteld en boos was, besefte hij toch dat het geen zin had een andere detective in de arm te nemen. Deze man was een van de besten in zijn vak en werd niet door zijn geweten geplaagd als hij de wet moest overtreden om gegevens te bemachtigen. Als híj niets omtrent Christina kon ontdekken, dan kon niemand dat.

Toch was Richard nog niet van plan zich erbij neer te leggen. Hij nam de telefoonhoorn op en koos het nummer van de detective. Toen de man aan de lijn kwam, schold Richard hem eerst een paar minuten de huid vol en eindigde met de woorden: 'Er móet iets zijn; er móet enig bewijs te leveren zijn dat bevestigt wie ze wel is, want ze kan absoluut niet Christina zijn! Ga er dus maar weer op uit en zoek dat!'

Toen hij had neergelegd, voelde hij zich iets beter nu hij zijn woede had gelucht, maar dat was niet voldoende. Hij werd verteerd door jaloezie en woede. Er móest iets zijn dat hij, persoonlijk, kon doen...

Christina zat in haar slaapkamer tegen de kussens van haar bed geleund en las het dagboek.

'*3 juli 1975: Vandaag ben ik bijna verdronken, omdat Steven denkt dat hij alles kan. We bevonden ons in de baai en hij stond erop om, net als altijd, ons allemaal te zeggen wat we moeten doen...*'

Christina hield op. Dàt wilde ze niet lezen. Ze sloeg om naar een paar bladzijden waarop een picknick werd beschreven die ze bij Akaka Falls op Hawaii hadden. Het was een verrukkelijke dag geweest, met alleen Christina en haar ouders bij die magnifieke watervallen. Ze glimlachte toen ze haar eigen beschrijving van destijds las. Wat was dat een enige tijd geweest, zo lieflijk en onschuldig. Het opgroeiende meisje dat die woorden had geschreven, had er nog geen idee van wat voor tragische wending haar leven zou nemen.

Christina kreeg tranen in de ogen en sloeg het dagboek dicht. Zonder op te staan, boog ze zich voorover en duwde het dunne boekje tussen de matras en het ledikant, zoals ze ook in het hotel had gedaan.

Elke dag ging ze naar kantoor en las daar archiefstukken door, verslagen en talloze stapels gegevens over de onderneming tijdens de afgelopen twintig jaar – sinds de dood van Michael Fortune. Ross en zij werkten vaak nog lang door nadat de rest van het personeel al naar huis was gegaan.

Hij bleef haar steeds weer vragen stellen over haar redenen om weg te lopen en over Ellie Dobbs. Eindelijk gaf hij het op, omdat ze koppig weigerde verdere uitleg te verstrekken. Maar ze wist dat haar zwijgen niet betekende dat hij zou ophouden met zijn pogingen achter de volle waarheid te komen. Het hield alleen in dat hij inzag die waarheid nooit van haar te zullen vernemen.

Aanvankelijk weigerde hij haar inzage van de topgeheimen van de onderneming, maar zij wendde zich onmiddellijk tot Katherine en dreigde te zullen vertrekken als ze niet in alle opzichten de kans kreeg op volle medezeggenschap over de onderneming. Ross constateerde toen verbaasd dat Katherine het met Christina eens was. Katherine weigerde haar beslissing nader toe te lichten, maar Christina vermoedde dat het iets te maken had met haar eigen afkeuring van de wijze waarop vrouwen steeds van machtsposities in het bedrijf waren uitgesloten.

Daarna verstrekte Ross aan Christina alle gegevens die ze vroeg, en meer dan eens slaagde ze erin hem te verrassen met haar scherpzinnige commentaar.

Ze werkten samen aan kaarten, projecten en ontwikkelingsvoorstellen. Ross nam haar mee naar vergaderingen met financiële adviseurs, cliënten die hun waren met de schepen van Fortune verzonden en naar mogelijke cliënten die hij bij de concurrentie probeerde weg te halen. Ze wist dat ze daar alleen bij betrokken werd omdat Kathe-

151

rine wilde dat ze de omvang van de zaak voldoende zou kennen om háár plannen daarvoor zonder vertraging of verwarring uit te voeren.

Op avonden dat ze beiden laat doorwerkten, liep Ross dan vaak bij haar naar binnen en herinnerde haar eraan dat er morgen nog een dag was. Hij begeleidde haar naar haar auto en dan reden ze weg in tegenovergestelde richtingen – zij naar Fortune Hill en de uitjes waarop Alicia stond, en Ross naar zijn koopflat in het district Marina.

Op een avond ontmoetten ze elkaar buiten kantoor, op een galaliefdadigheidsontvangst waar geld werd ingezameld; de gebeurtenis vond plaats in een koud, grijs en wit dakappartement op Nob Hill. Christina was er met Bill, die bij dat soort gelegenheden haar vaste partner was geworden. Ze lachten samen om een of ander gek grapje van Bill toen Christina door de propvolle kamer keek en Ross de paar grijsmarmeren treden van het trapje zag afkomen dat van de hal naar de verzonken woonkamer leidde. Hij had een ongelooflijk mooie blondine aan zijn arm. Ze droeg een zwarte zijden japon, die conservatief zou zijn geweest als hij niet een split had gehad die een lang, slank been liet zien. Vergeleken daarmee was Christina's witsatijnen strakke japon bijna sjofel.

Bill volgde haar blikken en zei: 'Dat is nog eens een verrassing. Marianne moet al haar overredingskunsten hebben aangewend om Ross hierheen te krijgen. Hij haat dit soort gelegenheden.'

Christina probeerde niet te nieuwsgierig te lijken toen ze vroeg: 'Marianne?'

'Marianne Schaeffer – al heel lang een goede vriendin van Ross.'

'Zijn ze verloofd?'

Bill grinnikte afwerend. 'Ross is allergisch voor banden. Eigenlijk passen hij en Marianne voortreffelijk bij elkaar. Hij gaat zo vaak voor zaken op reis dat hij het nooit zou kunnen vinden met een vrouw die een echte verhouding wenste. En Marianne gaat op in haar werk en is er niet in geïnteresseerd om voor wie dan ook voor Donna Reed te spelen. Ze vinden het prima als ze elkaar spreken wanneer ze toevallig beiden op hetzelfde tijdstip in San Francisco zijn.'

'Wat doet ze?'

'Wat de meeste vrouwen doen die uit een oud geslacht stammen dat erg rijk is. Ze speelt met haar geld.' Hij zweeg even en ging toen verder: 'Misschien is dat niet eerlijk. De waarheid is dat haar grootvader, die miljardair was, schenkingen aan de kunst deed, en Marianne administreert die. Ze heeft in Berkeley gestudeerd en daarna aan de Sorbonne; ze weet precies wat ze doet. Hoewel ik haar er altijd van verdacht heb dat haar interesse voor kunst zich meer toespitst op knappe, jonge artiesten.'

152

Christina glimlachte. 'En dan zeggen ze nog dat vrouwen zo kattig zijn.'

'Goed, je hebt gelijk. Ik sprak zeker zo omdat ik me op mijn tenen getrapt voelde. Ik heb haar het eerst leren kennen, maar ze liet me als een baksteen vallen voor Ross.'

Meelevend zei Christina: 'Dat heeft je vast pijn gedaan.'

'Eigenlijk heeft hij me er een goede dienst mee bewezen want die vrouw is een haai. Ze had me vast levend verorberd.'

Christina zag hoe aanbiddend Marianne naar Ross opkeek terwijl ze met de gastheer en gastvrouw babbelden, en zei droogjes: 'Ross schijnt haar wel aan te kunnen.'

'Ross kan beter met de haaien meezwemmen dan ik,' merkte Bill lachend op.

Marianne wierp Ross een verblindend en verleidelijk lachje toe, die reageerde door zijn arm om haar schouder te draperen. Christina hield zich voor dat het haar totaal niet aanging of ze een paar vormden of niet en dat ze zich daarover niet moest opwinden.

Maar ze deed het toch.

Opeens merkte ze dat Bill haar onderzoekend opnam.

'Wat is er?' vroeg ze.

'Niets, eigenlijk. Ik had opeens het gekke gevoel dat de geschiedenis op het punt stond zich weer eens te herhalen.'

'Ik heb er geen idee van waar je het over hebt,' loog Christina.

Op dat moment keek Ross op en zag hen. Hij zei iets tegen Marianne en daarna baanden ze zich met z'n tweeën een weg naar Christina en Bill toe. Ross stelde hen voor aan Marianne. Terwijl Christina beleefd een groet mompelde, nam ze Marianne kritisch op. Bill had gelijk – dit was niet zomaar een leeghoofdige vlinder. Ze was een sluwe, harde vrouw, die vermoedelijk altijd zorgde haar zin te krijgen.

'Ik heb natuurlijk al van je gehoord,' zei Marianne ronduit.

'O ja?'

'Wat heb jij een sensatie veroorzaakt! En al die geheimhouding! Ik heb vergeefs van alles geprobeerd om het hele verhaal uit Ross los te peuteren.'

'Daar twijfel ik niet aan.'

Bill keek geamuseerd naar die verhuld kattige vrouwen, maar Ross fronste geïrriteerd zijn voorhoofd. 'Gaan jullie mee naar het buffet?' vroeg hij kortaf. 'Jij zei net nog dat je zo'n honger had, Marianne.'

De vrouw schonk hem een brede glimlach, waarvan Christina wist dat die het goed zou doen op de roddelpagina van de *Chronicle*. 'Prettig kennis met je te hebben gemaakt. We zullen elkaar nu wel vaker ontmoeten. Tenslotte verkeren we in dezelfde kringen.'

'Ja,' zei Christina, weinig enthousiast. Toen Ross en Marianne wegliepen, voegde ze er zachtjes aan toe: 'Maar niet lang meer.'

'Wat bedoel je daarmee?' vroeg Bill.

'Ik merk opeens hoe ik dit alles haat. Het kan me niet schelen wat Alicia vindt; laat haar en de rest samen maar een gesloten front vormen. Ik pas. Zij kan van nu af aan de Fortune-vlag in haar eentje hooghouden, maar ik doe niet meer mee.'

'Dat zal ze niet leuk vinden,' waarschuwde Bill haar met een geamuseerd lachje. 'Ze zal zeggen dat je de familie in de steek laat.'

'Dat heeft de familie mij al heel lang geleden gedaan. Ik ben haar niets schuldig.'

Voor Bill op haar laatste opmerking kon reageren, nam ze hem bij de arm en zei: 'Als we ons eens niets aantrokken van al die krab en miniquiches, maar in plaats daarvan ergens een heerlijke dikke hot dog namen?'

'Met uien, kaas en chili?'

'Natuurlijk.'

Bill grinnikte. 'Goed zo. Maar verwacht dan niet van me dat ik je vanavond een afscheidskusje geef.'

Christina dacht nog eens na over haar onafhankelijkheidsverklaring tegenover de familie Fortune en ze zei tegen een stomverbaasde Alicia dat ze te veel werk had om haar tijd te verspillen aan frivole gebeurtenissen, die ze bovendien niet leuk vond. Misschien brachten de vrouwen uit de familie Fortune vroeger hun tijd zo door, maar we leefden nu in de jaren negentig en de tijden waren veranderd.

Ze was vastbesloten ook op kantoor haar eigen koers te bepalen, maar wist dat ze moest oppassen. De regeling die ze met Katherine had getroffen, verschafte haar toegang tot de onderneming, maar ze liet zich niet misleiden door te denken dat de van haar afkomstige zakelijke voorstellen enig gewicht in de schaal zouden leggen als ze tegen de wensen van Katherine in zouden gaan. Ze zou eenvoudig moeten wachten tot ze een voorstel had dat zo krachtig was dat ze de steun van Ross ervoor zou kunnen krijgen.

Ross was beleefd tegen haar, maar dat was hij tegen alle employés. Er lag niets persoonlijks in de manier waarop hij haar behandelde. Toch voelde ze meer dan eens dat hij haar gadesloeg en als ze dan opkeek, zag ze dat zijn felblauwe ogen peinzend op haar gericht waren.

En altijd lag tussen hen in de kwestie van haar identiteit – wie was ze? Ellie of Christina?

Ze wist dat Ross aan Katherine had verteld wat hij in New York en Boston had ontdekt. Tenslotte verborg hij niets voor haar. Maar toch werd het onderwerp nooit aangeroerd als Christina met Katherine sprak. Ze herinnerde zich wat Katherine had gezegd tijdens haar bezoek aan de ranch in Hawaii – dat ze niet geloofde dat zij Christina was. Het enig belangrijke was dat de rest van de wereld het geloofde.

Maar ongeacht wat Ross, Katherine of Richard geloofde, was Christina vastbesloten een eigen plaats binnen de onderneming te veroveren. Hoe meer ze erover te weten kwam, hoe groter haar interesse in het voortbestaan van de onderneming werd. Fortune International was een trots erfdeel en Christina voelde geëmotioneerd dat zij onderdeel van dat erfdeel uitmaakte.

Ze had haar eerste doel bereikt – voor zover het de wereld betrof, was zij Christina Fortune. Maar ze had nog een reden gehad om terug te komen, een die veel belangrijker was: ze moest zien te ontdekken wie er die avond, twintig jaar geleden, naar het tuinhuisje was gekomen. En ze zou hem daarvoor laten boeten.

Op een avond haalde Bill Christina over vroeg genoeg van kantoor te vertrekken om een film te gaan zien en daarna te dineren. Ze was doodmoe, haar ogen deden pijn van de kolommen cijfers, de kopiemanifesten en contracten met cliënten en ze had eigenlijk absoluut geen zin in uitgaan. Maar toen ze tegen Bill zei dat ze van plan was naar huis te gaan en vroeg in bed te kruipen, drong hij aan. 'Je weet dat ze gelijk hebben als ze zeggen dat je je na zoveel inspanning moet ontspannen. Ga maar mee, het zal je goed doen. En ik weiger een "nee" te aanvaarden.'

Hij nam haar mee het gebouw uit terwijl het buiten nog licht was en ze konden de bioscoop nog net voor het begin van de hoofdfilm halen. Er werden oude Jimmy Stewart-films vertoond en die avond was *Harvey* de hoofdfilm. Het was een film waarop Christina dol was en ze ging er, met een Coke en popcorn in de hand, eens echt voor zitten.

Toen ze anderhalf uur later het gebouw verlieten terwijl Bill een heel knappe imitatie gaf van Jimmy Stewarts gesprek met het onzichtbare konijn, voelde ze zich opgewekter en meer ontspannen dan sinds lange tijd het geval was geweest.

'Je had acteur moeten worden,' zei ze giechelend.

'Is dat een aanmerking op mijn financiële inzicht?' vroeg Bill grijnzend.

Ze gaf hem een kneepje in zijn arm. 'Natuurlijk niet! Ik weet niet wat de firma zonder jou zou moeten beginnen.'

Opeens verdween zijn glimlach en werd hij ernstig. 'En hoe staat het met jou?' Hij bleef staan en nam haar beide handen in de zijne. Zonder notitie te nemen van de mensen die geïrriteerd om hen heen moesten lopen, zei hij: 'Ik weet dat dit niet de juiste plaats en juiste tijd is. Ik had willen wachten tot we in het restaurant zaten. Het is klein, met kaarslicht en is de juiste omgeving om een meisje te versieren. Maar opeens kan ik niet langer wachten. Christina, ik wil het weten – maak ik een kans bij je, of niet?'

Christina zag de hulpeloos verliefde blik op zijn jongensachtige gezicht en voelde hoe haar luchtige stemming plotseling verdween. Het leek of ze wegsmolt, maar van medeleven, niet van verlangen.

'O, Bill, ik zou er heel wat voor overhebben om "ja" te zeggen, maar ik...' Ze zweeg en kon verder geen woorden vinden. Ze dwong zich door te gaan en zei: 'Ik geef heel veel om je. Je bent de enige echte vriend die ik hier heb.'

'Vriend.'

Het woord bleef tussen hen hangen en scheidde hen eerder dan dat het hen verenigde.

'Het spijt me,' fluisterde ze.

Hij beheerste zich en slaagde er zelfs in een glimlach te voorschijn te toveren, die overigens een slechte imitatie was van zijn gewoonlijk zo brutale lach. 'Nee, verontschuldig je niet.' Hij hief zijn hand op en streek teder een lok haar weg die over haar wang was gewaaid. 'Je hoeft je nergens voor te verontschuldigen. Ik wist dat het vermoedelijk niet zou lukken, maar ik wilde het toch proberen.'

Ze trachtte te glimlachen, maar kon het niet.

'Kijk in hemelsnaam niet zo zielig, alsof iemand net je lievelingspoesje heeft verdronken. Het is goed zo. Heus!' Toen, meer overtuigend: 'Ik wil wel je vriend blijven, Christina.'

'O Bill, je bent mijn beste vriend.'

'Goed zo. Ga je nu mee naar dat restaurant voor ik hier totaal verhongerd neerval?'

'Hoe kun je nu honger hebben? Je hebt van alles gehad, een grote Coke en een reusachtige zak popcorn.'

'Ik ben nog in de groei!'

Ze bleven vrolijk gekheid maken terwijl ze verder de straat inliepen, maar inwendig voelde Christina zich niet zo luchthartig. Ze wist dat ze hem pijn had gedaan. En ze wist ook dat ze daar absoluut niets aan kon veranderen.

Terug op Fortune Hill wilde ze net moe de trap naar haar kamer opgaan, toen Alicia haar staande hield.

'O Christina, eindelijk ben je dan thuis.' Er lag een zeker verwijt in haar stem, alsof Christina een tiener was die te laat was thuisgekomen.

Christina deed haar best een kattig antwoord in te slikken en dwong zich beleefd te blijven. 'Ik ben met Bill naar de bioscoop geweest.'

'O, nou ja... ik wilde je alleen even laten weten dat Ross langskwam en op zoek was naar je.'

Christina was verrast. Ross kwam nooit op Fortune Hill. 'Wat wilde hij?'

'Dat weet ik helaas niet. Ik was zelf ook uit, weet je. Toen ik terugkwam, vertelde Parker me dat hij was langsgekomen. Richard was thuis, maar Ross wilde hem niet spreken.'

Natuurlijk niet, dacht Christina.

Alicia ging door: 'Blijkbaar heeft Parker hem de bibliotheek binnengelaten en is toen weer aan het werk gegaan. Toen hij even later terugkwam om te vragen of Ross iets wilde hebben, was hij weg. Dus hebben we er geen idee van hoe lang hij heeft gewacht.'

Christina had er geen idee van waarom Ross haar was komen opzoeken. Ze mompelde een soort welterusten tegen Alicia en ging toen de brede trap op, nog helemaal in de war.

In haar kamer gekomen, schopte ze haar schoenen van zich af en trok haar jurk uit, terwijl ze zich maar bleef afvragen waarom Ross was gekomen. Toen merkte ze dat ze zijn telefoonnummer thuis niet had. Wat hij ook wilde bespreken, het zou moeten wachten tot ze hem de volgende morgen weer op kantoor zag.

Ze had net haar oorbellen afgedaan en op haar toilettafel gelegd, toen ze zag dat er iets niet klopte. De bovenste la waarin ze altijd haar juwelendoos bewaarde, stond een eindje open. Ze trok hem helemaal open en zag dat alles in orde was. De kersehouten doos stond daar nog en een snelle controle maakte haar duidelijk dat er niets ontbrak. De doos stond evenwel niet vooraan in de la waar ze hem altijd neerzette, maar was helemaal naar achteren geschoven, alsof iemand hem eruit had gehaald en toen weer haastig had teruggezet.

Met bange voorgevoelens controleerde ze snel al haar andere laden. Het was overal hetzelfde: er ontbrak niets, maar toch bestonden er aanwijzingen dat iemand ze had doorzocht.

Haar angst nam toe toen ze door de grote slaapkamer liep en haar hand onder de matras schoof en naar haar dagboek tastte.

Het was verdwenen.

Hoofdstuk 15

Zou Ross het hebben weggenomen? Had Bill er daarom zo op aangedrongen dat ze die avond met hem uitging, zodat Ross rustig haar kamer kon doorzoeken? Ze wist niet of ze het van Bill kon geloven, maar ze wist wel dat hij bijzonder op Ross gesteld was.

Het zou niet helpen Ross ernaar te vragen, want als hij het had gedaan, zou hij dat nooit toegeven. Althans, nu nog niet, niet voordat hij een kans had gekregen zelf het dagboek te lezen en te zien of er dingen in stonden die hij kon gebruiken om haar ten val te brengen. En als hij het niet had gedaan, dan wilde ze niet dat hij van het bestaan van haar dagboek af wist.

Er bestond nog altijd de mogelijkheid dat Richard het had weggenomen. Hij was die avond thuis geweest; het was een van de weinige avonden geweest dat hij niet met Alicia uitging. Christina vond het goed mogelijk dat Richard het gedaan had. Het was net iets voor hem.

Maar ze kon de mogelijkheid niet uitsluiten dat het een van haar neven was geweest, of zelfs oom Brian. Ze liepen allemaal regelmatig het huis in en uit en vertelden vaak niet aan Parker dat ze er waren of weggingen.

Op dit ogenblik deed het er weinig toe wie het dagboek had weggenomen. Wat er wel toe deed, was dat het nu in handen kon zijn van iemand die vrijwel zeker zou proberen het tegen haar te gebruiken. Dat zou niet zo moeilijk zijn. Het was een logische uitleg van Christina's kennis omtrent de familie.

Ze voelde zich misselijk worden en holde naar de aangrenzende badkamer, boog zich over de wastafel en wierp koud water tegen haar gezicht, maar het hielp niet. Vanaf het begin was haar positie precair geweest, en nu nog meer. En ze kon er absoluut niets aan veranderen, behalve wachten tot de bijl viel.

Toen ze de volgende ochtend na een ellendige, slapeloze nacht wakker werd, voelde ze zich wanhopig maar vastbesloten. Omdat ze niets aan het verlies van het dagboek kon doen, zou ze gewoon moeten doorgaan alsof het nooit had bestaan. Wie het ook gestolen zou hebben, zou toch wel doen wat hij van plan was en daar zijn eigen tijdstip voor uitkiezen. Misschien zou ze tegen de tijd dat hij ermee voor de dag kwam haar doel reeds hebben bereikt en de dader van de op haar gepleegde verkrachting hebben ontmaskerd.

Al was het nog zo moeilijk om door te gaan alsof er niets was gebeurd, toch was dat het enige wat haar te doen stond.

Ze vroeg Ross wel waarom hij haar thuis was komen opzoeken. Zijn antwoord was: 'Ik had een dossier nodig dat jij blijkbaar mee naar huis had genomen.' Het leek een verklaring, maar ze twijfelde toch. Ze drong echter niet verder aan. Dat kon ze niet doen.

Laat op de middag riep Christina een vergadering bijeen in de vergaderzaal. Toen Ross kwam, zag hij verbaasd dat Bill de enige andere aanwezige was.

'Dit is geen officiële bijeenkomst,' verklaarde Christina, 'en het was dus niet nodig Richard, Diana en mijn neven uit te nodigen.'

Ross ging aan het hoofd van de tafel zitten, met Bill links naast zich. Bill keek nieuwsgierig en opgewonden. Hij wist dat er iets op handen was, maar had er geen idee van wat.

'U hebt onze volle aandacht, juffrouw Fortune,' zei Ross, en liet een zekere mate van ongeduld in zijn stem doorklinken.

Ze haalde diep adem en begon. 'Ik heb alle gegevens over de maatschappij over een aantal jaren geanalyseerd. De enige inlichtingen die ik niet kon verkrijgen, betroffen enkele samenwerkingsverbanden die Richard had opgezet. Hij was niet erg mededeelzaam daarover.'

Ross keek haar onderzoekend aan. 'Het is geen geheim dat Richard getracht heeft financiële bronnen buiten de onderneming aan te boren, nog vlak voor jouw wonderbaarlijke verschijning. Ik heb kopieën van al die voorstellen.'

Hij had die gegevens dus en had verkozen ze niet met haar te delen. Ze hield nog net een nijdige opmerking binnen, want ze was vast van plan zich niet te laten afleiden. 'Dit is maar een voorlopige analyse, maar ik wil jullie laten zien wat mijn conclusie is.' Ze haalde nog eens diep adem. 'De onderneming bevindt zich in een veel slechtere financiële toestand dan tot nu toe, en dan terloops, is opgemerkt.'

Ze zag dat Ross en Bill, beiden op hun hoede, elkaar aankeken.

'Ik neem aan dat je gegevens hebt die deze verklaring staven,' zei Ross na een lang stilzwijgen.

'Inderdaad.' Ze stond op, liep het grote vertrek door en bleef staan voor de borden die vanuit de muur konden worden opengeslagen. Een ingewikkelde hoeveelheid grafieken, schema's en diagrammen werd zichtbaar.

'De zwakke schakel is de markt om de Middellandse Zee. Fortune heeft daar in totaal zesenveertig schepen. Twintig ervan deden al dienst toen mijn grootvader nog leefde en de onderneming beheerde. Daaronder bevinden zich veertien tankers met een enkelvoudige wand van de scheepsromp. De rest van de vloot is samengesteld uit nieuwere tankers, en kleine vrachtschepen, waaraan grote onderhouds- en reparatiekosten zijn ontstaan omdat ze al zo oud zijn en voor de hedendaagse vrachten moeten worden uitgerust. Ze zijn ook verouderd wat brandstofgebruik betreft.'

Bill wees op het volgende. 'We hebben de vier nieuwe schepen die Ross heeft besteld, waarvan we zojuist het allernieuwste hebben afgenomen, de *Fortune Star*.'

'Vier schepen in een vloot van zesenveertig in de Middellandse Zee,' merkte ze op. 'Dat is geen sterke positie.'

'We hebben daar drie schepen verloren,' voegde Bill eraan toe. 'De verzekering heeft onlangs uitgekeerd.'

'Maar volgens deze rapporten is dat bedrag niet voldoende om alle drie de schepen te vervangen. De verzekering betrof alleen de waarde en niet de vervangingskosten,' merkte ze op. 'En de verzekeringspremies voor onze schepen daar zijn buitengewoon hoog, gezien de licht ontvlambare situatie in dat gebied. Jullie zijn daar concurrenten van andere maatschappijen, die zich kunnen veroorloven dergelijke verliezen te lijden. Fortune kan dat niet. Het wordt onmogelijk in dat gebied een vloot in stand te houden.'

Voor het eerst zei Ross nu iets. 'Je vertelt ons niets dat we niet al weten. We hebben moeilijkheden en proberen er iets aan te doen.'

Ze verwees naar het driebladige overzicht dat ze had opgesteld, waarvan een kopie voor elk van hen op tafel lag. 'Fortune International lijdt onder een ernstig tekort aan liquide middelen. Afgezien van de vier nieuwe schepen die Ross onlangs in dienst heeft genomen, bestaan de activa van de maatschappij uit oude schepen. Het geheel is gevaarlijk zwak verspreid over verscheidene wereldmarkten, waarvan enkele heel precair zijn. Bovendien rusten er zware hypotheken op veel activa van de maatschappij, zoals goede stukken havengrond en pakhuizen; dat werd gedaan om op Hawaii de projecten verder tot ontwikkeling te brengen.'

Ze keek Ross nu recht aan en eindigde botweg met: 'Kortom, zonder een nieuwe toevloed van liquide middelen, of de belofte van bijzonder winstgevende ladingcontracten, zal de onderneming straks niet voldoende schepen of financiële middelen hebben om de lopende contracten te kunnen uitvoeren.'

Stilte. Ross nam geen notitie van de grafieken en kaarten, maar keek haar slechts strak aan.

Ze wendde zich tot Bill. 'En?' vroeg ze, in de wetenschap dat ze een nauwkeurige analyse had gemaakt.

'Afgezien van enkele afwijkingen omdat je niet alle gegevens had, is de situatie in feite zoals je geschetst hebt,' zei hij. 'De onderneming wankelt op de rand van bankroet, op z'n ergst, en op z'n best volgt er een gedwongen verkoop.'

Christina was verbaasd dat de situatie zo rustig werd aanvaard. Ze had argumenten verwacht, dat ze haar conclusies zouden hebben bestreden en zelfs een ronduit afwijzen van haar sombere voorspellingen. Maar in plaats daarvan was hij het met haar eens.

'Goed dan,' zei ze langzaam. 'Dan is de vraag: wat kunnen we hieraan doen?' Weer zag ze die blik van verstandhouding tussen Ross en Bill, alleen begreep ze deze keer absoluut niet wat ze ermee bedoelden.

'Hoeveel tijd heb je hieraan besteed?' vroeg Ross.

'Sinds ik van Hawaii terugkwam.'

'Heb je een oplossing voor het probleem gevonden?'

'Ik heb verschillende ideeën die ik graag met jullie zou willen bespreken.'

Ross fronste zijn wenkbrauwen. 'Weet je dan niet dat Katherine al een beslissing heeft genomen?'

'Ik weet dat Bill en jij er samen de afgelopen weken aan hebben gewerkt. Ik weet ook dat jullie werk betrekking heeft op de vloot in het gebied van de Middellandse Zee, maar ik ken geen details.'

'Het klinkt alsof je het daar niet mee eens bent.'

'Nee, ik ben het er niet mee eens. Ik heb jullie net mijn redenen meegedeeld. Het zou een fatale vergissing zijn ons vast te leggen op een gebied dat zo onstabiel is als dat rondom de Middellandse Zee en de Golf.'

Ross keek op zijn horloge. 'Ik ben al laat voor een volgende vergadering en die duurt minstens tot zeven of acht uur. Als ze voorbij is, kom ik even bij je langs op kantoor en dan kunnen we tijdens een diner hier verder over praten.'

Toen ze wilde protesteren omdat ze dit niet tot een dinerbespreking wilde terugbrengen, zei hij: 'Ik vind dat het beter is als we je ideeën ergens kunnen bespreken waar we zeker zijn niet te worden gestoord.'

Ze wist precies wat hij bedoelde. Richard had een buitengewoon goed functionerend netwerk opgericht dat hem gegevens verschafte over alles wat er binnen de onderneming gebeurde. 'Goed,' zei ze daarom.

Toen hij de vergaderkamer verliet, zei ze tegen Bill: 'Meende hij dat? Wil hij werkelijk mijn ideeën aanhoren?'

'Ross meent altijd wat hij zegt. Ik ben er diep van onder de indruk dat je dit alles zo grondig hebt bestudeerd. En ik merkte dat Ross ook onder de indruk was.'

Toen ze enkele minuten later alleen in haar eigen kantoor was,

161

ging ze voor het raam naar het adembenemende uitzicht staan staren. Op die frisse, heldere herfstochtend leken de gebouwen zich regelrecht in de wolkeloze, zachtblauwe hemel te willen boren. Maar Christina's gedachten bepaalden zich niet tot die omhoogtorenende wolkenkrabbers, de bronsgekleurde Golden Gate Brug in de verte of de glinsterende, diepe, blauwe baai. Ze dacht aan Ross. Die avond zou de eerste keer zijn dat ze samen waren sinds die vlucht terug uit Hawaii. Om een of andere reden maakte dat vooruitzicht haar nog nerveuzer dan ze voor de zojuist afgelopen vergadering was geweest. Die ging over zaken. Dit betrof zogenaamd ook zaken, maar dineren in een deftig restaurant, met z'n tweeën, klonk niet zo heel erg zakelijk.

Hij nam haar mee naar Chinatown.

Ze lieten de Toyota staan in de parkeergarage onder de Fortune Tower en namen de prachtige zwarte Jaguar van Ross. Zodra hij achter het stuur zat, ontspande hij zich – dat was duidelijk. Hij maakte zijn das los en de boord van zijn goed gesneden overhemd was nonchalant open, waardoor de gebruinde huid van zijn keel zichtbaar werd. De raampjes stonden open en de koele avondlucht woei door zijn haar en blies het op zijn voorhoofd. Met bekwame hand stuurde hij de wagen door het bijzonder drukke vrijdagavondverkeer.

Hij parkeerde de auto in een zijsteegje in Chinatown. Het leek of hij zo'n kostbare wagen onbezorgd in een slecht verlichte en doodarme wijk achterliet.

'Ik ken degene van wie deze winkel is,' verklaarde hij, toen ze uitstapten. Iemand riep iets naar hen, ergens in de hoogte. Christina keek omhoog en zag een oude Chinese vrouw, die vanuit een raam op de tweede etage, boven de achteringang van de winkel, tegen hen glimlachte. Ze riep iets naar beneden in het Chinees en Ross antwoordde haar vloeiend en met een handgebaar.

Hij verontschuldigde zich dat hij onwillekeurig op Kantonees was overgeschakeld. 'Sorry, ik wilde je niet buitensluiten. Macht der gewoonte. De meeste mensen die in Hongkong zijn opgegroeid, zijn tweetalig.'

Ze glimlachte. 'Mijn vader sprak Kantonees en ik begrijp er voldoende van om te weten dat ze deed alsof ze je kende.'

Ross haalde zijn schouders op en leidde haar het steegje uit naar Sacramento Street. Hij had zijn vingers lichtjes om haar pols gedrukt en haar arm op de zijne gelegd. 'Ik heb haar eens een kleine dienst kunnen bewijzen door borg te staan voor haar neef toen die uit Hongkong wilde overkomen om op Stanford te studeren. Dat is nu alweer een paar jaar geleden.'

Ze keek hem verrast aan. 'Dat is nogal een belangrijke dienst.'

162

'Het is al moeilijk genoeg goed in de wereld te kunnen beginnen. Ik heb hem alleen een kans gegeven.'

Ze bleven staan voor het oude St. Mary's Centrum, een rood, baksteen gebouw met glas-in-loodboogramen. De grote dubbele deuren stonden open, zodat iedereen die daar behoefte aan had er zijn toevlucht kon zoeken. Het was een onderdak voor mensen die op straat leefden.

'Een ogenblikje,' mompelde ze en ging naar binnen.

Even later volgde Ross haar.

De traditionele architectuur was kenmerkend voor een katholieke kerk, maar deze kerk week in zoverre af van de andere dat hij mensen van alle geloven welkom heette. Tot aan het altaar toe stonden de banken en brandden de kaarsen. Een zijdeur leidde naar het aangrenzende centrum voor onbehuisden. Naast de deur bevond zich een offerblok met een bordje erboven. Alle gaven waren voor de zwervers, en Christina liet een biljet van honderd dollar in de gleuf glijden.

'Betaal je bewezen diensten af?' vroeg hij, en dat bracht haar in herinnering dat hij intussen veel meer van haar af wist.

'Het is niet zo veel, vergelijkenderwijs, maar als het iemand helpt, hoe dan ook, dan is het alweer goed,' zei ze. Toen ging ze weer naar terug naar buiten, de reeds afkoelende avondwarmte in.

Even liepen ze zwijgend verder, langs typische toeristenwinkeltjes en marktjes met verse vis, kippen en en groenten, die openlijk waren uitgestald en een verwarrende geur verspreidden waarin alles was terug te vinden. In de tijd dat ze elkaar nu kenden, had Ross heel weinig over zichzelf onthuld en ze was benieuwd eens wat meer te horen en ze besloot die stilte in hun gesprek meteen te gebruiken.

'Heb je het moeilijk gehad in je jeugd?'

'Ik was alleen met mijn moeder. Ze werkte voor Buitenlandse Zaken in Hongkong. Daar verdien je geen salaris waarvan je een universitaire opleiding kunt bekostigen, dus ben ik op mijn zeventiende gaan werken, nadat ik mijn middelbare-schooldiploma had gehaald.' Hij vertelde het zo rustig dat ze er bijna van overtuigd raakte dat hij geen geheimen te verbergen had.

'Dus ben je naar een Engelse school geweest.'

Hij knikte. 'Een van de voorrechten als je voor Buitenlandse Zaken werkt. Die school was er voor hoger personeel en hun assistenten.'

Ze waren voor een restaurant blijven staan dat aan de straat grensde en waar op kleine grills kippepoten ronddraaiden en pennen met gekruid varkensvlees en rundvlees lagen. Ross kocht twee kippepoten en gaf haar er een. Ze knabbelde eraan en ontdekte dat het vlees gedoopt was in een mengsel van bruine suiker, sojasaus en sesamzaden. Het smaakte overheerlijk.

Na een tijdje vroeg ze: 'Wie heeft je Kantonees geleerd?'

'Dat heb ik zo hier en daar opgepikt.'

Ze schudde haar hoofd. 'Je spreekt het vloeiend, met de juiste intonatie en het goede accent. Dat kun je nooit op straat geleerd hebben.'

Hij glimlachte tegen haar, al de tweede keer binnen het uur. Het jongensachtige in dat lachje maakte dat ze plotseling het verlangen kreeg haar hand uit te steken en de lokken donker haar van zijn voorhoofd weg te strijken.

'Je bedoelt dat je dat niet gelooft, juffrouw Fortune?'

'Nee, en noem me niet zo.'

'Goed... *Christina*,' zei hij toen en vroeg vervolgens: 'Kun je een geheim bewaren?'

'Ja,' antwoordde ze, benieuwd.

'Er is een nogal duistere en onfrisse periode in mijn leven waar slechts weinig mensen iets van af weten,' onthulde hij op geheimzinnige toon.

'Duister en onfris?' Ze vond dat moeilijk te geloven.

'Voor ik naar Amerika kwam, heb ik twee jaar lang in de havens van Hongkong gewerkt. Daar leer je snel hoe je jezelf op de been moet houden.'

Even dacht ze dat hij een grapje maakte, maar toen merkte ze dat hij het meende. Ze had wel verhalen over de beruchte havens van Hongkong gehoord, de talloze bootmensen die daar aan de rand van het bestaan leefden, een plek waar alles kon worden gekocht of verkocht, als je maar betaalde – of het nu om gestolen kunstvoorwerpen ging, drugs uit de Gouden Driehoek of een menselijk wezen.

Ze kon zich Ross niet in zo'n omgeving voorstellen. Maar ja, hij had die meedogenloosheid in zaken niet op een chique Engelse universiteit of de Jockey Club geleerd.

'En heb je in de havens geleerd Kantonees te spreken?'

'Ik kende er al veel van. Daar heb ik die kennis geperfectioneerd, met nog een paar andere talenten die je nodig had om je te handhaven.' De manier waarop hij het zei, maakte dat er een koude rilling over haar rug liep. Van het begin af aan had ze gevoeld dat deze man iets gevaarlijks had. Gevaarlijk – maar ook boeiend.

Ze ontdekte merkwaardige tegenstrijdigheden aan hem – dingen die niet pasten bij zijn imago van uiterste beschaving. Hij zou veel minder interessant zijn geweest en gemakkelijker te weerstaan als hij alleen maar keurig verzorgd was geweest.

'En na je leertijd in de havens van Hongkong?'

Hij haalde zijn schouders op alsof de rest alleen maar saai was. 'De universiteit van British Columbia in Canada. Daarna heb ik voor enkele ondernemingen gewerkt en toen kwam ik met Katherine in contact. Hoe staat het met jou?'

164

Hij stelde de vraag heel rustig. Ze glimlachte en gaf kalm de vereiste antwoorden, terwijl ze over het trottoir slenterden, langs de versierde pagodevoorgevel van een Chinese vergaderzaal. De ramen van de winkels waren in felrode sponningen gevat, met ingewikkelde, uitgesneden houten draken in alle maten en vormen en er lagen dozen wierook, met de hand beschilderde opgevouwen papieren waaiers en bewerkt sandelhout uitgestald.

'Ik ben in Boston op school geweest en heb daar een graad in economie en handelskennis gehaald. Toen ben ik voor Goldman, Sachs, gaan werken en ben daar gebleven tot ik hierheen kwam.'

'Woord voor woord wat er in je map staat,' merkte hij uitdagend op.

Ze at het laatste restje vlees van haar kippepoot en veegde toen haar gezicht en handen schoon met een papieren servetje. 'Je weet alles van me af wat er te weten valt.'

'O ja?' vroeg hij, en zijn stem klonk zacht en was vol niet geuite vragen. 'Dat vraag ik me af.' Hij stak zijn hand uit en raakte zacht haar kin aan met een gebogen vinger. 'Je hebt iets gemist.' Hij trok zijn hand niet onmiddellijk terug, maar liet zijn vinger langs de welving van haar mond glijden.

Haar onderlip beefde bij zijn aanraking.

Fluisterend zei hij: 'Deze keer heb je je niet teruggetrokken.'

De liefkozing van zijn vinger was heel luchtig – ze bleef de aanraking voelen op haar huid – lang nadat hij zich had teruggetrokken. Zijn gezicht was dicht bij het hare toen hij zich vooroverboog en het blauw van zijn ogen leek donkerder te worden terwijl hij haar vorsend aankeek.

Dit was de man van wie ze in Hawaii een glimp had opgevangen, niet agressief, alle remmen los. Ergens op hun vlucht naar San Francisco was hij verdwenen en zich gaan verbergen achter de koele, onpersoonlijke façade die hem de reputatie van een harde man had bezorgd.

Ze voelde de warmte van zijn aanraking op haar huid en wist dat die man nog meer bedreigend voor haar was dan de koele zakenman met wie ze samenwerkte, de man die zo vastbesloten was achter haar ware identiteit te komen. De dreiging had niets te maken met zijn hand bij haar gezicht en de oude angst om haar machteloosheid, maar alles met de sensaties die hij diep in haar losmaakte. Ze dwong zichzelf zich te beheersen.

Langzaam zei hij: 'Je hebt je al eens teruggetrokken alsof je doodsbang was. Waar ben je bang voor?'

Ze keek van hem weg. 'Ik ben nergens bang voor.'

'Beste kind, je liegt,' zei hij beschuldigend. 'Je reageerde alsof je dacht dat ik je zou slaan.'

Ze keek hem meteen strak aan. 'Je hebt het bij het verkeerde eind.'

Hij nam geen notitie van die leugen. 'Ik verzeker je dat ik zoiets nooit doe,' zei hij zachtjes, maar zo oprecht dat ze wist dat hij de waarheid sprak.

'Wat doe je dan wel?' vroeg ze, want het was duidelijk dat hij wilde dat ze die vraag zou stellen en ook omdat ze het heel graag wilde weten.

Hij glimlachte, en zijn gebruinde huid vormde rimpeltjes om zijn buitenste ooghoeken. 'Meestal werken exotische bloemen, verrukkelijk voedsel en een even verrukkelijke wijn heel goed.'

'Juist.' Ze hief de rest van het kippepootje op dat ze had afgekloven. Omdat ze het nodig vond haar overgevoelige emoties tot rust te brengen, trok ze zich terug achter een plagend lachje. 'Als je dit exotisch en verrukkelijk noemt, dan moet je toch je methode eens herzien!'

'Eigenlijk had ik meer iets als dit in de zin,' zei hij, pakte haar het afgekloven pootje af en gooide het in een dichtbijstaande vuilnisbak. Hij wees naar het gebouw waar ze nu voor stonden. Het was een bouwsel van wit stuc met een etage erop, een dak van donkergroene pannen en het had helrode deuren. Het stond een eindje van de straat verwijderd, achter een rijkversierd smeedijzeren hek vol oude Chinese symbolen. Ze herkende de symbolen, die de verschillende niveaus vertegenwoordigden en volgens de oude godsdienst vereist waren om een spiritueel leven te bereiken. Boven de deur stonden Chinese lettertekens, maar verder zag je nergens aan dat het een restaurant was. De ramen die op de straat uitkeken, verspreidden een zacht licht.

'Wat is dit voor een zaak?'

'Hier zullen we die verrukkelijke wijn en dat verrukkelijke voedsel vinden.'

'Het ziet eruit alsof het een woonhuis is.'

'Dat is het ook. Alleen de beste vrienden van de bewoner worden hier uitgenodigd.'

Toen ze stomverbaasd keek, glimlachte hij en bekende: 'Het is het eigendom van een neef van Phillip Lo; hij heeft de beste keuken buiten Hongkong. En je kunt er alleen op uitnodiging dineren.'

Binnen ontdekte ze dat het zachte licht afkomstig was van traditionele lantaarns, die de tafeltjes versierden. Ze merkte ook dat het voedsel zo buitenissig was als Ross had beloofd – Pekingeend met verse oesters, geserveerd in rijstwijn met verse paddestoelen en kappertjes. Ook de wijn was bijzonder – licht en fruitig, en hij werd warm geserveerd, zodat hij je licht benevelde en maakte dat alles in de zachte gloed van de lantaarns glansde. Nog lang nadat hun borden waren weggenomen, bleven ze met een glas wijn zitten.

Terwijl ze aten, hadden ze over koetjes en kalfjes gepraat, maar nu was het gesprek strikt zakelijk en Ross was echt geïnteresseerd in haar ideeën over de crisis waarin de onderneming zich bevond. Hij stelde enkele vragen en deed voorstellen waaraan zij nog niet had gedacht, of borduurde voort op haar gedachten. Ze dacht, en hij gaf haar ook het gevoel, dat haar denkbeelden nadere bestudering waard waren. En ze was stomverbaasd toen ze merkte dat hij echt de tijd had genomen om enkele financiële plannen, die zij eerder die week had voorgelegd, te bekijken. Daarvan had hij tijdens hun korte bespreking die middag evenwel niets laten blijken. Geen wonder dat hij de naam had een sluw zakenman te zijn! Hij begreep alles wat ze besprak en zijn vermogen om onmiddellijk tot de kern van een probleem door te dringen, was heel bijzonder, maar bovendien bracht hij nu ook mogelijke oplossingen naar voren.

'Goed,' zei Ross peinzend, terwijl hij haar over de rand van zijn wijnglas taxerend opnam, 'laten we eens een hypothetische vraag stellen: als jij onbeperkte macht over de onderneming had, wat voor veranderingen zou je dan aanbrengen?'

Die vraag overviel haar. Het was slechts een hypothetische vraag – een 'wat als'-vraag. Als ze onbeperkte macht over de onderneming had? Veel mensen droomden weleens van dergelijke onbeperkte mogelijkheden, maar toch was ze verbaasd dat Ross haar zo'n vraag stelde en ook dat hij geïnteresseerd was in haar antwoord daarop.

'Mijn eerste besluit zou zijn de vloot in de Middellandse Zee op te heffen.'

Ross leunde achterover in zijn stoel, met zijn ellebogen op de armleuningen en de vingers om het wijnglas voor hem. Zijn gelaatsuitdrukking was ondoorgrondelijk, maar toch zag ze een zekere reactie in zijn ogen.

'Die vloot daar is het middelpunt van Katherines uitbreidingsplannen,' hielp hij haar herinneren.

'Dat weet ik,' zei ze ronduit. En nog duidelijker: 'En ze heeft het bij het verkeerde eind.'

Hij kneep zijn ogen halfdicht. 'Waarom?'

'Hij dekt de kosten niet. Het zal de onderneming miljoenen dollars kosten, die er niet zijn, om die vloot in de loop van de volgende vijf jaar up-to-date te maken, zodat hij beantwoordt aan alle veiligheids- en milieubepalingen die zullen worden gesteld. En dan hou ik nog geen rekening met enkele miljoenen dollars extra die nodig zijn om enkele van onze olietankers van een dubbele wand te laten voorzien. Je weet evengoed als ik dat de regering die veranderingen als eis gaat stellen na de ramp met de *Exxon Valdez*.'

Hij merkte hoe ze subtiel het woordje 'onze' gebruikte toen ze het over de vloot had en hij glimlachte flauwtjes om het feit dat ze toch zo veel op Katherine leek. 'En wat doen we dan met al die schepen? Doen we gewoon de laadpoorten open en laten we ze zinken?'

Ze gaf hem een blik waaruit bleek dat ze hen beiden wel wijzer achtte. 'Ze verkopen,' zei ze ronduit. 'Aan de hoogste bieder, desnoods als schroot, maar we móeten ze kwijt. Het zal niet zo moeilijk zijn er een goede prijs voor te maken, vooral als men denkt dat de verkoop een onderdeel vormt van een algehele liquidatie. Het is geen geheim dat Fortune financiële moeilijkheden heeft.'

Ross keek haar met een nieuw respect aan. 'We moeten de indruk geven dat we ons uit de zaken terugtrekken.'

'Precies.'

'En wat dan? Ik neem aan dat je nog meer van plan bent.'

Ze haalde diep adem om het effect van de koppige wijn enigszins onder bedwang te houden en ook omdat ze opgewonden was nu ze haar ideeën kon spuien. 'Er zijn verschillende mogelijkheden. Zouden we die morgen kunnen bespreken? Ik heb alle gegevens, maar niet hier bij me.'

'Waar zijn ze?'

Ze glimlachte en hief haar glas. 'Om je de waarheid te zeggen, ligt de prospectus die ik heb samengesteld nu op het bureau van Phillip Lo. Ik wilde hem niet... in mijn bureau houden.'

Ze ging er niet verder op door, maar beiden begrepen dat in de kantoren van Fortune niets veilig was, omdat Richard overal bij kon komen.

'Goed. Laten we hem dan morgen meteen doornemen.'

Ross bestelde nog meer wijn voor hen beiden en ze hief haar hand op toen hij de goudkleurige warme rijstwijn in haar glas schonk. 'Ik kan maar het beste niet meer nemen. Die wijn is fataal. Je zou er alles door kunnen vergeten.'

'Ik zou het weleens leuk vinden om te zien hoe jij je zelfbeheersing verliest,' zei hij zacht.

Ze bestudeerde hem in de zachte gloed van de lantaarns en was zich bewust van het onverwachte, bijna vergeten gevoel dat zich plotseling van haar meester maakte. De sfeer, de wijn en het lang vergeten gevoel van fysiek verlangen deden haar aan het verre verleden denken – en aan David Chen.

Hoofdstuk 16

Christina had David Chen leren kennen toen ze een college Wereld-economie op de universiteit van Boston volgde. Hij was een oudere-jaars en zij was pas met haar studie begonnen. Hij kwam van het vasteland van China en behoorde tot een klein aantal studenten dat verlof had gekregen om in de Verenigde Staten te gaan studeren volgens een speciaal uitwisselingsprogramma dat door de regering van Nixon was opgezet.

De andere Chinese studenten bleven onder elkaar, een kleine, gesloten gemeenschap binnen het studentenleven. Ze woonden, werkten en studeerden samen en hadden heel weinig contact met de andere studenten, behalve in de collegezaal of in de aula. Maar David was anders. Hij was vastbesloten gedachten uit te wisselen met de bonte verzameling studenten van de universiteit van Boston. Om die reden nam hij ook een Amerikaanse naam aan in plaats van zijn Chinese naam, Chen Li. Het hielp ook dat hij vloeiend Engels sprak, dat hij geleerd had toen hij de zomer had doorgebracht bij verwanten die China hadden verlaten tijdens de communistische revolutie aan het eind van de jaren veertig.

Hij was even lang als Christina, mager maar taai. Zijn trekken waren verfijnd, iets dat erop wees dat hij generaties lang mandarijnen als voorouders had. Op zijn vierentwintigste was hij afgestudeerd aan de universiteit van Kanton, had iets volwassens en ging recht op zijn doel af.

Christina zag hem voor het eerst bij een langdurig debat tijdens het college over de opkomende machten die de wereldeconomie beheersten. David beweerde toen dat het heel goed mogelijk was dat de landen rondom de Stille Oceaan een belangrijke economische macht werden. De professor bestreed dat echter en gaf voorbeelden van de heersende politieke onrust als gevolg van de oorlog in Vietnam, die in Zuidoost-Azië een economische chaos had veroorzaakt.

Christina mengde zich in het debat en koos de zijde van David. Ze wees op de steeds stijgende arbeidskosten in de Verenigde Staten en herinnerde de professor eraan dat Hongkong reeds een bron van concurrerende goedkope arbeidskrachten was, waardoor prijzen van buitenlandse fabrikanten werden ondermijnd. Toen ze uitgesproken was, zag ze David dankbaar naar haar lachen, omdat ze hem had gesteund.

Na het college zocht hij haar gezelschap en ze zetten hun discussie voort terwijl hij met haar naar haar volgende college liep. Tot haar verbazing merkte ze dat hij na het einde daarvan op haar stond te wachten en ze zetten hun gesprek over de toekomstige wereldeconomie voort, onder het nuttigen van hamburgers in een plaatselijk studenتentje.

Ze hadden wat cultuur en opvoeding betrof in volkomen verschillende werelden geleefd, maar ontdekten dat ze toch verwante zielen waren. Ze waren beiden gescheiden van hun thuis en familie – al was dat door verschillende redenen. Hun gedeelde eenzaamheid en gemeenschappelijke interesse in de wereldeconomie brachten hen tot elkaar en ze begonnen samen te studeren en toen gezamenlijk campusfilms en -lezingen te bezoeken.

Davids openhartigheid, en het feit dat hij veel westerse gewoonten had overgenomen, maakte hem anders dan zijn Chinese medestudenten. In tegenstelling tot het regeringsstandpunt in zijn land vond hij dat het noodzakelijk was meer te weten van de wereldgemeenschap die buiten de grenzen van China lag. Hij was ervan overtuigd dat het de enige manier was waarop zijn land in de toekomst vooruit kon komen.

'We hebben al zó lang onze ogen en oren gesloten,' zei hij tegen Christina. 'De oudere generatie vindt dat we het best binnen onze eigen grenzen kunnen bestaan, ons aan de oude gewoonten houden en doorgaan met de communistische ideeën. Maar we moeten een deel van de wereld worden als we in leven willen blijven. Uiteindelijk zal het communisme bezwijken onder het gewicht van zijn eigen fouten. Mijn vader, en velen met hem, geloven dat. En ik ook.'

'Misschien moet je daar niet zo openlijk voor uitkomen,' was het antwoord van Christina, die bezorgd was dat hij later van zijn hardvochtige en wrede regime wellicht hoogst onaangename tegenmaatregelen kon verwachten.

Opnieuw verscheen die zeldzame en lieve lach op zijn gezicht. 'Ik ben wel wijzer dan dat ik zomaar met iedereen over zulke dingen spreek. Maar jou kan ik vertrouwen. Jij bent een echte vriend.'

Een echte vriend. Het was bijna drie jaar geleden dat ze tijdens die vreselijke nacht in New York haar beste vriendin had verloren. Sindsdien was ze beleefd maar altijd heel gereserveerd als ze mensen ontmoette. Ze was bang dat, als ze te intiem met anderen werd, er vragen zouden komen – vragen die ze moeilijk te beantwoorden zou vinden. En hoewel ze het zich niet helemaal bewust was, was ze er ook bang voor geworden te zeer bevriend te raken met anderen, op hen te rekenen en hen dan weer te verliezen. Ze zou niet nog eens zo'n vreselijke pijn om een verlies kunnen verwerken.

Haar drukke leerprogramma droeg ertoe bij dat ze een heel beperkt sociaal leven leidde. Ze had bijna nooit vrij en bekostigde haar studie door een combinatie van leningen en werk. Overdag had ze altijd colleges en vervolgens twee deeltijdbanen en haar studie thuis. En wanneer andere studenten bij elkaar kwamen na concerten of na het sporten en naar het plaatselijk Italiaanse restaurant gingen, bediende zij hen daar.

Nu, met David, merkte Christina dat ze zich meer openstelde voor de mogelijkheid een goede vriend te hebben die ze kon vertrouwen. Tijdens dat najaar en het begin van de winter werd hun vriendschap inniger.

Het eerste halfjaar was bijna ten einde en de andere studenten – ook Christina's huisgenoten – waren druk bezig voorbereidingen te treffen om in de kerstvakantie naar huis te gaan. David zou de vakantie doorbrengen bij zijn Amerikaanse familie, die dicht bij Boston woonde. Het werd vrijdag en de campus leek wel een spookstad toen alle woonhuizen en flats leegstroomden en de laatste Volkswagen Kever door de gevallen sneeuw wegtufte.

De boekhandel op de campus, waarin Christina eveneens werkte, zou tijdens de vakantie sluiten en dus nam ze alle extra uren in het restaurant die ze maar kon krijgen. Ze kocht geen kerstboom. Dat had weinig zin. Het was al lang geleden dat Kerstmis iets voor Christina had betekend. Zelfs gedurende de jaren in het Huis van de Hoop, waar de hulpverleners en pater Paul probeerden hun best te doen om Kerstmis een speciale betekenis te geven voor de weglopers en paria's die daar hun toevlucht hadden gezocht, had ze het gevoel gekregen dat vakantie iets was waar je doorheen moest en niet iets waarvan je genoot.

Ze probeerde niet te denken aan de kerstfeesten van lang geleden, toen haar familie nog intact was, er een rustgevende aura van liefde en vreugde om alles heen lag en haar enige zorg was of dat leuk verpakte pak onder de boom de pop bevatte die echte tranen kon huilen, want die wilde ze zo vreselijk graag hebben. Ze kon niet meer aan dat alles denken, want dat maakte haar bestaande gemoedstoestand moeilijk te verdragen. Dus probeerde ze gewoonweg de kerstvakantie te negeren en wees beleefd de invitaties van haar huisgenoten af, die haar vroegen mee naar hun huis te komen.

Met Thanksgiving had ze een uitnodiging aanvaard van een huisgenootje om dat weekend met haar mee naar huis te gaan. Daar ontdekte ze dat, ongeacht het feit dat anderen zich inspanden om je het gevoel te verschaffen dat je welkom was, dat niet hielp – eigenlijk leende je alleen maar even de familie van een ander. Dus werkte Christina die kerstavond tot laat in het restaurant.

Ze stond er versteld van hoeveel mensen er op deze avond buitenshuis aten. De eenlingen waren het zieligst om te zien. Zelfs al had ze het enorm druk, toch probeerde ze even tijd vrij te maken om een moment met hen te praten, vooral met oudere mensen, die duidelijk blij waren met een babbeltje.

Op kerstavond sloot meneer Pastorini vroeg. Hij bracht de kerstdagen door met zijn grote, uitgebreide familie, die ook tantes, ooms en neven omvatte, alsmede oma Pastorini, die al ruim negentig jaar was. Hij wilde de dag na Kerstmis het restaurant weer openen.

'Weet je zeker dat je niet met ons mee naar huis wilt?' vroeg hij nog eens toen hij de roodgeruite gordijntjes voor de ramen dichttrok. Zijn zuster Antonia, die ook in het restaurant werkte, draaide de lichten in de keuken uit. Het werd stil in het restaurant nu de laatste klanten de deur uit waren en de laatste meeneemorder voor lasagna voor het kerstdiner was afgehaald.

Christina schudde haar hoofd. 'Ik dank u voor uw uitnodiging, maar ik kan heus niet.' Ze gaf het beste excuus dat ze kon verzinnen. 'Ik verwacht straks een telefoontje dat ik niet wil missen. En ik ben heel moe.' Dat laatste was waar. De andere serveerster had een dag vrij genomen om bij haar familie te zijn en Christina had haar dienst erbij waargenomen. Haar voeten deden pijn en haar hoofd bonsde.

'Maakt u zich om mij geen zorgen.' Zijn bezorgdheid ontroerde haar, maar legde toch ook weer meer nadruk op haar eenzaamheid. Ze moest haar best doen om te kunnen glimlachen. 'Het is in orde, heus! Hoe laat wilt u dat ik dinsdag kom?'

'Niet zo vroeg. We gaan pas om zes uur open, op tijd voor het avondeten.' Toen zei hij: 'Ik kan Debbie vragen die dag te komen.'

Christina schudde weer haar hoofd terwijl ze haar versleten mantel aandeed en een lange, wollen sjaal om haar hals wikkelde. 'Geef haar nog maar een dagje bij haar familie. De boekhandel is dicht tot de universiteit weer begint, na de vakantie. Ik heb alle uren nodig die ik kan krijgen.'

'Je werkt en studeert te hard.' Meneer Pastorini fronste bezorgd zijn wenkbrauwen. 'Wanneer maak je eens plezier? Wanneer ben je jong? Je bent veel te jong om al zo ernstig te zijn.'

'Het leven is een ernstige zaak.'

'Ja. Maar er moet ook plezier in voorkomen.'

Op dat moment kwam Antonia het restaurant weer in en gaf Christina een bruine boodschappenzak. Hij was zwaar en er stegen heerlijke geuren uit op.

'Voor je kerstdiner,' verklaarde Antonia, toen Christina haar vragend aankeek. 'Lasagne, wat fettuccine, salade en brood. Je bent veel te mager.'

Christina slikte een brok in haar keel weg die haar bijna deed stikken en mompelde op onvaste toon een paar woorden van dank.

Ze liepen samen naar buiten. Meneer Pastorini deed de deur op slot en toen sloegen hij en Antonia een zijstraat in, waar hij zijn auto geparkeerd had.

'Vrolijk kerstfeest!' riep Antonia haar na, en haar warme adem veroorzaakte een condenswolkje in de koude nachtlucht.

'Tot overmorgen!' riep Christina terug, niet in staat de kerstgroet uit te brengen die in deze dagen duizenden keren herhaald werd. Toen draaide ze zich om en liep weg in de tegenovergestelde richting, naar de campus, langs rijen oude, bakstenen huizen die in de aangrenzende straten stonden.

Het sneeuwde zachtjes en ze zwoegde naar huis, waarbij haar laarzen met dunne zolen knisperende geluiden maakten in de pasgevallen sneeuw. De oude, bakstenen huizen zagen er onwerkelijk uit met al de lichten die door de versierde vensters naar buiten schenen. Ze hoorde een deur opengaan en een plotseling geroezemoes van opgewonden stemmen toen een paartje het huis verliet. Ze drukten zich tegen elkaar aan en lachten terwijl ze naar een auto holden die langs de stoeprand geparkeerd stond. Portieren sloegen dicht en de motor brulde, waardoor de stemmen onhoorbaar werden. Ze reden snel weg en de kleine sportwagen slipte af en toe op de besneeuwde straat. De achterlichten waren nog even goed zichtbaar en verdwenen toen de auto de hoek omreed.

Aan de overkant van de straat ging er weer een deur open en ze hoorde kindergelach toen een grote hond wild in de sneeuw sprong. Hij liep door, verder de straat in, en bleef alleen hier en daar staan bij zijn lievelingsbomen en -struiken.

Toen werd alles weer stil en hing er een vreemde stilte, die vallende sneeuw vaak vergezelt. Er bleef een witte laag liggen die alles in een winters zwijgen hulde. Christina trok haar kraag op en wenste dat het een andere dag was.

Bij haar flatgebouw aangekomen, stampte ze bij de ingang beneden de sneeuw van haar laarzen. Bij het nakijken van haar post vond ze de gebruikelijke rekeningen – van de universiteitsbibliotheek voor boetes door te laat ingeleverde boeken en van het elektriciteitsbedrijf. Toen ze wilde doorlopen naar boven, stak haar hospita haar hoofd uit een flatdeur op de parterre.

'Ik dacht dat je met een van de andere meisjes naar haar huis was gegaan,' merkte mevrouw O'Connell vriendelijk lachend op.

Christina beantwoordde haar glimlach. 'Ik heb veel te doen en kan flink verdienen als ik tijdens de vakantie dubbele diensten in het restaurant draai.'

Mevrouw O'Connell schudde haar hoofd. 'Het is niet goed om op kerstavond alleen te zijn. Wil je niet binnenkomen en vanavond bij ons blijven?'

Christina wist dat het 'ons', waarover mevrouw O'Connell het had, bestond uit haarzelf en een vreemde verzameling katten. Ze waren als verdwaalde kinderen komen aanlopen en verdwenen soms ook weer, maar de oude vrouw hield van ze allemaal.

'Erg lief van u, maar ik ben heus heel moe.' En toen, omdat ze er niet aan moest denken dat ze mevrouw O'Connell zou kunnen kwetsen, loog ze voor de tweede keer die avond. 'Ik verwacht een telefoontje dat ik niet mis wil lopen. Maar ik stel uw uitnodiging zeer op prijs.'

Mevrouw O'Connell glimlachte ondanks haar teleurstelling. 'Neem dan ten minste een van de kerstdozen mee die ik heb klaargemaakt.' Ze ging de flat in en kwam even later terug met een vrolijk ingepakt presentje, waaromheen een kleurig lint zat.

Christina wist dat het zelfgemaakte koekjes en snoep bevatte. Mevrouw O'Connell had aan iedereen in het flatgebouw hetzelfde kerstpakketje gegeven.

'Dank u,' zei Christina, en meende het oprecht. 'Ik heb ook een kleinigheid voor u. Het is niet veel, maar...'

Wat verlegen haalde ze een pakje uit haar mantelzak en gaf het aan mevrouw O'Connell. Ze zag hoe het gerimpelde gezicht van de oude vrouw plotseling een brede lach vertoonde.

'Je moet je zuurverdiende geld niet voor mij uitgeven, Christina. Maar het is heel lief van je, kind. Ik zal het, met al mijn andere cadeautjes, onder de boom leggen. O, ik ben zó benieuwd wat ik vind als ik dat morgen allemaal openmaak!'

Christina was nog de vorige dag in de flat van mevrouw O'Connell geweest en wist dat ze overdreef toen ze over 'al mijn andere cadeautjes' sprak. Er waren er maar een paar, en die kwamen van huurders die het waardeerden dat mevrouw O'Connell zo'n prettige, zorgzame hospita was. Mevrouw O'Connell had geen familie. Haar man was in Korea gesneuveld, zes weken na hun huwelijk, en ze hadden geen tijd gekregen om te beginnen aan het grote Iers-Amerikaanse gezin waarop ze hun zinnen hadden gezet.

Mevrouw O'Connell ging door: 'Vrolijk kerstfeest, lieve kind. En kom straks nog even naar beneden, als je zin hebt.'

Terwijl Christina de twee trappen naar haar flat beklom, hoopte ze dat mevrouw O'Connell het cadeautje dat ze voor haar had uitgezocht, mooi zou vinden. Het was niet zo bijzonder en bestond uit een boek van de lievelingsschrijver van mevrouw O'Connell – George Bernard Shaw. Christina had het in een tweedehands boekenzaak gevonden, maar het zag er nog als nieuw uit.

Op de eerste etage liep ze over de overloop en wilde net aan de tweede trap beginnen, toen ze iets zag waardoor ze plotseling bleef staan. Ze staarde omhoog en zag David boven aan de trap zitten, die glimlachend op haar neerkeek.

'David! Wat doe jíj hier?'

Hij zat er blijkbaar al lange tijd. Hij had zijn handschoenen uitgetrokken en zijn jasje was droog. Snel stond hij op en zei: 'Ik wilde Kerstmis met een vriend vieren.'

Ze was zo blij hem te zien dat ze tranen in de ogen kreeg, maar ze zei lachend: 'Sinds wanneer is Kerstmis een Chinees feest?'

'Ik heb me een westerse taal en westerse kennis eigen gemaakt en vond dat ik ook wel een westerse traditie kon lenen.' Hij stak haar zijn hand toe en leidde haar de laatste treden op. Terwijl hij haar flatdeur openduwde, zei hij: 'Ik heb ook de sleutel van je huisgenote geleend.'

In het midden van het kleine flatje stond een vrij kaal kerstboompje, waaraan een paar goedkope, blauwglazen ballen hingen, alsmede een paar strengen engelenhaar en een snoer veelkleurige lichtjes. Toen ze dat alles zag, bleef Christina plotseling staan.

David wees naar het zielige boompje en verklaarde: 'De man die op de campus kerstbomen verkocht, gaf me dit ding voor niets. Ik denk dat niemand er een cent voor wilde betalen.'

Christina keek David dolblij aan. 'Het is prachtig!' fluisterde ze, en ze meende het.

Hun blikken ontmoetten elkaar en heel even werd de sfeer tussen hen vervuld van elektriciteit. David bloosde van verlegenheid en om die te verbergen, wees hij naar een paar plastic dozen die op de kleine keukentafel stonden. 'De vrouw van mijn neef heeft een paar Kantonese gerechten voor ons gemaakt. En er is rijstwijn.'

Lachend zette Christina haar boodschappenzak naast de dozen op tafel. 'Denk je dat ze bij lasagne en knoflookbrood passen?'

'Ik denk dat het een echt feest wordt,' antwoordde hij.

Later gingen ze op de grond zitten, onder het licht van de gekleurde lampjes in de boom. De resten van een picknick van Chinees en Italiaans eten lagen op een rood en wit geruit kleedje, dat ze midden op het versleten vloerkleed hadden gelegd dat het grootste deel van de hardhouten vloer bedekte.

Christina leunde tegen de kant van een oude leunstoel en sloot haar ogen. De warme rijstwijn verdreef de inwendige kilte die ze al dagenlang had gevoeld. Het was elk jaar weer hetzelfde – wanneer iedereen maatregelen trof om met vakantie naar huis te gaan, besefte zij weer dat ze geen huis meer had om naartoe te gaan.

Maar David had deze Kerstmis anders gemaakt. Ze glimlachte hem toe over de rand van het goedkope wijnglas dat ze in een supermarkt had gekocht. Zoals ze zich die avond voelde, had het van het fijnste kristal kunnen zijn.

Ze keek toe hoe David probeerde popcorn aan een snoer te rijgen en er met een naald doorheen te prikken, zoals ze hem had geleerd. 'Je had eigenlijk bij je familie moeten zijn,' zei ze zacht.

Hij keek op en lachte haar zo vriendelijk toe dat ze er warmer van werd dan van de rijstwijn. 'Jij bent mijn beste vriend, Christina. Ik wilde bij jou zijn.'

Zijn beste vriend... En toch stelde hij nooit vragen over haar achtergrond, drong nooit aan dat hij meer over haar wilde weten. Misschien was dat de reden waarom ze zo heerlijk met hem kon praten en mogelijk had ze hem daarom meer over haar verleden verteld dan aan enig ander. Hij wist dat ze van huis was weggelopen en al lange tijd op eigen benen stond en ze had hem zelfs alles over New York en de dood van haar vriendinnetje verteld.

Hij zei niets, luisterde alleen aandachtig en toen ze klaar was, nam hij haar in zijn armen en hield haar vast terwijl ze huilde zoals ze in jaren niet meer had gedaan.

Nu keek ze geamuseerd toe terwijl hij met de popcorn bezig bleef, die verkruimelde en op de grond viel. Hij fronste zijn wenkbrauwen om zich goed te concentreren. 'Ik vind het een idiote gewoonte. Je kunt popcorn beter opeten dan er een boom mee versieren!' zei hij ten slotte en stopte een paar stuks tegelijk in zijn mond.

Christina lachte. Het was allemaal ook zo dwaas en heerlijk. 'Dank je, David.'

Hij glimlachte verlegen. 'Waarvoor? Voor een zielig boompje en *moo goo gai pan*?'

Ze nam zijn hand in de hare. 'Dank je voor een wonderbaarlijke, heerlijke avond.'

'O, maar er is nog meer.' Hij greep in de zak van zijn jasje dat over de rug van een stoel hing, waaruit hij een pakje te voorschijn haalde en aan haar overhandigde. 'Het geven van cadeautjes is ook een Chinese traditie. Vrolijk kerstfeest, Christina!'

Ze nam het pakje met bevende handen aan. Toen ze nog in het Huis van de Hoop was, waren er altijd cadeautjes voor alle kinderen – dingen van liefdadigheidsinstellingen, zoals wollen handschoenen, dikke sokken en truien en af en toe wat snoep, *praktische* cadeaus die werden gegeven door mensen die veel meer in het leven hadden en met die giften hun geweten wilden sussen.

Maar dit cadeautje was iets anders. Het was nogal onhandig verpakt in effen groen papier en er zat een roodsatijnen lint omheen. En het leek of het alle geheimzinnigheid en opwinding bevatte van de cadeautjes die vroeger, toen ze nog een kind was, onder de kerstboom hadden gelegen.

Ze maakte het niet onmiddellijk open, maar in plaats daarvan liep ze naar de boekenkast en pakte haar cadeau van de bovenste plank. 'Ik had je dit willen geven wanneer je weer terugkwam,' verklaarde ze, en gaf het hem nu.

David draaide het pakje om en om in zijn handen. Het was dun en licht. Ze keek toe en zag dat hij met zijn handen over het zilveren verpakkingspapier streek en ze hield haar adem in, want ze hoopte dat hij er blij mee zou zijn.

Hij keek naar haar op. 'Dat is heel lief van je. Dank je, Christina.'

'Je hebt het nog niet eens opengemaakt!'

'Wat het ook is, ik zal het koesteren. Omdat jij het me gegeven hebt. Omdat jij me als je vriend hebt geaccepteerd.' Voor ze kon antwoorden, zei hij: 'Maak jij eerst jouw cadeau open.'

'Laten we het tegelijkertijd doen,' stelde ze voor.

Ze trokken het papier en het lint van hun pakjes. Even bleef David doodstil naar zijn cadeau zitten staren. Toen las hij de titel op het dunne, gebonden boekje hardop – *Sonnetten van de Portugese*, door Elizabeth Barrett Browning.

'Ken je ze?' vroeg Christina.

David schudde zijn hoofd.

'Het is een van mijn lievelingsboeken. Vroeger heb ik ook een exemplaar gehad. Mijn moeder had het me gegeven en ik heb het heel vaak opnieuw gelezen. Elizabeth Barrett en Robert Browning waren dichters in het negentiende-eeuwse Engeland. Hij werd verliefd op haar door haar gedichten en nam haar mee, weg van haar wrede, dominerende vader. Ze trouwden, kregen een kind en waren samen gelukkig totdat zij stierf. Hij noemde haar zijn kleine Portugese, omdat ze zo'n donkere huid had en zij schreef deze liefdessonnetten aan hem.'

Plotseling werd ze door verlegenheid overvallen. 'Het is geen nieuw exemplaar,' stamelde ze verontschuldigend. 'Maar het leer is nog in goede staat.'

David had het boekje geopend en las erin. Bij een speciaal gedicht hield hij op, las het toen zwijgend helemaal en eindigde vervolgens hardop: '... en als God het wil, zal ik na de dood nog meer van je houden...'

Hij keek op naar Christina. 'Dank je. Ik zal het altijd zorgvuldig bewaren.'

Op de een of andere manier was de stilte die tussen hen bleef hangen niet pijnlijk, maar heel bijzonder.

Christina wikkelde nu het laatste papier van haar cadeau en zag dat het pakje twee met de hand gemaakte glanzende haarkammetjes bevatte, versierd met oude Chinese karakters.

'Ze zijn van sandelhout gemaakt,' legde David uit. 'Dat is zeer geliefd in mijn land. En de symbolen die erin zijn aangebracht, betekenen veel geluk. Ze zijn heel oud en ooit van mijn grootmoeder geweest. Zij heeft ze aan mijn moeder gegeven. Toen mijn moeder stierf, kreeg ik ze, want er waren geen dochters. Ze worden elke generatie verder doorgegeven en alleen bij bijzondere gelegenheden gedragen.'

177

David nam Christina's handen in de zijne en zei plechtig: 'Mogen ze je altijd veel geluk brengen, mijn beste vriend.'

De tranen sprongen Christina in de ogen. Hij kon niet weten wat de symboliek van dit cadeau voor haar betekende.

'Dank je, David. Ik zal er zuinig op zijn en ze alleen bij bijzondere gelegenheden dragen. Zoals vanavond.'

Ze nam ze uit de doos, trok haar haren terug, die tot op haar schouders vielen, en deed de kammetjes erin. Maar ze was er onhandig mee en David kwam haar helpen. Zijn handen raakten de hare aan en voordat ze er zelfs aan kon denken zich terug te trekken, kuste hij haar, een aarzelende en heel lieve kus.

Haar eerste impuls was zich terugtrekken. In al de jaren nadat ze van de verschrikkingen thuis was weggelopen, had ze nooit een man toegestaan haar aan te raken. Ze was doodsbang dat er opnieuw zou kunnen gebeuren wat er die avond had plaatsgevonden.

Haar vertrouwen en onschuld waren toen met geweld aan stukken gescheurd. En zelfs jaren later herinnerde ze zich levendig de angst, het schuldgevoel en de schaamte. En de pijn – die afschuwelijke vuistslagen die haar dwongen zich over te geven.

Nu, met David, bestond er geen angst of schaamte en hij vergreep zich niet aan haar. Hij drukte alleen zacht zijn lippen tegen de hare, alsof ze van breekbaar porselein was gemaakt en bij de geringste druk zou kunnen breken.

Tot haar verbazing voelde ze een langzaam en ademloos ontwaken. Ergens binnen in haar trilde er iets – van genot, maar niet van angst. Ze was in hoge mate verwonderd dat ze de kus wel altijd had willen laten doorgaan en had behoefte aan Davids warmte om de kou te doen smelten die altijd diep in haar binnenste aanwezig leek.

Maar omdat ze al zo lang met die vrees had geleefd, verwarden die nieuwe en onzekere gevoelens haar en ze trok zich van hem terug.

'Ik kan het niet,' fluisterde ze met gebroken stem.

'Sorry,' verontschuldigde David zich. 'Ik had niet...'

'Nee, toe, het heeft niets met jou te maken,' zei ze snel, want ze wilde hem onmiddellijk geruststellen. 'Het komt door mij. Ik... ik kàn gewoon niet.'

David keek diep beschaamd. 'Ik had niet zo opdringerig moeten zijn en begrijp hoe moeilijk het voor je is. Maar ik wilde alleen de diepte van mijn gevoelens voor jou tot uitdrukking brengen.'

Christina was diep bewogen. Ze begreep dat het hem heel wat moed had gekost om haar te kussen. Toen stak ze haar hand uit en raakte de zijne aan.

'Het is de eerste keer dat iemand me heeft gekust sinds... toen...' Ze beet op haar onderlip en allerlei gevoelens bestormden haar. 'Ik ben blij dat je me gekust hebt,' zei ze ten slotte. En toen hij haar verbaasd aankeek, voegde ze er vastbesloten aan toe: 'Wil je me alsjeblieft nog eens kussen?'

Haar hart klopte onstuimig, uit angst en al de andere onbekende emoties waartegen ze al die jaren zichzelf had afgeschermd. Terwijl David zich nog eens over haar heen boog, kon ze nauwelijks nog ademhalen en de angst snoerde haar keel bijna dicht. Het kostte haar heel wat om doodstil te blijven staan en zich niet terug te trekken. Toen voelde ze dat vederlichte contact weer, dat een golf van warmte door haar trillende lichaam deed gloeien.

Toen de kus eindelijk voorbij was, keek ze op naar David en wist dat ze bij hem haar angst kon overwinnen.

Hij liet zijn handen langzaam omhoogglijden en ze keek hem strak aan toen hij haar gezicht in zijn handen nam. Zijn aanraking was bijna eerbiedig toen hij zich opnieuw vooroverboog en haar nog eens kuste. Deze keer liet hij de kus langer duren en toen hij eindelijk klaar was, had ze het gevoel iets heel moois kwijt te raken.

De hele periode rond de feestdagen keerde David niet terug naar het huis van zijn neef, maar bleef bij Christina in haar flat. Toen ze elkaar ten slotte beminden, ging dat heel langzaam, teder en elkaar liefkozend. Samen genoten ze van het feit dat ze van elkaar hielden en dat alles zo wonderbaarlijk was. Voor David was het de eerste keer. En eigenlijk had Christina het gevoel dat het in werkelijkheid ook voor haar de eerste keer was.

Ze deelden hun gevoelens en voor Christina was het ook een periode van helen.

Ze brachten in de volgende studieperiode zo veel mogelijk hun tijd samen door. Al waren ze op een drukbezochte universiteit en in een overvolle stad, toch hadden ze het gevoel de enige twee mensen op de wereld te zijn.

Vóór het tot Christina doordrong, was het opeens juni. Davids laatste jaar was nu afgelopen en het werd tijd dat hij naar China terugkeerde.

Er had nooit enige twijfel over Davids toekomst bestaan, want er werd van hem verwacht dat hij naar zijn thuis in China zou terugkeren. Zijn familie wachtte daar al op hem. En zijn regering verwachtte van hem dat hij in de praktijk zou gaan toepassen wat hij geleerd had, zodat hij zijn land kon dienen. Vanaf het begin was hij volkomen eerlijk tegenover Christina geweest en ze wist zelfs dat er al een jonge vrouw was gekozen met wie hij zou gaan trouwen.

Na het behalen van zijn graad nam hij Christina mee uit eten, waarna ze langs de promenade van de oude haven in Boston hadden gelopen. Hij werd enorm geboeid door de gebeurtenissen die daar ruim tweehonderd jaar geleden hadden plaatsgevonden, toen de mensen uit de Amerikaanse kolonies kritieke stappen hadden ondernomen om het lot van hun land te veranderen. Hij en Christina spraken over van alles en nog wat, maar geen van beiden wilde toegeven dat dit een afscheid was.

Het was al heel laat toen hij haar naar haar flat terugbracht. Bij de deur namen ze afscheid. Hij kuste haar met een passie die in de maanden van hun verhouding steeds was gegroeid en fluisterde: '... en als God het wil, zal ik na de dood nog meer van je houden...'

En toen was hij weg.

De volgende ochtend kwam Davids neef haar opzoeken. David had de vorige avond een late vlucht naar huis genomen. Zijn neef gaf haar een brief, die David had geschreven. Hij had zijn neef gevraagd die bij haar af te geven.

Lieve Christina,

Het valt me moeilijk je te zeggen hoeveel je voor me betekent. Toen ik afscheid nam van mijn familie in China voelde ik me heel verdrietig. Maar afscheid nemen van jou, gisteravond, was nog veel erger. Ik kon het niet over mijn hart verkrijgen afscheidswoorden tegen je te uiten. Onze levenspaden zijn zo verschillend en dat hebben we altijd geweten. We hebben samen slechts een kleine spanne tijds gekregen. Maar we hadden toch meer geluk dan veel andere mensen die nooit de vreugde hebben gekend die wij mochten delen. Je zult altijd een heel bijzondere plaats in mijn hart behouden.

Chen Li

Hoofdstuk 17

David...

Terwijl ze nu, zeventien jaar later, aan hem dacht, verscheen er een triest glimlachje om Christina's lippen.

Ross keek naar haar en werd getroffen door de verandering in haar uitdrukking. Heel even keek hij langs de muur die ze om zichzelf had opgetrokken, en wat hij zag, maakte dat hij zijn adem inhield. Ze leek zo kwetsbaar dat hij instinctief het gevoel kreeg haar veilig in zijn armen te moeten sluiten en troostwoordjes mompelen, haar te sussen.

Tot dan toe had ze twee krachtige reacties bij hem opgeroepen: nieuwsgierigheid en woede. Nu voelde hij helaas iets nog veel sterkers – een verlangen haar te beschermen, hoewel hij er geen idee van had wat haar bedreigde. Sinds zijn jeugd had hij dat soort gevoelens niet meer gekend; toen had hij wanhopig gewenst dat hij zijn moeder kon beschermen tegen het verdriet dat zijn vader haar toebracht.

Dat gevoel gaf hem een steek in zijn hart en hij was er helemaal van ondersteboven. Daar was hij niet aan gewend. Hij was eraan gewend altijd de teugels in handen te hebben, of het nu zijn eigen gevoelens betrof of die van anderen.

Geprikkeld merkte hij op, en veel scherper dan eigenlijk moest: 'Ik zou weleens willen weten wat ervoor nodig is om jou je zelfbeheersing te doen verliezen.'

Onmiddellijk veranderde de uitdrukking op haar gezicht; de kwetsbaarheid was weer verdwenen en de muur opnieuw opgetrokken. 'Dat overkomt mij niet.'

Ross was weer even zelfverzekerd als altijd. 'Dat zullen we dan nog weleens zien.'

Toen ze eindelijk het restaurant verlieten, kwam het Christina voor dat ze ergens in Hongkong de straat opliepen. De straatverlichting, die eruitzag als ouderwetse lantaarns, hing ergens in de mist, over de hele lengte van Sacramento Street. De straatventers, die overdag met hun houtskoolbrandertjes op de trottoirs zaten en sterk gekruid zoet voedsel te koop aanboden, waren nu verdwenen. De voorgevel van een van de winkels was opzichtig verlicht door snoeren witte lichtjes. De eigenaar ervan stond in de deuropening en zijn dikke buik stak onder het witte hemd in mandarijnstijl naar voren en hij droeg een zware broek met zwarte slippers. Uit een lange sigaret in zijn mond dwarrelde een wolk geurige rook omhoog de frisse avondlucht in.

Een snelle sportauto passeerde hen waarin enkele Chinese tieners zaten. Uit de wagen klonk het indringende ritme van rapmuziek, die een groot contrast vormde met de oude cultuur die in deze stad binnen een stad overheerste. Het maakte dat Christina besefte dat dit niet Hongkong was, maar een familielid dat verschillende van de oude tradities in ere hield.

De Jaguar stond nog op dezelfde plaats waar ze hem hadden achtergelaten en glansde zacht in de vage lichtstreep die vanuit een raam ernaast viel. De mist kwam opzetten, gleed geluidloos door de donkere straten, drapeerde zich om straatlantaarns heen en sloeg nat neer op de bestrating. Christina huiverde en kroop dieper weg in haar mantel, die ze nog net uit haar eigen auto had gehaald voor ze het Fortune-gebouw verlieten.

Ross liep met haar mee naar de passagierskant van de auto en ze huiverde weer. Hij stak zijn armen naar haar uit, pakte de revers van haar mantel beet en trok die omhoog tot aan haar kin, terwijl hij haar tegelijkertijd dichter tegen zich aandrukte. In een instinctieve reactie gingen haar handen omhoog en haar vingers sloten zich om zijn polsen om hem tegen te houden. Even bleven ze zo staan, beiden met hun eigen gedachten, twijfels en behoeften.

Toen gleden zijn vingers langs haar kaak en streelden het zijdeachtige lange haar in haar nek. Hij duwde haar hoofd achterover en dwong haar hem zo aan te kijken. Zo bestudeerde hij de krachtige, mooie trekken van haar gezicht, het spel van licht en schaduw in haar ogen, de manier waarop haar onderlip trilde nu ze plotseling haar adem inhield.

'Wie ben je?' fluisterde hij.

'Wie denk jij dat ik ben?' vroeg ze.

Hij bestudeerde haar gezicht alsof hij het antwoord in haar trekken kon vinden of de raadsels kon ontsluieren die diep in haar ogen verborgen lagen. Zijn adem voelde warm aan tegen haar wang en toen tegen haar mondhoek. Hij kuste haar heel overwogen, langzaam en langdurig, waardoor bij beiden allerlei gevoelens werden opgeroepen.

Ze had hem gezegd dat ze nooit haar zelfbeheersing kwijtraakte, maar dat was een leugen. Ze voelde dat die haar nu ontglipte en verdween in de mist die zich om hen heen sloot. Met het verdwijnen van die zelfbeheersing werden haar instincten haar de baas. Haar vingers om zijn polsen klemden zich daar vast, haar nagels drukten zich in de gesteven manchetten van zijn overhemd en hielden hem nu vast in plaats van hem weg te duwen. Haar lippen gingen open onder de streling van zijn tong – heet en vochtig. Hij smaakte naar wijn en nog iets, iets dat speciaal zijn geur was.

Ze huiverde, ditmaal niet van kou maar van hitte, en de chaotische, verwarde sensaties en emoties die in haar bovenkwamen. Ze kreeg het gevoel dat er iets krachtigs haar innerlijk waarschuwde, haar eraan hielp herinneren dat dit gevaarlijk was – dat híj gevaarlijk was.

Ze trok zich terug en staarde door de zachte gloed van mist en wijn naar hem op, terwijl ze moeite deed haar verstoorde zelfbeheersing weer terug te vinden. 'Laten we maar gaan.' Nu duwde ze hem wel weg. Ze deed een stap achteruit en streek met een nerveus gebaar haar haren achterover, terwijl ze met de andere hand naar de knop van het portier greep, dat opende en instapte. Ross zei niets, maar sloot het portier achter haar en liep toen om de wagen heen.

Hij gleed achter het stuur, startte de motor en de Jaguar gromde zachtjes. Zwijgend reden ze terug naar het Fortune-gebouw om haar auto te gaan halen. Bij het uitstappen zeiden ze geen van beiden iets, maar alle twee wisten ze heel goed dat ze die avond een grens hadden overschreden. Van nu af aan zouden ze geen van beiden meer kunnen voorwenden dat hun verhouding puur zakelijk was.

De volgende ochtend kwam ze iets later op kantoor. Die nacht had ze, door de wijn en alle in haar opgeroepen emoties, onrustig geslapen en lang liggen woelen, en daardoor had ze zich verslapen. Ze dacht aan de vorige avond en aan Ross, aan een kus die door haar afwerende houding heen was gedrongen, en ze voelde zich verward en was op haar hoede.

Kon ze hem wel vertrouwen? De afgelopen nacht had ze zichzelf steeds weer diezelfde vraag gesteld. Toen ze eindelijk, vlak voordat het licht werd, in slaap was gevallen, was het antwoord nog steeds hetzelfde – ze wist het gewoonweg niet.

Op weg naar haar werk ging ze bij het kantoor van Phillip Lo langs om de map op te halen die ze bij hem had achtergelaten om te bestuderen en het was bijna halftien toen ze in het Fortune-gebouw arriveerde. Marie begroette haar met een opgewekt goedemorgen.

'Is meneer McKenna al aanwezig?' vroeg Christina.

'Hij was hier al heel vroeg, voor alle anderen.'

'Waar is hij nu?'

'Ik geloof dat hij naar de vergaderzaal is gegaan om daar wat gegevens te bestuderen.'

'Dank je.' Christina pakte haar dossiers bij elkaar en liep de gang in.

De deur naar de vergaderzaal stond op een kier en net toen ze hem wilde openduwen, hoorde ze bekende stemmen en aarzelde. Het waren Ross en Richard.

'Hoe vaak we in het verleden ook van mening verschilden, je moet weten dat ik deze keer gelijk heb,' zei Richard. 'Katherine kan onmogelijk plotseling met een toverformule komen opduiken, waardoor het mogelijk is dat de maatschappij een privé-onderneming blijft. We hebben dringend behoefte aan investeringskapitaal.'

'Een toestand die jíj hebt geschapen,' bracht Ross hem in herinnering, en zijn toon klonk scherp afkeurend. 'De ontwikkeling van dat vakantieoord was een egotrip van jou, en daarmee zijn de belangen van de onderneming totaal niet gediend. Je wilde proberen met Hyatt, Hilton en andere te concurreren. Dat was een stomme zet, waardoor onze onderneming nu ernstige problemen heeft met de liquide middelen. Als ik het daar voor het zeggen had gehad, had ik je nooit toegestaan met die ontwikkeling door te gaan.'

'Maar je had het daar niet voor het zeggen. Ik wel. En ik houd vol dat die ontwikkeling een goede zaak is.'

'Je zult gedwongen worden alles te verkopen.'

'Ik verkoop niets,' hield Richard vol.

'Er bestaat geen enkele andere manier om aan je verplichtingen te voldoen. Als je boft, geven de Japanners je tien cent voor elke dollar.'

'Het is maar beter dat je hoopt dat het niet zover komt. Ik heb de zaak gekregen op mijn aandelen in Fortune. Hoe, denk je, zou Katherine het vinden om partners met de Japanners te moeten worden?'

Er klonk ongeduld door in de stem van Ross. 'Waar hebben we het eigenlijk over?'

'Ik denk dat er een manier bestaat om al onze problemen op te lossen.' Richard liep door het vertrek en zijn stem klonk nu veel duidelijker.

'Ik luister,' zei Ross.

'Een afspraak.'

'Wat voor afspraak?' vroeg Ross, op zijn hoede.

'Katherine is oud en we weten beiden dat haar gezondheid slecht is. Misschien leeft ze nog twee of drie jaar, en wat dan? Ze heeft die jonge vrouw aanvaard als zijnde Christina. Dat geloof ik niet, en ik weet dat jij haar evenmin gelooft.' Het was even stil en toen ging hij verder. 'Zij gebruikt die jonge vrouw om de zeggenschap over de onderneming in handen te houden. Maar wat gebeurt er als Katherine over een paar jaar sterft?'

Opnieuw heerste er stilte in het vertrek. Geschrokken besefte Christina dat Ross nadacht over hetgeen Richard had gezegd.

'Ga door,' zei hij.

Iets in Christina kromp samen van vrees.

'Die jonge vrouw mag dan toestemming hebben om documenten te tekenen, maar jij en ik weten beiden wie alle beslissingen neemt. Als zij het verkiest andere beslissingen te treffen of andere documenten op te stellen, wie zal haar dan daarvan kunnen weerhouden? Vooral nadat Katherine er niet meer is.'

'Ik zou, met een kredietspeculatie, de onderneming kunnen overnemen,' zei Ross onmiddellijk.

'Dat zou je kunnen proberen,' zei Richard. 'Maar je hebt geen enkele garantie dat je zoiets lukt.'

'Kom tot de kern van de zaak.'

'Je bevindt je in een precaire situatie, McKenna. Als Katherine sterft, heb jij niets en deze oplichtster beheerst de onderneming. Maar als jij en ik gaan samenwerken, zou het een heel winstgevend zaakje voor je kunnen worden.'

'Met andere woorden: een deelgenootschap,' besloot Ross.

Christina kon haar oren niet geloven; ze kon níet aannemen dat Ross er serieus over dacht om Katherine te bedriegen.

Maar Richard zei op effen toon: 'Ja.'

'En hoe word ìk daar wijzer van?'

'Dan krijg je heel wat meer dan wanneer die vrouw de baas wordt.'

'Denk jij dus werkelijk dat je haar kunt tegenhouden?'

Richards stem klonk vol zelfvertrouwen. 'Met jouw hulp weet ik zeker dat het me lukt. Ik neem dit niet zomaar, zonder me te verzetten! Ik ben bezig de zaak vanuit verschillende hoeken te benaderen. Er bestaan wel degelijk manieren om haar uit te schakelen.'

Christina voelde zich letterlijk ziek van teleurstelling en over het pijnlijk aandoend bedrog. Ze draaide zich om en liep weg. Daar kon ze niet langer naar luisteren. De waarheid was dat Ross, die de reputatie had sluw en meedogenloos te zijn, met Richard samen plannen smeedde om Fortune International over te nemen.

En nu vormde Christina een bedreiging voor zijn plannen – een dreiging die uit de weg moest worden geruimd.

De rest van de ochtend sloot Christina zich op in haar kantoor, nadat ze Marie had gezegd dat ze niet gestoord wenste te worden. Ze had tijd nodig om na te denken over het gesprek dat ze had afgeluisterd. Het was duidelijk dat Richard probeerde een afspraak met Ross te maken om het beheer over Fortune International in handen te krijgen. Het ergste daarbij was evenwel het feit dat Ross over het voorstel scheen na te denken.

Meedogenloos en sluw. Die twee woorden kwamen steeds weer bij haar boven en herinnerden haar eraan dat de reputatie van Ross in de zakenwereld er een was van een rebel, die tot alles in staat was

185

om te slagen. Hij had al een hele weg afgelegd van de havens in Hongkong, waar hij als gewoon arbeider had gewerkt. Een man die een positie had bereikt als de zijne en zoveel macht had vergaard, zou dat alles niet zo gemakkelijk opgeven.

Ze draaide zich om met haar stoel, zodat ze naar de rij ramen in haar kantoor kon kijken. Grafieken, diagrammen, prospectussen en voorstellen waren tijdelijk vergeten. Het zou allemaal weinig te betekenen hebben als Ross een of andere overneming op touw zette die hij met behulp van Richard zou uitvoeren. Was dat werkelijk mogelijk? Had Richard een manier ontdekt om Katherine van haar zeggenschap over de onderneming te beroven?

Voor zover Christina wist, hadden de aandelen in de trust, dus haar aandelen, de meeste stemmen bij belangrijke besluiten. Hetgeen betekende dat, wat Richard ook van plan was, hij haar goedkeuring nodig zou hebben of haar aan de kant zou moeten schuiven.

Ze had er een barstende hoofdpijn van gekregen en kromp in elkaar toen Marie haar via de intercom belde. Ze liet hem twee keer overgaan voordat ze zich omdraaide en de hoorn opnam.

'Ja, Marie?'

'Meneer McKenna heeft net weer gebeld, omdat hij u wilde spreken. Wat wilt u dat ik tegen hem zeg?'

Ze aarzelde. 'Zeg hem dat ik al ben gaan lunchen en dat je niet weet hoe laat ik terugkom.'

'Maar, juffrouw Fortune...'

'Dank je, Marie. Dat is alles.' Ze legde de hoorn weer op het toestel. Even bleef ze zitten staren naar de berg papieren die op haar bureau en het lage dressoir lag. Ze kon absoluut niet met Ross haar ideeën bespreken over de redding van Fortune International als hij nu op het punt stond Katherine en haar te bedriegen.

Afwezig keek ze naar de talloze brieven, kaarten en uitnodigingen die er dagelijks voor haar arriveerden, zowel op Fortune Hill als op kantoor. Ze liep ze snel door en pauzeerde bij een elegant stuk perkament met in reliëf daarop de initialen JF. Erin zat een ruw, met de hand geschetste karikatuur. Zij was afkomstig van Julie Francetti, die vroeger in Boston had gewoond en nu in Sonoma.

Zes jaar terug had ze Julie ontmoet bij Goldman, Sachs. Julie was nogal lichtzinnig en vastbesloten als investeringsbankier goed te zullen slagen. Julie was toen in haar Alan Roberts-fase – haar toenmalige vriendje. Tot die tijd had er een snelle opeenvolging in Julies leven plaatsgevonden van een merkwaardig gevarieerde groep jonge zakenlieden-met-een-fantastische-toekomst, vooraanstaande artiesten en professoren. In tegenstelling tot Christina, die zelden afspraken maakte en nooit een serieuze relatie met een man begon, gooide Julie zich altijd helemaal in een nieuwe verhouding, ervan overtuigd dat déze aanbidder de ware Jakob zou zijn. Maar om een of andere reden liepen al haar vriendschappen verkeerd af en Julie was dan wekenlang gedeprimeerd, totdat de volgende vriend ten tonele verscheen.

Alan had tot dan toe het meest veelbelovend geleken, maar toen besloot hij, net als de anderen, nog niet rijp te zijn voor een blijvende relatie. Hij liet Julie in de steek, verhuisde naar een chique flat op West 57th Street in New York en nam zijn intrek bij een heel mooie huisgenote, die zelf een zeer succesvolle baan had bij een reclamebureau. Julie was er kapot van – en zwanger.

Zonder vragen te stellen of te preken, had Christina haar morele steun gegeven tijdens die weken van paniek en gedeprimeerdheid, die leidden tot Julies moeilijke besluit om de baby te laten komen en in haar eentje op te voeden. Toen, in de vierde maand, kreeg Julie een miskraam. Het vreselijke gevoel iets waardevols te hebben verloren, was nog erger dan het feit dat Alan haar had laten zitten.

Christina had haar de hele tijd bijgestaan, haar bij zich laten uithuilen als dat nodig was en aangemoedigd weer aan het werk te gaan toen ze zich eigenlijk het liefst helemaal had laten gaan. En uiteindelijk had ze begrepen dat misschien, heel misschien, het leven toch wel de moeite waard was.

En toen op een dag dook een aardige, nieuwe cliënt, Giancarlo Francetti III, die eigenaar was van de beroemde Francetti-wijngaarden in Californië, op in haar leven. Christina gaf Julie een goede raad – neem dit waar! Drie maanden later, na een intense hofmakerij van kust naar kust, ruilde Julie haar hoekkantoor met raam en prachtige zakenkleding in voor een huwelijk en een rustig leven op het land.

Een stralende Julie vertelde Christina: 'Ik ben niet van plan nu een slappe griet te worden die de hele dag op de bank naar *Oprah* en *Santa Barbara* zit te kijken. Ik blijf me bezighouden met investeren, maar deze keer voor Giancarlo en mezelf.'

Christina had Julie niets verteld over haar plannen om naar San Francisco te gaan. Maar toen haar foto en het verhaal in de kranten aan de Westkust verschenen, was Julie een van de eersten die contact met haar opnam – met bloemen en dat eigenlijk een beetje vreemde karikatuurtje dat ze altijd op kantoor tekenden op hun memo's aan elkaar.

'Hadden we het weleens over fortuinjagers (dit is geen woordspeling op Fortune!)? Waarom heb je me nooit verteld dat je zo'n rijke erfgename was? Maar als alle drukte een beetje geluwd is (als dat ooit gebeurt), moet je me bellen. Dan maken we een afspraak en kun je me alles eens haarfijn uit de doeken doen. Of, nog beter, kom naar Sonoma. Je kunt het niet missen. Vraag maar naar de Francetti-wijngaarden. We hebben zoveel bij te praten. Liefs, Julie.'

Die uitnodiging kwam precies op het juiste tijdstip. Christina wilde er even uit, want ze had tijd nodig om na te denken. Ze nam meteen een besluit en stopte de belangrijkste papieren in haar aktentas. Toen belde ze Marie.

'Heb je meneer McKenna mijn boodschap gegeven?'

'Ja. Hij was op weg naar een lunchafspraak en zei dat hij u vanmiddag zou bellen. Hij stond erop dat ik hem een tijd noemde waarop u geen verdere afspraken had. Ik hoop dat het goed is.'

Christina fronste haar wenkbrauwen terwijl ze de hoorn vasthield. Met wie was hij gaan lunchen? Met Richard?

Natuurlijk wilde Ross haar spreken, om te ontdekken wat voor ideeën ze had. Die wilde hij ongetwijfeld aan Richard doorspelen, zodra de gelegenheid zich daarvoor voordeed.

Ze zei: 'Ik kan meneer McKenna vanmiddag niet ontvangen en ga enkele dagen weg. Als iemand naar me vraagt, zeg dan maar dat je niet weet waar ik ben.'

'Maar, juffrouw Fortune...'

'Het spijt me, Marie. Ik kan je verder niets zeggen. Ik bel je nog wel.' En ze hing op.

Marie was gaan lunchen tegen de tijd dat Christina haar kantoor verliet. Het kantoor van Ross was donker en de deur gesloten. Ze voelde zich plotseling heel opgelucht en nog niet in staat hem persoonlijk tegenover zich te zien.

Enkele minuten later reed ze langs de Marina Boulevard, om de Marina-wijk met de jachtclubs en ligplaatsen van glanzende zeilboten heen en ook om de bekende, met bomen omzoomde toegang tot het Presidio. Toen stak ze de Golden Gate Brug over naar Marin en nam Highway 101, noordwaarts.

Het was begin oktober en een zachte, heldere dag. Christina had het jasje van haar taupekleurige linnen pakje uitgetrokken en de twee bovenste knopen van haar zijden blouse losgemaakt. Ze had de portierraampjes omlaaggedraaid en de wind blies door haar haren, waardoor haar keurige kapsel danig in de war raakte, maar dat kon haar niets schelen. Ze had gedachteloze vergetelheid tijdens de rit nodig, evenals de wind vrij door haar haren.

Ze passeerde uitgestrekte bruine velden, bedekt met een groene lappendeken van wijngaarden. Alle druiven waren reeds binnengehaald, behalve de soorten die de wijnboeren met opzet blootstelden aan de eerste flink koele nachten van de herfst, teneinde een speciale smaak te verkrijgen. Dan werden die soorten geoogst en snel naar de wijnmakerij gebracht, waar ze werden geplet, behandeld en weggezet om te fermenteren.

Sonoma had in die tijd van het jaar, nog voor de winterregens kwamen, een speciale schoonheid met zijn droge, bruine hellingen, die sterk contrasteerden met de weelderig groeiende wijnranken die nog vol en rijp aan de bomen hingen. Over een paar weken, als de herfst echt begon, zouden de bladeren verdorren en bruin worden en de wijnranken worden gesnoeid tot er niets meer dan een houten geraamte overbleef, dat tot het volgende seizoen bleef staan.

Zoals Julie had gezegd, waren de Francetti-wijngaarden gemakkelijk te vinden. Aardig gesneden houten borden stonden overal langs Highway 101, tot aan de afslag. De wijngaarden lagen vele kilometers lang pal aan de snelweg en strekten zich uit tot ver in de glooiende heuvels.

In de verte zag Christina het grote, roodhouten en crèmekleurig gepleisterde woonhuis. De wijnmakerij, met enorme stalen vaten, nestelde zich tegen de heuvel aan en was een verrassend ultramoderne voorziening om de traditionele oude soorten wijn te fabriceren.

In Santa Rosa had Christina Julie opgebeld om haar op haar bezoek voor te bereiden. Nu reed ze de hoofdoprit in en stopte voor de indrukwekkende ingang van het grote huis. Een van de enorme, dubbele eiken deuren ging onmiddellijk open en Julie kwam het trapje naar het bordes afvliegen om haar te begroeten.

Julie zag er gelukkig nog precies hetzelfde uit. Haar vlasblonde haren waren met een wit lint in een nonchalante paardestaart samengebonden en haar groenbruine ogen schitterden ondeugend. Het enige verschil was dat ze nu prachtig bruin verbrand was; in de stad had ze altijd een heel lichte huid gehad.

'Niet te geloven!' riep Julie uit en omhelsde Christina onstuimig. 'Ik dacht dat de berg naar Mohammed zou moeten komen.'

Christina grinnikte, en Julie deed een stapje achteruit om elkaar eens goed te bekijken. 'Zoals je ziet, heeft Mohammed besloten naar de berg te komen.'

Julie sloeg een arm om haar schouders. 'En het werd tijd! Ik begon al te denken dat het feit dat je nu zo'n rijke erfgename was je naar het hoofd was gestegen.'

'En ik dacht dat al die wijn dat bij jou had gedaan,' verweet Christina haar. 'Je had beloofd nog eens terug te komen naar Boston om me te bezoeken.'

· Julie trok een berouwvol gezicht. 'Ik weet het. *Mea culpa*. Maar de zaak moet constant in de gaten worden gehouden en Carlo is iemand die alles zelf wil doen. Hij wil overal bij zijn. Maar hij vindt dat ik voor het geld moet zorgen, want volgens hem heb ik daar een beter hoofd voor dan hij.'

Ze lachte verlegen tegen Christina. 'Om je de waarheid te zeggen, vind ik dat heerlijk! We staan elke ochtend heel vroeg op en rijden dan door de wijngaarden, wij samen. Het is heel gek, maar het lijkt net alsof we elke dag meer van elkaar gaan houden.'

Christina omhelsde haar stevig. 'O Julie, wat ben ik blij voor je! Je hebt al het geluk van de wereld verdiend.'

Julie keek plotseling ernstiger. 'Het enige nadeel is dat ik jou zo miste. We waren ook zulke goede vriendinnen! Wat hebben we samen niet allemaal meegemaakt. Ik wist altijd op jou te kunnen rekenen. Hier heb ik ook een paar aardige mensen leren kennen, maar niemand die jouw plaats kan innemen.' Plotseling keek ze vrolijker en besloot: 'Ik ben blij dat jij nu ook hier bent. Carlo is fantastisch, maar af en toe heb ik gewoon een vriendin nodig om mee te praten.'

'Ik begrijp je. Dat gevoel ken ik. Ik voel me vaak heel eenzaam.'

'Eenzaam? En je hebt nu weer een hele familie om je heen!'

Christina had geen zin om nu al over de harde werkelijkheid van de verhoudingen binnen de familie Fortune te gaan beginnen en zei wat vaag: 'Het is moeilijk weer op goede voet met hen te komen nadat ik zo lang zelfstandig ben geweest...' Haar stem stierf weg.

'Ja, dat zal wel,' zei Julie, wat verlegen. Het was duidelijk dat ze ernaar snakte Christina te vragen waarom ze bij haar familie was weggelopen en zo lang onder een andere naam had geleefd, maar ze beheerste haar nieuwsgierigheid en vroeg: 'Waar zijn je koffers?'

Christina hield haar diplomatenkoffertje omhoog. 'Het was een plotselinge beslissing, dat naar jou toe gaan. Dit is alles dat ik bij me heb.'

Julie lachte. 'Goed zo. Ik heb genoeg spullen die je kunt dragen, en – tenzij alle pasta die ik heb gegeten me dik heeft gemaakt, geloof ik toch dat we nog ongeveer dezelfde maat hebben. Ik denk dat we zulke goede vriendinnen zijn geworden omdat we elkaars kleren konden dragen.'

Christina lachte haar hartelijk toe. 'Wacht even, daardoor hadden we een dubbele garderobe.'

Julie haakte haar arm om die van Christina en leidde haar door het huis. 'Carlo is een paar dagen weg. Ik wil graag dat je hem weer eens ziet, maar in andere opzichten is het wel fijn dat hij ons niet voor de voeten loopt. We kunnen in dezelfde kamer slapen, de hele nacht blijven doorkletsen en mokka-amandelijs eten. En jij kunt mij vertellen hoe het is om een verloren gewaande en opgegeven erfgename te zijn. En ik zal jou inlichten over de enorm interessante facetten van de wijnhandel.'

Christina voelde hoe de spanningen uit haar wegtrokken. Julie was precies wat ze nodig had. Al was ze nu rustiger dan in de tijd bij Goldman, Sachs, toch was ze verder nog dezelfde: een prettige vrouw, met een nuchtere kijk op de wereld, iemand die je graag om je heen had. Alles in haar leven leek volmaakt te zijn. Ze aanbad haar man en samen leidden ze een idyllisch leven. Christina was echt blij voor haar, al kon ze een beetje jaloezie nauwelijks onderdrukken. Julies leven was ook zo compleet en het hare zo onzeker.

Het denken aan David Chen had haar eraan herinnerd hoe leeg en eenzaam haar gevoelsleven nu was, en het zien van de blijde Julie deed haar dat nog sterker ervaren. Ze hoopte vurig dat het niet altijd zo zou blijven en eens in staat te zullen zijn het verleden af te sluiten en te beginnen aan de opbouw van een leven dat meer inhield dan alleen haar carrière.

Ze bleven tot vroeg in de ochtend doorpraten, giechelend als tieners en alles ophalend dat de afgelopen drie jaar was gebeurd. Julie vermeed tactvol Christina naar de achtergrond van haar leven te vragen en besprak in plaats daarvan vrolijk haar eigen bestaan.

Vlak voor ze eindelijk gingen slapen, bekende Julie dat ze vier maanden zwanger was. Christina gaf een gilletje van verrukking en wenste haar enthousiast geluk.

'Ik vond al dat je een beetje een buikje had gekregen, maar wilde je er niet op wijzen. O Julie, wat ben ik blij voor je! Ik weet dat dit heel veel voor je betekent.'

'Eerst was ik doodsbang,' bekende Julie. 'Ik zat zo in angst weer een miskraam te zullen krijgen. Maar mijn dokter denkt dat die vorige vermoedelijk is ontstaan door alle moeilijkheden toen. En hij zegt dat er deze keer geen enkele reden bestaat om me zorgen te maken. Ik ben zo sterk als een paard en Carlo zorgt dat ik niet te veel doe. Hij behandelt me alsof ik van porselein ben. Maar ik moet zeggen dat het wel fijn is zo verwend te worden.'

'Wat wil je het liefst, een jongen of een meisje?'

'Ik weet dat het een cliché is, maar dat kan me echt niet schelen. Ik vind het fantastisch, wat het ook is. Mijn leven met Carlos is heerlijk en als we straks een kind hebben, is het volkomen volmaakt.'

Ze zweeg en keek Christina peinzend aan. 'O, Chris, ik zou zo graag willen dat je net zo gelukkig werd als ik.'

Christina slikte de brok weg die in haar keel was geschoten en glimlachte. 'Misschien komt dat nog. Over een tijdje.'

'Weet je, het is eigenlijk raar, gezien alles wat jij met mij hebt doorstaan, maar ik geloof niet dat ik je ooit heb gevraagd of jij kinderen wilt hebben.'

'Natuurlijk wil ik dat! Ik kan me niet voorstellen me mijn hele verdere leven alleen dood te staren op een carrière, hoe succesvol en bevredigend die ook is. Ik wil meer. Maar het hoeft niet direct mijn eigen kind te zijn. Ik zou er ook wel een willen adopteren.'

'Waarom?'

Christina fronste haar wenkbrauwen, niet helemaal zeker hoe ze haar gedachten onder woorden moest brengen. 'Toen ik op de straat leefde, ontdekte ik hoeveel ongewenste kinderen daar ronddoolden. Wegwerpkinderen, zoals we zoveel in onze wegwerpmaatschappij wegdoen. De mensen zeggen altijd dat er te weinig kinderen zijn om te adopteren, maar dat is niet waar. Er zijn genoeg kinderen, maar ze zijn al ouder, horen tot een minderheid of hebben problemen. En niemand wil ze hebben. Dat is het ergste wat je kan overkomen: te weten dat niemand iets om je geeft.'

Ze zweeg, ietwat verlegen omdat ze opeens zo ernstig was geworden. 'Sorry, Julie. Ik zou opgewonden moeten zijn om jouw goede nieuws en niet direct beginnen te oreren alsof ik op een zeepkist sta.' Christina was heel ontroerd. Eindelijk sprak ze met iemand die het niet kon schelen of ze nu Christina Fortune of Ellie Dobbs heette.

Toen Christina die ochtend even over negenen wakker werd, ontdekte ze dat Julie al op was en in de grote, blauw betegelde keuken rondliep in een te groot flanellen hemd en met kniekousen aan. De herfst hing al in de lucht en het was kil in het grote huis.

Julie duwde een beker sterke, donkere koffie in Christina's handen terwijl ze slaperig in de keuken heen en weer liep. Ze maakte een gebaar naar een kruk bij de lange ontbijtbar en zei: 'Ga zitten. Ik ben bezig het ontbijt te maken.'

'Doe je dat zelf?' Christina's stem klonk verbaasd. 'De laatste keer dat jij zelf iets op het vuur zette, moesten we het rookalarm uitschakelen omdat je het eten verbrandde en stond je hele flat vol rook.'

'Ja,' grinnikte Julie, 'dat was nog in de tijd dat ik probeerde Carlo te imponeren met mijn kookkunst. Ik heb de uitdrukking "gebakken vis" toen een heel nieuwe betekenis gegeven.'

Christina had haar handen om de beker geklemd en nam met gesloten ogen kleine teugjes van de naar noten smakende koffie. 'Je zet lekkere koffie.'

'Mr. Coffee en pakjes op maat zorgen voor lekkere koffie. Maar mijn Franse toost is fantastisch. Het is het enige dat ik kan maken dat gegarandeerd gegeten kan worden. Voor al het andere heb ik Louisa. Ze is minstens negentig en is hier al keukenmeisje sinds de grootvader van Carlos hier woonde. Ze is bijna blind door staar, maar kookt nog als de beste en wil niet met pensioen. Carlo zegt dat ze vermoedelijk op een dag voorover in de marinara-saus zal vallen en dan zullen we haar moeten wegdragen.'

Christina moest lachen.

En Julie ging verder: 'Eigenlijk vind ik marinara-saus niet zo prettig om in te eindigen. Ik zou liever in een vat wijn verdrinken – volmaakt geconserveerd worden in een heel speciale Chardonnay klinkt best lekker.'

Christina lachte haar vriendin toe over de rand van haar beker. 'Ik had hier echt behoefte aan.'

'Voel je je zo rot? De levenswijze van de heel rijken en beroemden is dus niet bepaald zoals wij denken.'

'Jij hebt het hier anders ook niet slecht,' merkte Christina op, terwijl ze rondkeek in de ultramoderne keuken met zijn grote ramen, die uitzicht op de wijngaarden boden. Maar wat ze van de rest van het huis had gezien toen ze aankwam, was Julie niet alleen gelukkig getrouwd maar had ze het ook financieel heel goed.

Al babbelend maakte Julie het ontbijt verder klaar en ten slotte zette Julie twee borden neer, opgetast met worstjes en Franse toost, gemaakt van zuurdesembrood. Heel nonchalant zei ze: 'Waarom heb je me in al die tijd dat we samen werkten eigenlijk nooit iets over die familie van je verteld? Ik moest het verdraaid in de *Chronicle* lezen, alsof het het laatste deel van een soap opera was.'

Christina zat opeens stil, met haar botermesje in de lucht. Toen ging ze langzaam verder met boter op haar toost te smeren. Tijdens de jaren bij Goldman, Sachs was Julie haar beste vriendin geweest. Ze hadden samen veel beleefd, maar wat familie betreft, had ze Julie in de waan gelaten dat ze die niet had. Nu werd het tijd voor althans een stukje waarheid.

'Toen ik nog jong was, was alles heel moeilijk voor me. Er waren nogal wat... problemen.'

Julie luisterde aandachtig. 'Wat voor problemen?'

Christina haalde zo luchthartig mogelijk haar schouders op. Ze kon de hele waarheid niet vertellen, nog niet. 'Ik denk nu dat het 't gebruikelijke was waarmee alle tieners te maken krijgen. Het was vooral moeilijk nadat mijn ouders waren gestorven. En ik liep weg, naar New York.'

'Je familie is er nooit achter gekomen waar je was?'

'Nee, ik leefde een tijdlang op straat en ontdekte toen hoe gevaarlijk dat kon zijn.' Ze hoorde hoe gespannen haar stem klonk en deed haar uiterste best luchtiger te doen. 'Uiteindelijk kwam ik bij het Huis van de Hoop terecht, kon een cursus doen om mijn middelbareschooldiploma te halen en ben toen in Boston naar de universiteit gegaan. De rest weet je.'

'Behalve het feit dat jouw familie toevallig tot de rijkste in het land behoort,' wees Julie haar terecht. Ze wilde iets zeggen, maar deed haar mond weer dicht terwijl ze door de keuken naar de kan met koffie liep om hun bekers opnieuw te vullen.

'Je wilde iets vragen,' hield Christina aan, die het gezicht van haar vriendin scherp in de gaten hield.

'Ik ben van gedachten veranderd.'

'Laat eens zien,' ging Christina door. 'Iets van "Waarom heb je niet eerder contact met hen gezocht"?'

'Goed dan.' Julie zette de kan neer. 'Waarom deed je dat niet?'

'Heel lang kon ik mezelf niet zover krijgen om terug te gaan of zelfs maar contact met hen te zoeken. De herinneringen waren te pijnlijk, maar ik heb altijd geweten dat eens te zullen doen. En dat "eens" was nu gekomen.'

'De erfenis,' zei Julie.

Christina was even eerlijk tegen haar als ze tegen Ross was geweest. 'Dat is een deel ervan, maar slechts een klein deel. Geld was nooit zo belangrijk voor me.'

'Dat zal wel, want om te beginnen ben je al weggelopen,' merkte Julie op. 'Maar als het geld onbelangrijk is en je ernstige problemen met je familie hebt, waarom ben je dan teruggegaan?'

Christina zag bezorgdheid en medeleven in Julies gelaatsuitdrukking. Ze wist dat ze haar volkomen kon vertrouwen, meer dan iemand anders in haar huidige leven, en ze kwam er bijna toe Julie de hele waarheid te vertellen, hetgeen meer was dan ze tegenover iemand anders had gedaan. Maar ze kon het niet. Nog niet. Pas wanneer alles voorbij was.

'Ik moet nog iets doen,' zei ze langzaam. 'Ik heb iemand iets beloofd.'

'En je wilt me niet vertellen wat dat is.'

'Ik kan dat nog niet. Misschien over een tijdje. Ik hoop... nou ja, ik hoop dat je het zult begrijpen. Ik weet dat het veel gevraagd is...'

'Kom, kom, daarvoor heb je vrienden. Als je voelt dat je het me wel kunt vertellen – als die dag ooit aanbreekt – dan hoor ik het wel. Tot dan aanvaard ik je beslissing.' Over de bar heen pakte ze Christina's hand en kneep er even zachtjes in. 'God weet dat jij, toen we nog in Boston waren, van mij heel wat dingen hebt aanvaard zonder ooit een vraag te stellen. En het is wel het minste dat ik nu kan doen.'

Toen lachte Julie weer vrolijk. 'Ik denk dat we het moeten onderbrengen onder het hoofd "onvoorwaardelijke vriendschap".'

Christina wist dat Julie niet zo blasé was als ze wilde doen voorkomen, maar ze waardeerde Julies geduld en begrip. En ze stelde vast dat dit wel heel anders was, deze trouw van Julie, dan al het gebrek aan vertrouwen dat ze van vrijwel iedereen in San Francisco had ondervonden.

'En hoe staat het met de croissants?' ging Julie door. 'Daar heb ik een zwak voor. Als ik doorga die in zulke hoeveelheden te eten, word ik nog een vette, zwangere vrouw en houdt Carlo niet meer van me.'

'Ik geloof niet dat dat ooit zal gebeuren,' verzekerde Christina haar.

Julies gelaatsuitdrukking verzachtte. 'Zal ik je eens wat zeggen? Dat geloof ik ook niet. Maar nu genoeg over mij. Ik wil alles over jou horen.'

Tijdens het ontbijt vertelde Christina Julie alles over de afspraak met Katherine, de analyse die ze gemaakt had van de moeilijkheden van de onderneming, haar ideeën over het financieel weer gezond maken ervan, haar diner met Ross in Chinatown en het gesprek dat ze toevallig had gehoord tussen Ross en Richard.

'Hemeltje!' zei Julie, met haar mond vol croissant. 'Als jij iets doet, doe je het goed.'

'Dat is niet het soort raad dat ik verwachtte,' zei Christina.

Julie schudde haar hoofd. 'Ik vrees dat ik niet zomaar een antwoord voor je heb. Dit is een heel ingewikkelde situatie.'

'Dat weet ík ook.'

'Hoe voel je je bij dit alles?'

Christina vatte het in één woord samen. 'Bang.'

Julie keek peinzend. 'Bij Goldman, Sachs heb je wel voor hetere vuren gestaan. Het gaat er meestal om dat je de sleutel vindt die in het slot past.' Voor Christina kon antwoorden, ging Julie omzichtig door: 'Hoe sta je tegenover Ross McKenna?'

Christina had erop zitten wachten. Julie had er slag van onmiddellijk tot de kern van de zaak door te dringen.

'Dat weet ik niet. Het is... nogal gecompliceerd.'

'Gecompliceerd op zakelijk gebied, of persoonlijk?' vroeg Julie, koppig aanhoudend.

Christina keek haar lange tijd aan. 'Nou ja, hij heeft nogal een reputatie.'

'Ja, in de slaapkamer en in de vergaderzaal. Ik heb gehoord dat hij al heel lang iets heeft met een of andere chique juffrouw in San Francisco.'

'Marianne Schaeffer – mooi, blond, slank en met alle juiste relaties. Haar vader is een investeringsbankier.'

Er verscheen een blik in Julies ogen die aangaf dat ze het nu begreep. 'En dat zou goed van pas kunnen komen als meneer McKenna de hele zaak zou willen overnemen.'

'Ja,' zei Christina langzaam. Natúúrlijk. Daar ging het om – de relatie van Ross met Marianne verschafte hem toegang tot een van de grootste investeringsbanken in het hele land. En hij had tegenover Richard toegegeven dat hij over een kredietspeculatie voor overname dacht als al het andere mislukte en Katherine er niet meer was die trouw van hem kon eisen.

Peinzend ging ze door. 'Het gaat erom dat ik niet weet of ik hem kan vertrouwen. Vooral nu.'

'Heb je hem al eens ronduit gevraagd wat daar eigenlijk gespeeld wordt?'

Christina schudde haar hoofd. 'Nee, ik besloot in plaats daarvan hierheen te gaan. Ik wilde een tijdje onder de druk vandaan zijn om kunstjes te vertonen alsof ik een gedresseerde zeehond ben.'

'Maar je hebt het nu over je grootmoeder,' antwoordde Julie. 'Zíj bekijkt de zaak toch niet zo.'

Zonder te antwoorden, stond Christina op en begon af te ruimen. Ze spoelde de borden af onder de kraan en kwam toen terug bij Julie, haar voorhoofd in peinzende rimpels getrokken. 'Er is één ding dat ik absoluut zeker weet.'

'En dat is?'

'Ik wil dit voor elkaar krijgen – ik sta niet toe dat een ander de onderneming in stukjes hakt en die dan bij stukjes en beetjes aan de hoogste bieder verkoopt.'

Julie zei: 'Nou ja, laten we, vandaag althans, de zaak vergeten en proberen ons te ontspannen, hè? Ga je een eindje met me rijden, door de wijngaarden? Die zijn prachtig om deze tijd van de dag. Dan denk je eens aan iets anders.'

Christina kreunde. 'Ik heb niet meer gereden sinds dat ellendige weekend, toen we naar het landgoed van de familie Lundy in West Virgina gingen om die fusie te vieren.'

Julie lachte. 'Ik herinner het me. Je viel van het paard op hetzelfde moment dat je probeerde op te stijgen en hebt toen helemaal niet meer gereden.'

'Ik weet dat jij en de anderen het grappig vonden, maar ik heb een week lang op een kussen moeten zitten,' antwoordde Christina spijtig.

Julie pakte haar bij de arm en sleurde haar mee de keuken uit. 'Kom mee. Het wordt tijd dat je die slappe zakenvrouwspieren van je eens goed gebruikt. Het zal je goed doen.'

Twee uur later wist Christina dat Julie gelijk had. De ochtendlucht was koel en fris en alles rook naar aarde, zon en het wijde, open landschap en ze reden langs de omtrek van de laatste wijngaard, waar nog geoogst moest worden. De arbeiders stonden gebogen in rijen de paarsrode trossen af te snijden met speciale messen. Daarna stapelden ze die hoog op in houten kratten, die ze gemakkelijk verplaatsen konden en naar het eind van elke rij brachten. Een open vrachtauto reed de kratten vervolgens voorzichtig over de onbestrate dienstweg die langs de rijen liep, waar ze daarna op een andere wagen werden geladen.

'Dat is de laatste pinot noir. We hebben de trossen dit jaar lang laten hangen, om de druiven iets zoeter te maken,' verklaarde Julie. 'Carlo experimenteert met een nieuwe variëteit voor een speciale reserve die we willen maken. Ik heb hem beloofd ervoor te zullen zorgen dat ze vandaag allemaal geplukt zouden worden.'

'Wat mooi is dit alles,' mompelde Christina waarderend. 'Die wijngaarden, de heuvels, de hemel! En geen flatgebouw te bekennen. Jullie hebben hier een paradijs.'

'Dat is het ook,' gaf Julie enthousiast toe. 'Wie had ooit kunnen denken dat ik met mijn manier van leven ooit in de wijngaarden terecht zou komen?' Ze draaide zich om in haar zadel toen de chauffeur van de vrachtauto haar riep. Er was een gesprek voor haar binnengekomen via de draagbare telefoon. Christina zag Julie naar de auto rijden en was verbaasd over haar zelfverzekerde houding. Die vormde een prettig contrast met de nervositeit en al de spanningen die haar bij Goldman, Sachs altijd hadden geplaagd.

Even later kwam Julie terug en vertelde haar: 'Dat was van de hoofdvestiging. Ze hebben wat problemen en ik moet ernaartoe.'

'Ik ga met je mee.' Christina kon niet voorkomen dat in haar stem de teleurstelling doorklonk die ze voelde omdat ze die plezierige rit voortijdig moest afbreken.

'Dat hoeft niet. Het kan daar wel een paar uur duren en is voor een ander saai. Blijf maar zo lang hier als je wilt. Je kent de weg terug toch wel, hè?'

'Ja, maar weet je het zeker? Ik voel me een deserteur.'

'Ik weet het zeker.' Julie draaide haar paard om. 'Dan zie ik je later wel weer als ik thuiskom.'

Christina wuifde haar na en reed toen met haar paard langs een van de rijen. Julie had over een beekje gesproken dat een eindje verderop midden in een bosje lag. Dat zou een heerlijke rustplek zijn en kon ze even uit het harde zadel. Het was intussen aardig warm geworden. Toen Christina het beekje had gevonden dat zich tussen de eikebomen door slingerde, steeg ze af, hield haar zakdoek in het water en depte haar gezicht en hals af terwijl ze het paard liet drinken. Het was er schaduwrijk en koel. Het enige geluid dat ze hoorde, was dat van het murmelende water dat over stukken steen en om de wortels van de eiken stroomde.

Haar paard snoof. Ze keek op haar horloge en zag dat het al laat werd; het werd tijd om naar huis terug te keren.

Ze pakte de teugels, zette een teen van haar laars, die ze van Julie had geleend, in de stijgbeugel en hees zich omhoog. Ze voelde haar spieren al; morgen zou ze waarschijnlijk flinke pijn hebben. Maar het was de moeite waard geweest. Ze had zich in lange tijd niet zo ontspannen gevoeld en haar gesprek met Julie had enkele van haar problemen opgelost. Het enige onzekere was Ross en zijn verhouding met Richard. Ze zou het hem maar ronduit moeten vragen.

Ze reed terug naar de wijngaarden, het bosje uit, net ten zuiden van de laatste rijen. De arbeiders waren al vertrokken naar een volgend deel. Ze zag in de verte een stofwolk, veroorzaakt door een vrachtwagen die langs het eind van de rijen reed.

De zon scheen warm door haar katoenen blouse en spijkerbroek, die ze eveneens van Julie had geleend. Ze had maar een uur of vier geslapen nadat zij en Julie elkaar eindelijk welterusten hadden gewenst. Vermoeidheid, hitte en de langzame gang van het paard maakten dat ze niet zo goed oplette als ze had moeten doen.

Plotseling weerklonk het scherpe geluid van een geweerschot door de lucht.

Er was geen tijd om te reageren toen haar paard geschrokken begon te steigeren. Ze klampte zich te laat stevig vast aan de teugels, voelde een vreselijke schok en werd toen uit het zadel geworpen. Onmiddellijk werd ze door een gevoel van misselijkheid overvallen. Haar eerste impuls was zich aan iets vast te klampen, wat dan ook – de teugels, een handvol manen, het zadel. Maar een deel van haar hersens dacht nog scherp genoeg na om in te zien dat het het beste zou zijn als ze probeerde van het dodelijk geschrokken dier, dat ze niet meer onder controle had, vandaan te komen.

Toen ze op de grond viel, werd ze even door een felle lichtflits verblind. Daarna voelde ze een vreselijke pijn en vervolgens niets meer.

Hoofdstuk 18

'Señorita? Señorita? Hoe voelt u zich?'

Die dringende woorden, gesproken in een mengelmoes van Engels en Spaans, boorden zich door de pijn en de grijze mist heen die zich om haar hersens had gevormd.

Christina knipperde even met haar ogen. De bezorgde jonge man die blijkbaar uit Latijns-Amerika kwam en zich over haar heen boog, had iets bekends. De mist verdween en ze voelde nu de grond onder zich en de zon, die gloeiend op haar scheen, en ze herkende de man – de chauffeur van de open vrachtauto.

Ze kwam langzaam overeind. De jonge man lachte vriendelijk tegen haar. 'Past u goed op, señorita. Misschien hebt u iets gebroken.'

Ze lachte moeizaam. 'Ik geloof dat alleen mijn trots gekwetst is. Ik wil proberen op te staan.'

Hij sloeg zijn arm om haar middel terwijl hij haar overeind hielp.

Zodra haar hoofd ophield met tollen en op één plek bleef staan, lachte ze hem aarzelend toe. 'Alles schijnt nog te werken.'

'U hebt een flinke buil op het hoofd, señorita. Ik zal u terugbrengen naar het huis.'

Hij liep met haar naar de vrachtwagen. Langzaam kroop ze in de cabine en leunde achterover tegen de versleten en gescheurde vinyl rug. Meteen sloot ze haar ogen, want de duizeligheid kwam weer terug.

Tegen de tijd dat ze het huis bereikten, was ze er vrijwel van overtuigd dat er niets ernstigs was gebeurd. De duizeligheid was weg, maar ze had wel het gevoel alsof haar hoofd twee keer zo groot was als normaal. Toen de chauffeur de oprit inreed, kwam Julie uit het huis geholde.

'Lieve God! Wat is er gebeurd? Ze belden me vanuit de stallen om te zeggen dat je paard alleen was teruggekomen. Mankeer je wat?'

Christina opende het portier en stapte uit. 'Ik mankeer niets en ben alleen maar gevallen. Het ene moment zat ik in het zadel en het volgende lag ik op de grond.'

Julie fronste haar wenkbrauwen. 'Dat begrijp ik niet. Dat paard is zo mak als een lammetje! Ik koos het speciaal uit omdat ik wist dat je er veilig op rijdt.'

De chauffeur kwam erbij staan en beiden legden nu een arm om Christina heen.

Christina keek op terwijl ze op haar vriendin steunde. 'Ik heb een geweerschot gehoord. Dat moet het paard aan het schrikken hebben gemaakt.'

Julie keek verbaasd. 'In de wijngaarden?'

'Si, señora,' zei de chauffeur. 'Wij hebben het ook gehoord.'

'Wat ik níet begrijp, is waarom iemand jaagt in een omgeving waar mensen aan het werk zijn,' merkte Christina op.

'Er werd niet gejaagd,' verklaarde Julie. 'Af en toe hebben we last van kraaien, die tijdens de oogst aan de druiven pikken, maar dan sturen we er arbeiders heen om ze te verjagen. Enrique, wordt dat vandaag ook gedaan?'

Hij schudde zijn hoofd. 'Er moet vandaag eigenlijk niemand daarmee bezig zijn, señora.'

'Wil je het voor me uitzoeken en ervoor zorgen dat er niemand met een geweer rondloopt? Dank je wel, Enrique, dank je omdat je juffrouw Fortune zo goed hebt geholpen.' Julie hield Christina stevig vast en liep met haar naar de vooringang.

Christina keek naar de fraaie, zwarte Jaguar die voor de deur geparkeerd stond.

Ross.

Ze keek Julie verbaasd en ontsteld aan.

'Hij is net aangekomen,' verklaarde Julie. 'Ik heb hem gezegd dat je aan het rondrijden was, maar hij stond erop te wachten tot je terugkwam.'

'Waar is hij?'

'In de studeerkamer.'

Toen ze de hal binnenstapten, kwam Ross de studeerkamer uit. 'Goeie God! Wat is er gebeurd?'

'Haar paard schrok van iemand die met een geweer bezig was in de wijngaarden. Ze werd afgeworpen.'

'Mankeer je niets?'

Ze wilde geloven dat hij werkelijk bezorgd was en zou zich graag tegen hem aan hebben gevlijd toen hij zijn arm om haar heen sloeg. Maar sprak hij de waarheid? Of speelde hij alleen heel goed toneel?

Ondanks haar protesten tilde Ross haar op. Toen hij Julie vragend aankeek, zei deze: 'Breng haar maar naar de studeerkamer. Daar staat een sofa.'

'Ik mankeer niets!' protesteerde Christina. Ze legde haar hand plat tegen de borst van Ross om hem weg te duwen, maar had meteen spijt van dat contact. Zijn warmte die ze door zijn dunne katoenen overhemd voelde, maakte dat haar hart sneller ging kloppen. Ze was bijzonder opgelucht toen hij haar op de sofa neerlegde. Julie legde een kussen achter haar en Ross drapeerde een plaid over haar benen.

'Ik mankeer niets,' herhaalde ze koppig. 'Heus! Ik heb alleen een verschrikkelijke hoofdpijn, dat is alles.'

Julie was echter niet overtuigd. 'Je hebt misschien wel een hersenschudding. Ik bel de eerstehulppost in Healdsburg op om te zeggen dat we onderweg zijn.'

Ze praatten over haar alsof ze een kind was. 'Dat is heus niet nodig.'

Julie nam daar evenwel geen notitie van en ging door: 'Ik zal Enrique de Wagoneer laten voorrijden.'

Christina ontweek de nieuwsgierige blikken van Ross toen Julie het huis verder inliep. Ze voelde de onuitgesproken vragen terwijl Ross daar bij haar zat, met zijn vingers luchtig tegen haar pols. Zijn aanraking maakte haar van streek, maar toen ze zich wilde terugtrekken, hield hij haar tegen bij haar pols.

'Hou je nou kalm en beweeg niet zo.'

Ze dwong zich recht in zijn felblauwe ogen te kijken. 'Wat doe jij hier eigenlijk?'

'Op het moment voel ik je pols.'

'Je bent geen arts.'

'Nee. Maar je hoeft geen expert te zijn om het verschil te kennen tussen een goed kloppende pols en een die slapjes of onregelmatig klopt.'

'Ik heb je al gezegd dat ik me goed voel,' herhaalde ze, en deed geen enkele moeite de boosheid die in haar stem doorklonk te verhullen. 'Hoe heb je me gevonden?'

'Dat was niet zo moeilijk. Van alles wat ik over jou te weten ben gekomen, wist ik dat je maar één vriendin had in de omgeving van de baai. Toen je die boodschap bij Marie achterliet, was het wel te raden dat je hierheen was gegaan. De vraag is alleen: waarom?'

Julie redde haar ervan een antwoord te moeten geven, want ze kwam terug uit het kantoor en verklaarde: 'De Jeep staat voor en ze verwachten ons bij de eerstehulppost.'

De dienstdoende arts bevestigde dat Christina geen hersenschudding had, alleen een flinke buil op haar hoofd. Afgezien van een paar blauwe plekken en pijnlijke spieren mankeerde haar niets. Zwijgend reden ze terug naar Julies huis.

'Ik zal eens zien wat Louisa heeft klaargemaakt voor de lunch,' zei Julie en verontschuldigde zich. Ze liet hen samen in de huiskamer achter.

Ross ging voor de glas-in-loodramen staan die uitzicht boden op de aangelegde tuin voor, het grasveld aan weerszijden van de oprit en een bosje hoge pijnbomen, waarachter de wijngaarden zich uitstrekten. Hij had de handen in zijn zakken gestoken en zijn gezicht stond peinzend toen hij zich omdraaide en naar Christina keek, die op de sofa lag. 'Ik mag Julie wel. Ze is rechtdoorzee.'

Christina keek op en vroeg zich af waarover hij en Julie in de wachtkamer hadden gesproken terwijl zij bij de arts in de onderzoekkamer was.

Hij voelde dat ze iets wilde vragen en Ross zei: 'Ze voelt zich heel beschermd tegenover jou.'

Christina keek neer op haar gebouwen handen. 'Julie en ik kennen elkaar al heel lang, maar dat weet jij natuurlijk ook.'

Hij keek haar aan. 'Toch zou ik graag willen weten waarom je hierheen ging zonder er iemand iets over te vertellen.'

Ze concentreerde zich op haar gevouwen handen. Het was gemakkelijker dan hem aan te kijken, en haar hoofd begon weer te bonzen. 'Ik had tijd nodig om over van alles na te denken.'

'Heeft het iets te maken met je plannen voor de onderneming?'

Ze dacht aan iets dat Julie die ochtend had gezegd – dat ze de zaak ronduit met hem moest bespreken. Ze wilde dat nu echter niet doen, want haar hoofd voelde aan alsof het in tweeën zou splijten. Aan de andere kant was het hier echter een goede omgeving voor zo'n gesprek, besefte ze. Ze waren niet in hun kantoor of op Fortune Hill, waar altijd elk moment iemand kon binnenkomen. Het was hier veilig, omdat het neutraal terrein was, en Julie was er ook. Daarom was Christina hier de vorige dag naartoe gegaan – omdat ze een veilig toevluchtsoord wilde hebben. Net zoals twintig jaar geleden, toen ze van huis was weggelopen.

Ze keek Ross strak aan en zei: 'Het heeft te maken met een gesprek dat ik jou gisteren met Richard hoorde voeren.' Ze nam hem scherp op om te zien hoe hij zou reageren en hield zich voor dat hij nooit iets zou tonen dat hij wilde verbergen.

Onmiddellijk keek hij bezorgd. 'Wat heb je gehoord?'

'Genoeg om Richards hoogst aanlokkelijke aanbod te horen.'

Tot haar verbazing zag ze dat zijn blik van bezorgdheid veranderde in opluchting. 'Dan heb je niet alles gehoord.'

'Wat bedoel je daarmee?'

'Ik bedoel dat ik zijn aanbod heb afgewezen.'

Ze keek hem ongelovig aan. 'Zomaar?'

'Ja, zomaar.' Hij leunde tegen de rand van het tafeltje onder het raam.

Hij bleef haar aankijken toen hij verder ging: 'In de loop van de jaren heeft hij me verschillende aantrekkelijke aanbiedingen gedaan om me, samen met hem, tegen Katherine te verzetten. Ik heb ze evenwel allemaal afgewezen.'

Nijdig voegde hij eraan toe: 'Als je wilt, kun je het aan Bill vragen. Je schijnt hem meer te vertrouwen dan mij.'

Ze wist dat het geen zin had tijd te verspillen met op die opmerking in te gaan. Ze vertrouwde Bill tot op zekere hoogte, maar wist dat hij

Ross trouw was en het altijd met hem eens zou zijn. Maar er waren nog anderen aan wie ze het kon vragen en dat wist hij.

'Weet Katherine van die aanbiedingen af?'

'Ja. Ik heb haar er steeds alles over verteld. En ik zal haar ook alles over deze laatste aanbieding vertellen.'

'Juist,' zei ze stijfjes. Ze was zelf verbaasd dat ze hem zo graag wilde geloven. 'Waaròm heb je zijn aanbod afgeslagen?'

De doordringende blauwe ogen, die haar constant aankeken, verraadden absoluut niets van de emoties achter die patriciërstrekken. Toen veranderde zijn gelaatsuitdrukking en glimlachte hij. Maar het was niet de jongensachtige lach die ze die avond in Chinatown zo aardig had gevonden. Deze was koel en gereserveerd.

'Richard zal de onderneming naar de ondergang leiden als hij er zeggenschap over krijgt. En ik heb geen tien jaar van mijn leven besteed aan de opbouw ervan om hem de hele zaak bij stukjes en beetjes te zien afbreken.'

Plotseling voelde ze er dringend behoefte aan tot diep in het innerlijk van deze man door te dringen. Ze wilde meer dan zo'n gemakkelijke uitleg. Ze wilde alles over hem weten. 'Dat geloof ik niet. Elke dag wordt er trouw gekocht en verkocht, en voor veel minder dan Richard jou aanbood. Je hebt datgene wat je hebt bereikt niet verkregen door een aardige vent te zijn die in trouw aan aan zijn werkgever geloofd.'

'Je hebt gelijk,' gaf hij zonder de minste aarzeling toe. 'Toch is dat een eigenschap die ik bijzonder naar waarde schat.' Zijn gelaatsuitdrukking werd plotseling veel zachter. 'Alles welbeschouwd, geloof ik dat er geen enkele manier bestaat om je ervan te overtuigen dat ik de waarheid spreek. Je zult me zonder meer moeten vertrouwen.'

'Waarom zou ik dat doen? Jij vertrouwt mij ook niet!' gooide ze hem voor de voeten. 'Je hebt mijn hele achtergrond door een detective laten napluizen.'

Hij deed geen enkele poging dat te ontkennen. 'Inderdaad, en daar gaat hij mee door tot hij me een antwoord op enkele van mijn vragen kan geven.'

'Waarom? Wat voor verschil maakt dat? Het kan Katherine niet schelen wie ik ben, zolang ik maar met haar spelletje meedoe, zodat zij de zeggenschap over Fortune International in handen kan houden.'

'Ik wil weten wie je wèrkelijk bent.'

De woorden werden op een koele, bijna nonchalante manier geuit. Maar daaronder lag een rotsvast besluit achter de waarheid te komen. Ze kreeg het er even benauwd van.

Zorgvuldig sprekend, ging hij door. 'Wie je bent, je identiteit – dàt is belangrijk. Dat is het allerbelangrijkste aan je.'

Van het begin af aan had ze hem boeiend gevonden, maar nu vond ze hem onweerstaanbaar. Ze moest zich dwingen eraan te denken dat ze zich niet door hem moest laten afleiden.

Ze stonden nu voor een impasse en dat wist ze. Ze had hem ermee geconfronteerd dat ze zijn gesprek met Richard had gehoord en hij had gereageerd op een manier die heel eerlijk leek. Meer kon er niet gezegd worden. Aan dat alles lag het onweerlegbare feit ten grondslag dat ze elkaar nodig hadden. Hij had haar samenwerking nodig als Christina Fortune, erfgename van het grootste pakket aandelen, en zij had hem nodig om haar te helpen de zaak goed te laten functioneren. Maar ze kon het niet over zich verkrijgen hem te vertrouwen.

Op dat moment kwam Julie de kamer binnen. 'Over een half uur kunnen we lunchen,' kondigde ze aan. Ze keek naar Ross en vroeg: 'Blijf je?'

Maar voor hij kon antwoorden, zei Christina verontschuldigend: 'Ik moet terug naar San Francisco.'

Julie was stomverbaasd. 'Maar je bent net hier! En je moet er niet aan denken zo spoedig na dat ongeluk alweer aan het werk te gaan. Je hebt rust nodig!'

Christina nam de hand van haar vriendin in de hare. 'Ik móet terug, Julie. Begrijp dat alsjeblieft.'

Julie keek van de een naar de ander en zuchtte toen nietbegrijpend. 'Goed,' zei ze, en kneep Christina even bemoedigend in haar hand. 'En bel me meteen op. Bovendien verwacht ik dat je gauw weer op bezoek komt.'

'Ik zal bellen,' beloofde Christina. 'Misschien kun je eens naar de stad komen, dan kunnen we samen ergens dineren.'

'Laat me maar weten wanneer,' zei Julie, en keek toen Ross aan. 'Zorg dat mijn vriendin niets overkomt.'

'Maak je niet bezorgd. Ik zal heel goed op haar letten.'

Julie was zich niet bewust van de dubbele betekenis van zijn woorden, maar Christina begreep precies wat hij bedoelde.

Ze was nog niet in staat met haar eigen auto terug te rijden en stemde er dus met tegenzin in toe met Ross mee te gaan. Ze liet haar auto bij Julie staan, die zei dat ze hem de volgende week naar San Francisco zou laten brengen.

Tijdens het grootste deel van de twee uur durende rit terug lag Christina met haar ogen gesloten en haar hoofd tegen de leuning van de bank. Ze was zich te zeer ervan bewust dat Ross de beslotenheid van het interieur van de wagen met haar deelde. Waarom was hij haar achternagekomen? vroeg ze zich af. Was hij bang dat ze zou verdwijnen? Maar dat zou hem toch niet kunnen schelen en hij zou dan waarschijnlijk zeggen: 'Daar zijn we mooi van af!'

Ze was zó gewend geraakt aan de stilte tijdens de rit dat ze opschrok toen hij plotseling zei: 'Zo gaat het niet langer. Wij staan beiden aan dezelfde kant en moeten samenwerken.'

Ze keek hem van terzijde aan. 'Bedoel je dat we elkaar volkomen moeten vertrouwen?'

Hij bleef op de weg voor zich turen. 'Ik ben daartoe bereid, als jij het ook bent.'

Ze kon haar oren niet geloven en haar eerste ingeving was dat het een soort val moest zijn. Probeerde hij haar nu te ontwapenen om zich later tégen haar te kunnen keren? Ze wist niet meer wat ze moest denken. Ze wist alleen dat ze er doodmoe van werd steeds op haar hoede te moeten zijn en ze verlangde ernaar zich te laten gaan, al was het maar een beetje.

'Ik ben geen sluwe oplichtster die op de erfenis uit is,' zei ze, en haar toon klonk indringend. 'Geloof je me?'

'Wil je de waarheid horen?'

Ze knikte en hield haar adem in terwijl ze op zijn antwoord wachtte.

'Ik weet niet meer wat ik van je denken moet. Aanvankelijk was ik er absoluut van overtuigd dat je ook een oplichtster was.'

'En nu?' drong ze aan.

'Nu...' Hij zweeg en maakte de zin toen af met een enigszins schorre stem. 'Nu weet ik niet meer wie je bent, maar ik ben bereid je te vertrouwen.'

'Volledig te vertrouwen?'

'Ik vertrouw niemand volledig.'

Ze zweeg een tijdje en zei toen: 'Goed dan.'

Hij keek haar even aan voordat hij zich weer op de weg concentreerde. In dat korte moment, waarin hun ogen elkaar ontmoetten, voelde ze dat de muur tussen hen een klein beetje begon af te brokkelen.

Ross bood aan haar naar Fortune Hill te rijden, maar ze vroeg hem haar regelrecht naar kantoor te brengen.

Tijdens de rit van Sonoma naar San Francisco had ze een besluit genomen. Ze kon Ross niet helemaal vertrouwen, maar ze zou op hem af moeten gaan.

De rust had haar wel goed gedaan, maar haar spieren begonnen pijn te doen. Toen ze uit de lift kwam en Ross doorliep naar zijn eigen kantoor, keek Marie haar bezorgd aan.

'Welkom thuis, juffrouw Fortune.' Toen zag ze hoe bleek en vertrokken Christina's gezicht was. 'Er mankeert u toch niets?'

'Nee, alles is in orde, Marie. Ik kom alleen even langs om te vragen of er iets dringends voor me is. Ik verwacht enkele gegevens van de technische dienst. Zijn die al gekomen?'

'Ja. Brian Chandler heeft ze vanochtend gebracht. Hij verzocht me tegen u te zeggen dat het hem speet dat u niet aanwezig was, maar dat hij u vrijdag wel bij het diner zal zien.'

Christina was vergeten dat ze aanstaande vrijdag een afspraak had om met Diana en Brian te dineren, voordat ze naar de openingsavond in de opera gingen. Dat zou haar laatste avond uit zijn nu ze had geweigerd om nog verder sociale verplichtingen aan te gaan en ze verheugde zich er niet op.

Ross kwam net terug van zijn eigen kantoor waar hij even zijn bescheiden door had gekeken en stond te wachten om haar naar haar huis te rijden.

'O, juffrouw Fortune,' riep Marie haar na toen ze zich omdraaide om te vertrekken. 'Ik vergat bijna dat Richard Fortune heeft gezegd dat hij u graag in zijn kantoor zou zien wanneer u terugkwam.'

Christina keek Ross even verbaasd aan. Sinds ze was teruggekeerd uit Hawaii en op Fortune Hill was gaan wonen, had Richard een uitvoerig stilzwijgen in acht genomen.

'Wat zou hij willen?' vroeg ze aan Ross, die met haar meeliep naar het enorme kantoor van Richard, dat aan het eind van de gang lag.

Richards secretaresse begroette hen. 'Gaat u maar naar binnen, juffrouw Fortune. Ik heb meneer Fortune al gezegd dat u terug bent. Hij verwacht u.'

Ross deed de deur voor haar open, maar de secretaresse zei meteen: 'Hij wil juffrouw Fortune alléén ontvangen, meneer McKenna.'

Ross glimlachte beleefd. 'Daar twijfel ik niet aan, mevrouw Fleming.' Toen duwde hij Richards deur verder open voor Christina en volgde haar het grote vertrek in.

Richard keek op en er verscheen een geïrriteerde blik in zijn ogen toen hij Ross met Christina zag binnenkomen.

'Dit is niet iets dat jou aangaat, Ross.'

'Alles wat de maatschappij betreft, gaat mij aan. Waarover wilde je met Christina praten?'

Richard was woedend over de koppigheid van Ross, die er duidelijk op stond te blijven, maar hij kon er weinig aan doen. Ross wilde blijkbaar niet weggaan.

'Goed dan,' gaf hij met tegenzin toe.

Hij wendde zich tot Christina en keek haar zó koud en minachtend aan, een blik die toch ook een zekere triomf inhield, dat ze onwillekeurig huiverde. Instinctief voelde ze dat ze in gevaar verkeerde.

Hij begon heel zorgvuldig. 'Van het begin af aan berustte je succes in de rol van mijn nicht op vertrouwelijke gegevens die alleen Christina kende.'

'Ik speel geen rol,' gaf Christina hem meteen ten antwoord.

'O, ik geloof van wel. En, wat belangrijker is, ik weet hoe je dat hebt gedaan.'

Hij haalde een sleutel uit zijn zak en maakte de gesloten la van zijn bureau open. Daar nam hij een dun boekje uit en legde het midden op zijn bureau, waar Ross en Christina het duidelijk konden zien.

Het dagboek.

Néé, dacht Christina.

'Wat is dat?' vroeg Ross verward.

Christina had weg willen hollen, zo ver en zo hard ze maar kon. Maar in plaats daarvan verzamelde ze al haar moed en ging over tot de aanval. 'Dat is het dagboek dat ik als jong meisje steeds heb bijgehouden. Richard heeft het gestolen!'

'Jíj bent degene die het gestolen heeft!' snauwde Richard. 'Op de een of andere manier heb je dit dagboek en het halssnoer gestolen. En ze beide gebruikt om een zieke oude vrouw ervan te overtuigen dat jij haar zo lang dood gewaande kleindochter was.'

Ross staarde Christina aan. Ze zag even een schaduw van twijfel in zijn ogen opkomen vóór hij erin slaagde weer een nietszeggende uitdrukking aan te nemen. 'Wat staat er zoal in dat dagboek?' vroeg hij.

Vóór Christina kon antwoorden, kwam Richard tussenbeide. 'Alles dat een oplichtster nodig heeft om zich als Christina Fortune voor te doen. En nog meer – dingen uit haar tijd in New York die verklaren wie deze oplichtster in werkelijkheid is.'

Hij belde zijn secretaresse. 'Wilt u die meneer mijn kantoor binnenbrengen, mevrouw Fleming?' Hij wendde zich vervolgens weer tot Christina, die als aan de grond genageld voor zijn bureau stond en zei: 'Nu komt er iemand binnen die je graag wil zien. Iemand die je je wel zult herinneren.'

Mevrouw Fleming deed de deur open en kwam weer binnen, gevolgd door een gezet mannetje dat een slechtzittend witlinnen zomerpak droeg dat in de herfst in San Francisco bijzonder uit de toon viel. Het pak was zo gekreukeld dat het leek of hij erin had geslapen. De man had zijn ouderwetse, brede das losgemaakt, die nu scheef om zijn dikke hals hing. Hij droeg een strohoed met een smalle rand en een donkerbruin lint om de bol ervan.

Hij mompelde 'Bedankt' tegen mevrouw Fleming, omdat ze hem had binnengelaten en wendde zich toen tot Richard. Met een brede zwaai nam hij zijn hoed af en ontblootte een kalend hoofd en een rood gezicht. Met een zwaar, zuidelijk accent zei hij: 'Dag, meneer Fortune. Leuk u weer te zien.'

Toen bleef zijn blik op Christina rusten. Hij staarde haar aan en zijn lichtgrijze, wimperloze ogen boorden zich in de hare. Er verscheen een glimlach vol zelfvertrouwen om zijn dunne lippen. 'Dag, Ellie, m'n schat. Ken jij je oude stiefvader nog?'

Hoofdstuk 19

Christina keek naar Ross. Deze keer had zelfs zijn befaamde zelfverzekerdheid een schok gekregen en de verbijsterde uitdrukking in zijn ogen toonde maar al te duidelijk wat hij voelde. Nog geen uur tevoren had hij aangeboden haar te vertrouwen. En nu...

'Ellie, zou je je stiefvader niet eens begroeten?' De stem van Richard klonk triomfantelijk. 'Tenslotte hebben jullie elkaar in meer dan twintig jaar niet meer gezien!'

Tegen Ross zei hij: 'Dit is Cal Loomis, uit Memphis in Tennessee. Cal is Ellie Dobbs' stiefvader.'

'Middag,' zei Loomis, en knikte tegen Ross. Toen nam hij de hoed in zijn andere dikke hand en wendde zich weer tot Christina. 'Ik weet dat dit een verrassing voor je moet zijn, schat. Het was ook een verrassing voor je ma en mij toen deze heer contact met ons zocht en zei dat hij wist waar jij was. Na al die jaren hadden we de hoop opgegeven je ooit nog terug te zien.'

Het enige dat ze kon doen, was vol afschuw Loomis aanstaren. *Na al die jaren...* Ze had nooit gedacht... Maar ze had kunnen weten dat als Ross tot diep in haar verleden ging zoeken, Richard nog dieper zou gaan. En hij had het dagboek in zijn bezit dat hem daarbij kon helpen.

Al het bloed was uit haar gezicht weggetrokken en ze had haar handen tot ijskoude vuisten samengebald. In haar mond proefde ze een sterke, metaalachtige smaak, die haar diepgewortelde vrees, vermengd met afkeer, opwekte. Ze kende Loomis, ja – en ze wist wat hij twintig jaar geleden een vijftienjarig meisje had aangedaan. Nu stond hij op het punt opnieuw ellende te veroorzaken.

Ze keek hem woedend en vol afkeer aan. 'Hoeveel krijgt u van Richard?'

Loomis schrok van haar onverwachte vraag en knipperde verward met zijn ogen. 'Ik, hm...' Hij zocht naar woorden. 'Toe, kom nou, Ellie. Zo praat je toch niet tegen je stiefvader? Je ma zou zijn meegekomen, maar ze voelt zich de laatste tijd niet zo goed en vond dit reisje te vermoeiend voor haar.'

Ze had een prop in haar keel en moest puur gal wegslikken, alleen al bij de gedachte met deze man in één vertrek te zijn. Ze dwong zich door te gaan. 'Ik vroeg hoeveel hij u heeft gegeven om mij in diskrediet te brengen.'

'Nou, nou, Ellie...' zei hij vleiend. 'Je weet dat je zó niet moet praten, ook al zijn we geen regelrechte familie en alleen maar aangetrouwd. Heb je me niets aardigs te zeggen na al die jaren? We hebben ons zó bezorgd om je gemaakt. Je hebt ons nooit eens laten weten waar je was, en zo.'

Ondanks zijn zelfverzekerde woorden voelde ze dat hij zijn oorspronkelijke zelfvertrouwen kwijt was. Hij bleef ook steeds tersluiks naar Richard kijken, alsof hij een bevestiging wilde dat hij de juiste feiten opsomde.

De onzekerheid in de grijze ogen van Loomis gaf haar weer moed. Ze hield de afschuw en woede vast die zich in haar vastnestelden en die ze nodig had om deze man te verslaan, die zo veel ellende en doodsangst had veroorzaakt.

Heel langzaam en met veel waardigheid zei ze: 'Mijn naam is Christina Grant Fortune en níet Ellie Dobbs.'

Ze keek Ross niet aan, maar wist dat hij haar onderzoekend aanstaarde en naar aanwijzingen van verwarring bij haar zocht. Maar ze voelde zich niet langer verward. Ze was vastbesloten om die Loomis voor gek te zetten en daarmee tegelijkertijd een vrees te doen verdwijnen die haar al meer dan twintig jaar half verlamd had. Ze wilde hem laten lijden zoals hij een hulpeloos, jong meisje leed had bezorgd.

'Hoeveel betaalt hij u?' vroeg ze weer en verhief nu haar stem.

Hij draaide zijn hoed rond en keek even onzeker naar Richard. 'Ik geloof... er werd gesproken over tienduizend,' zei hij hoopvol, en voegde er meteen aan toe: 'plus mijn onkosten voor de reis hierheen. En dat is alleen maar eerlijk. Tenslotte is het leven voor je ma en mij niet zo gemakkelijk geweest.'

'U wordt er dus goed voor betaald om te beweren dat ik Ellie ben.'

Loomis aarzelde en antwoordde toen: 'Wacht jij eens even. Ik zou daar nooit om liegen. Jij bènt Ellie, dat staat vast. Denk je soms dat ik mijn eigen stiefdochter niet zou herkennen?'

De pijn van haar val, haar vermoeidheid en de oude, machteloze woede gaven haar het gevoel alsof ze elk moment door haar knieën zou zakken. Maar ze dwong zich te blijven staan, zelfs al verafschuwde ze het die man daar te zien. Er was geen heenkomen om aan die man te ontsnappen en ze moest hem duidelijk maken wat ze van hem dacht.

Ze kon niet toegeven aan haar ware gevoelens, nòg niet. Op dit moment stond er net zoveel op het spel als die eerste dag in de vergaderzaal van Fortune International.

'Wonen jullie nog steeds in Beecham's Landing, bij Memphis?' vroeg ze met vaste stem.

Hij knikte. 'Ja. Zelfde huisje, zelfde dorp ook.'

'Hebt u nog steeds een handel in bijbels?'

'Ja.' Hij verklaarde dat nader tegen Richard en Ross. 'Ik verkoop godsdienstige boeken en platen, en dergelijke.'

'En u bent natuurlijk nog steeds een eerzaam lid van de gemeenschap,' ging Christina door, met een door sarcasme enigszins verwrongen stem.'

Hij antwoordde trots: 'Inderdaad. Ik ben diaken van de Bevrijdende Baptistenkerk.'

'Wat is dit voor tijdverspilling!' snauwde Richard tegen Christina. 'Het wordt tijd dat je eens ophoudt met dat spelletje en vertrekt voordat ik je laat arresteren.'

Christina nam geen notitie van hem en concentreerde zich op Loomis. Haar stem klonk duidelijk en vast toen ze zei: 'Weten de brave burgers van Beecham's Landing dat u twintig jaar geleden uw vijftienjarige stiefdochter mishandeld en verkràcht hebt?'

Plotseling viel er een stilte in het vertrek. Richard keek even verbaasd naar Loomis en Ross staarde Christina aan alsof hij haar voor het eerst zag.

De beschuldiging had al het zelfvertrouwen van Loomis vernietigd, en wàt hij ook van deze ontmoeting had verwacht, dit zeker niet. Hij verstijfde, en zijn woede was duidelijk te bespeuren, maar hij deed zijn uiterste best zich te beheersen.

'Dàt is een leugen!' schreeuwde hij, en er verschenen zweetdruppels op zijn voorhoofd. Hij veegde ze af met een verkreukelde zakdoek, waarmee hij daarna over zijn mond streek. Zijn gezicht was asgrauw geworden.

Christina keek Richard aan. 'Je wilde toch de waarheid weten! Die zul je horen! Twintig jaar geleden heeft deze gestoorde, afschuwelijke man op brute wijze zijn stiefdochter verkracht! En dáárom is ze weggelopen.'

Ze wendde zich weer tot Loomis en eindigde met een kille stem. 'De enige vraag is nu, meneer Loomis, hoeveel u bereid bent op het spel te zetten voor tienduizend dollar plus onkosten. Uw goede reputatie? Uw positie als diaken? Uw zaak? Ik beloof u dat, als u zweert dat ik Ellie Dobbs ben, ik naar de sheriff van Beecham's Landing zal gaan en u zal beschuldigen van verkrachting.'

'Dàt kun je niet doen!' schreeuwde Loomis. 'Ik weet dat er een verjaringswet bestaat. Je kunt me niet beschuldigen van een misdaad die twintig jaar geleden is gepleegd.'

Christina krabbelde echter niet terug. 'Misschien niet. Maar ik kan wèl een civiele procedure voor schadevergoeding tegen u aanspannen. Ik weet zeker dat de plaatselijke krant zo'n bericht graag zal opnemen. Iedereen in het dorp zal weten wat u gedaan hebt. Ik heb gehoord dat de mensen in kleine, Zuidelijke gemeenschappen heel rechtschapen zijn. Stel u eens voor wat er zal gebeuren als de brave mensen van Beecham's Landing de waarheid ontdekken! Wat gebeurt er dan met uw zaak? Hoeveel mensen zullen er dan nog bijbels van een verkrachter kopen?'

Vastbesloten eindigde ze met: 'Ik zal u net zo hard laten lijden als u Ellie hebt laten lijden en zal pas ophouden als u niets meer hebt.'

Loomis keek angstig van Christina naar Richard. 'U zei dat dit gemakkelijk zou gaan!'

Richard keek hem woedend aan. 'Genoeg! Dat zijn loze dreigementen. Ze kan níets bewijzen.'

Christina nam niet de moeite Richard aan te kijken. Haar donkere ogen vestigden zich strak op Loomis en ze fluisterde: 'Ik kan het bewijzen.'

Loomis streek weer over zijn lippen en stamelde toen hees: 'Het is al twintig jaar geleden... misschien vergis ik me en is ze niet Ellie. Haar gezicht ziet er wel zo'n beetje hetzelfde uit en ze heeft dezelfde kleur haar en ogen, maar...' Hij lachte, een nerveus geluid van iemand die in het nauw was gebracht. 'Om u de waarheid te zeggen, kan ik niets met zekerheid verklaren.'

'Je was anders zeker genoeg toen je haar voor het eerst zag,' schreeuwde Richard.

Loomis stond onzeker heen en weer te schuifelen. 'Tja, maar nou weet ik het níet zeker!' bracht hij toen uit. 'Hoe meer ik naar haar luister en naar haar kijk, hoe meer ik ervan overtuigd ben dat ze Ellie níet is.' Hij verfrommelde de hoed in zijn dikke handen en begon achterwaarts naar de deur te lopen. Net toen hij zichzelf wilde uitlaten, aarzelde hij. 'Ik neem aan dat er nou niet veel kans meer is dat u me een deel van dat geld geeft?' vroeg hij Richard. 'Tenslotte ben ik helemaal hierheen gekomen, zoals u me vroeg.'

Vóór Richard kon antwoorden, zei Ross, met een stem die al zijn afschuw verraadde: 'Eruit, Loomis!'

Loomis greep naar de knop. 'Ja, meneer!' Toen voegde hij er snel nog aan toe, alsof hem dat het beste leek: 'Goedemiddag, juffrouw Fortune.'

De deur viel met een klap achter hem dicht.

Ze was zó van streek dat Christina ervan overtuigd was dat ze zou neervallen als ze zou proberen te lopen. Ross scheen het aan te voelen. Hij liep op haar toe en sloeg zijn sterke arm om haar heen. Terwijl hij haar zo uit het kantoor leidde, zei hij tegen Richard, die verstomd van woede stond te kijken: 'Zorg ervoor dat Christina haar dagboek terugkrijgt, of ik zal je een proces wegens diefstal aandoen.'

Toen ze even later in het kantoor van Ross waren, schonk hij Christina wat brandy in. Ze schudde haar hoofd, maar hij hield aan. 'Na wat jij vandaag hebt doorgemaakt, ben je er wèl aan toe.'

211

Ze dronk het drankje langzaam op. Ross keek naar haar en probeerde door dat masker van zelfbeheersing heen te kijken waarachter ze zich nu weer had verscholen. Vanaf het eerste moment dat ze de vergaderzaal was binnengekomen, was hij verrast geweest zoveel sympathie voor haar te voelen. Hij had zijn hele leven moeten vechten en aangevoeld dat zij dat ook had moeten doen.

Sinds die eerste ontmoeting in de vergaderzaal had hij gezien hoe ze reageerde op veel verschillende gebeurtenissen. Hij had gezien dat ze sterk was, koel bleef als ze onder vuur werd genomen en zelfverzekerd, zo koel en rustig als maar mogelijk was. Ook had hij haar boos gezien, maar slechts een enkele keer had hij haar zo kwetsbaar gezien als ze was toen ze Loomis zag binnenkomen. Die kwetsbaarheid was bijna hartbrekend geweest om aan te zien.

Maar ze had dat gevoel snel gemaskeerd en geweigerd zich door de beweringen van Loomis of de tactiek van Richard te laten intimideren. In die gevaarlijke confrontatie had ze alles op het spel gezet en desnoods willen verliezen om zich te verdedigen. Op dat moment had ze hem zó heftig aan zichzelf doen denken dat hij het gevoel had gekregen dat het er eigenlijk niet meer toe deed of ze Christina Fortune of Ellie Dobbs was. Wíe ze ook was, ze was een fantastische vrouw.

Nu stond ze met haar voorhoofd tegen de ruit gedrukt op de stad neer te kijken terwijl ze het glas met beide handen vasthield. Die handen trilden toen ze met tegenzin nog een slokje nam.

Hij wist dat ze wilde dat hij in haar geloofde... en tot zijn eigen verbazing ontdekte hij dat hij dat liever dan wat ook wilde doen. 'Hoe wist je wat er met Ellie is gebeurd?' vroeg hij rustig.

Even antwoordde ze niet en bleef het stil, in het kantoor achttien etages boven de drukke stad. Ze staarde naar buiten en dacht na en haar stem werd bijna een gefluister. 'Als je met iemand samen in de hel bent geweest en dat overleeft, sta je elkaar heel na...'

Christina en Ellie liepen samen over het pad in Central Park. Het was laat op een ochtend midden in de winter. Van geld dat Ellie had gestolen van een tafeltje op een aan de straat grenzend terras hadden ze warme, zoute krakelingen gekocht.

Beiden snakten nog naar adem omdat ze hard waren weggelopen, met een jeugdige kelner op de hielen die zijn fooi terug wilde hebben. Toen ze niet meer konden, bleven ze bij de eerste man staan die iets eetbaars verkocht, want ze hadden al twee dagen lang niet meer gegeten.

'Ik zéi je toch dat ik iets voor ons zou bemachtigen.' Ellie lachte zachtjes terwijl ze de zachte, warme krakeling in haar mond stopte. 'Hemel, ik wist niet dat iets zó lekker kon smaken!'

'Ik kan niet geloven dat je dat geld zo maar stal!' zei Christina tussen twee happen door.

'Je maag gelooft het wèl,' zei Ellie grinnikend. Toen voegde ze er ernstig aan toe: 'Maar ik doe het niet graag. Omdat jouw geld een paar dagen geleden op is geraakt en we toch moeten leven, móest ik wel. Maar nu moeten we werk zien te vinden.'

Christina keek haar somber aan. 'Wat voor werk kunnen wij nou krijgen? Wie neemt twee meisjes van vijftien in dienst?' Haar stem brak bijna en haar ogen stonden vol tranen. Ellie sloeg haar arm om de schouders van haar vriendin.

'Kop op. We vinden wel wat. Maar niets zoals die gemene Jackson ons aanbood,' zei Ellie vastbesloten. 'Ik wil geen hoer worden, al heb ik andere meisjes dat wel zien doen,' voegde ze eraan toe.

Ze liepen samen verder het park in. Het was begin december en een van de zeldzame warme dagen die iedereen in New York zo af en toe verraste. Het had al dagenlang niet meer gesneeuwd, de zon scheen helder en het was vol in het park. Er liepen keurig aangeklede zakenmensen, secretaresses in minirokken en hoge laarzen en jonge moeders met peuters in sneeuwpakjes tegen de kou.

'Ik wandel hier zo graag,' zei Ellie. 'Het is hier zo mooi en rustig, bijna net als thuis, en de mensen lijken zo blij – wanneer ze niet net tegen de oorlog of zo iets demonstreren. Ik zie zo graag gezinnetjes, moeders met kinderen, jonge paartjes en blijde mensen.' Haar stem klonk spijtig.

'Mis je je familie?' vroeg Christina. Af en toe kreeg ze een vreemd gevoel van verlies en eenzaamheid dat niets te maken had met de mensen die ze had achtergelaten, maar meer met haar gedachte hoe alles had kunnen zijn als haar vader en moeder in leven waren gebleven.

Ellie schudde haar hoofd. 'O, nee! Het kon niemand iets schelen dat ik er was. Ik weet zeker dat ze blij zijn dat ze van me af zijn.' Het waren harde woorden, uitgesproken met een harde stem, maar ze had haar gezicht afgewend en keek naar de speelplaats waar kleuters aan het schommelen waren, waarbij hun gelach luid opklonk.

'Waarom ben jíj weggelopen?' vroeg Christina zachtjes, terwijl ze bleef staan om haar laatste stukje krakeling aan de eekhorentjes te geven. Ellie liep zwijgend door.

'Ellie! Wacht eens even!' Christina holde om haar weer in te halen en ze was buiten adem toen ze eindelijk weer naast haar liep. 'Ellie...' Ze trok haar vriendin aan de arm, niet gewend dat er zo'n zwijgen tussen hen viel. Ellie was meestal een babbelkous en het leek of ze haar mond niet kon houden.

'Ellie, het spijt me, ik wilde niet nieuwsgierig zijn...'

Plotseling wendde Ellie zich naar haar toe met haar ogen vol tranen. Ze lachte niet meer en haar mond was vertrokken. 'Mijn stief-vader begon me te leuk te vinden,' bracht ze uit. Nu ze eenmaal was begonnen, was ze niet meer te stoppen. 'Hij en mijn moeder waren pas een paar jaar getrouwd, nadat mijn eigen vader was verdwenen. Zij en Cal trouwden en toen kreeg ze mijn broertje en zusje, vrij vlak na elkaar. Na de geboorte van mijn zusje voelde ze zich niet goed meer en ik denk dat ze niet kon....' Haar stem brak en ze wreef met de achterkant van haar mouw over haar ogen. 'Toen begon hij 's nachts naar mijn kamertje te komen.'

'O, God!' fluisterde Christina, en ook zij begon bijna te huilen; haar keel leek dichtgeknepen te worden. 'Je hoeft niet verder te gaan, hoor.'

'Ja, dat wil ik wèl,' riep Ellie uit. 'Ik moet het aan iemand kwijt, of ik ga nog dood omdat ik het allemaal opkrop!'

Ze haalde een paar keer diep adem om zichzelf weer onder con-trole te krijgen en ging toen door. 'Eerst kwam hij alleen maar en ging dan op de rand van mijn bed zitten. Ik begreep het niet. Hij was altijd dronken. Dan zeurde hij over zijn werk en hoe moeilijk het was de kost te verdienen voor een vrouw en drie kinderen. En dan hield hij mijn hand vast. Ik dacht dat vaders dat altijd deden.'

Ze snikte en kreeg de hik, maar ging toch weer door. 'Voor ik wist wat me overkwam, begon hij me op andere plaatsen aan te raken. Toen ik tegen hem zei bang te zijn en ik niet meer wilde dat hij dat deed, zei hij dat het mijn plicht was omdat mijn moeder zo ziek was.'

'Ellie, hou op!' smeekte Christina haar, maar Ellie ging door.

'Op een dag, na de kerk, zei hij dat hij het niet meer zou doen. Maar de volgende avond kwam hij weer dronken thuis. Mijn moeder en de baby's sliepen. Hij kwam naar mijn kamertje en ik rook de alcohol.' Ze wreef met de rug van haar hand over haar neus en veegde haar tranen af. Haar stem was nog slechts een gefluister. 'Hij wilde meer dan alleen maar aanraken.' Ze keek op naar Christina en er lag een wereld van ellende en schaamte in haar donkere ogen. 'Ik probeerde me te verzetten, maar hij bleef me maar slaan, steeds har-der. En toen... heeft hij me verkracht.'

Toen ze dat eenmaal had gezegd, was het ergste voorbij. Ze snoof hard, maar had zichzelf alweer zodanig onder controle dat haar ogen droog bleven. 'Die nacht ben ik weggelopen en heb zijn drankgeld gestolen om me een eind op weg te helpen. Ik heb nooit een brief geschreven of getelefoneerd. En dat ga ik nooit doen ook. Ik geef hem de schuld, maar ook mijn moeder. Ik probeerde het haar te ver-tellen, maar ze noemde me een leugenachtige lastpost en wilde ge-woon niet weten wat er gebeurde.'

Toen lachte ze zielig, maar wilde toch iets doen om de sfeer wat luchtiger te maken. 'Wat een verhaal, hè?'

'Ik had er geen idee van,' zei Christina zachtjes, en haar ogen stonden medelijdend.

'Nou ja! Op naar betere tijden.' Toen vroeg Ellie haar voor de grap: 'Waarom liep jij weg? Dreigde die rijke oom van je jouw zakgeld in te houden?' Ze grinnikte bij het idee alleen al.

Christina staarde naar haar handen, die ze gevouwen had om te pogen ze warm te houden. Tot dan toe had ze geen kou gevoeld, maar plotseling drong die tot haar door. 'Nee,' zei ze zachtjes. 'Dat was het niet.'

Ellie porde haar met een elleboog in de zij. 'Kom nou. Ik vertel jou alles en jij mij niets. Dat is niet eerlijk. Als we voor elkaar gaan zorgen en alles samen delen, dan moeten we ook alles van elkaar af weten.'

Toen Christina opkeek naar haar nieuwe vriendinnetje, besefte ze dat Ellie gelijk had. Het enige dat ze hadden, was elkaar. 'Ik geloof dat we meer gemeen hebben dan je wel denkt,' zei ze tegen Ellie, en er glinsterden plotseling tranen in haar ogen.

'O, hemel!' fluisterde Ellie. 'Bedoel je... Verdraaid, wat ben ik stom om je zo te plagen! Sorry. Ik dacht dat dat soort dingen niet gebeurde bij rijke mensen.'

'Het heeft niets met geld te maken.'

Ellie pakte Christina's hand. 'Ik merk dat we in heel veel opzichten gelijk zijn. Maar weet je wat, Chris, we redden het wel. Daar doe ik een eed op.'

Christina hield Ellie stevig vast. 'Denk je dat ècht?'

'Ja,' zei Ellie, en toen voegde ze er fel aan toe: 'En we zullen hen laten boeten voor wat ze ons hebben aangedaan. Wanneer, dat weet ik niet, maar eens zullen ze ervoor boeten.'

In het hoog boven San Francisco gelegen kantoor nam Christina nog een slokje brandy en slikte het langzaam door terwijl ze naar buiten bleef staren. Ze haalde diep adem, huiverde even en drukte haar voorhoofd weer tegen de koele ruit. 'We hebben elkaar dingen verteld die we aan geen andere levende ziel konden vertellen. Ik kende haar net zo goed als mezelf.'

Ross zei niets, maar de gedachten tolden door zijn hoofd. Mijn God, dus dàt was het dat ze bedoelde toen ze hem had verteld dat ze van huis was weggelopen omdat haar leven in gevaar was. Toen hij haar had geobserveerd toen ze plotseling en onverwachts met Loomis werd geconfronteerd, was hij tot de slotsom gekomen dat zij tòch Ellie moest zijn. Haar gevoelens ten opzichte van Loomis en wat hij had gedaan, waren zó rauw en gingen zó diep dat zij Ellie wel móest zijn.

Nu wist hij het niet zeker meer. Maar of ze nu Ellie was of Christina, één ding was zeker – ze was door de hel gegaan en had op een of andere manier tóch kans gezien de kracht te vergaren om door te gaan.

Ze had er geen idee van hoe lang ze in het kantoor van Ross waren gebleven, tot ze merkte dat er beneden op straat veel minder verkeer was. De grote drukte was voorbij. Zij die tot na zes uur werkten om de drukte te vermijden, kwamen nu langzaam uit hun kantoren. Af en toe zag ze een auto uit de ondergrondse garage te voorschijn komen. De drommen forensen die zich haastten om een aansluiting op een veerboot, trein of bus te halen die hen over de Oostbaai zou brengen, of naar Marin, waren bijna verdwenen.

Alleen degenen die in de stad woonden, nog even in een leuk café of chic restaurant bleven hangen of in de homobars, want het was vrijdagavond, het begin van het weekend, waren nog op pad.

Het was doodstil in de kantoren van Fortune International. Christina kwam plotseling bij uit haar gedroom. 'Ik besefte niet dat het al zo laat was,' zei ze, en keek naar Ross, die in de zware stoel achter het bureau zat en haar opnam. 'Je moet waarschijnlijk ergens heen.'

Hij schudde zijn hoofd. 'Ik maak mijn eigen plannen en programma. Beide zijn heel soepel. Ben je klaar?'

Ze knikte. 'Ik wil hier weg.'

Ze namen de lift naar de parkeergarage en zeiden geen van beiden een woord. Ross startte zijn auto en de Jaguar reed achterwaarts de garage uit, waarna hij zich in de richting van Pacific Heights begaf.

Maar Christina weerhield hem daarvan door een hand op zijn arm te leggen. 'Ik ga niet terug naar Fortune Hill,' zei ze resoluut. 'En ik zou het fijn vinden als je me bij het Hyatt af wilt zetten.'

Ross fronste zijn wenkbrauwen. 'Ik begrijp dat het je niet aanlokt met Richard onder één dak te wonen, maar ik weet een betere plek dan een hotel.' Toen ze hem vragend aankeek, verzachtte zijn mond omdat er een van zijn zeldzame lachjes om verscheen. 'Vertrouw me maar.'

Toen draaide hij het stuur naar rechts en voegde zich in het verkeer dat gestaag langs de Embarcadero stroomde.

Uitgeput door alle emoties legde ze haar hoofd achterover tegen de hoofdsteun en sloot haar ogen. Het leek slechts enkele seconden geleden toen Ross haar zachtjes wekte.

'Doe je ogen eens open, slaapkop! We zijn er.' Hij stapte uit de wagen.

Ze kwam overeind en keek naar de rij pleziervaartuigen, jachten en zeilboten die langszij lagen.

Ross liep om de auto heen en maakte het portier aan haar kant open. Door de koele zeelucht en de frisheid van de avond kwam ze weer wat bij. Ze waren bij de jachtclub vlak bij het gebied rondom de jachthaven. Ze was erlangs gereden op haar tocht naar Marin, de vorige dag. Hemel, was dat pas vierentwintig uur geleden? dacht ze. Wat was er sindsdien veel gebeurd!

'Misschien wil je je jasje aantrekken,' stelde Ross voor. 'Het wordt hier vrij kil.' Hij deed een greep in de Jaguar waar ze haar jasje had opgehangen. Toen ze naar de stad terugkeerde, had ze een spijkerbroek en gympies aan, die Julie haar had geleend, samen met haar zijden blouse. Haar rok en jasje hingen achter in de auto.

Ross legde het jasje om haar schouders en toen, alsof het de natuurlijkste zaak van de wereld was, nam hij haar hand in de zijne. 'Ik wil je iets laten zien.'

Ze liepen voorbij de steiger, waarlangs allerlei privé-aanlegplaatsen waren. Er bevonden zich daar verschillende motorboten in diverse afmetingen en enkele grote kajuitjachten. De meeste waren verlaten, afgedekt en afgesloten. Op enkele aanlegplaatsen lagen zeilboten van verschillende grootte, waarvan de grootste aan het eind van de steiger lagen.

De grond ging onder hun voeten zacht op en neer met het wisselend getij. Bij de laatste aanlegplaats bleven ze staan.

Daar lag een grote zeilboot gemeerd, die op het water op en neer deinde. De andere die ze gepasseerd hadden, waren in hoofdzaak witte boten met een romp van fiberglas, met hier en daar felblauwe of groene strepen. Vele hadden vreemde namen op hun scheg, zoals 'Middernachtelijke toverkracht', 'Bodacious' of 'Deining veroorzaken'. Het waren ranke, lage schepen, die ongetwijfeld over de modernste computeruitrusting voor navigatie beschikten.

Maar deze zeilboot was anders. Hij was minstens zestien meter lang, had een flinke diepgang en dekken die geheel en al van met de hand opgewreven mahoniehout gemaakt waren. In plaats van aluminium was er overal koper gebruikt en de twee masten staken twintig meter de lucht in. De naam 'Resolute' was op de scheg aangebracht, samen met de registratie, die in Hongkong gedeponeerd was.

Alle zeilen waren keurig opgerold en de lege lijnen bewogen in de wind. Benedendeks was alles afgesloten achter de gesloten deur van de kajuit. Het roer bewoog traag heen en weer met de deinende bewegingen van de boot, alsof het erop wachtte naar open water terug te keren.

'Wat een schoonheid!' fluisterde Christina vol ontzag.

'Het is in 1932 gebouwd,' zei Ross. 'Het was eerst een dranksmokkelschip vanuit Kaap Hatteras, daarna een vissersschuit en vervolgens een cruiseboot voor de Bahama's. In 1958 werd het tot zinken gebracht op een zandbank voor de kust van Bimini, is driemaal rondom de wereld geweest en heeft alle oceanen en zeeën bevaren.'

Hij draaide zich om en keek Christina aan. 'Op een keer zijn we bijna voor de kust van Afrika naar de kelder gegaan.'

'Is dit schip van jou?'

Ross knikte en bekeek de boot vol liefde. Het was duidelijk dat het schip veel voor hem betekende en hij was er bijna kinderlijk trots op. 'Ik heb het vijftien jaar geleden gekocht met het eerste geld dat ik verdiende nadat ik klaar was met mijn studie. Ik kalefaterde het helemaal op, nam toen twee jaar vrij en heb ermee om de wereld gezeild. Het is niet ultramodern – dat laat ik over aan je neef Steven, die meedoet aan de wedstrijden om de America's Cup. Maar het is bijzonder evenwichtig en heeft een flinke diepgang. De man die het heeft gebouwd, kende de zee.'

'Hoeveel mensen zijn met je meegegaan?' vroeg ze. Die voor haar nieuwe kant van Ross wekte haar nieuwsgierigheid op.

'Niemand. Ik ben alleen gegaan. Bill dacht dat hij me nooit meer zou terugzien. En meer dan eens heb ik geloofd dat hij het bij het rechte eind had.'

Toen hij zich weer tot haar keerde, was de glimlach op zijn gezicht volkomen ontspannen en echt, net die van een kleine jongen die zijn lievelingsspeelgoed laat zien. Hij stak haar zijn hand toe. 'Heb je zin mee aan boord te gaan?'

Ze knikte en legde haar hand in de zijne. Toen ze aan dek stapten, draaide Ross zich om en zei: 'Dit is het alternatief dat ik bedoelde. Het kost je niets, er zijn geen problemen met reserveringen en het beste hotel in de stad kan niet concurreren met het uitzicht dat je vanhier uit hebt.' Hij liep langs haar heen naar de kajuit en verdween benedendeks. Ze volgde hem het trapje af.

Hij draaide een kajuitlicht aan, dat het fraai opgewreven hout en het koper in de kajuit zacht deed glanzen. Het was er ruimer dan ze gedacht had. Er was een smal gangetje naar de hoofdkajuit, met stoelen, een tafel en banken. Het gangetje liep verder door naar voren.

Ross zag haar kijken en zei: 'De kombuis en de privé-vertrekken bevinden zich allemaal in het voorste gedeelte van het schip.'

Hij draaide nog enkele lichten aan, die een heel mannelijk uitziend maar comfortabel vertrek beschenen. De hand van een vrouw ontbrak hier heel duidelijk en Christina vroeg zich af of Marianne Schaeffer ooit hier was geweest. Ze had zo'n idee van niet.

Ze wilde net zeggen: 'Ik kan hier niet blijven...', maar Ross sneed haar de pas af.

'Je hebt een plek nodig die je in niets aan de gebeurtenissen van de afgelopen dagen herinnert. Hier is ruimte genoeg en het is er gezelliger dan in een hotel.'

Dat laatste moest ze zonder meer toegeven. Ze wilde toestemmen, maar aarzelde nog. Zouden er voorwaarden aan haar verblijf hier verbonden zijn?

'Het is niet...' Ze aarzelde, onzeker hoe ze haar twijfel moest uitdrukken zonder belachelijk preuts te lijken.

Ross viel haar geamuseerd in de rede. 'Wat bedoel je? Of het niet netjes of juist zou zijn?' Toen ging hij ernstiger door: 'Hier is niemand die een oordeel velt, Chris. Jij bent de enige die kan beslissen wat juist voor je is.'

Het was de eerste keer dat hij haar zo noemde en het verraste haar. Ze vond dat het leuk klonk.

Ze glimlachte en zei: 'Dan blijf ik. Waar is de badkamer... ik bedoel, de wc?'

'Recht vooruit, langs de kombuis, tweede deur aan stuurboord.'

Ze hield haar hand op voor hij het kon toelichten. 'Stuurboord en bakboord ken ik nog wel.'

'Goed zo. Je hebt dus wel meer gezeild?'

Ze voelde dat hij voor het eerst een onschuldige opmerking plaatste, een die geen dubbele bodem had, en ze knikte. 'Ja, maar dat is al lang geleden.'

Ze vond de badkamer. Die was compleet met wastafel en een kleine douche – van alle gemakken voorzien. Ze borstelde zorgvuldig haar haren, kromp even in elkaar toen ze de bult op haar hoofd aanraakte en waste daarna haar betraande gezicht.

Toen ze terugkwam, waren alle lichten in de kajuit aan en Ross legde net de telefoonhoorn neer. 'Schip naar wal,' verklaarde hij. 'Ik heb wat te eten besteld. Ik heb hier wel wat, maar dat is meer voor eigen gebruik, niet iets dat ik een gast zou willen voorzetten.'

'De vereiste blikken bonen en perziken in blik tegen scheurbuik?' vroeg Christina lachend.

'Lach niet,' reageerde Ross. 'Toen ik maandenlang achter elkaar op zee was, leefde ik van perziken in blik, sardientjes en bonen.'

Christina trok een vies gezicht. 'Misschien moet ik tòch nog even nadenken over het Hyatt.'

'Maak je niet druk,' lachte hij. 'Ik zal jou niet dwingen bonen te eten.'

'Dan ben ik weer gerustgesteld.'

Christina inspecteerde de kajuit. Ze vond er kaarten, een sextant, een kompas, logboeken en langs de wand een kleine bibliotheek. Er waren boeken van diverse oude bekenden, onder wie Dickens, Robert Louis Stevenson, Poe en Sir Arthur Conan Doyle.

'Ik had nooit verwacht dat jij literaire belangstelling had,' merkte ze op.

'Die krijg je wel als je niet gek wilt worden als de wind gaat liggen en je op zee bent. Ik heb die allemaal minstens zes keer gelezen en elke zetfout, onjuistheid in de plot alsmede alle clichés ontdekt. Ik heb er een lijst van gemaakt.'

'Heb je vaak windstilte meegemaakt?'

'Vaak genoeg om een motor te installeren. Er zijn enkele moderne gemakken die je absoluut niet kunt missen.'

Het viel haar weer op dat zijn aard zo vol contrasten zat – een onopvallende mengeling van een beschaafde man en een rebel, de man uit de renaissancetijd en de vermetele ondernemer. Licht en donker. Goed en kwaad? vroeg ze zich af. Plotseling hoorden ze een zacht gestommel aan dek en een stem die riep.

'Dat is het eten,' verklaarde Ross en ging naar boven. Hij kwam al snel terug met een zak die gevuld was met etenswaren in elke arm, gevolgd door een jongeman die ook twee zakken droeg.

'Waar wilt u dit hebben, meneer McKenna?'

'In de kombuis, Tommy. Dit is juffrouw Fortune. Zij blijft vannacht aan boord.'

De jongeman knikte. Hij droeg een spijkerbroek met gaten op de knieën, versleten dekschoenen en een schoon overhemd, met op de voorkant het logo van de jachthaven. 'De bewaking is de klok rond, juffrouw Fortune. Als u iets nodig hebt, bel ons dan op de schip-naar-wal-telefoon. Er is altijd wel iemand op kantoor aanwezig.'

Ze glimlachte. 'Dank je wel.'

Tommy wilde nu weggaan. 'Nog iets van uw dienst, meneer McKenna?'

Ross gaf hem een flinke fooi. 'Dat is alles voor vanavond, Tommy.'

'Welterusten, juffrouw Fortune.'

'Welterusten.'

'Wil je niet even aan dek gaan?' vroeg Ross, toen Tommy weg was. 'Dan maak ik intussen iets te eten klaar. Je hebt vast wel honger.'

Ze keek hem zogenaamd geschrokken aan. 'Beloof me dat ik geen sardientjes krijg. Alles, maar díe niet.'

'Dat beloof ik je.' Toen ze het laddertje naar het dek opging, riep hij haar na: 'Maar ik moet je wèl waarschuwen dat zeelieden altijd liegen. Dat komt omdat ze in zoveel havens hun meisjes hebben.'

Ze grinnikte. 'Ik zal het niet vergeten.'

Het diner was heerlijk. Er waren groene salade, warme knoflook-broodjes en garnalen in marinarasaus over een pasta van heel dunne spaghetti.

'Dat heb je in die korte tijd niet allemaal kunnen koken,' zei ze beschuldigend toen ze de tafel aan dek klaarmaakten.

Ross grinnikte. 'Ik ken een fantastisch Italiaans tentje: Joe op het noorderstrand.'

Ze had weleens van Joe gehoord. Het was een van die weggestopte tentjes die een heel exclusieve clientèle bedienden. Al het voedsel was origineel en ze voerden nog een ouderwetse keuken. Joe was in de jaren twintig naar Amerika gekomen. Iedereen die in het plaatsje woonde, at er van tijd tot tijd. Het diner werd alleen op reservering opgediend bij de twaalf tafeltjes die het restaurant rijk was en een wachtlijst van twee maanden was niet ongewoon.

'Ik wist niet dat Joe ook afhaalmaaltijden verzorgde,' zei ze en pakte een paddestoel uit de salade en stopte die snel in haar mond.

Ross hief de fles wijn op, zodat ze die kon goedkeuren. 'Dat doet Joe ook niet.' Het gaf haar weer een nieuw inzicht in hem: hij had het zo maar klaargespeeld die exclusieve dineetjes bij elkaar te krijgen voor hun diner aan dek. Ze hief haar glas naar hem om bijgeschonken te worden.

'De Francetti-wijngaarden!' riep ze verrast uit toen ze het etiket zag.

Ross vulde zijn glas. 'Ik heb Tommy uitvoerige instructies omtrent de wijn gegeven en was daar nieuwsgierig naar, nadat ik je vriendin had leren kennen.'

'Ik zou denken dat je al zo ongeveer alles van haar af weet,' antwoordde Christina, toen ze de salade opdeed. 'Ik weet zeker dat het in dat dikke dossier staat dat je over me hebt verzameld.'

Ross pakte een tweede fles Francetti-wijn, om die te laten koelen in het tinnen emmertje dat aan dek bij hun voeten stond. Hij fronste even zijn wenkbrauwen. 'Dat dossier zegt me helemaal niets van de dingen omtrent jou die ik het liefst wil weten.'

Iets in zijn toon maakte dat ze haar adem inhield. Ze wilde reageren, maar wist niet wat ze moest zeggen. In plaats daarvan concentreerde ze zich maar op het heerlijke eten en vermeed zorgvuldig zijn doordringende blik.

Terwijl ze keken hoe de hemel boven de Stille Oceaan in vloeibaar goud veranderde, daarna in een zachte kleur amber en eindelijk in een soort paarsblauw, maakten ze samen de tweede fles wijn leeg. De lichten in de jachthaven en in de stad erachter waren net aangegaan en leken op sterren die juist zichtbaar werden. Het zachte briesje boven het water bracht nu en dan het gemurmel van stemmen van andere nabijgelegen boten mee. Toen de zon onder was, werd het opeens veel frisser en Ross haalde een deken voor haar terwijl ze aan dek van de avond bleven genieten.

'Ga je vaak met je schip uit varen?' vroeg Christina.

Ross zat tegenover haar op een van de banken langs het waaiervormige eind van de kajuit, met zijn voeten omhoog en een wijnglas in de hand. 'Zo vaak ik kan, maar dat is niet zo vaak als ik zou willen. Ik had besloten dat, als het Richard zou lukken alle zeggenschap over de onderneming te verkrijgen, ik een tijd zou weggaan.'

'De zon tegemoet?' vroeg ze, en keek hem over de rand van haar glas aan.

'Misschien.'

Peinzend bestudeerde ze hem. 'Weet je, ik vind weglopen helemaal niets voor jou.'

Hij keek haar strak aan en er verscheen een lachje om zijn mond. 'Ik loop nooit weg, juffrouw Fortune. Maar vertel me eens wat je wèl iets voor me vindt!'

Ze legde het hoofd in de nek tegen de houten reling en sloot haar ogen terwijl ze nadacht over een antwoord. Het was een lange en vermoeiende dag geweest en de wijn had haar een beetje suf gemaakt. Haar gedachten gingen traag en ze was minder op haar hoede dan misschien verstandig zou zijn.

Toen ze haar ogen weer opende, zag ze dat hij haar strak aankeek. Ze tuurde rond over het grote, open dek en glimlachte toen haar blikken bij hem terugkwamen. 'Je doet me aan een piraat denken.'

'Een piraat?' Er klonk een lach door in zijn stem.

'Ja,' zei ze vol overtuiging. 'Echt, een piraat. Je zeilt ergens heen, pleegt een overval, plundert en neemt wat je krijgen kunt.' Ze lachte zachtjes over de beelden die dat opriep. 'En ik vermoed dat, als ik een van die compartimenten benedendeks openbreek, ik daar een of andere schat vind.'

Ross grinnikte en leunde tegen de reling. 'Je vergeet de verleiding van mooie vrouwen in je beschrijving.'

Zelfs door haar beneveld brein heen merkte ze dat hij met opzet het woord *verkrachting* niet gebruikte – en dat was toch de gebruikelijke beschrijving van de daden van zeerovers – en niet *verleiding*. Of het nu kwam door vermoeidheid of door de wijn, of een mengeling van beide – ze kreeg tranen van dankbaarheid in de ogen voor deze *piraat*, die zo'n respect voor haar gevoelens had.

'Ik denk dat jij wel de nodige vrouwen verleid zult hebben,' merkte ze op.

'Maar nooit aan boord van de "Resolute".' Hij zette zijn wijnglas neer en kwam op haar toe. Toen nam hij het lege glas uit haar hand en zette dat ook opzij. Daarna trok hij haar zachtjes overeind, tot hun lichamen elkaar heel even tantaliserend aanraakten.

Elk wachtte erop dat de ander de volgende stap zou doen: een stap achteruit doen, of opzij, of zich lostrekken. Maar deze keer deden ze geen van beiden iets en ze bleven gewoon zo staan, hun dijen tegen elkaar, en het enige dat nu nog een afscheiding tussen hun lichamen vormde, was de dunne stof van hun kleren.

Zijn vingers gleden in de kraag van haar blouse en riepen een herinnering op aan die avond in Chinatown. En net zoals hij die avond had gedaan, trok hij haar ook nu dichter tegen zich aan, totdat ze zijn warme adem op haar gezicht voelde. Het briesje tilde lokken van zijn donkere haar van zijn voorhoofd en de brandende blik in zijn ogen leek veel op die van een piraat – een man die nam wat hij wenste.

De koele avondlucht scheen warmer te worden toen zijn mond zich over de hare sloot. En net als die avond in Chinatown voelde ze het gevaar, proefde het bijna. Maar deze keer trok ze hem eveneens dichter tegen zich aan, waarbij de warmte de reeds lang sluimerende honger diep in haar aanwakkerde. Haar handen sloten zich om zijn middel. Er ging geen alarm in haar af dat haar tegen gevaar waarschuwde. Ze voelde slechts de warme gloed van de wijn en een groeiend besef dat ze elk gevaar dat hij vertegenwoordigde heerlijk vond.

Toen, tot haar verrassing en ontsteltenis, trok Ross zich van haar terug en de frisse avondlucht bracht haar weer bij zinnen. Maar hij hield zijn armen om haar heen. Ze hielden haar stevig vast, tegen zijn hele lichaam aan, en ze moest denken aan de hete, machtige behoeften die ze beiden voelden.

Ze was buiten adem en kwetsbaar, en haar emoties waren zichtbaar. Op dat moment had ze haar gevoelens niet voor hem kunnen verbergen, zelfs al had haar leven ervan afgehangen.

Ross streek even teder met zijn mond langs de hare. 'Neem de grote kajuit benedendeks maar.'

Christina keek hem verward aan. 'Maar... waar ga jij dan slapen?'

'Hierboven. Dat heb ik destijds op zee ook wel gedaan. Ik kan het hier heel comfortabel maken.'

Zijn afwijzing trof haar als een vuistslag. Ze voelde zich verlegen met haar figuur en durfde hem niet meer aan te kijken. Toen begon ze zich van hem los te maken, maar hij hield haar tegen.

Hij nam haar kin in zijn hand en dwong haar zo naar hem op te kijken. 'Het gebeurt. Dat beloof ik je. Maar niet vanavond.' Hij streelde met zijn vingers over haar wang. 'Je bent tè kwetsbaar en er bestaan nog te veel geheimen tussen ons beiden. Als wij samenkomen, Christina, mogen er geen geheimen meer zijn.'

Hoofdstuk 20

Toen Christina wakker werd, voelde ze zich niet in de war of angstig, zoals toch vaak gebeurde als ze zich in een vreemde omgeving bevond. In plaats daarvan deinde ze mee met de bewegingen van het schip en hoorde de golfjes zacht ertegenaan klotsen. Ze bleef nog even liggen en toen ze helderder werd, merkte ze een aantal andere dingen: de koelte van de lucht in de kajuit en de doordringende geur van verse koffie. Ze voelde zich geborgen en vreedzaam, iets dat haar in lange tijd niet meer was overkomen.

Toen dacht ze aan de vorige avond. Ross had haar met rust gelaten, zoals hij beloofd had, en ze lag in haar eentje in haar kooi. Maar hoezeer ze ook haar best deed zichzelf voor te houden dat dit onder de omstandigheden ook het verkieslijkste was en ze onverstandig en overijld gehandeld zou hebben als ze had toegegeven aan haar verlangen naar hem, toch was die gedachte verre van geruststellend.

De koele lucht maakte dat ze dieper wegkroop onder de dekens, maar de heerlijke geur van de koffie lokte. Met alleen een T-shirt van Ross aan, dat ze in een van de ingebouwde laden had gevonden, gleed ze haar kooi uit. De mahoniehouten vloer voelde koud aan onder haar voeten. Ze keek uit de patrijspoort aan stuurboord en zag dat het buiten nog grijs was. De lucht begon nog maar net iets lichter te worden. Ze sloeg een van de dekens om zich heen en liep zo de kombuis in.

Daar waren alle gemakken aanwezig die ze ook thuis had, dacht ze, en bewonderde de kleine maar doelmatig gebouwde kombuis. Op een propaanbrander stond een pruttelende pot koffie. Ze zocht naar een koffiebeker en bekeek intussen de kasten, die speciaal gebouwd waren en bestand tegen ruw weer op zee. Ze moest lachen als ze dacht aan een kletsnatte kapitein die tegen de eerste stuurman schreeuwde: 'De luiken schalmen en de nok van de ra vastzetten.'

Ze vond enkele bruine porseleinen bekers en vulde er een met de dampende koffie. Daarna trok ze de deken dichter om zich heen en liep voorzichtig het trapje naar het dek op. Toen ze daar aankwam, werd ze door de lichtgloed die uit de kajuit viel duidelijk afgetekend tegen de achtergrond.

Ross stond bij het roer en glimlachte tegen haar: 'Goedemorgen.'

'Goedemorgen,' antwoordde ze aarzelend, terwijl ze langzaam om zich heen keek. De lichten van de jachthaven en de stad glansden in de verte. Er was een flinke bries komen opzetten die de fok vulde, waardoor ze langzaam de baai uitvoeren. Ze moest even moeite doen om haar evenwicht te vinden en liep toen over het achterschip naar Ross. 'Waar gaan we heen, kapitein?' vroeg ze, want ze kwam in de stemming voor een tochtje op zee.

'Ik vond dat ik je moest meenemen de baai uit. Op open zee is de zonsopgang bijzonder de moeite waard.'

Ze krulde zich op in de kussens op de bank. Afgezien van de zachte gloed van de kajuitlichten en een navigatielicht op de boeg zodat anderen hen konden zien, werden ze door duisternis omringd.

'Is het niet wat gevaarlijk in het donker?' vroeg ze, terwijl ze een slokje van haar koffie nam.

Hij lachte even, warm en luchtig, zo heel anders dan zijn gebruikelijke houding vol cynisme en hardheid. 'Alleen als je niet weet wat je doet. Ik ben vrijwel op het water geboren en begon al te zeilen toen ik vijf was, met een vriend van mijn moeder, die wel een oude deugniet was maar een fantastische zeiler. Die ouwe Ned heeft het me goed geleerd. Ik zou geblinddoekt deze baai kunnen in- en uitvaren.'

Er was absoluut geen omzichtigheid of spanning aanwezig die altijd een deel van hem scheen te vormen als hij op kantoor was. Hier was hij anders, helemaal ontspannen, zijn gelaatsuitdrukking bijna jongensachtig blij, terwijl hij naar de bezaansmast en de fok keek.

'Geblinddoekt?' vroeg ze sceptisch.

Hij lachte. 'Misschien een beetje overdreven. Maar het gaat er alleen om dat je de wind en het water aanvoelt en de sterren kunt lezen. Een goed zeeman kan op de sterren varen. Dat zou jíj moeten weten,' voegde hij eraan toe. 'Jij hebt vroeger toch vaak met je neefjes gezeild?'

Ze schudde haar hoofd. 'Steven deed het meeste van het werkelijke zeilen. En na dat vreselijke voorval, toen de kustwacht ons moest komen redden, had ik niet veel zin meer in zeilen.'

'Heb je sindsdien niet meer gezeild?'

Ze keek hem, op haar hoede, aan en vroeg zich af of ze weer terug waren bij die zelfde vragen over haar identiteit. Omzichtig zei ze: 'In het Oosten had ik vrienden die zeilden en met hen ben ik een paar keer mee geweest. Maar de Atlantische Oceaan is zo totaal anders dan de Stille Oceaan.'

'Dat is zo,' gaf hij toe. Toen, alsof hij haar wilde geruststellen dat ze in hun omgang nog steeds op nonchalante voet stonden, vroeg hij: 'Wat zou je denken van wat koffie?'

Ze stond op, liep op hem toe en gaf hem een beker. Zijn vingers raakten even de hare aan toen hij de koffie aannam en ze moest haar best doen om niet te reageren op het voelen van haar huid tegen de zijne.

'Wil jij even het roer bedienen?' vroeg hij.

'Ik weet het niet... Het is al zó lang geleden. En sindsdien heb ik nooit meer met zo'n groot schip als dit gevaren.'

'Ik blijf bij je en zal je er niet weer in laten vallen.'

Ze lachte. 'Dat zou ons beiden kunnen overkomen als je mij het roer laat overnemen.'

Maar ze deed het wel, met Ross vlak achter haar. Zelfs door de dikke deken heen voelde ze de warmte van zijn lichaam. Zijn handen rustten op de hare totdat ze het gewicht en het trekken van het roer kon aanvoelen.

'Hou het schip op koers, recht oostwaarts, de zon tegemoet,' zei Ross terwijl hij naar voren liep.

In paniek klemde ze haar vingers om het roer. Toen zag ze hoe het grootzeil zich hoog boven het dek aan de mast verhief, zich langzaam vulde, wat klapperde en strak kwam te staan nadat Ross de lijnen aantrok. Toen hij vond dat het zeil goed stond, kwam hij bij haar terug. Zijn handen gleden weer over de hare en haar paniek verdween.

'Ik dacht dat je zei dat dit schip zichzelf zeilde?' vroeg ze. 'Hoe zou je zo'n manoeuvre kunnen uitvoeren als je geen stuurman aan boord had?'

'Op open zee bevestig ik de lijnen zodanig dat ik ze vanaf het roer kan bedienen. In een haven wordt het wat ingewikkelder. Meestal neem ik dan alleen het fokkezeil; dat geeft me vaart genoeg en maakt het schip in een drukke haven toch niet onhandelbaar.'

Christina draaide haar hoofd om, teneinde zich boven de wind uit verstaanbaar te maken. 'Ik kan me níet voorstellen hoe je maandenlang alleen op zee kunt zijn.'

Ross boog zich voorover om het uit te leggen en zijn adem voelde warm aan op haar oor en aan een kant van haar hals, waardoor ze weer aan haar verlangen dacht. Hij zei: 'Je raakt eraan gewend. De beschaving maakt je gek als je er weer in terugkeert.'

Ze móest iets doen om enige afstand tussen hen te brengen en ze maakte zich los uit de armen die om haar heen het roer vasthielden. 'Ik laat de navigatie nu maar aan jou over en hou me aan de keukendienst. Nog wat koffie?'

'Graag. Maar weet je, op een of andere manier maak jij toch niet de indruk van een keukensloofje op me.'

Hij zag hoe ze even glimlachte, want het licht uit de kajuit viel net op haar gezicht. Toen draaide ze zich even om en riep hem toe: 'Ik kan prima koken. Vooral als er tentjes zoals Joe in alle havens zijn.'

Daarna verdween ze.

Ze zette nog wat koffie en trok de spijkerbroek aan die ze de vorige avond had gedragen. Toen ze weer terugkwam aan dek, was de hemel iets zachter parelachtig grijs en werd toen langzaam lichtblauw naarmate het licht van de dageraad zich over de heuvels van Marin verspreidde. Ze waren met de wind in de rug doorgevaren en lagen nu ver in de baai, voorbij het eiland Alcatraz. Toen gingen ze overstag en voeren tegen de wind in naar de andere oever en langs Angel Island. De spinnaker bolde nu ook in de wind.

Met alle zeilen bijgezet, leek de 'Resolute' net een majestueuze vogel die met gespreide vleugels over het water streek. De baai was wat ruw in de ochtendwind, maar het schip stampte niet. In plaats daarvan gleed het zacht deinend voorwaarts en werd af en toe omhooggeduwd wanneer de boeg zich in de golven boorde, maar de handen van Ross hielden het roer stevig vast.

Christina gaf hem een beker verse koffie. Ze had een windjack aangetrokken dat ze in een kastje had gevonden, maar het was nog koud en ze kromp in elkaar tegen de vroege ochtendkilte. Ross trok haar in de luwte van zijn lichaam en ze leunde tegen hem aan; zo voelde ze zich warm en geborgen.

Zoals ze daar stond, met het dek zachtjes deinend onder haar, een ritmische beweging onder hun voeten, voelde Christina iets dat op een sterke hartslag leek, alsof de 'Resolute' een levend voorwerp was. Ze leunde achterover en genoot van de warmte van het lichaam van Ross en van het opwindende contrast met de kille wind in haar gezicht. Ze voelde zich bevrijd van alle beperkingen en problemen van haar normale leven.

Ze voeren gestaag door naar de kust van Marin en keken naar de heuvels, die eerst grijs werden, toen goudkleurig en daarna in brand leken te staan door de stralen van de opgaande zon. Het was niet donker meer en nu hadden ze het daglicht om hen bij hun koers te helpen.

Christina hield het roer vast terwijl Ross de fok liet zakken en daarna het grootzeil. De 'Resolute' ging vervolgens langzamer varen, bijna aarzelend. Het water sloeg scherp tegen de romp terwijl de bolstaande spinnaker hen voortdreef naar de jachthaven in Sausalito. Toen nam de wind af en gleden ze heel langzaam door het water.

Ross zette heel even de motor aan en leidde hen door het water naar een feloranje en gele boei, die bij de boeg aan bakboord lag te deinen. Hij gaf Christina instructies de motor af te zetten als hij het zei en liep toen naar voren, terwijl zij de 'Resolute' dichter naar de jachthaven stuurde.

Toen hij haar het afgesproken teken gaf, zette ze de motor af en stuurde toen scherp naar stuurboord. Hij kwam snel terug, haalde een hefboom over en liet het anker zakken. 'Zo drijven we niet weg. Wat zou je van nog een beker koffie denken?'

Toen ze enkele minuten later met twee bekers in de hand aan dek terugkwam, glansde het mahoniehouten dek in het gouden licht van de zon die over de heuvels in de verte opkwam. Het was even over zessen. Ross bevond zich op het voordek en was bezig de zeilen te strijken en de lijnen vast te zetten, even precies en keurig als hij met alles was.

Ze gaf hem zijn koffie en samen gingen ze op het luik op het voorschip zitten. Ross gleed achterover, met een been naar voren gestoken, het andere in de knie gebogen en met zijn armen losjes om haar heen.

'Je kunt de zonsopkomst voelen,' zei hij rustig en waarderend.

Ze keek hem aan. 'Vóelen?'

'Natuurlijk. Volgens de oude Chinezen kunnen we alles om ons heen voelen.'

'Is dat zoiets als de "kracht"?' probeerde ze er een grapje van te maken.

Hij keek getroffen. 'Je gelooft me niet?'

'Nou ja, laten we zeggen dat ik jóuw theorie niet zo goed ken. Mijn waardering van zonsopkomsten beperkt zich tot het puur visuele.'

Terwijl hij zijn voeten naast haar neerzette, zei Ross: 'Maar het gezicht is slechts een van onze zintuigen. Geef me je hand eens.' Hij stak de zijne uit en trok haar naast zich omhoog.

'Doe je ogen dicht,' beval hij. Toen ze wilde protesteren, legde hij zacht een vinger op haar lippen. 'Sst. Doe dicht.'

Ze deed wat hij vroeg. Toen voelde ze de lichte druk van zijn handen op haar schouders terwijl hij haar ronddraaide, zodat ze met haar gezicht naar hem stond toegewend.

'Vertel me nu eens wat je voelt,' instrueerde hij.

Ze glimlachte en speelde het spelletje mee. 'Ik voel de bries die over het water strijkt en de warmte van de zon.'

'Heel goed. Maar dat is alleen de oppervlakte van je gevoelens. Je bent in staat veel meer te voelen.'

Ze deed haar ogen open en keek hem veelbetekenend aan. 'Zit hier soms iets achter?'

'Alleen wat je zelf wilt, Chris.' Zijn stem was schor, intiem en verleidelijk.

Ze deed haar mond een eindje open en staarde hem aan.

Toen pakte hij haar beet bij haar polsen. 'Hou je handen omhoog en druk je handpalmen tegen de mijne. Doe nu je ogen weer dicht.'

Ze deed wat hij zei. Ze stonden op het dek van de 'Resolute' in het licht van de vroege ochtend, met hun handen voor zich uitgestrekt, waarvan de palmen elkaar heel even aanraakten. Toen trok Ross zijn handen weg. 'Hou je handen waar ze zijn en kijk eens of je kunt voelen wanneer ik mijn handen dicht bij de jouwe breng.'

Aanvankelijk kwam er niets van terecht. Als ze dacht dat Ross dichtbij was, vond ze niets wanneer ze haar handen vooruitduwde. Ze opende haar ogen en haalde haar schouders op. 'Ik denk dat de "kracht" vandaag niet in me zit.'

'Nòg eens proberen,' drong hij aan. 'Deze keer wil ik dat je het vóelt in plaats van te ráden wanneer mijn handen dichtbij zijn. Denk nergens anders aan en concentreer je op wat je voelt als we elkaar aanraken. Dan moet je zien of je diezelfde sensaties kunt voelen vlak voor ze werkelijk plaatsvinden.'

Ze glimlachte wat verlegen. 'Ik geloof dat je me voor de gek houdt.'

'Nóóit,' zei hij, op een toon die onverwacht teder was. 'Probeer het nòg eens. Denk eraan, je moet mijn energie voelen. Aanvoelen dat ik vlakbij ben.'

Deze keer slaagde ze er op een of andere manier in zijn nabijheid aan te voelen. Twee keer stak ze haar handen uit en haar handpalmen raakten de zijne aan.

Ross grinnikte. 'Je gaat goed vooruit en leert te vertrouwen op andere zintuigen dan alleen op je gezichtsvermogen. Nu ga ik bij je weg. Hou je ogen dicht. Laat eens zien of je kunt aanvoelen wanneer ik dichterbij kom. Denk eraan, het kan van een andere richting zijn – van rechts, links, of achter je vandaan.'

'Goed,' zei Christina, hoewel ze zich even onrustig voelde toen ze haar ogen sloot. Ze haalde diep adem en liet haar zintuigen de vrije loop – tastzin, gehoor, reuk en zelfs smaak.

Het gevoel van verwachting werd bijna ondraaglijk lang uitgerekt en ze was ervan overtuigd dat hij een spelletje met haar speelde. Ze hoorde het water dat tegen de romp van de boot kabbelde en het gekrijs van meeuwen boven zich, ze voelde de wind en proefde het vochtige zout op haar tong. Maar verder niets.

Toen voelde ze het, iets zó subtiels dat ze het slechts kon beschrijven als een nauwelijks waarneembare verandering in de lucht om haar heen. Met de ogen stevig gesloten, draaide ze zich plotseling om en strekte haar armen uit. Haar hand raakte zijn arm aan.

'Goed zo,' gaf Ross haar een compliment terwijl hij haar op het dansende dek even vasthield. 'Hoe wist je dat ik daar was?'

'Ik weet het niet. Ik probeerde een verandering in de wind te voelen als jij uit een zekere richting zou komen. Maar de wind veranderde niet. Het was iets anders.' Aarzelend maakte ze de zin af. 'Misschien vrouwelijke intuïtie.'

Hij lachte. 'Daar heeft het niets mee te maken. Toen je je zintuigen eenmaal openstelde voor de fysieke wereld om je heen was je in staat mijn aanwezigheid aan te voelen. Dat noemen ze *zanshin*.'

Peinzend herhaalde ze: '*Zanshin*.'

'Weet je iets van *t'ai chi* af?' vroeg Ross.

'Alleen dat het een van de oosterse vechtsporten is.'

Hij verklaarde: 'Het is in feite een lichaamsoefening waarbij je *zanshin* gebruikt. Ik zal het je eens laten zien.'

Ze schudde het hoofd. 'Ik denk niet daar erg goed in te zijn en heb nooit iets aan karate, judo en dergelijke gedaan.'

'Probeer het maar eens. Leg je handpalmen tegen de mijne.' Toen ze dat aarzelend deed, legde hij uit: 'In de Chinese filosofie is *t'ai chi* de vereniging van twee tegenovergestelde natuurkrachten – de *yang*, dat is het actieve aspect van de natuur, en de *yin*, die het passieve aspect vormt. De spanning tussen dat actieve en passieve is wat je in *zanshin* voelt. Er moet een evenwicht tussen die twee krachten bestaan.'

Hij drukte zijn handpalmen heel luchtig tegen de hare. 'Twee krachten komen samen en bereiken een harmonie die stabiel is, maar vervuld van energie.'

Ze was zich hevig bewust van de warmte van zijn huid tegen de hare.

Zacht ging hij door: 'Nu voel je die energie wéér. Wanneer ik mijn handen wegtrek, neemt de energie af. Als ik steviger druk,' en hij demonstreerde het, 'neemt de energie toe. In beide gevallen wordt het evenwicht verstoord. Dat kan gehandhaafd worden en in volkomen harmonie blijven, maar alleen als beide energiekrachten gelijk zijn.'

Zijn blauwe ogen keken haar strak aan terwijl hij voortging. 'Je moet *zanshin* gebruiken, het bewust aanvoelen van àlles wat om je heen is, om te voelen wanneer het evenwicht op het punt staat te veranderen – wanneer ik mijn handen wil wegtrekken...' Hij deed het. 'Of als ik van plan ben meer druk uit te oefenen.' Hij drukte nu zijn handpalmen steviger tegen de hare. 'Wanneer je klaar bent om het te proberen, moet je alleen maar even tegen mijn handen drukken.'

Ze duwde hard en hij zei snel: 'Zachtjes. Dit is geen krachtmeting of iets waarmee je invloed over iemand krijgt. Het doel is om samen te werken met je partner om je handen rustig en in blijvend contact te houden terwijl je doorgaat met drukken en het energie-evenwicht handhaaft. Je moet de bewegingen van je partner voelen aankomen en opvangen.'

Het was nu een uitdaging geworden. Christina haalde een paar keer diep adem en probeerde zich te ontspannen. Ze ontdekte dat ze de energie van Ross beter aanvoelde als ze haar ogen gesloten hield en begon veranderingen in de druk te voelen wanneer hij duwde en dan terugtrok.

Ross nam een reeks handbewegingen met haar door en langzaamaan begonnen ze zich als één persoon te bewegen. Hun handen raakten elkaar luchtig aan en bewogen samen in een brede boog, kwamen dan terug en vormden een boog in de tegenovergestelde richting. Ze voelde de energie, merkte de veranderingen en bewoog precies op hetzelfde moment als hij.

Toen deed ze haar ogen open en keek naar Ross terwijl ze samen exact dezelfde bewegingen maakten, alsof het een afgesproken dans was. Het was een ervaring zoals ze nog nooit had beleefd. Ross aanraken, hem diep in de ogen kijken, niets zeggen en toch de energie aanvoelen die onweerhoudbaar tussen hen ontstond.

Nu werd de energie, die nog slechts enkele minuten geleden onmogelijk aan te voelen was geweest, omgezet in iets dat bijzonder ontroerend was. Alleen hun handen raakten elkaar aan en toch leek het alsof de energie tot in elk deeltje van haar lichaam doordrong en werd omgezet in een intense hitte, die groter werd bij elke beweging en een steeds grotere sensualiteit bereikte.

Plotseling hield Ross op en zei schor: 'Zie je, Chris, je kunt de energie voelen – het volmaakte evenwicht dat wij vormen.'

Ze keek hem aan en kreeg een voorgevoel van hetgeen er tussen hen kon gebeuren – een samenkomst die zó volkomen was, zó intiem dat die anders zou zijn dan alles wat ze ooit beleefd had.

Hoofdstuk 21

Ze had nog nooit zo'n ervaring gehad met een man, zelfs niets wat er in de verste verte op leek. Het was angstaanjagend. Plotseling werd ze bang en trok haar handen terug.

Ross voelde haar angst aan, maar drong niet aan. In plaats daarvan vroeg hij als terloops: 'Honger?'

Ze verging bijna van de honger. Ze lachte en voelde een krachtige energie nasudderen tot in haar zenuwuiteinden. Het leek alsof die kracht een uitlaat zocht. 'Ik geloof dat ik vanochtend zelfs sardientjes zou kunnen eten!'

Hij grinnikte tegen haar met die charmante, jongensachtige lach die haar zo week maakte. 'Ik dacht aan iets beters. Maak je maar klaar, dan gaan we aan wal.'

Christina verdween snel benedendeks. Ze trok haar haren in een paardestaart, poetste haar tanden en deed nieuwe make-up op. Toen ze weer boven kwam, liet Ross aan het achterschip juist een kleine roeiboot zakken. Ze stapten erin en met stevige slagen roeide hij naar de jachthaven, die slechts op korte afstand lag.

Het was nog geen zeven uur, maar het kantoortje bleek al open te zijn. De man die net in dienst was gekomen, groette Ross. Ze liepen om het kantoortje heen, waar minstens een tiental brommers in diverse vrolijke kleuren in een rij langs de achterkant van het gebouw stonden. Ross stapte op een felrood exemplaar en stak een hand naar haar uit. Christina ging achterop zitten en het motortje begon te sputteren. Toen reden ze Bridgeway Boulevard op en Christina hield haar armen om het middel van Ross terwijl ze door de kleine nederzetting aan de oever van de oceaan reden.

Haar paardestaart fladderde in de wind. Het gevoel van de op haar toestromende wind gaf haar hetzelfde gevoel dat ze aan boord van de 'Resolute' had opgedaan – een gevoel van vrijheid, zonder wereldse zorgen of plichten. Het andere gevoel was nog krachtiger – het gevoel van zijn lichaam tussen haar armen. Ze rook de prikkelende geur van zijn after-shave die zich vermengd had met de zilte lucht en de wind – een pittig mengsel.

Ze hield zich voor dat ze zich alleen om veiligheidsredenen zo aan hem vastklemde, maar ze wist dat er veel meer redenen waren...

Voor het eerst sinds lange tijd voelde ze zich wild, vrij, uitbundig en buiten adem.

Ze reden om Richardson's Baai heen, langs de Sausalito-jachtclub en de opstapplaats van het veer; toen sloegen ze een zijstraat in, die tegen een heuvel opleidde, weg van het water. Onder hen lag Sausalito in de rust en vreedzaamheid van de vroege ochtend uitgespreid. Het plaatsje dat tussen de met bomen bedekte heuvels van de kustlijn van Marin lag, was oorspronkelijk een vissershaventje. Later, omstreeks de eeuwwisseling, werd het een woongemeenschap van zomerhuisjes, die allemaal in het dorp zelf stonden. Tegen het midden van de eeuw werd het plotseling overstroomd door kunstenaars en artiesten, die een passende omgeving voor hun bohémienleventje zochten. Overal in het dorp bevonden zich kunstzaakjes en uiteindelijk werd het modern en vrijzinnig. Christina was dol op die rustige, creatieve omgeving.

Ross reed een kronkelende oprit op voor een villa die geheel in Spaanse stijl was opgetrokken, zette de motor van de brommer af en legde toen zijn hand op de hare, die nog om zijn middel rustte. Daarna vlocht hij hun vingers door elkaar, stapte af en trok haar met zich mee. 'Welkom op Alta Mira.'

Hotel Alta Mira lag dicht tegen de helling aan en was een mengeling van roze pleisterwerk en sierlijke rode tegels. Boven, op de eerste etage, bevond zich een groot terras met een prachtig smeedijzeren hek, dat langs de voorkant van het hele gebouw heen liep. Christina zag nog net rijen tafelparasols waarvan de franje door de wind heen en weer werd geblazen.

Glimlachend zei Ross: 'Ik beloof je dat je geen sardientjes krijgt, tenzij je er speciaal om vraagt.'

Ze liepen de rood betegelde trap op naar de fraaie ingang, die versierd was met een magnifieke zon, vervaardigd van honderden felroze tegels die stervormig vanuit het midden waren gelegd. Binnen werden ze begroet door de receptionist, die hen naar het restaurant bracht. Een muur van glas bood uitzicht op de baai en daarachter op San Francisco. Het panorama was werkelijk adembenemend.

De ober gaf hun een tafeltje op het terras en Christina liet Ross bestellen. Ze leunde achterover op haar stoel en hief haar gezicht op naar de opgaande zon om van de warmte ervan te genieten.

'Wat denk je ervan?' vroeg Ross, toen de ober wegliep met hun bestelling voor het ontbijt.

'Ik vind het hemels!' mompelde ze met gesloten ogen. 'Ik zou hier eeuwig kunnen blijven zitten zonder me te bewegen. Het is zo vredig!' Toen opende ze haar ogen en keek over de baai naar San Francisco. 'Alles lijkt zo ver weg – de stad, alle problemen.'

'Heb je spijt van je beslissing om naar San Francisco terug te komen?' vroeg hij zacht.

Die directe vraag deed haar opschrikken en hij keek haar enkele ogenblikken strak aan. 'Nee,' zei ze eindelijk. 'Het móest gebeuren. Ik heb nooit gedacht dat het gemakkelijk zou zijn.'

'Maar je besefte niet hóe moeilijk het zou worden?'

De ober bracht champagne, schonk hun glazen in en verwijderde zich weer.

'Het is moeilijk op een manier die ik niet had verwacht,' zei ze, terwijl ze haar glas hief.

'Op welke manier?'

'Jij,' antwoordde ze, volkomen oprecht.

Hij glimlachte. 'Ze hebben me al vaker moeilijk genoemd.'

'Ongetwijfeld. Wil je dat ik een ander woord gebruik?'

'Dat hèb je al gedaan,' hielp hij haar herinneren. 'Je noemde me een piraat.'

'Mijn mening daarover heb ik niet veranderd,' plaagde ze.

'Tja,' zei hij. 'Ik merk dat ik zal moeten zwoegen om je mening over mij te veranderen, en daar begin ik meteen aan.' Hij hief zijn glas. 'Een toost. Op oneindige mogelijkheden.'

Ze hief eveneens haar glas. 'Mogelijkheden,' mompelde ze. Nadat ze een slokje had genomen, zette ze haar glas neer en staarde over de baai heen. Overal waren zeilboten te zien en de eerste Grayline-veerboot die ochtend vertrok van de opstapplaats naar San Francisco.

Ross zei: 'Dit is volgens mij een goed moment om me eens jouw ideeën over Fortune International te vertellen.'

Tijdens het ontbijt gaf ze hem haar opvatting over de huidige toestand van de onderneming, waarbij ze nadruk legde op de noodzaak de nieuwere schepen terug te trekken uit het gebied van de Middellandse Zee en de Perzische Golf.

'Juist,' gaf Ross toe. 'Het is een mogelijkheid. Maar je weet heel goed dat Katherine de Middellandse-Zeevloot juist wil uitbreiden. Ze heeft me daar een speciaal plan voor laten uitwerken.'

Christina schudde haar hoofd. 'Dan heeft ze niet de beste beslissing voor de toekomst van de onderneming genomen. Je weet zelf ook hoe onbestendig het in dat gebied is.'

Hun gesprek was nu volkomen zakelijk en Ross zei: 'Het inkrimpen van de Middellandse-Zeevloot kan misschien de bedrijfskosten voor de oudere schepen verminderen, maar je moet het verlies aan inkomsten niet vergeten wanneer je je vrachtruimte verkleint.'

'Die verkleín je niet, je verandert alleen het mìddelpunt,' verklaarde ze. 'Fortune International heeft scheepvaartlijnen over de hele wereld. Na elk van de beide wereldoorlogen was dat het doel van mijn grootvader, en hij heeft het verwezenlijkt.' Ze draaide een van de sierlijke papieren place-mats met gouden opdruk om en te-

kende er een schema op van de hele wereld met alle Fortune-
markten.

'Aan het eind van de jaren zestig breidde mijn vader die markten
uit tot aan de Middellandse Zee en de Perzische Golf. Die gebieden
boden grote mogelijkheden op het gebied van olie. Katherine ondersteunde zijn plannen en het bleek een zeer winstgevend project te
zijn. Maar nu is het niet meer winstgevend.'

Ze haalde diep adem en ging door. 'Ik begrijp de beweegredenen
van Katherine, maar haar ideeën zijn kortzichtig. Op korte termijn is
het misschien voordelig de Middellandse-Zeevloot uit te breiden,
maar ik ben ervan overtuigd dat de hoge risico's – gezien de onstabili-
teit van de hele regio, gevoegd bij de stijgende kosten van WA-
verzekering alleen maar om onze schepen te beveiligen – op de lange
termijn geen zin hebben of op lange termijn winst opleveren. Er bestaan geen cijfers die zo'n plan ondersteunen.'

Ross zweeg lange tijd. Toen hij weer sprak, verwachtte ze tegenspraak. 'Je hebt natuurlijk gelijk,' gaf hij echter toe, zonder een moment te aarzelen.

Ze was stomverbaasd. 'Je bent het met me eens?'

'Ik ben al lang geleden tot dezelfde slotsom gekomen.'

'Waarom moeten we dan doorgaan met iets dat niet te verwezen-
lijken valt?' Maar ze wist het antwoord al, zelfs terwijl ze de vraag
stelde. 'Katherine,' zei ze rustig.

'Zij is vastbesloten de onderneming te handhaven op de voet zoals
die was toen Alexander, en na hem Michael, die beheerde.'

'Zelfs al zijn de markten en de wereld veranderd en het de financiële ondergang van de onderneming kan betekenen?'

'Leg dat niet verkeerd uit. Katherine is een heel krachtige, intelligente en scherpzinnige vrouw. Maar het is een feit dat ze door haar
isolement niet meer weet wat het betekent zaken te doen in een sfeer
die over de hele wereld heel onbestendig is. Ze heeft nooit met wisselende regeringen of verschuivende wereldmarkten te maken gehad.
Evenmin als Richard. Je vader was de enige die misschien de ervaring zou hebben gehad de wereldwijde veranderingen onder ogen te
zien.'

'Ik kan ze aan,' hield Christina vol en keek hem strak aan. 'Ik heb
nu de zeggenschap over Fortune International.'

'Wat je ook van plan bent, het druist regelrecht in tegen de wensen
van Katherine.'

'Wat is het doel van Katherine?' vroeg ze, maar ze wist het antwoord op die vraag heel goed.

'De maatschappij in stand houden. Je weet dat ze daarom bereid
was jou als haar kleindochter te aanvaarden, om Richard ervan te
weerhouden de onderneming bij stukjes en beetjes te verkopen.'

'Dat is ook míjn doel. Ik stel alleen een andere handelwijze voor.'
'Wat behelst je voorstel precies?'
Ze haalde een enigszins versleten krantenknipsel uit haar tas en streek de kreukels glad. Toen staarde ze even naar het beeld op de foto en overhandigde het toen aan Ross. Terwijl hij het artikel las, zei ze slechts één woord. 'China.'
Hij keek haar aan en kneep toen peinzend zijn ogen halfdicht. Terwijl hij het artikel vluchtig doorlas, vroeg hij: 'Wie is die Chen Li?'
Het artikel was een paar maanden oud. Christina had het in januari uit een krant in Boston geknipt. Het ging over de pas benoemde minister van Economische Zaken van de Volksrepubliek China. 'Ik heb hem tijdens onze studie gekend,' verklaarde Christina vrij vaag. 'Maar ik kende hem als David Chen. Hij had familie in de Verenigde Staten en mocht als onderdeel van een cultureel uitwisselingsplan hier studeren. Dat vormde een deel van de krachtige diplomatieke banden die de regering van Nixon aanknoopte met de regering van het vasteland van China.'
'En jij denkt dat David Chen – Chen Li – mogelijk een hulp voor Fortune International zou kunnen zijn?'
Ze merkte dat, hoewel Ross sceptisch stond tegenover de mogelijkheden van haar plan, hij er toch in geïnteresseerd was. Ze verklaarde: 'Zijn familie heeft stevige banden met de regering in Peking. Ik heb al het nieuws gevolgd dat sinds de opstand op het Tian-An-Men-plein naar buiten is gekomen.'
Ross keek op. 'Hoe goed heb je hem gekend?'
Ze koos haar woorden zorgvuldig. 'We hadden verschillende colleges tegelijkertijd.' Aan de uitdrukking van zijn gezicht zag ze dat die uitleg niet voldoende voor hem was. En ze ging door: 'In veel opzichten hadden we van alles gemeen. We hadden beiden geen familie in de buurt en waren beiden vreemden in Boston. Hij was een goede vriend als ik er een nodig had. Hij heeft me door enkele heel moeilijke perioden heen geholpen.'
Met een pijnlijke steek in haar hart dacht Christina aan de afkeuring die zij en David hadden ondervonden om hun interraciale romance. De woede van zijn Amerikaanse familie toen hij hun had verteld dat hij een relatie met Christina had, had hem verscheurd. Maar hij gaf tè veel om haar en had haar tè hard nodig, evenals zij hem nodig had, om te bezwijken voor vooroordelen. Alleen David begreep haar vervreemding van andere mensen en alleen zij begreep zijn eenzaamheid, zo ver van het land waar zijn wortels lagen. Zijn liefde en zachtheid hadden haar in de gevoelswereld teruggebracht, na jaren dat ze zich gevoelloos had geacht. Hij had haar weer vertrouwen in de mensen geschonken en daarvoor zou hij altijd een bijzondere plaats in haar hart behouden. En zij in het zijne, zoals hij haar in zijn afscheidsbrief had verteld.

'Goed dan,' gaf Ross toe. 'Zelfs al zou je contact met Chen Li kunnen opnemen, wat voor overeenkomst zou je dan willen sluiten?'

Het volgende halve uur beschreef ze wat haar plannen waren en legde haar theorieën uit over het huidige regeringsbestel in Peking en de laatste regeringsbesluiten betreffende de promotie van beperkte uitbreiding van het vrijhandelsstelsel.

Gretig zei ze: 'Jij weet net zo goed als ik dat, als ze eenmaal de deur openzetten voor vrije handel, het zo iets zal zijn alsof er sluizen opengaan. En ze kunnen dat niet tegenhouden. De boer zal de beste prijzen voor zijn oogsten willen hebben en de fabrieksarbeider zal een redelijk loon eisen. Het vàsteland van China staat op het punt van een handelsexplosie. Dat eist het in leven blijven van zijn economie.'

Hij bleef aandachtig luisteren terwijl zij verder haar bedoelingen uitlegde. 'De Koreanen en Taiwanezen hebben al hun hele sfeer van goedkope arbeidskrachten veranderd. De Chinese leiders zijn niet naïef. Ze weten dat ze die inkomsten uit arbeid kunnen halen om er hun economie mee te stimuleren. Vergeet niet dat de Chinezen van huis uit de eerste economen waren.'

'En uiteindelijk?' drong hij aan, met een ironisch lachje dat erop wees dat hij het antwoord al kende.

Ze haalde diep adem terwijl ze zich op het laatste punt van haar betoog concentreerde. 'Er zullen enorme voorraden ruwe grondstoffen en stukwerk naar de fabrieken komen om er produkten en onderdelen van te vervaardigen, en dan zullen de afgewerkte produkten naar de markt moeten worden gebracht.'

'En de maatschappij die dan al de vervoerscontracten in de zak heeft, zal grote winsten maken,' besloot hij voor haar.

Ze glimlachte. 'Hamish Fortune heeft in zijn tijd precies hetzelfde gedaan, honderdvijftig jaar geleden. Hij bouwde op die basis een wonderbaarlijk succesvolle onderneming op.'

Zonder verder commentaar vroeg Ross de ober om de rekening. Toen zei hij tegen Christina: 'Laten we een eindje gaan rijden.'

Hij had nog geen woord van goed- of afkeuring gezegd en ze verkeerde in twijfel. Ze had al haar kaarten blootgelegd en niets verzwegen. Hij had gezegd: 'Vertrouw me', en ze had het gedaan. Maar wat zou er gebeuren als hij zich nu eens tégen haar plannen verzette en de zijde van Katherine koos? Kon ze het ooit tegen hen samen opnemen?

Ze liepen naar de parkeerplaats en terwijl ze op de parkeerwachter wachtten die hun brommer moest halen, zei Ross: 'We moeten nog eens verder over je ideeën praten. Heb je een formeel voorstel voor me opgesteld zodat ik alles nog eens kan bekijken?'

Ze keek hem verrast aan. Wat een opluchting! 'Alles staat in mijn aantekeningen. Geef me een dag en een goede assistent, dan heb ik een voorstel voor je klaar.'

'Goed,' zei hij. 'Ik zal Bill je bij alles laten helpen. Hij is de enige in de onderneming die ik kan vertrouwen. Dan kunnen we daarna de hele zaak nog eens doornemen.'

Hij hield zijn toon neutraal, alsof dit even belangrijk was als andere normale zakelijke besprekingen die ze konden voeren. Maar in werkelijkheid stond Ross op het punt de Rubicon over te steken. Hij had veel te verliezen als hij de zijde van Christina koos, en dat niet alleen wat zijn carrière betrof.

Terwijl hij op de brommer ging zitten, zei hij: 'Je ziet toch wel in dat je – als je het mis hebt – de steun van Katherine zou kunnen verliezen, de onderneming – àlles.'

Het was een sombere waarschuwing. Hij had de rest niet uitgesproken – dat ook híj alles zou kunnen kwijtraken als hij haar zijde koos.

'We kunnen dit voor elkaar krijgen,' zei ze vol vertrouwen. Zodra ze het woord had gezegd, merkte ze dat ze voor het eerst 'we' had gebruikt voor haar samenwerking met hem.

Ze verlieten Alta Mira, reden terug naar de boulevard en gingen verder dezelfde weg terug als die ze heen hadden genomen. Maar in plaats van bij de jachthaven af te slaan, reed Ross door, om de kleine haven heen. Hij bleef staan bij Kappas Marina, een uitgezochte kleine inham met aan beide zijde aanlegplaatsen en met woonboten die op kleine afstand van elkaar waren vastgemeerd aan in het water oprijzende palen. Het was een merkwaardige gemeenschap van waterbewoners. Een van de woonboten was net zo gevormd als een staande letter A, een andere had kanten van roodhout en een puntdak. Weer een andere zag eruit alsof hij eens een raderboot op de Sacramento-delta was geweest; er stond een grote schoorsteen achter het stuurhuis en het rad bevond zich midscheeps.

Ze waren alle stevig vastgemaakt. Sommige hadden bloembakken voor de ramen vol met bloemen, op andere stonden tuintafels en -stoelen en ingewikkelde barbecues. Alle hadden roeibootjes aan de steiger vastgemaakt, om er af en toe mee naar de markt in het plaatsje te kunnen gaan. Het leek een kleine drijvende stad en een zwerversbestaan, totdat Ross haar de prijzen van sommige van de woonboten vertelde.

'Het is heel gewoon dat sommige van die woonboten enkele honderdduizenden dollars kosten,' verklaarde hij. 'En dan komen daar nog allerlei zaken bij, zoals liggeld, water- en rioolbelasting. Tenzij je natuurlijk leeft en woont als mijn vriend Jack.' Hij wees een eind de haven in, naar iets dat een uit rommel samengesteld eilandje leek.

'Wie is Jack?'

'Je zou kunnen zeggen dat hij vroeger mijn huisbaas was,' zei Ross lachend. 'Ik had niet veel geld toen ik hier pas kwam. Jack hield zich toen bezig met de beroepsvisserij en had jarenlang Hongkong in- en uitgevaren. Hij deed me denken aan de oude Ned en we werden vrienden. Ik mocht een tijdje bij hem komen wonen en hij hielp me de "Resolute" op te knappen na die wereldreis. Ik, op mijn beurt, hielp hem toen de plaatselijke commissie probeerde woonbootbewoners beperkingen op te leggen.'

'Ik zou dat toch geen woonboot willen noemen,' zei ze droogjes.

'Nee? Je hebt het nog niet van binnen gezien. Ga maar eens mee.'

Christina dacht na over de paar mensen met wie Ross nauwere banden had aangeknoopt – een studievriend die hij mee omhoog had getrokken op de carrièreladder, een oude visser. Ze leerde kanten van zijn persoonlijkheid kennen waarvan ze een paar dagen geleden het bestaan niet zou hebben vermoed. Betekende het dat hij haar begon te vertrouwen?

Ze lieten de brommer op de steiger staan en namen een roeibootje naar de woonboot van Jack. Toen ze op de houten vloer stapten die eromheen lag, riep Ross: 'Ahoy, Jack!'

Even later klonk er binnen een zware stem: 'Wie stoort me verdomme zo vroeg in de ochtend?'

De man die de deur opengooide en naar buiten stapte, was enorm groot. Hij was minstens een meter vijfentachtig lang en zou zeker honderdvijftig kilo wegen. Hij had dun grijs haar en een gezicht dat zo lang aan de zon was blootgesteld dat het eruitzag als leer. Zijn afmetingen en woedende blik waren angstaanjagend, om het zacht uit te drukken, en Christina trok zich terug om dichter bij Ross te gaan staan.

Maar de woedende uitdrukking verdween zodra Jack Ross zag. 'Ross, kerel, waar heb jij je verdomme verstopt? Ben je zo'n hoge donder geworden dat je geen tijd meer hebt voor je minder deftige vrienden?'

Hij omhelsde Ross op een manier die volkomen in tegenspraak was met zijn woorden en Christina zag verbaasd dat Ross op dezelfde manier reageerde. Heel even was zijn reserve verdwenen en zag ze het menselijk wezen dat hij kon zijn als hij dat wenste.

Vóór Ross iets kon zeggen, wendde Jack zich tot Christina. 'En wie is deze knappe dame?'

'Christina Fortune,' stelde Ross voor, zonder nadere uitleg van hun relatie te geven.

Het was duidelijk dat een andere uitleg niet nodig was, want Jack kneep peinzend zijn ogen halfdicht en zei rustig: 'Juist. Nou, kom binnen, dan zet ik gauw koffie.'

Terwijl Christina de woonboot binnenstapte, was ze verbaasd te ontdekken dat het vaartuig er vanbinnen veel prettiger uitzag dan aan de buitenkant. Dat had Ross dus bedoeld toen hij zei: 'Je hebt

het nog niet van binnen gezien.' Het was er klein, maar prettig ingericht, met ingebouwde eiken planken en kastjes langs alle wanden
van de combinatie zitkamer/keuken/slaapkamer. Twee bruin en
beige gestreepte sofa's stonden tegenover elkaar aan weerszijden
van het vertrek en de met kussens opgevulde ruggen waren in de
wand ingebouwd.

Jack zag Christina verbaasd rondkijken en gniffelde: 'Het ziet er
heel chic uit, hè, vergeleken met de buitenkant?' Hij keek even naar
Ross. 'Dat heeft díe vent gedaan, met zijn eigen handen!'

Christina keek Ross aan. 'Heb jij dat allemaal gedaan?'

Ross haalde zijn schouders op. 'Het was niet zo moeilijk. Ik had
een boek over timmerkunst en heb gewoon de aanwijzingen opgevolgd.'

Jack grinnikte. 'Hij zei dat we het hier wat moesten opknappen.
En voordat ik het wist, zag het er hier uit als een plaatje in zo'n blad
over woninginrichting. Maar nou ga ik koffie zetten. Maak het je gemakkelijk.'

Ze gingen samen op een van de sofa's zitten. Achter hen bevond
zich een groot raam, dat uitzicht bood op de baai.

'Veel mensen zouden miljoenen dollars willen betalen voor zo'n
uitzicht,' merkte Christina droogjes op.

'Jack heeft het vrijwel voor niets. Wat denk je dat zoiets betekent?'

'Dat geld niet zo belangrijk is?'

'O, het is belangrijk. Maar het kan niet de belangrijkste dingen in
het leven kopen.'

'Dat is een heidense opvatting voor de hoofddirecteur van een
machtige onderneming.'

'In zekere zin heeft het me geholpen daar te komen waar ik nu ben:
het feit dat ik een heiden ben.'

Christina keek hem peinzend aan. 'Dat zal wel.'

Op dat moment keerde Jack terug met een houten dienblad vol
kerven en vlekken dat eruitzag of het op vele reizen dienst had gedaan. Er stonden drie witte bekers op, waarvan twee een paar schil-
fers kwijt waren, en er stond ook suiker en melk op het blad. De
koffie zag er heerlijk uit en rook ook zo, sterk, donker en dampend
heet. Hij smaakte voortreffelijk en Christina zat rustig van de koffie
en het heerlijke uitzicht te genieten.

Ze luisterde terwijl Jack en Ross bijpraatten. Jack vertelde van
een lange reis naar de Middellandse Zee die hij net volbracht had en
Ross beschreef wat voor verbeteringen hij aan zijn schip had aangebracht. Christina zat zo naar hen te kijken, zag de gemakkelijke manier waarop ze met elkaar omgingen, ondanks het feit dat ze veel in
leeftijd verschilden en ook hun financiële posities bepaald niet gelijk

waren. Hun omgang deed Christina ergens aan denken, maar ze kon niet plaatsen wat het was.

Toen herinnerde ze het zich. Ze behandelden elkaar als vader en zoon. Jack keek Ross stralend en met een vaderlijke trots aan toen Ross beschreef wat hij gedaan had aan het schip. En Ross keek letterlijk naar Jack op om goed te luisteren toen Jack uitlegde hoe een nogal gevaarlijke zeilmanoeuvre moest worden uitgevoerd. Vader en zoon. Wat betekende dat, vroeg Christina zich af; hoe kwam het dat Ross zo'n relatie met Jack had? Hoe stond het met de werkelijke vader van Ross? Opnieuw werd ze eraan herinnerd hoe weinig ze eigenlijk van zijn persoonlijke leven af wist.

Een uur later stonden ze allen op de houten vlonder terwijl Ross en Christina maatregelen namen om te vertrekken. Plotseling herinnerde Ross zich een boek over schepen dat hij van Jack had willen lenen. En terwijl hij naar binnen ging om het te halen, zei Jack tegen Christina: 'Ik ben blij dat hij u heeft meegenomen om kennis te maken.'

'Dat vind ìk ook prettig,' zei ze oprecht.

'U bent de eerste vrouw die hij ooit hierheen heeft meegebracht,' zei de oudere man, en zijn blikken spraken boekdelen.

Christina wist van verbazing niet hoe ze moest reageren.

Toen keerde Ross terug en was er geen kans meer iets te zeggen. Ze stapten in de roeiboot en roeiden terug naar de steiger, terwijl Christina achterom keek naar Jack, die hen met zijn blikken bleef volgen.

Christina wendde zich vervolgens tot Ross. 'Dat is een bijzondere man.'

Ross glimlachte. 'Dat is inderdaad zo. Ik ken niemand zoals hij.'

'Je mag hem blijkbaar heel graag.'

Ross keek haar niet aan, maar zei slechts: 'Ja.'

Ze dacht aan haar eigen vader en hoe lang het geleden was dat ze aan die band had gedacht. 'Het moet heerlijk zijn iemand te hebben die je als een vader kunt beschouwen, ook al is hij dat niet.'

De uitdrukking op het gezicht van Ross werd harder. 'Ik heb al lang geleden geleerd dat bloedverwantschap totaal niets betekent.'

Ze lieten de brommer achter bij het kantoortje van de jachthaven en terwijl Ross naar binnen ging, bleef Christina op de steiger staan en bewonderde de verschillende zeilboten.

Ross kwam snel terug. 'We gaan naar huis,' zei hij, en er was een geschrokken klank in zijn stem.

'Is er iets mis?'

'Er zijn moeilijkheden op kantoor.'

Christina liep met hem mee naar het kantoortje van de jachthaven en wachtte terwijl hij maatregelen trof om de 'Resolute' daar gemeerd te laten liggen totdat hij weer terugkwam.

'Wat voor moeilijkheden?' vroeg ze, toen ze in een huurauto stapten die Ross had opgehaald bij een autoverhuuragentschap verderop in de straat.

Hij fronste zijn wenkbrauwen en reed het parkeerterrein af. 'Dat zei Bill niet, maar hij vond wel dat we onmiddellijk moesten terugkomen.'

Haar eerste gedachte betrof Katherine – dat haar iets overkomen was. Ze kreeg een wee gevoel in haar maag, ondanks het feit dat ze eigenlijk niet zo erg op Katherine gesteld was. 'Wàt het ook is, het is vast ernstig,' zei ze. 'Bill overdrijft niet gauw.'

Ross keek haar even aan terwijl hij Highway 101 opreed die hen naar de Golden Gate Brug zou brengen, en zo terug in de stad. 'Nee, dat doet hij niet,' vond ook hij.

Ze hadden twee uur nodig gehad om van de stad naar Sausalito te varen. Om deze tijd van de dag was het verkeer naar San Francisco niet zo druk en binnen een half uur reden ze de ondergrondse parkeergarage onder het Fortune-gebouw in, waarna ze de privé-lift naar boven namen. Onderweg hadden ze vrijwel niets tegen elkaar gezegd.

Toen ze op de achttiende etage uitstapten, waar zich alle directiekantoren bevonden, wist Christina meteen waarom Bill niet had uitgeweid over de moeilijkheden op kantoor. Die waren niet te beschrijven zonder dat het als een grote ramp klonk.

De receptie zag er nog normaal uit, afgezien van de aanwezigheid van een politieman in uniform en twee mannen in verkreukelde pakken, die duidelijk rechercheurs in burger waren. Maar een snelle blik in de tegenovergestelde richting naar de gang, waaraan de privé-kantoren waren gelegen, onthulde de schade. Het zag eruit alsof daar een gek had rondgeraasd, die alles wat hij zag, vernietigd had. Overal lagen papieren verspreid en de archiefkasten waren ondersteboven gegooid. Boven dat alles hing een vage brandlucht. Toen ze hun voeten op het tapijt neerzetten, sopte dat onder hun voeten. Er was kennelijk brand geweest, hoewel de schade in de kantoren niet het gevolg van vuur scheen te zijn. Maar het was erg genoeg geweest om de sprinklerinstallatie in werking te stellen.

De deur van het kantoor van Ross stond open. Zijn bureau lag vol papieren en verschillende laden die in de tegenoverliggende wand waren aangebracht, stonden open en hun inhoud lag verspreid over het tapijt.

Christina snelde naar haar eigen kantoor en toen ze daar binnenstapte, zag ze Bill, die er doodmoe en van streek uitzag. 'Ik ben blij dat je terug bent. Waar is Ross?'

'Hiernaast. Wat is er gebeurd?'

Hij schudde zijn hoofd. 'Dat probeert de politie nu uit te vinden. Het interne alarmsysteem trad even na elf uur gisteravond in werking. Ik wist nergens van af tot ik vanochtend uit de lift stapte. Niemand had me gewaarschuwd.'

Ze fronste haar wenkbrauwen. 'Heeft de bewakingsfirma niet de politie en iemand van de onderneming gewaarschuwd?'

'Ze hebben Richard gebeld, maar hij heeft niet de moeite genomen mij te waarschuwen – dat is gebruikelijk als Ross niet aanwezig is. Het is een enorme rommel.'

'Hebben ze enig idee wàt het alarmsysteem heeft ingeschakeld?'

'Rook blijkbaar.' Hij liep langs haar heen om Ross te gaan zoeken.

Christina deed een stap opzij toen twee politiemensen haar kantoor binnenkwamen. Bij haar was de rommel nog erger dan in het kantoor van Ross. Alle laden van haar bureau waren uitgetrokken en de inhoud ervan uitgespreid over de bovenkant ervan. De telefoon lag op de grond en alles was kletsnat.

Ze liep het kantoor uit om de politie bij haar werk niet te storen, maar hoorde een van de mannen nog zeggen: 'Te oordelen naar de manier waarop alle laden zijn omgekeerd, zou je zeggen dat iemand naar geld op zoek was. Het vreemde is dat er beneden geen spoor te bekennen is van geforceerde deuren. Het beste is iemand contact te laten opnemen met de schoonmaakdienst van het gebouw en na te gaan wie er gisteravond laat heeft gewerkt.'

Maar Christina kon nauwelijks geloven dat dit het werk van een dief was. Afgezien van wat kleingeld dat de receptioniste had om broodjes te betalen die elke ochtend werden bezorgd, was er nooit geld op kantoor aanwezig. In de hoofdreceptie stonden enkele kunstvoorwerpen, evenals in de vergaderkamer en de directiekantoren, maar niets van grote waarde. De meeste werkelijk waardevolle kunststukken bevonden zich op Fortune Hill of in de ranch op Hawaii.

Wel waren er enkele originele antieke kunstvoorwerpen die Hamish Fortune uit het oosten had meegebracht, maar dat soort dingen was moeilijk te verkopen. Het was gemakkelijk na te gaan waar ze vandaan kwamen en te oordelen naar wat ze zag, waren ze ook niet aangeraakt.

Ze had eens gelezen dat er een levendige ondergrondse markt voor kantooruitrusting bestond, en daarvan bevond zich van alles op die etage, zoals faxapparaten, telefoons, verschillende kopieerapparaten en computers met alle onderdelen, met inbegrip van de modernste laserprinters in bijna elk kantoor. Verschillende van die machines waren kapotgemaakt, maar voor zover zij kon nagaan, werd er niets vermist. Degene die daar zo had huisgehouden, was duidelijk niet uit op kunstvoorwerpen of kantoormachines.

Maar wat wilden ze wèl hebben? vroeg ze zich af.

Ze trof Marie achter haar bureau aan. De politie was al klaar met haar kantoor te onderzoeken en was nu bezig water op te deppen dat op de archiefkast lag.

'Het duurt dagen voordat we deze rommel hebben opgeruimd,' jammerde Marie. 'Overal zit water in.' Ze hield een nat roze pak papier op met telefoontjes die tijdens haar afwezigheid waren binnengekomen. 'Gelukkig is de inkt niet uitgelopen.'

Ze gaf ze aan Christina met een paar papieren zakdoekjes. 'Er zijn enkele boodschappen achtergelaten. Iemand die Julie heèt, heeft een paar keer gebeld.'

Christina keek op. 'Heeft ze gezegd wat ze wilde?'

'Nee. Alleen dat ze u wilde spreken zodra u terug was. Ze zei dat het heel belangrijk was.'

'Is er een telefoon die werkt?'

'De mijne,' zei Marie. 'Die goeie, ouwe PTT. We zouden er wel een televisiespot van kunnen maken. Ze verdient een televisiereclame.'

Christina ging achter Maries bureau zitten terwijl die op zoek ging naar meer papieren zakdoeken. Snel belde ze Julie op.

'Dag,' begroette Julie haar. 'Ik heb begrepen dat jé de rest van de dag en gisteravond hebt vrijgenomen. Goed zo. Je had een lelijke smak gemaakt. Ik hoop dat je er geen last meer van hebt.'

'Mij mankeert niets.' Christina besloot Julie niets te vertellen van de rommel op kantoor. 'Wanneer kun je naar de stad komen?'

'Dat is een van de dingen waarom ik je bel,' verklaarde Julie. 'We zullen het moeten uitstellen tot over twee weken. Maar zó lang wilde ik niet wachten om het je te vertellen.' Julies stem klonk aarzelend.

'Me wàt te vertellen?'

'Weet je, Chris, een paar arbeiders hebben het geweer gevonden waarmee gisteren in de wijngaarden is geschoten.'

'Ik hoop dat je de eigenaar namens mij de mantel hebt uitgeveegd.'

'Daar gaat het juist om – we weten niet van wie het is. Het kantoor van de sheriff neemt er nu enkele proeven mee. Ik weet niet veel van vuurwapens af, maar een van mijn mensen zei dat het serienummer eruit was gevijld.'

'Eruit gevijld?'

'Bij de sheriff zeiden ze dat zoiets meestal gebeurt als het wapen gestolen is, of...' Haar stem stierf weg.

'Of wat, Julie? Zèg het me.'

'Of in een geval waarin de eigenaar niet wil dat kan worden nagegaan dat het wapen van hem is.' Er bleef een vreemd zwijgen hangen, maar toen vroeg Julie: 'Zijn er nog meer vreemde dingen gebeurd nadat je in San Francisco terug was?'

244

Christina begon zich misselijk te voelen. 'Waarom vraag je dat?' slaagde ze erin uit te brengen.

'Tja, je bent nu een rijke erfgename, en dat brengt zo het een en ander met zich mee. Neem maar van mij aan dat ik dat weet. Ik heb me zelf ook aan allerlei dingen moeten aanpassen nadat ik met Carlo ben getrouwd.'

Christina keek door de open deur in haar kantoor. En opeens was het haar volkomen duidelijk. Iemand had daar zo'n ravage aangericht en had zelfs de sprinklerinstallatie in werking gezet om te proberen een grondig onderzoek in haar kantoor te verdoezelen. Zíj was het doel.

Toen Christina niet reageerde, ging Julie door: 'Goed dan. Het was maar een vraag en misschien reageer ik te melodramatisch. Ik bel je wel wanneer ik me kan vrijmaken voor een bezoekje. En eerder als ik van het kantoor van de sheriff iets naders over dat geweer hoor.'

'Kijk uit, Julie. Ik bel je gauw weer.' Toen Christina opkeek, bleef ze in haar kantoor staren, waar de politie spullen meenam.

'Mag ik nu naar binnen?' vroeg ze aan een van de rechercheurs.

'Natuurlijk; we zijn klaar.' Hij schudde zijn hoofd. 'Wat een rotzooi, hè? Het is verschrikkelijk wat vandalen kunnen aanrichten.'

Christina gaf geen antwoord. Ze was er absoluut van overtuigd dat dit niet het werk van vandalen was.

Op dat moment kwam Steven haar kantoor binnen. Koeltjes zei ze hem goedendag.

Hij keek lachend rond en zei: 'Het is hier ook niet al te erg.'

Ze nam geen notitie van zijn woorden en vroeg: 'Hoe is het in jouw kantoor?'

Hij haalde zijn schouders op. 'Ook een rommeltje.'

Ze keek verrast op en merkte dat ze even had verondersteld dat Steven hierachter zat. Maar dan zou hij niet ook zijn eigen kantoor ondersteboven hebben gekeerd, tenzij hij de verdenking van zich wilde afleiden.

Hij keek naar een stapel doorweekt papier. 'In mijn kantoor is het water ook overal doorgedrongen. Wie dit ook gedaan heeft, hij of zij was wèl heel grondig.' Hij wierp nog een blik op de natte papieren en ging door: 'Ik hoop dat je hier niets belangrijks bewaarde, beste nicht.'

Wat zou hij met die opmerking bedoelen? vroeg ze zich af. Ze keek even snel naar de computerterminal en zei: 'Nee, niets belangrijks.'

Richard en Brian kwamen haar kantoor in. Richard fronste de wenkbrauwen toen hij Christina zag, maar hij zei niets.

Brian probeerde de plotselinge stilte te doorbreken en zei: 'Christina, wat erg, hè? Ik ben blij dat jij gisteravond niet laat aan het werk was, want dan had de dader je misschien iets kunnen aandoen.'

Vóór Christina Brian voor zijn bezorgdheid kon bedanken, zei Richard tegen Steven: 'Ondanks deze rommel moeten we vanochtend met elkaar praten over de details van onze reis naar Hongkong.'

Steven knikte. 'Ik geloof dat ze klaar zijn in de vergaderzaal. Er scheen daar niet zo veel waterschade te zijn.' Toen hij Richard en zijn vader volgde, het kantoor uit, bleef hij bij de deur even staan en wendde zich tot Christina. 'Tante Alicia zal de hele etage opnieuw willen inrichten nu ze er een goed excuus voor heeft. Je kunt haar helpen. Dan heb je iets nuttigs te doen.'

Ze nam niet de moeite op de hatelijkheid te reageren. Ze wist niet dat Steven alweer zo gauw naar het oosten zou terugkeren. Zou Ross dat weten? Toen viel haar blik weer op de computer op haar bureau.

Ze had er een hoes overheen gedaan toen ze twee dagen geleden naar Julie was vertrokken. Er lag water op de hoes, maar toen ze die wegnam, leek alles eronder droog te zijn.

Min of meer automatisch schakelde ze het apparaat in en koos het basisprogramma. De gebruikelijke gegevens verschenen op het scherm en dat stelde haar gerust: de computer was niet beschadigd. Er verscheen een rij van alle programmanummers en toen een overzicht van de toegangscodes; daarna rolde het programma door naar de datum van die dag en de juiste tijd. Er was iets dat haar aandacht trok, maar het was weer weg voordat ze het kon lezen.

Ze drukte een toets in om het basisprogramma te herhalen en keek aandachtig toen alles opflitste. Toen de gegevens kwamen die ze wilde hebben, liet ze alles stilstaan, zodat ze het goed kon lezen. De laatste activiteit droeg de datum van de vorige dag en de tijd was 10.47 uur n.m.

Iemand had haar computer gebruikt.

Ze had een persoonlijke codesleutel gekregen van de afdeling die de gegevens programmeerde en er was haar verzekerd dat alle codesleutels vertrouwelijk waren. Zij had echter toch nog de hare veranderd, om zeker te weten dat niemand anders zich toegang kon verschaffen.

Nu toetste ze die speciale code in en wachtte bezorgd, terwijl het programma waar ze de vorige dag mee bezig was geweest op het scherm verscheen. De laatste datum en tijd stonden op het eerste beeld. Ze slaakte een zucht van verlichting – het was nog allemaal precies zo als de laatste keer dat ze het gezien had. Wie haar computer ook gebruikt had, hij of zij was niet in staat geweest er enige gegevens uit los te peuteren.

Ze maakte snel een floppy van het programma op de harde schijf en wiste toen het originele programma uit.

'Wat ben jij aan het doen?'

Ze keek op en zag Ross op de drempel staan.

'Ik controleerde mijn computer om te zien of die beschadigd was.'

Op een of andere manier voelde hij dat ze hem niet de volle waarheid vertelde en hij fronste zijn wenkbrauwen.

Ze stopte de floppy in haar tas en keek naar de rommel om zich heen. Wie zou dit gedaan hebben? Wíe had de moeite genomen om zo'n rommel te veroorzaken teneinde te maskeren wat volgens haar het werkelijke doel was – haar privé-computergegevens te controleren.

Wat had een van die politiemensen gezegd? Er was beneden geen enkel spoor van geforceerde deuren en het alarmsysteem voor het gebouw was niet afgegaan. Alleen het sprinklersysteem had de autoriteiten gemeld dat er iets aan de hand was in het Fortune-gebouw.

De politie zou de schoonmaakploeg ondervragen die elke avond kwam. Maar Christina wist uit ervaring tijdens haar overwerkavonden dat die mensen meestal al om halftien van de etage verdwenen waren. Hetgeen betekende dat degene die de schade had veroorzaakt, na de schoonmaakploeg was binnengekomen en zich vrijelijk toegang tot het gebouw kon verschaffen.

Er kwam een afschuwelijke gedachte bij haar op – misschíen was het Richard geweest. Hij was woedend op haar geweest omdat ze zijn list met Loomis had doorzien. Ze hoorde weer de waarschuwende woorden van Katherine: *'Richard zal alles doen wat hij kan om de zeggenschap over de onderneming te bemachtigen.'*

Hield dat ook diefstal in, als hij dacht dat zij een goed plan had gevonden om de in financiële moeilijkheden verkerende maatschappij te redden?

Als Richard hierachter zat, wat was dan de rol van Ross? Haar zien weg te krijgen en haar bezighouden terwijl Richard haar archieven doorzocht? Ross was de enige die zeker kon weten dat zij de vorige avond niet laat zou doorwerken. Het zou gemakkelijk genoeg voor hem zijn geweest Richard te laten weten dat de kust veilig was, zodat Richard met zijn eigen sleutel het gebouw kon betreden om te trachten haar computergegevens te controleren.

Néé, hield ze zich voor, niet bereid het te geloven. Alles wat er de afgelopen twaalf uur tussen hen was gebeurd, was toch geen leugen. Bovendien had ze hem verteld wat voor plannen ze met de onderneming had. Hij wist alles.

Maar als hij nu eens niet geloofde dat ze hem alles had verteld? Ze wist dat – ondanks alles – hij haar nog steeds niet volkomen vertrouwde, evenmin als zij hem helemaal vertrouwde.

'Het feit dat ik een heiden ben, heeft me gebracht waar ik ben,' had hij tegen haar gezegd, of woorden van die strekking. Bij een heiden

te zijn, hoorde het je eigen overtuigingen boven alle verdere overwegingen te stellen.

En dat was nog niet alles. Julies vraag over moeilijkheden zat haar dwars. Er kon geen enkel verband bestaan tussen de inbraak en haar ongeluk in de wijngaarden van Francetti. Maar wàs het wel een ongeluk geweest? Had Richard misschien gewoon geprobeerd haar te vermoorden? En zou Ross met hem meedoen?

Toen kwam een nog afschuwelijker mogelijkheid boven – Ross was, meteen na haar ongeluk bij de Francetti-wijngaarden, opgedoken.

'Ik zal je naar Fortune Hill terugbrengen,' zei Ross nu ongeduldig. 'Dan moet ik terug naar Sausalito, naar de boot.'

Ze pakte haar tas op en liep snel langs hem heen terwijl ze het kantoor verliet. 'Je hoeft me niet naar Fortune Hill te brengen. Daar blijf ik niet langer. Ik ga ergens anders heen.'

Ze keek niet om en holde naar de rij liften.

Het enige dat ze níet wilde, was gebeurd, al was ze nòg zo vastbesloten geweest zich te verzetten. Ze was even niet op haar hoede geweest en had zichzelf toegestaan om Ross te gaan waarderen, en meer. En dat maakte haar kwetsbaar.

Hoofdstuk 22

Christina zat met haar benen onder zich opgetrokken op de effen witte sofa, het enige meubel in de woonkamer van haar nieuwe flat. De vorige dag was het op kantoor zó'n janboel geweest dat ze vroeg was weggegaan. Met de hulp van Marie had ze deze flat gevonden, evenals een firma die meubels verhuurde en onmiddellijk de spullen kon afleveren. Na de meest noodzakelijke kwesties geregeld te hebben, had ze de nacht bij Marie in haar logeerkamer doorgebracht en was die ochtend naar de flat verhuisd.

Vanaf het moment dat ze had ontdekt dat Richard haar dagboek had gestolen, wist ze dat ze niet naar Fortune Hill kon teruggaan. Ze moest zo veel mogelijk afstand tussen hen zien te houden, en hetzelfde gold voor de rest van de familie. En ze wilde een plek voor zichzelf, waar ze niet het gevoel had voortdurend in de gaten te worden gehouden.

Nu zat ze te staren naar een lijst die ze in haar notitieboekje had gemaakt met de namen van hen die de mogelijke schuldigen waren van het vandalisme.

Richard – heel goed mogelijk.

Steven – hij zou best met Richard onder één hoedje kunnen spelen.

Andrew – hij lijkt totaal niet in de onderneming geïnteresseerd, maar die vormt wèl zijn bron van inkomsten. Evenals alle leden van de familie staat er financieel een groot verlies voor hem op het spel, en wel door mijn komst.

Jason – hetzelfde motief als voor Andrew, en misschien nog wel een sterker motief. Hij heeft me nauwelijks geaccepteerd en is duidelijk nog steeds in stilte heel boos op me wegens het verleden.

Diana – ik kan me eigenlijk niet goed voorstellen dat zij het gebouw zou binnensluipen en zo'n schade veroorzaken, maar ze kan Brian hebben gedwongen het te doen. Ik geloof niet dat hij het zou willen, maar het kost hem duidelijk moeite zich tegen haar te verzetten.

Christina aarzelde en hield haar pen in de lucht boven het papier; toen schreef ze er aarzelend nòg een naam bij.

Ross – als hij zou denken dat ik gegevens voor hem achterhoud, is het best mogelijk dat hij met Richard onder één hoedje speelt om die gegevens los te krijgen. Ik heb er geen bewijs voor dat hij eerlijk was

toen hij zei dat hij Richards aanbod, om samen de leiding van de maat-
schappij over te nemen, had afgewezen.

Ze hield op en staarde somber voor zich uit. Ze wilde niet geloven dat het Ross kon zijn, omdat dat heel goed kon betekenen dat hij ook schuldig was aan wat ze nu als een aanslag op haar leven beschouwde. Ze zou dan immers niet de gevoelens voor hem kunnen koesteren die ze voelde als hij tot dergelijke dingen in staat was. Maar toen besefte ze dat er vermoedelijk heel wat vrouwen waren die werden mishandeld, en zelfs gedood, door mannen van wie ze hielden en die ze vertrouwden.

Van wie ze hielden. Die woorden had ze in verband met Ross nooit gebruikt, zelfs niet in haar diepste binnenste. De mogelijkheid dat ze verliefd op hem zou kunnen worden, was ontstellend.

Nee, daar wilde ze nu niet aan denken. Ze moest zich concentreren op de allerbelangrijkste kwestie – wie zou er proberen haar te vermoorden?

Ze wist dat het geen zin had om Richard of Steven uit te vragen. Ze zouden vermoedelijk niet eens met haar willen praten, laat staan antwoorden geven op vragen omtrent hun verblijfplaats op twee kritieke tijdstippen – de ochtend dat zij bij Julie te paard had rondgereden en de vorige avond, toen iemand in het gebouw had ingebroken en geprobeerd had toegang tot haar computer te krijgen.

Hetzelfde gold voor Ross. Hij was veel te voorzichtig, en te slim, om zich te verraden.

Maar ze kon in elk geval proberen de lijst van vermoedelijke daders korter te maken door de gangen van Diana, Brian, Andrew en Jason na te gaan. Ze dacht even diep na en probeerde de juiste benadering te vinden. Toen nam ze de telefoonhoorn op en draaide het nummer van Diana en Brian. Toen de huishoudster opnam, vroeg Christina naar Brian. Ze zou gemakkelijker met hem dan met Diana kunnen praten en hoopte dat hij minder op zijn hoede zou zijn.

Toen hij aan de lijn kwam, zei ze: 'Oom Brian, het spijt me dat het zo lang heeft geduurd eer ik terugbel, maar ik hoorde nu pas dat u een dag of wat geleden een boodschap voor me had achtergelaten – op de dag dat ik vroeg van kantoor naar huis ging.'

Het bleef even stil, en toen zei Brian aarzelend: 'Ik herinner me niet dat ik geprobeerd heb je te bereiken. Welke dag was dat?'

Ze zei het hem en hij antwoordde: 'Nee, op die dag heb ik je niet gebeld. Toen ben ik naar de golfclub geweest.'

Christina nam zich voor dat bij de club te controleren, maar ze verwachtte er niet veel van. Ze zouden ook nauwelijks op één lid speciaal hebben gelet tussen de honderden die daar speelden. Maar omdat hij nu misschien een alibi had, betekende dat nog niet dat Diana er ook een zou hebben.

Christina antwoordde op een toon die – naar ze hoopte – wat verward klonk: 'Misschien heeft Marie een fout gemaakt en bedoelde ze dat tante Diana me heeft gebeld.'

'Nee... nee, dat denk ik toch niet. Dat is de dag waarop Diana altijd bridge speelt met haar club. Daar maken ze altijd een heel feest van, bridgen en lunchen, en kwebbelen, denk ik.'

'Nou, dan moet ik maandag nog maar eens nader navragen bij Marie. Sorry dat ik stoorde.'

'Hindert niet. Alles oké, Christina?'

'Ja,' loog ze. 'Ik maak het prima.'

Nadat ze had neergelegd, bleef ze in gedachten verdiept lange tijd zo zitten. Hoewel deze gegevens Brian en Diana niet direct automatisch van de lijst afvoerden, leken zij nu toch niet meer de meest voor de hand liggende verdachten en bleven Andrew en Jason over. Maar geen van beiden belde haar ooit op, dus kon ze hen niet bellen met hetzelfde excuus dat ze bij Brian had gebruikt.

Toen dacht ze ergens aan – de laatste keer dat ze Andrew had gesproken, tijdens een van de sociale avondjes waarheen Alicia haar had gebracht, had hij haar gevraagd eens langs te komen bij het tehuis en te zien wat ze daar deden. Ze kon er nu heen gaan en proberen het gesprek op die twee kritieke tijdstippen te brengen.

Een oud, Victoriaans stadshuis met een verdieping erop vormde het tehuis van de 'Sansome Street Shelter' en was gelegen in de Missiewijk. De gebouwen eromheen waren vervallen en de meeste hadden kapotte ruiten, die met planken waren dichtgespijkerd. Maar het tehuis was pas opnieuw wit geschilderd, waarbij de schone en niet gebroken ruiten in zachtgele lijsten waren gezet. Een met de hand geschreven bord boven de voordeur vermeldde slechts 'Allen zijn welkom'.

Binnen vond Christina rechts van de gang in het midden een dagverblijf en aan de linkerkant een soort kliniekje. Enkele kinderen en een handjevol volwassenen wachtten op behandeling in de kliniek, maar in het dagverblijf bevond zich een grote groep kinderen in de leeftijden van peuter, kleuter, schoolkinderen en tieners, die daar speelden onder toezicht van een jeugdige vrijwilliger. Door een openstaande deur hoorde Christina het geluid van nog meer kinderen, die in het tuintje achter het huis aan het spelen waren.

Het gelach van de kinderen was precies zo als dat van elk ander groepje opgewonden jongeren. Maar toen Christina hen eens nader bekeek, zag ze hoe velen een behoedzame blik in de ogen hadden. Ze hadden veel te vroeg al geleerd hoe onzeker het leven kan zijn en het bracht pijnlijke herinneringen bij haar boven.

Christina's hart deed pijn toen ze naar hen keek. Wat ook het resultaat van haar gesprek met Andrew zou zijn, ze nam zich nu al voor dat ze hier nog eens wilde terugkomen en zou doen wat in haar vermogen lag om deze kinderen de hoop te geven die een priester eens háár had geschonken, al was dat nu heel lang geleden.

Ze vroeg een voorbijkomende vrijwilligster haar te wijzen waar Andrew zich bevond en hoorde dat hij boven in de vergaderzaal was.

Op de eerste etage zag ze, op zoek naar de vergaderzaal, verschillende deuren, waarvan de meeste gesloten waren. Het bleken alle slaapkamers te zijn, en in verreweg de meeste ervan stonden stapelbedden. Het was duidelijk dat alle bedden gebruikt werden. 'Sansome Street Shelter' was helaas een drukbezet tehuis.

Aan het eind van de gang keek Christina in een kamer waarvan de deur openstond en zag ze Andrew staan voor een groepje van een stuk of zes mannen en vrouwen. Christina begreep dat dit een soort kennismakingsbijeenkomst was.

Andrew zei: '... en er zijn cursussen over gezondheid, voedingsleer en gezinsverhoudingen. "Alcoholics Anonymous" en "Narcotics Anonymous" hebben hier elke avond van zeven tot negen bijeenkomsten.'

Hij had op een lijst in zijn hand gekeken, sloeg toen zijn ogen op, glimlachte tegen de groep en eindigde met de woorden: 'Voor het moment is dit dus jullie tehuis. Maar we zullen jullie helpen een baan te vinden of je eerst ergens voor opleiden en dan werk voor je zoeken. Zo spoedig mogelijk kom je in een eigen huis. Nu wordt straks beneden de lunch geserveerd, dus laten we maar naar beneden gaan.'

Terwijl de groep langs haar liep, zag Christina de uitdrukking van hoop op veel van de gezichten. Geen van allen wilden ze in een tehuis blijven. Maar het was nu een grote verbetering vergeleken met waar ze geweest waren – op straat. Het was een gevoel dat ze maar al te goed kon begrijpen.

Ze volgde hen en Andrew bleef staan toen hij haar zag. Ze glimlachte aarzelend. 'Ik besloot eens aan je uitnodiging gehoor te geven en hoop geen ongeschikte tijd te hebben gekozen.'

Hij glimlachte terug. 'Nee. Prima. Ik heb nu even vrij.'

Hij zag er ontspannen en opgewekt uit, anders dan de paar keren die ze hem tot dan toe had gezien. Toen was hij steeds omringd geweest door zijn familie – een familie waarin hij niet goed paste.

Ze ging even na wat ze van Andrew wist. Hij sloot al zijn emoties altijd zorgvuldig weg, maar één keer waren zijn gevoelens losgebarsten. Dat was in het huis van zijn grootmoeder op Fortune Hill geweest. Steven had Andrew genadeloos geplaagd, de hele dag al, en het ging om zijn verlegenheid en een of ander meisje, dat Andrew blijkbaar aardig vond. Steven pestte hem en maakte er nare opmerkingen over dat hij niet in staat was een meisje leuk te vinden en mogelijk meer van jongens hield.

Hij blééf maar doorgaan, totdat plotseling de zachte, gedweeë Andrew in woede was uitgebarsten. Hij viel Steven aan, stompte hem een bloedneus, sloeg een tand door zijn lip en probeerde hem te smoren. Christina dacht dat hij misschien Steven echt zou hebben vermoord als Jason hem niet van zijn neef vandaan had getrokken.

Tot Andrews frustratie en vernedering werd híj naderhand gedwongen zich bij Steven te verontschuldigen. Het was de enige keer dat Christina hem zo had gezien, maar toen had ze begrepen dat haar neef ook een andere zijde had – hij was driftig en dan tot geweld geneigd.

Toen hij nog een koorknaap was, werd hij ernstiger en wilde naar een seminarie en later priester worden. Maar zijn moeder weigerde absoluut haar toestemming. Nu, twintig jaar later, droeg hij dan ook geen ronde witte boord noch een kruis. Hij had blijkbaar geprobeerd zin in zijn leven te brengen door anderen te helpen, maar Christina vroeg zich af of hij daarin werkelijk bevrediging had gevonden.

Zachtjes zei ze: 'Ik geloof dat ik wel begrijp waarom dit zo veel meer voor je betekent dan de onderneming.'

'O ja? De rest van de familie begrijpt daar evenwel niets van.'

'Dat zullen ze vermoedelijk ook nooit doen. Doet dat er iets toe?'

Hij aarzelde en zei toen: 'Je hebt natuurlijk gelijk. Het moet er niet toe doen. Maar ze zijn in staat om veel druk uit te oefenen, als ze daar toevallig zin in hebben.'

'Ben je dáárom geen priester geworden, zoals je oorspronkelijk wilde?'

Hij schrok. 'Herinner je je dat?'

'Natuurlijk. Ik herinner me dat je tijdens een vakantie eens onder het eten ruzie met je moeder had. Ik geloof dat het op Thanksgiving was. We waren allemaal op Fortune Hill en het eindigde ermee dat jij naar huis werd gestuurd omdat je je onbehoorlijk had gedragen.'

Hij schudde zijn hoofd. 'Níet te geloven. Weet je, tot op dit moment heb ik nooit echt geloofd dat je Christina was.'

'Nu wel?'

Hij was eerlijk tegenover haar. 'Nu... weet ik het niet zeker.'

'Kan het je wat schelen of ik Christina ben of niet?' vroeg ze ronduit.

Hij bleef even zwijgen en zei toen: 'Nee, ik geloof niet dat het me iets kan schelen. Het enige dat ik werkelijk belangrijk vind, is dat ik genoeg geld uit de Fortune Stichting krijg om dit tehuis in stand te houden. Alle andere dingen zijn voor mij onbelangrijk.' Na even zwijgen ging hij door: 'Weet je, de mensen denken soms dat ik probeer de heilige uit te hangen. Ze hebben het dan over de opofferingen die ik me getroost om mijn leven hier bij deze lieden door te brengen. Maar ze begrijpen niet dat ik dit werk even hard nodig heb als deze mensen hier hulp nodig hebben. Jarenlang voelde ik me ellendig en ongelukkig en had het gevoel dat ik niets had om voor te leven. Nu... tja, ik kreeg veel meer van de mensen hier dan ik geef.'

Ze keek naar hem en zag de openheid van zijn blik, en plotseling nam Christina een besluit. 'Andrew, ik zal eerlijk tegen je zijn. Ik kwam hierheen omdat ik er een reden voor had.'

Hij trok vragend een wenkbrauw op. 'O ja?'

'Wil je me vertellen wat je afgelopen dinsdagochtend deed?'

'Waarom?'

'Omdat ik geloof dat iemand toen heeft geprobeerd me te vermoorden.'

Zijn uitdrukking van ontsteltenis en schrik was zó oprecht dat ze dolgraag wilde geloven dat hij er niets mee te maken had.

'Niet te gelóven,' begon hij, maar zweeg toen meteen. Toen hij verder ging, beefde zijn stem. 'Mijn God, weet je het zeker?'

Ze knikte.

'Ik weet wel dat ze allemaal woedend over dit alles zijn, maar ze zouden toch niet...' Hij schudde zijn hoofd. 'Ik kan níet geloven dat een van hen zó ver zou willen gaan.'

'Geen van hen, Andrew?'

Hij staarde haar aan. 'Ik weet echt niet wie het geweest zou kunnen zijn. Ik kan alleen hopen dat je je vergist.'

'Dat hoop ik ook,' zei ze met moeite.

'*Christina.*'

Bij het horen van Jasons stem draaide ze zich snel om. De verrassing in zijn stem was niets vergeleken met de kwetsbare uitdrukking die haar een steek door het hart gaf. Hij was er totaal niet op voorbereid geweest haar hier te ontmoeten en zijn gevoelens waren overduidelijk.

'Jase,' begon ze, en stak instinctief haar hand naar hem uit.

'Wat doe jíj hier?' vroeg hij boos.

Andrew kwam tussenbeide. 'Ik had haar uitgenodigd. Ze heeft me net iets vreselijks verteld. Iemand zou geprobeerd hebben haar te vermoorden!'

Even maakte Jasons woede plaats voor verbazing en een automatische bezorgdheid vóor haar. 'Wàt? Ben je gewond?'

'Mij mankeert niets,' verzekerde ze hem. 'Alleen een paar blauwe plekken en schrammen van de val. Maar ik ben ervan overtuigd dat iemand een aanslag op mijn leven pleegde.'

Jason had zich nu weer in de hand. 'Ik geloof je niet.'

'Waarom niet?'

'Waarom zou iemand jou willen vermoorden?' vroeg hij.

Zorgvuldig haar woorden kiezend, zei ze: 'Misschien wil iemand niet geloven dat ik Christina ben.'

Hij reageerde niet. Hij wist maar al te goed dat ze door de andere familieleden niet geaccepteerd werd.

Ze ging door. 'Ik weet dat mijn terugkomst iedereen moeilijkheden bezorgt. Jij vindt het ook vreemd, Jase. Sorry. Het was niet mijn bedoeling je te kwetsen.'

Zijn lippen trilden, maar hij was nu een man en geen overgevoelige tiener meer die door zijn woedegevoelens overmand werd en hij drong zijn tranen terug. 'Als je me niet wilde kwetsen, waarom ben je dan weggelopen?'

Hoewel ze Jason strak aankeek, voelde ze dat Andrew haar in de gaten hield en op haar antwoord wachtte. 'Het had niets met jou te maken,' begon ze.

Jason viel haar in de rede. 'Toe nou, zeg! Misschien hebben ze wel gelijk en bèn jij Christina niet!'

Na die woorden draaide hij zich om en spoedde zich de kamer uit. Ze hoorde hem snel de trap aflopen.

Ze wilde achter hem aan gaan, maar Andrew hield haar tegen. 'Nee, laat hem maar gaan, Chris. Het werd hem bijna te veel toen jij twintig jaar geleden wegliep. Nu je weer terug bent, is dat ook erg voor hem. Hij zal het uiteindelijk moeten aanvaarden, maar dat zal wel even duren.'

Zacht vroeg ze: 'Andrew... geloof jíj dat ik Christina ben?'

Even gaf hij geen antwoord, maar eindelijk zei hij: 'Ik weet het niet. Om je de waarheid te zeggen, weet ik niet zeker of het er veel toe doet.'

Die maandagmorgen kwam Ross woedend Christina's kantoor binnenlopen. 'Waar ben jij verdomme de afgelopen twee dagen geweest?' vroeg hij.

Marie snelde achter hem aan naar binnen, bleef op de drempel staan en keek onzeker van de een naar de ander.

Even nam Christina geen notitie van hem en zei tegen Marie: 'Heb je dat gesprek met het kantoor van meneer Lo aangevraagd? Het is belangrijk dat ik hem zo snel mogelijk te spreken krijg.'

'Ik zal het nog eens proberen, juffrouw Fortune.' Ze keek aarzelend naar Ross.

'Goed. Dank je, Marie.'

Toen Marie wegging en de deur achter zich dichttrok, bereidde Christina zich voor op de uitval die ze verwachtte.

'En?' vroeg hij. 'Waar was je het hele weekend?'

Ze dacht aan een vinnig antwoord, met daarbij de opmerking dat het hem niets aanging, maar ze zei slechts: 'Ik had wat tijd alleen nodig.'

'Zo zo!' De stem van Ross klonk afkeurend. 'Weet je wel dat Richard onmiddellijk Katherine heeft verteld dat je uit Fortune Hill verhuisd bent? Mijn telefoon houdt niet op met rinkelen. Ze hangt al twee dagen aan de lijn en wil weten waarom.'

'Ik dacht wel dat ze boos zou zijn.' Maar Christina wilde niet met hem over Katherines bevel praten dat ze op Fortune Hill moest wonen en ze ging regelrecht af op de kern van de zaak. 'Heb je met haar over mijn voorstel gesproken?'

'Het is jóuw plan. Ik vond dat jij het haar moest vertellen,' zei hij scherp. Maar hij liet zich niet afleiden. 'Je was ook niet in het Hyatt.'

'Nee, daar was ik niet.'

Hij keek haar woedend aan. 'Verdomme, ik heb het recht te weten waar je was!'

Ze keek opeens op en haar donkere ogen schitterden. 'De eerste nacht heb ik bij Marie gelogeerd en ben de volgende dag naar een flat verhuisd. Wil je nog meer weten?'

'Het was niet nodig een flat voor jou alleen te zoeken. De onderneming heeft in de stad verschillende flats in eigendom en we hadden vast wel iets voor je kunnen vinden.'

'Ik wilde ergens zijn waar ik me veilig en zeker voelde en niet onder toezicht van de onderneming of de familie stond,' zei ze hem op ijzige toon.

'Wat bedoel je daarmee?'

'Dat lijkt me nogal duidelijk. Katherine wilde me op Fortune Hill, omdat het gemakkelijker was me daar in het oog te houden. Richard en ik waren beiden haar pionnen, die elkaar bij het spelletje dat ze speelt in bedwang houden. Maar ik speel niet meer mee. Van nu af aan volg ik mijn eigen regels, en niet de hare.'

De intercom zoemde en ze nam de hoorn op. Het was Marie. 'Meneer Lo zegt dat hij u om tien uur kan ontvangen.'

Christina keek op haar horloge en zag dat ze nog een klein half uur had om zijn kantoor te bereiken. 'Zeg hem dat ik er zal zijn.' Ze hing op en begon dossiers in haar diplomatenkoffertje te doen.

'Zou je me willen vertellen waarover dit gaat?'

'Ik heb een bespreking met Phillip. Als je wilt, mag je mee.' Ze deed haar koffertje dicht en wilde langs hem heen lopen, maar hij greep haar arm beet. 'Ik wil een antwoord.'

Ze trok haar arm los. 'Dat krijg je op de bespreking, en niet eerder.'

Het was slechts een klein eindje naar het kantoor van Phillip Lo, maar rond die tijd van de ochtend was er veel verkeer en het nam ruim twintig minuten in beslag om er te komen. Ze voelde de boosheid en het ongeduld van Ross aan toen hij de Jaguar door het drukke verkeer stuurde.

De twijfels waarmee ze al sinds die vrijdagmiddag streed, kwamen weer boven. Ze had Ross nodig om haar plannen voor de onderneming te doen slagen, maar kon ze hem vertrouwen? Dat móest ze te weten komen. Ze besloot dat de beste manier om het te vernemen zou zijn als ze het hem ronduit zou vragen.

'De schade in de kantoren was niet alleen ontstaan door een inbraak,' begon ze.

Hij bleef naar de weg kijken, maar ze zag dat hij meer gespannen werd.

'Heb je soms interne gegevens, die de politie niet aan de rest van ons vertelt?' vroeg hij, enigszins spottend.

'Nee,' antwoordde ze, toen hij bij het volgende verkeerslicht stopte. 'Maar ik heb iets ontdekt waar de politie niets van af weet.'

'En dat is?'

Het licht sprong op groen en ze schoten over de kruising. 'Er is aan mijn computer geknoeid,' zei ze ronduit.

Ze bereikten het volgende kruispunt en waren gedwongen te stoppen terwijl een tram, die van de andere kant kwam, dwars door het verkeer linksaf sloeg. Terwijl ze wachtten, keek ze Ross aan. Hij staarde strak voor zich uit en zei eindelijk: 'Ik geloof dat je dat eens nader moet verklaren.'

Was dat nodig? vroeg ze zich af. Of wist hij alles en wilde hij nu alleen ontdekken hoeveel zij wist?

De tram reed de helling af en het verkeer kon doorrijden. Ross ging de tegenovergestelde richting in en reed via Montgomery naar Sacramento Street.

'Toen we vrijdag op kantoor terugkwamen, controleerde ik mijn computer. Vóór ik wegging, was ik bezig geweest met de gegevens die we besproken hebben. Het was gemakkelijker de gegevens per computer bij te houden met de informatie die van overzee kwam naarmate die binnenstroomde.'

'Een paar computers hebben waterschade opgelopen door de sprinklerinstallatie,' merkte hij op.

'De mijne niet. Toen ik hem controleerde, ontdekte ik dat iemand de vorige avond had geprobeerd toegang tot mijn archief te krijgen.'

Er reed een auto weg van een parkeerplaats langs het trottoir vlak bij het kantoor van Phillip Lo. Ross schoot er meteen in en zette de motor af.

Ze keek hem even aan voor ze uitstapte. 'De tijd die op de computer was vastgelegd, was net vóór de tijd waarop de brandweer werd verteld dat de sprinklerinstallatie ging functioneren.'

Ross stapte uit en deed het portier op slot. 'Ga door,' zei hij kortaf.

Terwijl ze naar Lo's kantoor liepen, vervolgde ze: 'Het was geen inbraak. Iemand is zó komen binnenlopen, iemand die een sleutel had en geen alarminstallatie in werking stelde.'

'Jij denkt dat het vandalisme en het brandje in jouw kantoor bedoeld waren om te verdoezelen waarnaar werkelijk gezocht werd – jouw plannen om de financiële crisis van de onderneming op te lossen.'

Ze knikte.

'Hebben ze hun doel bereikt?'

Ze wendde zich naar hem toe terwijl ze nog op het trottoir voor Lo's kantoor stonden. 'Vertel jíj me dat maar.'

Hij keek haar volkomen uitdrukkingsloos aan. 'Is dat een beschuldiging?'

'Ik moet de waarheid achterhalen.'

'Ik ben donderdagavond niet op kantoor geweest en was met jou aan boord van de "Resolute".'

'Ja, je was aan boord. Maar we weten beiden hoe gemakkelijk het is om iets te laten doen. Het enige wat je moet doen, is een telefoon pakken en iemand vertellen – misschien Richard – dat ik veilig en wel niet op kantoor aanwezig ben.'

Ross greep haar bij de arm en trok haar uit de voetgangersstroom op het trottoir. Hij bracht zijn gezicht vlak bij het hare en zijn stem klonk hard; hij kon zijn woede nauwelijks bedwingen.

'Zó werk ik niet,' bracht hij woedend uit. 'Als ik iets werkelijk wil, ga ik er zelf op af. Ik doe het openlijk, niet heimelijk. Ik speel geen spelletjes en verknoei niets. Ik weet heel goed dat die inbraak een schijnvertoning was. Iemand heeft daar een stommiteit uitgehaald, maar dat was ìk niet.'

Hij liet haar arm los. 'Als ik met jou zou gaan strijden om de zeggenschap over Fortune International zou ik dat niet verbergen. Maar ik zou het nooit doen, omdat het zou betekenen dat ik dan dwars tegen Katherines wensen in moest gaan.'

Haar woede was vermengd met sarcasme. 'Zo is het, en we weten allebei dat je ten opzichte van haar volkomen loyaal bent.'

'Juist,' zei hij, zonder enige aarzeling. 'En mijn eerste en enige doel is de onderneming in stand te houden.'

Zodat jij die uiteindelijk kunt overnemen? vroeg ze zich af. Hardop zei zei: 'Ik vind die trouw moeilijk te begrijpen.'

'Ik ben ervan overtuigd dat het jou moeilijk valt trouw te begrijpen,' zei hij, 'gezien al het feit dat je twintig jaar geleden van je familie bent weggelopen.'

'Daar waren gegronde redenen voor!' reageerde ze met een door emoties verstikte stem.

'En ik heb de mijne,' antwoordde hij. 'En voorlopig zul je me moeten vertrouwen, juffrouw Fortune, want als het erop aankomt, heb je mij nodig om de zaak voor elkaar te krijgen. Je hebt geen keus en móet me wel vertrouwen.' Hij liep langs haar heen naar de ingang van het kantoor van Phillip Lo, drukte tegen de deur en gooide die wijdopen. 'En laten we nu eens zien wat er zo dringend is dat je daar vanochtend nog met Phillip over moet spreken.'

Instinctief voelde ze dat alles wat hij zei waar was. Ross zou de zaak niet zo bedorven hebben. Als hij dacht dat zij in haar computer geheime gegevens had, zou hij een manier gevonden hebben om die in handen te krijgen in plaats van met lege handen weg te gaan.

Het hele weekend was ze ermee bezig geweest zich af te vragen of ze hem kon vertrouwen. Nu stond ze met tegenzin tegenover de verschrikkelijke waarheid – dat ze het misschien nooit zeker zou weten. Ze deed een greep in haar koffertje, haalde er een fax-memo uit en gaf die aan hem.

Hij las hem terwijl hij naar binnen stapte.

Nadat beneden de receptioniste hen had begroet en doorgestuurd naar de lift, keek Ross op naar Christina. 'Hoe heb je die in handen gekregen?'

'Hij is gisteravond uit Londen gekomen. Wist je er niets van?'

Hij schudde zijn hoofd. 'Ik was bezig te proberen jou te vinden.' Hij las hem nog eens en gaf hem toen aan haar terug. Zijn gezicht stond grimmig.

'Die problemen in de Perzische Golf maken mijn voorstel nog dringender,' zei ze ernstig.

Ross was dat met haar eens. 'We moeten Katherine op de hoogte brengen. Maar zelfs met deze gegevens zullen we onze handen er vol aan hebben haar ervan te overtuigen dat we gelijk hebben.'

Ze was verbijsterd. 'Je bent er dus mee akkoord dat we het doen?'

'De nieuwe vijandelijkheden in de Golf zetten alles in een ander licht. Maar als de beslissing eenmaal is genomen, zullen we snel moeten handelen. Op z'n best zullen we enkele dagen nodig hebben om al onze schepen uit dat gebied vandaan te krijgen.'

Ze was het daarmee eens. 'Bill verzekerde me dat we dat binnen achtenveertig uur kunnen doen.'

'Ik zie dat je de mogelijkheden al hebt nagegaan.' Zijn uitdrukking werd zachter, en even dacht ze aan hun tijd samen aan boord van de 'Resolute', in Sausalito. Hij ging verder: 'Ik neem aan dat dit onderhoud met Phillip iets te maken heeft met je plannen.'

'Ik zou dit het liefst doen mèt de steun van Katherine in plaats van haar steeds tegenover me te vinden. Als wij Phillip kunnen overtuigen dat het plan veel voordelen biedt, is hij misschien in staat haar over te halen om mee te doen.'

'Hij kan net zo goed weigeren,' merkte Ross op, toen ze op de eerste etage arriveerden. 'Wat wil je doen als hij niet kan worden overgehaald?'

Haar gelaatsuitdrukking was vastbesloten. 'Ik ben bereid alles te doen wat nodig is.'

Ze liepen de ontvangstruimte in en werden daar meteen naar het privé-kantoor van Phillip gebracht. Ze zag heel even haar neef Jason door de deur van een van de aangrenzende kantoren. Ze was vergeten dat hij voor Phillip werkte.

Phillip begroette hen op zijn eigen, rustige, onverstoorbare wijze. 'Katherine is erg van streek,' zei hij, toen zijn secretaresse hun thee bracht. 'Ze is bezorgd over je beslissing om weg te gaan van Fortune Hill.'

Christina keek Phillip aan. 'Dat was noodzakelijk. Ik voel me daar niet op mijn gemak. Het is mijn thuis niet en is dat ook nooit geweest. Maar ik ben gekomen om over een andere en veel dringender zaak met je te spreken.'

Het volgende uur besprak Christina alle gegevens die ze had samengebracht en de dreigingen voor de onderneming, gezien de laatste crisis in het Midden-Oosten.

'Het is een uiterst gevaarlijke situatie,' besloot ze. 'Als we snel handelen, kunnen we de meeste van onze schepen weghalen uit een op springen staand gebied. Het kan weken en zelfs maanden duren voor die politieke situatie zich enigszins stabiliseert.'

'En wat ben je van plan met al die tankers te gaan doen?' informeerde hij.

'De nieuwere met dubbele romp kunnen worden overgebracht om binnenslands dienst te doen. Na de ramp met de *Exxon Valdez* dringt de regering aan op strengere controles en dubbele rompen voor alle binnenlandse olietankers. We hebben al een voorlopige toezegging van twee van elkaar onafhankelijke maatschappijen om hun olie te verschepen.'

'En wat denk je te doen met de opbrengst van de verkoop als schroot van de oude tankers?'

'De helft van de opbrengst moet ten dele besteed worden om de schulden van de onderneming te delgen. De geschatte bedragen staan in mijn voorstel.'

Ze aarzelde. Het nu volgende deel was iets waarbij ze ongetwijfeld op tegenstand zou stuiten. 'En ik stel voor dat de andere helft gebruikt wordt voor uitbreiding.'

Zijn gelaatsuitdrukking verraadde niets van de twijfels die hij ten aanzien van zo'n riskant plan moest voelen. Hij zei alleen: 'De onderneming verkeert thans in een moeilijke positie omdat er al te veel speculatieve uitbreiding heeft plaatsgevonden.'

'Aan míjn plan is geen enkel risico verbonden.'

Zijn donkere ogen namen haar voorzichtig schattend op. 'Leg me dat eens uit.'

'Ik stel voor dat we Fortune Shipping uitbreiden op de markt waar de basis voor de onderneming is gelegd – het vasteland van China. Ik heb een voorstel opgesteld. Dat staat ook allemaal in mijn rapport.'

Phillip keek haar peinzend aan en het duurde lang voor hij eindelijk iets zei. 'Weet Katherine van dit plan?'

Christina keek even naar Ross. Hij stond bij het venster en luisterde zwijgend. Het deed denken aan de dag waarop ze daar voor het eerst was gekomen, met de jade hanger. Hij glimlachte haar bemoedigend toe en ze wendde zich weer tot Phillip. 'Nee, ik heb nog niet met haar gesproken. Ik wilde eerst alles met u bespreken.'

Een begrijpend glimlachje verspreidde zich op Phillips gezicht, waardoor zijn rimpels duidelijker zichtbaar werden. 'Juist. En je dacht dat je misschien mij van de wijsheid van je plan kon overtuigen in de hoop dat ik in staat zou zijn Katherine over te halen ermee in te stemmen.'

Christina wist dat hij haar op de proef stelde, net zoals hij dat een paar weken geleden had gedaan. Ze boog zich naar hem over en zei op dringende toon: 'Het gaat erom dat de onderneming in financiële moeilijkheden verkeert. Er zijn tè veel schulden, en een deel van de vloot is meer dan dertig jaar oud. Tien jaar geleden was het een verstandig plan van Katherine om de vloot in het Midden-Oosten uit te breiden, maar het is een feit dat ze inmiddels te ver van de huidige toestand in de wereld af staat.'

Ze ging nog verder. 'We hebben al bericht gekregen van Lloyd's in Londen dat de verzekeringspremies met zeven procent omhooggaan zolang wij in het gebied van de Perzische Golf blijven. We moeten ècht andere mogelijkheden overwegen. Ik zou graag de goedkeuring van Katherine hebben, maar ook zonder die ga ik door. Het voortbestaan van de onderneming staat nu op het spel.'

Hij knikte begrijpend. 'Je bent dus van plan alle macht te gebruiken die je erfenis je verleent.'

'Ik heb een nauwkeurige analyse van de situatie gemaakt en Ross is het daarmee eens.'

Phillip keek even naar Ross voordat hij zijn blikken weer op Christina vestigde. 'Het is geen nieuw idee,' gaf hij toe. 'De vloot in de Middellandse Zee en de Perzische Golf heeft over de afgelopen tien jaar onze hoogste kosten en aanzienlijkste verliezen veroorzaakt. Ongeacht de hogere prijzen voor ruwe olie blíjven we geld verliezen. Ik lig hierover al jaren met Katherine overhoop.'

Christina was stomverbaasd. Dus Phillip had zelf al geprobeerd die oplossing aangenomen te krijgen!

'Heb je actuele gegevens over de crisis in de Golf?' vroeg hij.

Ze gaf hem de fax en een paar krantenknipsels. 'Deze is vannacht binnengekomen van ons kantoor in Londen, en die artikelen staan in de kranten van vandaag. Tegen de middag zal het ministerie van Buitenlandse Zaken aankondigen dat verschillende havens in de Perzische Golf al gesloten zijn. Schepen die dicht bij de vijandelijkheden

261

worden aangetroffen, lopen het risico tot zinken te worden gebracht.'

Phillip stond op en liep naar de vensters die uitzicht boden op Chinatown en op de straat beneden. Hij ging vlak bij Ross staan, zijn handen gevouwen op zijn rug, en keek zo peinzend naar buiten.

'Je plan heeft precedenten,' zei hij, zonder haar aan te kijken. 'Alexander Fortune was de eerste om na de twee wereldoorlogen de scheepvaart met het vasteland van China te hervatten. En Michael Fortune voorzag eveneens een dergelijke uitbreiding.' Hij zuchtte. 'Maar toen waren de tijden politiek nog niet rijp. De regering van het vasteland van China had er toen nog geen zin in de deuren voor de westerse wereld te openen.' En hij besloot met de woorden: 'Maar ja, met de tijd verandert alles.'

Hij wendde zich tot Ross. 'Ik zou graag jouw visie hierop willen horen.'

Ze hield haar adem in. Dit was het moment van de waarheid. Ze had Ross nodig om dit voor elkaar te brengen. Zonder zijn steun zou ze nooit in staat zijn Phillip voor haar plan te winnen. Terwijl ze hem aankeek, bleef er een zwijgen in het vertrek hangen.

Toen wendde Ross zich tot Phillip, keek ernstig en stak zijn handen in zijn broekzakken. Eindelijk zei hij: 'Het zou een goed idee kunnen zijn.'

'Ik bespeur enige aarzeling,' was het commentaar van Phillip Lo.

Ross keek even naar Christina en toen weer naar Phillip. 'Er zijn enkele belangrijke elementen die daarbij in het spel komen. Christina heeft al voorlopige toezeggingen voor de verkoop van veertien van de oudste schepen uit die vloot. En we zouden Londen onmiddellijk moeten verwittigen om de rest van de vloot uit dat gebied weg te halen. Omdat we niet weten of ze hun lading al hebben gelost, kan dat enige dagen vergen. Het zal níet eenvoudig zijn. En dan komen we nog bij de kwestie om contact op te nemen met de juiste mensen binnen de regering in Peking. Die hele situatie is niet erg stabiel.'

'Niet onstabieler dan in het Midden-Oosten,' viel Christina hem in de rede. 'En de regering van China is bijzonder gemotiveerd om ons voorstel in overweging te nemen, gezien de laatste handelsovereenkomsten met ons land. Ze heeft dit economisch nodig.'

Phillip knikte. 'Alles wat je zegt, is waar. Maar de raderen van de vooruitgang draaien heel langzaam in het Verre Oosten. Dat weet Ross ook. Het is heel anders dan hier in het westen zaken te doen.'

'Daar ben ik me van bewust,' bracht Christina hiertegen in. 'Ik ken iemand die ons misschien kan helpen. Een man die Chen Li heet. We hebben elkaar goed gekend toen we beiden in Boston studeerden.'

Ross keek haar scherp en onderzoekend aan, maar ze nam daar geen notitie van.

We kenden elkaar bijzonder goed, dacht ze met een gevoel van zowel liefde als verlies; het deed een beetje pijn.

'Ik zou alles voor je willen doen,' had hij gezegd toen ze voor het laatst over het stille pad langs de rivier de Charles hadden gewandeld. *'Als je me ooit nodig hebt – zelfs al ben ik aan de andere kant van de wereld...'* De rest van zijn woorden was in hun laatste kus verloren gegaan.

Nu had ze hem nodig, aan de andere kant van de wereld, en ze twijfelde er niet aan dat hij zou antwoorden.

'Ik heb weleens van hem gehoord,' zei Lo. 'Hij heeft veel macht binnen de regering.'

Hij zweeg even en wendde zich toen tot Ross. 'Jij begrijpt wat het betekent om Katherine op deze manier te trotseren. Christina is bereid veel te riskeren. Jij ook?'

Ross keek Christina aan. Terwijl hij zijn blikken op haar gevestigd hield, zei hij met een rustige stem, die vol zelfvertrouwen klonk: 'Ja, ik ook.'

Weer viel er een lange stilte. Eindelijk zei Phillip: 'Ik heb tijd nodig om je plan nader te overwegen.'

Ze wilde protesteren en zeggen dat ze niet veel tijd hadden, maar toen zweeg ze. Het had geen zin hem onder druk te zetten. Ze bedankte hem voor de tijd die hij haar had geschonken, liet de map met gegevens op zijn bureau achter en toen wendden Ross en zij zich om naar de deur teneinde te vertrekken.

'Weten jullie dat Richard al enige tijd contacten heeft met verscheidene leden van het "Pacific Rim Cartel"?' vroeg Phillip.

'Ja, dat weet ik,' zei ze. 'Ik weet ook dat hij niet in staat is geweest een definitief resultaat te bereiken.'

Phillip glimlachte. 'In het oosten betekent eer alles. Alexander Fortune begreep dat en Michael Fortune eveneens. Het is de reden waarom zij in staat waren de zaken in Hongkong en aan de rand van de Pacific verder uit te breiden. Daar is geen plaats voor een man zonder eer.'

Hij sprak de duidelijke verwijzing naar Richard niet uit.

Zachtjes zei ze: 'Dank u, meneer Lo. Dat zal ik niet vergeten.'

De volgende twee dagen hadden Christina en Ross verschillende besprekingen met Phillip Lo en tweemaal liepen ze Jason tegen het lijf. Hij was een junior partner in de firma en speciaal belast met vennootschapsrecht. Ze wisselden beleefde maar koele groeten. Meer dan eens leek het dat hij iets tegen haar wilde zeggen, maar vervolgens meteen zijn plan herriep.

Blijkbaar vertrouwde Phillip Jason volkomen, want hij vroeg Jason de besprekingen bij te wonen. Maar Christina's eigen gevoelens werden nog steeds overschaduwd door het verleden.

Een knappe jonge Chinese was eveneens bij de besprekingen aanwezig. Ze was drie jaar tevoren als de eerste vrouwelijke partner bij de firma gekomen en gespecialiseerd in internationaal recht. Ze heette Leann Shiu, en Christina mocht haar al meteen graag. Ze was geboren op het vasteland van China en wist buitengewoon veel af van de politieke realiteit in haar land.

Op woensdagochtend verlieten Christina en Ross het kantoor van Phillip toen Ross even terugliep om nog iets met Phillip te bespreken. Leann hield Christina in de gang staande. 'Uw plan heeft grote verdienste, juffrouw Fortune.'

Christina was enigszins verbaasd dat Leann zich zo uitte, terwijl haar baas, Phillip, nog steeds weigerde toe te geven. Ze glimlachte en zei: 'Dank je.'

'U meent dit echt serieus, hè?' vroeg Leann.

'Inderdaad.'

Leann was heel openhartig. 'Er zijn veel mensen die eraan twijfelen of u wel Christina Fortune bènt.'

'Dat weet ik.'

'Ik wilde het ook niet geloven,' bekende Leann.

'Ik begrijp je niet. Waarom zou het jou iets kunnen schelen?'

'Ik weet dat ik dit niet zou moeten zeggen; ik heb daar geen recht toe.' Leann aarzelde weer. 'Het heeft niets met onze zaken te maken, maar...'

'Ja?'

'Jason,' zei ze uiteindelijk. De uitdrukking op haar gezicht verraadde haar gevoelens duidelijk. 'Uw terugkomst heeft hem zeer van streek gemaakt.'

'Juist.' Toen ze erover nadacht, begreep Christina dat ze eerder had moeten inzien wat er tussen Leann en Jason aan de hand was, want ze had af en toe een intiem lachje opgevangen of gezien dat ze elkaars hand drukten. Het was duidelijk dat hun verhouding verder ging dan alleen een zakelijke relatie.

Ze vroeg zich af wat Jason aan Leann verteld had over wat er twintig jaar geleden was gebeurd. Leann zag er even ontdaan uit als Christina zich voelde. 'Zouden we eens samen kunnen praten?' vroeg Leann.

'Ik geloof niet dat het juist is...'

'Toe,' smeekte Leann. 'Ik weet dat er geen enkele reden voor u bestaat, maar het zou voor mij zo veel betekenen... en voor Jason.'

Christina zag dat Leanns ogen plotseling vol tranen stonden en ze vroeg zich af wat het Leanns trots zou hebben gekost om naar haar toe te komen.

'Goed,' gaf ze aarzelend toe, en ze vroeg zich af of ze niet een grote vergissing beging. Ross was inmiddels teruggekomen en stond op haar te wachten. 'Zullen we elkaar eens gauw ergens ontmoeten en wat drinken?' stelde ze Leann voor. 'Misschien in de Washington Street Bar and Grill?'

Leann greep haar hand. 'Dank u.'

'Wat was dat?' vroeg Ross later nadat ze het kantoor van Phillip uit waren.

'Och, alleen een afspraakje tussen ons vrouwen om samen wat te drinken,' zei ze luchtig terwijl ze in zijn auto stapten. Ze veranderde meteen van onderwerp en vroeg: 'Heeft Phillip je nog enige aanwijzing gegeven wanneer hij ons laat weten of hij ons voorstel steunt?'

'Nee, maar vergeet niet dat de filosofie in het Verre Oosten heel anders is dan onze westerse filosofie. Zij geloven erin om overal de tijd voor te nemen.'

'Tijd is het enige dat we níet hebben,' wees ze hem ongeduldig terecht. 'En bovendien is Phillip een Amerikaan.'

Ross glimlachte droogjes. 'Maar hij is vóór alles een Chinees. Vergeet dat nooit.'

Toen ze op kantoor terugkwamen, wachtte Richard op hen. Ze was verbaasd hem te zien. Sinds de scène met Loomis had hij eigenlijk steeds gedaan alsof ze niet bestond. Maar hij had gedaan wat Ross had bevolen en het dagboek naar haar teruggestuurd.

Ze vroeg zich opnieuw af of Richard iets te maken had met de 'inbraak'. Er hadden geen arrestaties plaatsgevonden en de politie gaf toe dat er op dit tijdstip ook geen te verwachten waren. Hij had toch maar de schoonmaakdienst ontslagen, zodat iedereen aannam dat hij die dienst de schuld gaf. Zijn optreden toen ze samen haar kantoor binnenliepen, was ontspannen en vriendelijk, maar ze was onmiddellijk op haar hoede.

'Jullie tweeën zijn de laatste dagen druk bezig geweest,' merkte hij terloops op. 'Vertel me eens hoe het met Phillip is!'

Christina keek Ross aan, maar zijn gelaatsuitdrukking verraadde niets. 'Hij is erg druk,' zei Ross. 'Er is heel wat papieren rompslomp verbonden aan die erfeniskwestie.'

'O, ja, de erfenis,' zei Richard afwezig. Toen voegde hij eraan toe, alsof hij er nu pas aan dacht: 'Tussen haakjes, ik heb een bijeenkomst geregeld voor maandag met de "Pacific Rim Group" en jij zei dat je bij alle vergaderingen aanwezig wilde zijn. Ze willen onze bevestiging van de nieuwe contracten.'

Ross keek Christina niet aan en liet evenmin blijken dat er iets mis kon zijn. 'Vind je dat niet enigszins voorbarig? We hebben volgens de oude contracten nog wat tijd, en Christina heeft tijd nodig om zich van de inhoud ervan op de hoogte te stellen.'

Richard wendde zich tot Christina en zei ietwat neerbuigend: 'Natuurlijk wil jij ook bij de vergadering zijn?'

'Ik ben van plan bij àlle vergaderingen aanwezig te zijn die iets met deze onderneming te maken hebben.' Ze keek Richard strak aan. 'En in het vervolg, als waarnemend president en hoofdaandeelhoudster, wil ik dat voor alle vergaderingen eerst toestemming aan mij wordt gevraagd.'

De uitdrukking op Richards gezicht veranderde nauwelijks, maar zijn ogen stonden koel toen hij haar met vrijwel onverholen minachting aankeek. 'Ik ben nog steeds voorzitter van de raad van bestuur en heb deze vergaderingen steeds bijeengeroepen.'

'Van nu af aan neem ik daarbij een actieve rol op me. Ik begrijp je positie, maar in het vervolg wil ik op de hoogte zijn van alle contacten die we onderhouden en van alle vergaderingen of onderhandelingen die namens de onderneming worden gevoerd.'

Richards uitdrukking bleef rustig, bijna geamuseerd, toen hij als commentaar gaf: 'Dat klinkt bijna als een dreigement, Christina!'

Inwendig had ze het gevoel dat haar maag werd samengeknepen, maar uitwendig bleef ze rustig en beheerst, zich bewust dat elke andere houding als zwakte zou worden beschouwd. 'De onderneming heeft de afgelopen tien jaar geleden onder de strijd om de zeggenschap en daar moet nú een eind aan komen. Wettig ben ik het hoofd, en ik ben van plan gebruik te maken van de aan mij toegekende macht.'

Richard bleef glimlachen. 'Je zou weleens kunnen merken dat dit heel wat meer inhoudt dan je van plan bent op je te nemen.'

Ze trok een wenkbrauw op. 'Is dat een dreigement?'

Hij glimlachte breder terwijl hij door haar kantoor liep om te vertrekken, maar bij de deur bleef hij staan en legde zijn hand op de knop. 'Ik uit nooit dreigementen.' Toen voegde hij eraan toe: 'O, en ik weet zeker dat jíj mij ook op de hoogte houdt van alle besprekingen die jij voert.'

Nadat hij weg was, keek Christina Ross aan. 'Denk jij dat hij iets weet van het voorstel dat we Phillip hebben voorgelegd?'

'Richard zorgt er altijd voor dat hij alles te weten komt dat iets met de onderneming te maken heeft. Onderschat hem niet, Chris. Hij heeft in het verleden kans gezien heel wat pogingen van Katherine te ondermijnen, ondanks het feit dat zij alle touwtjes in handen had.'

Christina keek Ross aan en besefte dat hij de enige was die aan haar kant stond. Als hij daar werkelijk stond. Opnieuw vroeg ze zich af of ze hem kon vertrouwen, maar dáár kon ze op geen enkele manier achter komen.

Hoofdstuk 23

Ze kreeg het telefoontje even na drieën in de nacht. Haar stem was nog wat schor van de slaap en het duurde even voor ze weer gewoon kon denken. Ze was de halve nacht op geweest om alle verzamelde gegevens nog eens na te lopen, zodat ze zeker wist dat ze de verschillende aspecten van de zaak, die ze aan Phillip had voorgesteld, allemaal belicht had. Ze ontdekte geen vergissingen, maar controleerde alles toch nog eens, want er stond tè veel op het spel.

'Ben je wakker?'

Het was Ross. Zijn stem was zwaar en hij had een enigszins Engels accent, dat haar steeds weer charmeerde.

Ze antwoordde enigszins geïrriteerd. 'Ik ben nu wakker.'

'Er is op een van onze schepen in de Perzische Golf geschoten.'

Ze ging rechtop in bed zitten – een van de twee meubelstukken in de overigens lege flat, en probeerde meteen alle vermoeidheid te verdringen. 'Wat is er gebeurd?'

'Het had geen lading aan boord en stond op het punt Bubiyan Island in de Golf binnen te varen om olie in te nemen. De eerste rapporten vermelden dat het beschoten is door een patrouillerende kanonneerboot.'

Christina streek met haar vingers haar haren naar achteren en kneep haar ogen stijf dicht. 'O, God,' fluisterde ze. Toen drong ze aan: 'Hoe staat het met de bemanning?'

'Dat weten we niet. Er waren wel andere schepen in de buurt, maar de rapporten op dit punt zijn schaars.'

Vastbesloten zei ze: 'We moeten snel handelen. Ik ga naar kantoor.'

Ze stapte haar bed uit en ging op zoek naar haar kleren, met de draagbare telefoon nog steeds tussen oor en schouder geklemd.

Ross zei: 'Ik haal je af; ik kom er tóch langs.'

Vóór ze bezwaren kon maken of hem het adres kon geven, had hij de verbinding verbroken. Toen besefte ze dat het vermoedelijk tóch niet nodig was geweest. Intussen wist hij ongetwijfeld haar nieuwe adres, net zoals hij alles omtrent haar altijd onmiddellijk wist.

Twintig minuten later belde de portier beneden dat hij er was. Ze drukte de toegangsdeur open en deed net de voordeur van de flat open toen hij de trap opkwam; het was maar één hoog. Hij keek langs haar in de flat.

'Je smaak voor binnenhuisarchitectuur is tamelijk Spartaans.'

'Het heet: gemakkelijk in onderhoud – een sofa en een bed.' Toen werd ze weer ernstig. 'Heb je verder nog iets gehoord?'

Hij schudde zijn hoofd. 'Ik heb Bill regelrecht naar kantoor gestuurd. Hij controleert alle berichten die van overzee binnenkomen. Als wij komen, heeft hij vermoedelijk al meer nieuws voor ons.'

Op die tijd van de ochtend waren de straten nog nagenoeg leeg, maar wel nat en glad van de dikke mist die overal hing. Nu er geen ander verkeer was dat hem kon hinderen, reed Ross de afstand van tien minuten in vijf. Hij parkeerde dicht bij de privé-lift naar boven, die bij geen van alle andere etages stopte. Bills witte open Fiat stond er eveneens.

Bill kwam hen op de achttiende etage al tegemoet. Zijn gelaatsuitdrukking was grimmig. 'We zijn de *Fortune Crest* kwijt. We weten nog niets met zekerheid omtrent de bemanning, maar het ziet ernaar uit dat de meesten van boord zijn gekomen en door andere schepen zijn opgepikt. Het kan dagen duren voor we zekerheid over het aantal slachtoffers hebben.'

'De méésten?' herhaalde Christina, en ze kreeg een brok in haar keel, zowel door verdriet als door woede.

'En verder?' vroeg Ross, terwijl ze snel naar de telexkamer liepen. De overzeese telex was juist met een nieuwe boodschap bezig en ook op de fax waren er verscheidene binnengekomen.

Bill verklaarde: 'Voor zover iemand kan nagaan, was de aanval niet uitgelokt. De kapitein had vergunning gekregen om ruwe olie op Bubiyan Island te gaan laden. De toestand daar was enigszins gespannen, maar iedereen had de verzekering gekregen dat er geen enkele bemoeienis met de werkzaamheden in de haven zou plaatsvinden.'

'Zeg dat maar tegen de familieleden van de mannen op dat schip,' zei Christina grimmig. 'Wat zijn de statistische cijfers van de *Fortune Crest*?'

Bill antwoordde: 'Het schip was achttien jaar oud, had geen dubbele wand in de romp en was in Hongkong geregistreerd; het had een standaardbemanning van vijfenvijftig koppen.'

'Hoe snel kunnen we contact opnemen met de kapiteins van alle andere schepen in dat gebied?'

Vóór Bill kon antwoorden, zei Ross: 'Hoeveel zijn er op zee? Hoeveel in de haven? En waar?'

Bill zag er doodmoe en bezorgd uit. 'Ze liggen nogal verspreid. Ik heb in mijn kantoor alle gegevens welke havens ze aandoen en wanneer.'

Ross zei: 'Haal die.' Toen wendde hij zich tot Christina. 'Zelfs in deze eeuw van satellietverbindingen en computers kan het tóch nog een paar uur duren voor we ze allemaal hebben opgedragen onmiddellijk uit dat gebied te vertrekken.'

'Dan is het 't beste dat we meteen beginnen.'

Later, in haar kantoor, liep Christina een print-out na waarop alle aanloophavens voor de Fortune-schepen in het gebied van de Perzische Golf stonden vermeld. Ze keek Ross aan. Er was geen tijd om Phillip Lo of Katherine te consulteren. Er moest nú beslist worden. De Perzische Golf lag aan de andere kant van de wereld en ze moesten snel handelend optreden voor er meer verliezen ontstonden.

Zonder te aarzelen, zei ze tegen Bill: 'We trekken alle Fortune-schepen uit het gebied van de Perzische Golf terug en moeten onmiddellijk de nodige bevelen aan de kapiteins van onze schepen daar zenden en vergunningen aanvragen voor alternatieve aanloophavens.'

Bill staarde Christina en Ross ontsteld aan. 'Wie neemt de verantwoording hiervoor op zich?'

Vóór Ross kon antwoorden, zei Christina uitdagend: 'Dat doe ìk. Het is míjn onderneming.'

'Dat was de laatste telex aan Londen,' kondigde Bill aan terwijl hij het kantoor van Ross uitliep.

Er klonk een reeks zwakke piepjes en toen het aanhoudend gezoem, ten teken dat de satellietverbinding naar overzee tot stand was gebracht. De man aan de andere kant kwam terug en vroeg of hun bericht klaar was. Bill keek Ross aan die knikte.

'Dat is alles,' zei Bill in de hoorn en maakte toen een eind aan de verbinding.

Het was stil in het kantoorgebouw. Het was bijna middag en ze waren alle drie urenlang bezig geweest om via de telex overzeese opdrachten te sturen naar alle Fortune-schepen in het gebied van de Perzische Golf en in de Middellandse Zee. Christina stond bij de rij ramen achter in de kamer van Ross en dacht na over alle gevolgen van de beslissing die ze had genomen en de acties die ze had uitgevoerd. Er was geen weg terug.

Tot dan toe had ze Katherines bevelen opgevolgd en haar rechten op de nalatenschap en op de zeggenschap over Fortune International nog niet doen gelden. In hoofdzaak trad ze op als de marionet die Katherine voor ogen stond. Maar ze was niet in staat om blindelings Katherines beslissingen te aanvaarden, terwijl ze wist dat die verlies van levens en ondergang van de onderneming tot gevolg konden hebben.

Haar diepgaand gevoel van trouw aan de onderneming en de manier waarop ze voor het welzijn van haar zaak zorgde, verraste haar zelf. Ze was daar met slechts één doel naartoe gekomen – om een belofte te houden en ervoor te zorgen dat er eindelijk een straf werd opgelegd voor een twintig jaar oude gewelddaad. Het geld en de zeggenschap over de onderneming waren niet zo belangrijk; die kwamen op de tweede plaats. Ze voelde geen enkele vorm van trouw aan een van de huidige leden van de familie Fortune. In zekere zin vond ze het een goede straf voor hen wanneer de onderneming, die de bron vormde van hun rijkdom en macht, voor hun fraai geschoeide voeten in elkaar stortte. Maar Fortune International droeg ook háár naam.

Nu ze aan Katherine dacht en aan de wanhoopsovereenkomst die ze was aangegaan om de onderneming te redden, voelde Christina een nieuwe band. Ze moest er niet aan denken dat Katherine tegen het eind van haar leven de onderneming ten onder zou zien gaan die zo veel voor haar grootmoeder betekende – die zo veel voor háár betekende.

Ross kwam naast haar staan en zei zacht: 'Je hebt een enorm risico genomen en Katherine zal woedend zijn. Het staat vrijwel vast dat ze haar erkenning van jou als Christina zal herroepen.'

Ze knikte. 'Dat weet ik.'

Zijn felblauwe ogen stonden nieuwsgierig. 'Het was veel eenvoudiger voor je geweest dat geld te accepteren en te doen wat je werd opgedragen.'

Haar glimlach vertoonde enige ironie. 'Ik ben er nooit goed in geweest bevelen zomaar op te volgen.' Ze keek hem strak aan. 'Ik denk dat jij dat gevoel ook kent. Waarom zou je hierin anders mijn kant hebben gekozen?'

Hij bleef haar lange tijd aanstaren en antwoordde toen uiteindelijk: 'Ik weet het eigenlijk niet zo zeker.'

Die bekentenis werd hem tegen zijn zin ontfutseld. Christina begreep dat hij een man was die het altijd nodig vond zeker te zijn van zichzelf en zijn motivering. En die motivering zou altijd op eigenbelang gebaseerd zijn. Dat was althans tot dan toe zo geweest. Hij nam nu een even groot risico als zij en ze dacht niet dat hij dat alleen deed uit bezorgdheid om het voortbestaan van Fortune International.

De gedachte dat hij misschien werkelijk haar kant had gekozen uit bezorgdheid om haar was nauwelijks te aanvaarden.

Plotseling vond ze dat ze de sfeer tussen hen beiden luchtiger moest maken. 'Tja, íemand moet Richard tegenhouden.'

Ross fronste zijn wenkbrauwen. 'Ja. Maar als hij beseft dat jij in feite de zeggenschap over de onderneming op je hebt genomen, zal hij alles in het werk stellen om je macht te ondermijnen en daarbij voor niets terugdeinzen.'

Christina's stem klonk gespannen toen ze antwoordde: 'Ik heb zelf ook enige ervaring in de manier waarop je op straat voor je behoud moet vechten.' Ze zuchtte diep. 'We kunnen nu in elk geval niet meer terug.'

'Nee,' herhaalde Ross. 'We kunnen niet meer terug.'

Ze keek Ross en Bill aan. 'We zullen het onmiddellijk aan Phillip Lo moeten melden.'

Ross knikte bevestigend en zei tegen Bill: 'Bel jij hem zelf even op. Gebruik je privé-lijn en leg er bij zijn secretaresse de nadruk op dat dit niet kan wachten.'

'En als hij nu eens diréct wil weten waar het om gaat?' vroeg Bill.

'Zeg dan dat we hem alles zullen uitleggen als we in zijn kantoor zijn.'

Toen Bill weg was, zei Ross: 'Het ziet ernaar uit dat we een beetje sneller dan we verwachtten de onderneming in nieuwe banen moeten leiden.'

'Ja. Nu hebben we geen andere keus dan onze belangen op de Chinalijn uit te breiden.'

De nerveuze spanning die Christina de afgelopen uren had gevoeld, verdween langzaam en werd vervangen door een bijna kinderlijk enthousiasme. Ze ging door: 'Het wordt weer net als vroeger, toen Hamish Fortune met zijn eerste ladingen sandelhout op weg ging, nu honderdvijftig jaar geleden. We zijn natúúrlijk in staat dit te laten functioneren. O, Ross, dat móet, of het betekent het einde van Fortune International!'

Hij keek haar lang en onderzoekend aan. 'Je voelt je erg verknocht aan de onderneming, hè?'

Ze aarzelde even en zei toen: 'Ja.'

'Waarom?'

'Ik denk omdat... ik me er eindelijk verbonden mee voel, wat ik eerst niet gevoeld heb.'

Bill haastte zich het kantoor in en verbrak de stilte die na haar woorden was gevallen. 'De afspraak is voor elkaar,' verklaarde hij. 'Meneer Lo zei dat hij jullie beiden in zijn kantoor verwacht.' Toen geen van beiden onmiddellijk reageerde, keek hij van de een naar de ander en vroeg: 'Dat is toch goed, hè?'

'Natuurlijk,' antwoordde Ross. 'Dank je wel, Bill. En denk eraan, geen woord hierover tegen wie dan ook. We moeten de juiste tijd kiezen om een verklaring uit te geven.'

'Dat begrijp ik.' Toen vroeg Bill: 'Wil je dat ik hier blijf en alle binnenkomende berichten controleer totdat jullie terug zijn?'

Christina antwoordde: 'Ja, dat is een goed idee. Als er iets belangrijks binnenkomt, weet je waar je ons kunt bereiken.'

Bill knikte. 'Afgesproken. Ik zal nu mijn lunch bestellen en de wacht houden tot jullie terugkomen.'

Ze pakte haar tas en diplomatenkoffertje met de telex die ze midden in de nacht hadden ontvangen, plus nog enige papieren over de toestand van de *Fortune Crest* en alle gegevens van het schip. Ze gaf Bill een kneepje in zijn hand. 'Dank je voor al je hulp.'

Hij glimlachte haar toe. 'Ik had het voor geen geld ter wereld willen missen, als je de waarheid wilt weten. Als het hier allemaal bekend wordt, dan is dat enorm spannend. Bovendien wil ik graag eens zien hoe jij dit varkentje wast.'

Ross pakte zijn jasje op van de stoelleuning, stak een vinger door het lusje en zwaaide het over zijn schouder. 'Bel ons als je nieuws uit Londen krijgt, vooral over de bemanning van dat schip.'

Toen ze een half uur later bij het kantoor van Phillip Lo aankwamen, ontdekten ze dat hij een lunch voor hen had laten komen van een nabijgelegen restaurant. Er stonden schaaltjes met verse krab, zalm en garnalen klaar, met verschillende Chinese bijgerechten op een buffet dat tegen de andere wand van zijn kantoor was geplaatst. Toen ze werden aangekondigd, stond Phillip Lo op van achter zijn bureau en lachte vriendelijk. 'Het heeft geen zin te verhongeren omdat we besloten hebben tijdens lunchtijd door te werken.' Hij knikte tegen zijn secretaresse. 'Dank je dat je gebleven bent. Je kunt nu wel gaan.' Ze boog op de traditionele Chinese manier en verliet toen het vertrek.

Phillip verklaarde: 'Ik dacht dat het beter was als we alleen bleven, met geen enkele verstoring van buitenaf.'

'Dank u wel dat u ons zo snel wilde ontvangen,' zei Christina.

Hij gebaarde uitnodigend naar het buffet. 'We kunnen eten terwijl we praten.'

Christina nam een paar garnalen en *dim sum*, meer uit beleefdheid dan dat ze echt honger had. Haar maag deed te vreemd om haar toe te staan met smaak te eten. Ze volgde Phillip en Ross naar een vertrek dat vroeger een aangrenzende huiskamer in het oude Victoriaanse huis was geweest en nu dienst deed als een comfortabele privé-suite. De meubels waren antiek en stonden rondom een Victoriaanse haard en schoorsteenmantel geschaard. Ze gingen alle drie in hoge leunstoelen zitten, die met dikke kussens bekleed waren en geflankeerd door bijzettafeltjes.

'Meneer Thomason zei dat het dringend was,' begon Phillip.

Christina zette haar bordje neer en pakte haar diplomatenkoffertje. Ze haalde er de telex uit die Ross midden in de nacht had ontvangen en overhandigde die aan Phillip. 'We hebben dit van het Londense kantoor ontvangen.'

Hij veegde zijn mond af met een linnen servet en las toen de telex.

Zijn gelaatsuitdrukking verraadde niets toen hij het bericht neerlegde. 'Wat is er met het schip en de bemanning gebeurd?' vroeg hij. Christina greep weer in haar koffertje, maar hij maakte een afwerend gebaar. 'Vertel het me maar in je eigen woorden.'

Ze vertelde hem alles wat ze wisten over het lot van de *Fortune Crest* en de bemanning en eindigde met een korte opsomming van het aantal schepen van Fortune International in het gebied van de Perzische Golf alsmede hun bezorgdheid over de heersende politieke situatie.

Phillip knikte. 'Ik weet dat de spanningen in dat gebied aan het oplopen zijn en neem aan dat jullie de nodige maatregelen hebben getroffen om de veiligheid van de andere schepen te waarborgen.'

Christina keek even naar Ross. Hij knikte, maar deed geen enkele poging om het gesprek over te nemen. Hij was van plan haar dit zelf te laten behandelen. Ze haalde diep adem. 'Ja, dat heb ik gedaan,' antwoordde ze rustig maar heel vastbesloten.

Ze lichtte een en ander meteen nader toe. 'We hebben overleg gepleegd met het kantoor in Londen en ook met onze contactadressen in verschillende havens in het Midden-Oosten. Ik heb hun machtiging verstrekt om de gehele vloot uit de Perzische Golf terug te trekken, met instructies voor alternatieve aanloophavens.'

Phillip keek scherp op. Deze keer vertoonde zijn meestal zo onverstoorbare gezicht enige emotie en hij keek Ross aan. 'Jij bent het met die beslissing eens?'

Ross knikte. 'Helemaal.'

Phillip zei lange tijd niets. Toen knikte hij langzaam. 'Het was een noodzakelijke beslissing.'

Christina keek hem opgelucht aan. Gelukkig; maar ze wist nog niet hoe haar volgende woorden zouden worden ontvangen. 'Gezien de toestand in het Midden-Oosten is het duidelijk dat de onderneming naar alternatieve markten moet gaan zoeken.' Ze hield haar stem neutraal, teneinde niet de zenuwachtigheid te tonen die ze voelde over hetgeen er komen ging. 'Ik heb besloten aan het voorstel dat ik u heb voorgelegd nadere uitvoering te geven. Ik wil contact opnemen met Peking en zo snel mogelijk de regering daar een formeel voorstel voorleggen.'

Phillip zette zijn bord neer op een bijzettafeltje en vouwde zijn handen op zijn schoot. Lange tijd reageerde hij niet. Eindelijk zei hij: 'De crisis in het Midden-Oosten heeft voor ons een unieke situatie opgeleverd, en ik geef toe dat er velen zijn die het vasteland van China als een potentiële markt beschouwen. Ik heb je voorstel bestudeerd en het heeft interessante mogelijkheden. Maar er zijn zekere risico's aan verbonden.'

'Dàt is me bekend,' zei Christina hem. 'Die hoop ik via mijn contact met Chen Li voor het grootste deel te elimineren, als hij er tenminste in toestemt mij te ontvangen.' Ze ging op het randje van haar stoel zitten, klemde haar handen ineen en keek ernstig. 'U hebt me eens verteld dat eer het belangrijkste was. Alexander Fortune was een eervol man en mijn vader ook. Ik wil de kans hebben om het begrip eer weer aan de naam van Fortune te verbinden. Ik geloof dat mijn plan kan functioneren en ik wil de kans hebben om ervoor te zòrgen dat het functioneert.'

Phillip stond op en liep naar het raam dat neerkeek op de straat beneden en op Chinatown verderop. Hij had zijn handen op zijn rug gevouwen en vormde een studie in contrasten. Met zijn kleine gestalte en goedige glimlach, die iets of niets kon betekenen, zag hij eruit alsof hij slechts de lange vlecht op zijn rug nodig had, evenals een zwartzijden tuniek over een zwarte pyjamabroek met slippers om de verschijning te hebben van de stereotiepe wijze oude Chinees.

Maar in contrast met dat cliché droeg hij een duur Bond Street-pak van een mengsel van wol en zijde, een glanzend gouden Cartierhorloge en met de hand gemaakte schoenen. Alles te zamen was het symbolisch voor de beide culturen die zijn leven hadden gevormd – de traditionele Chinese manieren die elk woord en gebaar van hem inspireerden, en de westerse opvattingen van de begrippen vernieuwing en succes.

Even staarde hij naar buiten; zijn blik was peinzend en hij keek in de verte. Christina begon te denken dat hun onderhoud misschien als geëindigd werd beschouwd en ze begon op te staan, maar Ross schudde zijn hoofd en ze ging weer zitten.

Toen Phillip zich eindelijk omkeerde en begon te spreken, verraste hij Christina door hun een verhaal te vertellen. 'In het eerste jaar van deze eeuw verlieten twee broers hun thuis in Kanton, dat nu Guangzhou wordt genoemd. Ze reisden de rivier stroomafwaarts naar de zee af en werden aan boord gesmokkeld van een schip naar Hongkong. De oudste broer verkoos het in Hongkong te blijven, waar hij zeker wist dat hij fortuin kon maken. De jongste broer emigreerde naar Amerika; hij heette Lai Kwok Lee.

Het was niet moeilijk aan boord van een schip te gaan als je geld genoeg had voor de passage, maar het was veel moeilijker om de nodige papieren te bemachtigen teneinde Amerika binnen te mogen. Lai had die papieren niet en er was niet veel kans op dat hij ze ooit zou kunnen krijgen. Toch was hij vastbesloten de reis te maken en de twee broers namen afscheid van elkaar.

Het was een zware reis, onder afschuwelijke omstandigheden. Honderden immigranten waren opeengepakt in het ruim van een schip dat alleen voor veetransport bedoeld was. Er was weinig te eten of te drinken en benedendeks geen enkele ventilatie. Lai sliep op een dunne deken in de stalen romp van het schip. Zij die het overleefden, dankten dat door hun voedsel op te sparen en te rantsoeneren. Lai raakte bevriend met een oude man zonder familie. Ze leken wel iets op elkaar, want beiden hoopten in Amerika een droom waar te maken.

Er heersten veel ziekten aan boord van het schip en tegen de tijd dat de kust van Californië te zien was, was meer dan een derde deel van de passagiers gestorven. Het was gevaarlijk de lijken aan boord te houden, gezien het risico dat er zich nog meer ziekten zouden verspreiden en daarom werden de doden zonder meer in zee geworpen. De oude man was stervende en hij wist dat hij niet lang genoeg zou leven om in Amerika voet aan wal te zetten.'

Christina keek even Ross aan en vroeg zich af wat de betekenis van dit verhaal kon zijn. Hij keek even verward als zij, maar maakte haar duidelijk dat ze Phillip zijn verhaal moesten laten afmaken.

Phillip ging door. 'Lai had zijn zorgvuldig opgespaarde eten en drinken met de oude man gedeeld, en de oude man had Lai in ruil daarvoor niets te bieden, behalve een bundeltje papieren dat hij in de zak van zijn tuniek bewaarde. Dat waren zijn officiële toelatings- papieren die van alle immigranten werden vereist die de Verenigde Staten wensten binnen te komen.

Voor hij stierf, gaf de oude man zijn papieren aan Lai Kwok Lee. Het was de gave van een nieuw leven in een nieuw land voor de jon- geman. En toen het lijk van zijn vriend in zee werd geworpen, nam Lai zijn naam aan en beloofde plechtig die altijd te zullen eren.'

De gereserveerde uitdrukking op Phillips gezicht was onveran- derd, maar zijn woorden waren vervuld van een diepe emotie, die hij nauwelijks kon bedwingen. 'Lai Kwok Lee, die de naam aannam van Lo Sha Tsui, was mijn vader. Ik draag de naam Lo vol trots en eer hem zoals mijn vader hem geëerd heeft.'

Christina keek hem stomverbaasd aan. Hij glimlachte vriendelijk tegen haar. 'Mijn vader was vast van plan van de naam Lo een eer- volle naam te maken. Hij werkte heel hard en was heel trots op het feit dat ik naar de universiteit kon gaan en jurist kon worden, maar nog trotser was hij op de eer die ik onze naam bracht.' Hij keek haar strak aan. 'Weet je, het was niet de naam die zo belangrijk was, maar de manier waarop daaraan eer werd bewezen. De naam Fortune was eens het symbool voor grote eer en het is mogelijk dat het weer zo zal worden.'

Zonder het met zoveel woorden te zeggen, had Phillip Lo haar plan goedgekeurd, merkte ze. En, wat nòg belangrijker was voor haar, háár goedgekeurd. Ze werd door een emotie bevangen die zo intens was dat ze maar met moeite haar tranen kon bedwingen. Voor het eerst sinds ze naar San Francisco was gekomen, zei iemand tegen haar: 'Ik accepteer je zoals je bent.'

Ze schraapte haar keel en wilde hem bedanken, maar hij hief zijn hand op.

'Wat je wilt ondernemen, zal niet gemakkelijk zijn. In veel opzichten zal het voor jou moeilijker zijn dan voor Michael of voor Alexander Fortune. Er zullen mensen zijn die je willen tegenhouden.'

Ze wist dat hij Richard bedoelde, en mogelijk ook Katherine.

'De sleutel tot je plan ligt bij Chen Li. Ik ken mensen die in staat kunnen zijn contacten met hem te leggen.'

Het was het enige deel van haar plan waar zij en Ross niet nader over hadden gesproken, hoewel zij had gehoopt dat hij haar met zijn relaties in Hongkong misschien zou kunnen helpen. Phillip bood nu een mogelijke oplossing aan voor het probleem.

Hun lunch was voorbij en Christina stond op, terwijl Phillip door de kamer heen op hen toe kwam. Ze begreep nu dat hij hen geen van beiden in verlegenheid wilde brengen met uiterlijke tekenen van emotie voor de dankbaarheid die ze voelde. 'U brengt eer aan beide namen, die van Lo Sha Tsui en van Lai Kwok-lee,' zei ze overtuigd en oprecht. 'Dank u, *beste vriend*.'

Hij glimlachte hartelijk en nam haar beide handen in de zijne. 'Dit is wat Michael Fortune zou hebben gewenst als hij nog in leven was geweest. Misschien is het jóuw lot de droom van Hamish Fortune waar te maken.'

'Als we aannemen dat Phillip in staat is dat contact voor ons te leggen, dan hebben we heel wat werk te doen,' zei Ross toen ze na de bespreking teruggingen naar de auto. Hij liep eromheen om het portier voor haar te openen, bleef toen even staan en keek haar aan. Toen stak hij zijn hand uit en streek een kastanjebruin lokje haar van haar wang. Zijn vingers streelden haar huid. 'Het zal niet gemakkelijk zijn. We zouden dit gevecht kunnen verliezen.'

Ze dacht aan andere dingen die ze gaandeweg was kwijtgeraakt en nog andere waaraan ze zich wanhopig wilde vastklemmen. Ze ontmoette de blik van Ross en zei: 'Ik heb nooit gedacht dat het gemakkelijk zou zijn.'

Ze werkten door tot lang na middernacht, en toen vond Ross eindelijk dat ze moesten ophouden. 'Dat is het wel voor nu,' verklaarde hij. 'We zijn allemaal doodmoe.'

'Ik kan nog wat koffie zetten,' bood Bill aan, hoewel zijn toon verraadde dat hij op tegenwerpingen van de een of de ander hoopte.

Christina keek op van de papieren die voor haar uitgespreid lagen en waarop ze het afgelopen uur haar aandacht probeerde te concentreren. Ze zag dat beide mannen haar vol verwachting aankeken. 'Ik geloof, als me nu gevraagd werd bloed te geven, ze niets anders dan pure cafeïne zouden vinden. Goed,' zei ze, 'laten we er voor vanavond een punt achter zetten.'

Ze stond op, rekte zich uit en keek toen naar Ross. 'Ik wil deze gegevens niet op kantoor achterlaten.'

Hij was het met haar eens. 'Neem jij ze maar mee naar je flat.' Toen voegde hij er met een droge glimlach aan toe: 'Je hebt er in elk geval genoeg ruimte voor.'

Ze trok een gezicht tegen hem terwijl ze begon de in het rond liggende vellen en mappen in haar koffertje op te bergen. Bill was weggegaan om te zien of er nog iets op de telex stond over de laatste ontwikkelingen in het gebied van de Perzische Golf.

Plotseling, overmand door vermoeidheid, vroeg ze aarzelend: 'Denk je wèrkelijk dat we het voor elkaar krijgen?'

'Het is jouw idee. En een heel goed. Je zou van zelfvertrouwen moeten overlopen.'

'Ik heb vertrouwen in dit plan. Maar er moet in betrekkelijk korte tijd heel veel gedaan worden. En we weten nog steeds niet of de regering in Peking zal toestemmen in een ontmoeting met ons.'

'We zullen het aan je vriend Chen Li overlaten zich daarover op te winden, nadat we eenmaal het contact hebben gelegd.' Hij keek peinzend. 'Of heb je je bedacht?'

'Nee, ik heb me níet bedacht over het plan. Dat heb ik al op zes verschillende manieren benaderd. Ik weet dat het werkt.'

'Wat is er dan? Ben je niet zeker van David Chen?'

'Niet direct,' antwoordde ze ontwijkend. 'Het is alleen al zo lang geleden dat ik voor het laatst iets van hem heb gehoord.'

Ross was enorm nieuwsgierig, want er waren nog veel onbeantwoorde kwesties aan Christina verbonden. De rol van David Chen in haar leven was er een van. 'Hoe was je verhouding met hem eigenlijk precies?'

Ze keek op en sloeg toen haar ogen neer terwijl ze het koffertje sloot. 'Ik heb je al verteld dat we heel goede vrienden waren.'

Gebrek aan slaap en de grote hoeveelheid koffie in de afgelopen uren maakten hem iets minder subtiel dan hij had moeten zijn. 'Waren jullie minnaars?' vroeg hij ronduit.

Haar hoofd ging omhoog en het kastanjebruine haar zwaaide zich om haar fijne trekken, die wel gebeeldhouwd leken. Onder haar ogen waren zwarte plekken van vermoeidheid. 'Dat gaat je níets aan.'

'Ik geloof het wel. Ik wil precies weten met wie ik te maken heb, en in welke hoedanigheid.'

'Mijn persoonlijke relatie met David heeft niets met het voorstel te maken.'

'Het heeft er veel mee te maken, omdat je de zaak baseert op de verhouding tussen jou en hem en hoopt op die manier tot hem te worden toegelaten.'

Toen ze zich naar de deur wilde wenden om te vertrekken, stak hij zijn hand uit en greep haar bij de pols. 'Ik wil de waarheid weten.'

Ze draaide zich snel om en haar woede had haar bikkelhard gemaakt. 'We waren vrienden en minnaars. Het is mogelijk dat beide te zijn.'

Hij zag even een glimp van een gekwetste uitdrukking in haar ogen en wist dat hij erin was geslaagd weer een laag af te plukken van de façade die ze zo zorgvuldig om zich heen had opgetrokken teneinde haar emoties verborgen te houden. David Chen was duidelijk heel belangrijk voor haar geweest en het was merkbaar dat haar gevoelens voor hem nog niet helemaal vergeten of opgelost waren.

Hij had gemerkt dat ze kwetsbaar was. Het contrast tussen haar kracht en die kwetsbaarheid trok hem aan. De geheimen die hem op een afstand hielden, trokken hem eveneens aan. Hij wilde – móest – weten wie ze wèrkelijk was. Niet alleen in de betekenis of ze nu al dan niet Christina Fortune was, maar de persoon die ze in de afgelopen twintig jaar was geworden, sinds een vijftienjarig meisje in een ziekenhuis in New York was gestorven. Hij wilde alle gebeurtenissen kennen – goede en slechte – die haar leven hadden gevormd en haar in staat hadden gesteld door te gaan. Maar ze vertrouwde hem niet genoeg om hem dat alles te onthullen en misschien zou ze dat nooit doen.

'Goed,' gaf hij nu toe. Hij vond het afschuwelijk te weten dat hij degene was die de pijn had veroorzaakt die hij in haar ogen las. 'Het spijt me. Je hebt helemaal gelijk. Ik had geen recht zoiets te vragen.'

Ze had absoluut geen verontschuldiging van hem verwacht en vermoedde dat hij dat ook maar zelden deed.

'Ik accepteer je excuses.' Ze glimlachte vaag. Zijn glimlach als antwoord had een enorme uitwerking òp haar al verzwakte verdedigende houding. 'Moet ik midden in de nacht een taxi zoeken of kan ik je overhalen me een lift te geven naar mijn flat?'

Ross begon heel ondeugend te lachen. Hij stak zijn hand uit, tilde een lok haar van haar schouder en streelde die tussen zijn duim en wijsvinger. 'Ik heb zo'n gevoel, juffrouw Fortune, dat je me tot vrijwel alles kunt overhalen.'

Haar lach klonk enigszins verontrust. 'Een lift is genoeg.'

'Kinderen, zijn jullie klaar?' riep Bill naar binnen.

Toen ze met hem meeliepen, zei Bill: 'Er was nog een telex uit Londen. Ons eerste schip is op zijn nieuwe bestemming aangekomen en de kapitein en bemanning van de *Fortune Crest* zijn gevonden. Ze bevinden zich aan boord van een Japans vrachtschip.'

'Goddank,' zei Christina en slaakte een diepe zucht van verlichting terwijl ze naar de lift liepen.

Tien minuten later liep Ross met haar mee naar de deur van haar flat. Ze nam haar sleutel en hij nam die van haar over en opende de deur. Terwijl hij een stap terug deed, zei ze: 'Ik zou je wel vragen binnen te komen, maar...' Het excuus bleef onafgemaakt in de lucht hangen.

Ze streek haar haren weg van haar voorhoofd met een gebaar dat hij had leren kennen – het betekende dat ze niet op haar gemak was. Ross vond het wel leuk dat hij dat gevoel veroorzaakte. Hij stak zijn hand weer uit en duwde een haarlok weg die zij gemist had. Zijn vingers streelden haar voorhoofd.

Ze dacht aan een belofte die hij haar had gedaan... *We zullen ons aan elkaar geven.*

'Ik begrijp het,' zei hij zacht terwijl zijn vingers haar wang streelden en daarna de omtrek van haar kin natrokken. 'Het is nog steeds te vroeg.'

Hij glimlachte tegen haar en toen raakten zijn lippen net lang genoeg haar mond aan om haar naar meer te doen verlangen. Hij deed een stap achteruit. 'Welterusten.'

Toen was hij verdwenen.

Ze hoorde de deur in de hal beneden achter hem dichtvallen. Even later sloeg de motor van de Jaguar aan. Ze raakte met haar vingers haar mond aan op de plek waar ze nog de warmte van zijn lippen kon voelen. En ze hoorde weer de belofte... *We zullen ons aan elkaar geven.*

Hoofdstuk 24

De volgende ochtend om halfnegen stapte Christina uit de lift van het Fortune-gebouw. Alle kantoren lagen er vrijwel leeg bij op dit vroege tijdstip, want het werk begon officieel pas om negen uur. Maar in het kantoor van Ross brandde licht; hij was al aan het werk.

'Goedemorgen,' zei ze glimlachend, en ging op een stoel voor zijn bureau zitten.

Hij keek op van de nieuwste telex en beantwoordde lachend haar groet. 'We hebben goed nieuws. Nog zes van onze schepen hebben zonder enige schade een haven bereikt.'

Ze slaakte oprecht een zucht van verlichting. Ondanks haar vastbeslotenheid om uiterlijk vol vertrouwen te lijken, was ze diep in haar binnenste steeds bang sinds ze op de hoogte was gesteld van het lot van de *Fortune Crest*. Ze probeerde niet meer te begrijpen waarom dit alles zo belangrijk voor haar was geworden. Ze wist alleen dat die schepen en hun bemanningen heel veel voor haar betekenden.

Ze antwoordde: 'Dat is goed nieuws. Nog geen bericht over de resterende zeventien schepen?'

'Nog niet. Nu ze de tijd hebben gehad hun koers te wijzigen en naar alternatieve havens te varen, zullen we wel weer regelmatig rapporten binnenkrijgen. De eerstvolgende vierentwintig uur zijn kritiek. Tussen haakjes, heb je de ochtendbladen gezien?'

Hij schoof de ochtendeditie van de *Chronicle* over zijn bureau naar haar toe. De koppen schonken uitsluitend aandacht aan de laatste crisis in de Perzische Golf. Nog drie schepen waren òf zwaar beschadigd òf tot zinken gebracht. Scheepvaartmaatschappijen overal ter wereld waren druk bezig hun vaartuigen uit het gebied terug te trekken. Ross en Christina boften dat ze het nieuws al zo snel hadden gehoord, waardoor ze konden zorgen dat hun verlies tot het uiterste beperkt bleef.

'We hebben het juiste besluit genomen,' zei Christina.

'Nee,' verbeterde hij haar, 'jíj hebt de goede beslissing genomen. Een heel moeilijke beslissing!'

Ze glimlachte droogjes. 'Ik heb bijbedoelingen.'

'Nu je het tòch daarover hebt,' bracht hij haar in herinnering, 'we zullen Katherine op de hoogte moeten brengen. Het is beter dat ze het besluit over het terugtrekken van die schepen regelrecht van ons hoort dan via Richard.'

Christina was het daarmee eens. 'Het was míjn beslissing. Ik zal haar bellen zodra we bevestiging hebben dat alle schepen een veilige haven hebben bereikt. Ik wil haar niet nodeloos ongerust maken.'

'Wij beiden zullen haar bellen,' hield Ross aan. 'En het heeft geen zin haar al iets te vertellen over jouw voorstel voordat alles wat definitiever is omtrent jouw ontmoeting met iemand van de regering van de volksrepubliek China.'

Plotseling stormde Richard het vertrek binnen. Hij was woedend en had zijn handen tot vuisten gebald, alsof hij op het punt stond iemand aan te vallen. Hij smeet een vel papier op het bureau van Ross. 'Heb je dit gezien?'

Christina herkende de bekende nummers die op het briefhoofd stonden. Het was een telex van overzee. Zonder de moeite te doen hem op te pakken en te lezen, zei Ross slechts: 'Ja, we hebben het gezien.'

'De vaarschema's en aanloophavens van al onze schepen in het gebied van de Middellandse Zee en de Perzische Golf zijn veranderd!' Zonder enige notitie van Christina te nemen, barstte hij in woede los tegen Ross. 'Wat is verdomme de bedoeling van dat alles?'

Ross stond op en keek over zijn bureau heen Richard aan. 'Eén blik in de krant zou al voldoende uitleg moeten zijn. Het hele gebied daar verkeert vrijwel in staat van oorlog.'

'We hebben laadcontracten!' wierp Richard tegen. 'Hoe kan ik al die vertragingen verklaren tegenover onze cliënten die op aflevering zitten te wachten?'

'Het zou moeilijker zijn uitleg te geven van het verlies van die ladingen, om nog maar niet te spreken over het verlies van onze schepen.' Hij nam een telex op die laat in de vorige nacht uit Londen was gekomen en duwde het vel papier de kant van Richard op. 'Gisteren is de *Fortune Crest* tot zinken gebracht.'

Het was duidelijk dat Richard daarvan nog niet op de hoogte was. In plaats van ontsteld op dit bericht te reageren, leek hij alleen nog woedender te worden. 'Waarom is me dat niet onmiddellijk verteld?'

'Je was weg en je secretaresse wist niet waar ze je kon bereiken.'

Christina wist dat Ross niet erg zijn best had gedaan om Richard te bereiken, die dat zelf ook wist. 'Je hebt misbruik gemaakt van mijn afwezigheid en alle schepen teruggeroepen. Dat was het stomste dat je kon doen!'

'Alle maatschappijen doen dat nu. De enige schepen die nu nog in de Perzische Golf varen, zijn vliegdekschepen en slagschepen.'

Christina zag de snel kloppende ader in Richards nek terwijl hij zijn best deed zich te beheersen. 'Daar gaat het nu niet om.' Hij was niet van plan in te binden. 'Een beslissing van een dergelijke omvang vereist toestemming van de raad van beheer. Ik wens te weten wie jou volmacht heeft gegeven om midden in de nacht die veranderingen door te voeren! Je hebt je bevoegdheid overschreden, McKenna. Daar zal ik je voor krijgen!'

Met rustig gezag klonk Christina's stem. 'Dat denk ik niet.'

Richard wendde zich tot Christina. 'Wat bedoel je daarmee?'

'Ik heb volmacht gegeven voor die veranderingen.'

Richard zag eruit alsof hij door de bliksem was getroffen. 'Jij kunt zo'n beslissing niet nemen! Dat moet de raad doen!'

'Het was een kritieke situatie en er was geen tijd om een vergadering bijeen te roepen. Ik verkoos het de zaak te bespoedigen om de kans te verminderen dat we nog meer schepen zouden verliezen.'

'Het huishoudelijk reglement stelt met nadruk vast dat...'

Ze wist precies wat hij wilde gaan zeggen en sneed hem de pas af. 'Het voorziet ook in noodmaatregelen. Dit was een noodgeval, en ik heb de daarvoor benodigde actie genomen.'

'Weet Katherine hiervan?'

'Ik bel haar zodra de crisis voorbij is en stel haar dan op de hoogte van de door ons genomen maatregelen. Ze zal het allemaal wel goedkeuren.'

'Maar ìk keur het niet goed!' snauwde hij. 'Je bent een oplichtster en iedereen, ook Katherine, weet dat! Het is onmogelijk dat jij een deel van mijn onderneming vormt!'

Hij stormde de deur weer uit, die hij met een slag achter zich dichttrok.

Christina blies een lange ingehouden ademtocht uit. Ze had Richard al eerder nijdig gezien, maar niet zoals nu. Hij zag eruit alsof hij tot moord in staat was.

Ze wendde zich tot Ross. 'Wat denk je dat hij zal doen?'

'Hij zal proberen iets te vinden om jou in diskrediet te brengen en kan zelfs trachten de zaak omtrent de erfenis weer op te rakelen. Dat alles zal veel tijd in beslag nemen. Maar als hij dàt doet, neemt hij het op tegen Katherine en alle juristen die zij met haar geld kan inschakelen. Dit wordt een confrontatie die Richard in het verleden nooit heeft willen aangaan.'

'Je denkt dus dat we ons nergens zorgen over hoeven maken?'

'Dàt zei ik niet. Richard is gevaarlijk, want hij is onvoorspelbaar. Tot nu toe heeft hij geen kans gezien gegevens omtrent jouw Pekingvoorstel te bemachtigen. Maar we zullen dat niet zo lang meer geheim kunnen houden. Als we eenmaal naar Hongkong zijn vertrokken, zal hij in staat zijn te raden wat er aan de hand is.'

'Nou ja, dat zien we dan wel weer,' zei ze vastbesloten. Ze was niet van plan zich door Richard te laten intimideren en na te laten de juiste maatregelen te nemen.

De lunchpauze ging ongemerkt voorbij, want Ross en Christina werkten koortsachtig door om het voorstel bij te schaven. Bill stoorde hen omstreeks halftwee. 'Lunchpauze,' kondigde hij aan.

'We hebben geen tijd,' antwoordde Christina, zonder op te kijken van de stapel papieren die zij en Ross aan het doorlezen waren.

'Jawel, dat heb je wèl,' zei Bill grinnikend. Ze keken op en zagen dat hij met een paar kartonnen bakjes met voedsel jongleerde. Hij zette ze neer op de lage kast tegenover het bureau.

Het was Italiaans voedsel uit een zaakje dat aan kantoren leverde en het rook heerlijk. Ze aten terwijl ze doorwerkten en Bill gaf hun de laatste gegevens door over de economische toestand op het Chinese vasteland. De telefoon rinkelde onophoudelijk, want Christina had al haar gesprekken op het toestel van Ross laten overzetten, maar laat in de middag kwam er een persoonlijk gesprek voor haar binnen van Phillip Lo.

Christina keek naar Ross, zei een schietgebedje en pakte de hoorn op. Toen Phillip vroeg of Ross bij haar was, zette ze de speaker aan.

'Ik heb dat contact gelegd waarover we het hadden,' begon Phillip. 'Die heer is een oude vriend van me, met heel belangrijke, zakelijke banden met het Chinese vasteland. Hij kent Chen Li en heeft beloofd onmiddellijk inlichtingen voor je in te winnen. Hij zal contact met ons opnemen zodra hij meer weet.'

Ze spraken nog even over de vooruitgang die ze die dag met het voorstel hadden geboekt en ze vertelde hem ook alles over haar gesprek met Richard.

'Ik ken hem nu al zijn hele leven,' zei Phillip rustig. 'Hij heeft het altijd een grote schande gevonden dat hem niet gegeven wordt het-geen hij als zijn rechtmatige deel beschouwt. Onderschat hem niet. Hij heeft door jouw terugkeer veel verloren, zowel wat geld als macht betreft. Maar het belangrijkste is dat hij zijn gezicht heeft verloren.' Het bleef even stil, maar toen ging hij door: 'Je moet onmiddellijk naar Hongkong vertrekken. Maar zodra je dat doet, weet Richard dat er iets aan de hand is.'

'Dat hebben Ross en ik ook begrepen. We zullen gewoon zeggen dat het een routinereis is, om mezelf op de hoogte te stellen van de zaken rondom de Stille Oceaan.'

'En hoe moet het met Katherine?' vroeg Phillip. 'Zij moet hierover worden ingelicht.'

'Dat weet ik,' antwoordde Christina. 'En ik ben ook van plan haar alles te vertellen. Maar ik wilde wachten tot de zaken in Hongkong geregeld zijn. Het heeft geen zin haar nu al volledig in te lichten, want ik weet nog niet of ik in staat zal zijn het te laten functioneren.'

Aan de andere kant van de lijn bleef het lange tijd stil. Phillip Lo was altijd voor honderd procent trouw geweest aan Katherine. Ze wist ook dat hij het op dit punt niet geheel en al met haar eens was.

'Goed dan,' zei hij uiteindelijk. 'Bel me zodra jullie in Hongkong zijn aangekomen. Als alles goed gaat, heb ik inmiddels nader bericht van mijn vriend ontvangen en kan jullie dan meedelen wanneer de ontmoeting kan plaatsvinden. En als die ontmoeting goed afloopt, moet Katherine alles weten.'

'Dat begrijp ik. Dank u, meneer Lo. Voor alles,' zei Christina, en ze was hem oprecht dankbaar.

Bill ging weg om hun reis te regelen en Christina en Ross werkten nog een paar uur door. Toen had ze intussen een flinke hoofdpijn, doordat ze de hele dag al die rapporten hadden doorgenomen. Ross bood aan een aspirientje voor haar te halen en ze wachtte alleen in zijn kantoor terwijl ze probeerde de pijn uit haar slapen weg te masseren, terwijl ze onderhand nog een paar aantekeningen maakte. Ze draaide zich niet om toen de deur openging.

'Ik ben net met alles klaar,' zei ze, zonder op te kijken.

'Ik zou zo zeggen dat je al meer dan genoeg hebt gedaan.'

Die woorden klonken hard en boos. Ze draaide zich snel om en zag Steven staan.

'Dag, Steven,' zei ze kortaf.

Hij ging op de rand van haar bureau zitten met een houding van superioriteit en arrogantie die hij tegenover haar altijd aannam en bij hem scheen te passen. Hij glimlachte, maar er lag geen warmte of humor in. In zijn ogen was de blik van een roofdier dat zijn prooi nader bekijkt.

Ze was niet van plan die prooi te zijn. 'Ik dacht dat jij alweer op de terugweg naar Hongkong was,' merkte ze op.

'Ik ben net op weg naar de luchthaven. Er was iets mis met ons vliegtuig, maar dat hebben ze eindelijk weer onder de knie.'

Hij ging door. 'Ik heb een en ander over je machtsvertoon van vandaag gehoord. Nogal onbesuisd van je, hè, om zoiets te doen zonder de rest van ons te raadplegen?'

Ze weigerde zich te laten intimideren. Ze kende meer mannen zoals Steven: knap, en charmant zolang ze kregen wat ze hebben wilden, maar intens gemeen als dat niet het geval was. Ze had uit pure noodzaak al lang geleden geleerd hoe ze zich tegenover dat soort mannen moest gedragen, maar toch was ze een beetje nerveus.

Ze stond op. 'Wat kan ik voor je doen?' vroeg ze, en deed haar best haar stem zo krachtig mogelijk te doen klinken en vol zelfvertrouwen.

Hij was van de hoek van het bureau gesprongen, lenig en soepel met zijn atletische lichaam. Hij keek rond in het Spartaans eenvoudige kantoor met zijn traditionele antieke meubels, die een groot contrast vormden met het dure, elegante leer en marmer in zijn eigen kantoor. Zijn blik viel op haar bureau, maar ze had het dossier waaraan ze werkte dichtgeslagen op het moment dat ze hem voor zich zag staan.

Hij pakte losjes de bronzen briefopener op die naast een stapel brieven lag. Het was een voorwerp dat aan iedereen werd verstrekt die er de afdeling materiaalvoorziening om vroeg. Hij liet hem tussen zijn vingers heen en weer glijden en duwde de punt tegen zijn duim. Op de een of andere manier suggereerde dat gebaar een dreigement, en ze merkte dat ze haar adem inhield.

'Je hebt vandaag een fout gemaakt, Christina,' zei hij rustig, en vestigde langzaam zijn blik weer op haar. 'Een zeer ernstige fout.'

'Dat geloof ik niet.' Ze vergrootte de afstand tussen hen beiden door een stapje achterwaarts naar de lage kast achter haar bureau te doen.

Hij stak zijn hand uit en zijn vingers sloten zich om haar pols terwijl hij haar met een ruk naar zich toe trok. In zijn andere hand had hij nog steeds de briefopener en hij vergrootte de druk op haar pols zodat hij haar werkelijk pijn deed.

Christina was doodsbang, maar weigerde hem het genoegen hem te laten weten dat hij haar kon intimideren. Ze hield zichzelf voor dat ze wel voor hetere vuren had gestaan en dat had overleefd.

'Een zeer ernstige fout,' herhaalde hij. 'Katherine zal je nooit in dit besluit steunen. En zonder haar steun...' Hij maakte de zin niet af, maar beiden wisten wat hij bedoelde.

Ze keek hem aan zonder met haar ogen te knipperen, want instinctief begreep ze dat elk vertoon van zwakte hem alleen maar plezier zou doen. Maar ondanks haar vastbeslotenheid geen vrees te tonen, kwam er een merkwaardige herinnering bij haar op die haar deed denken aan een andere plaats in het verleden, toen iemand haar net zo had beetgepakt. Toen was ze kwetsbaar geweest. Een slachtoffer. Ze was niet van plan dat weer te worden.

Eindelijk zei ze iets en er klonk geen enkele emotie in haar stem – alleen grimmige vastbeslotenheid. 'Laat mijn pols los, Steven.'

'Moeilijkheden?'

Ross stond in de deuropening van haar kantoor.

Nog even zag Christina de uitdaging in de ogen van Steven, toen zei hij: 'Absoluut niet.'

De druk op haar pols hield plotseling op en Steven liet haar los. Voor hij wegliep, vuurde hij nog een laatste schot af. 'Wees voorzichtig met het nemen van beslissingen, beste nicht. Denk aan de gevolgen.' Toen lachte hij tegen beiden. 'Ik moet zorgen mijn vliegtuig te halen.' En weg was hij.

'Wat was dat in hemelsnaam?' vroeg Ross.

Ze kon nauwelijks het plotselinge trillen van haar handen tegengaan en haar benen voelden aan of ze aan touwtjes hingen. Ze lachte flauwtjes. 'Ik geloof niet dat Steven het leuk vindt als een vrouw zich tegen hem verzet.'

Ross pakte voorzichtig haar pols beet en hield die omhoog. Rode vlekken tekenden de plaatsen af waarop de vingerafdrukken van Steven nog duidelijk zichtbaar waren. De gelaatsuitdrukking van Ross verhardde zich op een manier zoals Christina nog nooit gezien had. 'Als hij je ooit wéér aanraakt, zal ik zorgen dat hij daar spijt van krijgt.'

Christina wist dat hij meende wat hij zei. Ondanks haar woede wat Steven betrof, hoopte ze voor hem dat hij zijn vergissing niet zou herhalen. Ze trok haar hand terug en zei: 'Mij mankeert niets, Ross. Steven doet alleen maar flink.' Maar het klonk niet overtuigend.

Ross weersprak haar niet, maar het was duidelijk dat hij het niet met haar eens was. Even daarna zei hij: 'Voor vandaag hebben we wel genoeg gedaan. Voor we iets van de vriend van Phillip horen, kunnen we toch niet veel meer uitrichten. Ga mee, ik neem je mee uit eten.'

'Ik kan niet,' zei ze, en er klonk echt spijt in haar stem door. 'Ik heb Leann Shiu beloofd om na het werk met haar iets te gaan drinken in de Washington Street Bar and Grill.'

Voor hij verder kon aandringen, zei ze: 'Daar overkomt me niets. En daarna ga ik regelrecht naar huis. Om je de waarheid te zeggen, ben ik doodop en wil ik graag vroeg naar bed.'

Met tegenzin gaf hij toe. 'Goed dan. Ik zal je er zelf heen brengen en wacht dan in de auto tot je klaar bent.'

'Ross, ik heb geen lijfwacht nodig.' Ze probeerde de situatie luchtig te bekijken, maar de harde waarheid was dat ze er misschien toch wel een nodig had. Ze wilde het niet toegeven, zelfs niet ten overstaan van zichzelf, maar zijn beschermende houding gaf haar een heerlijk gevoel. Ze had jarenlang hard gewerkt om onafhankelijk te zijn, zichzelf te kunnen redden en niemand nodig te hebben. Maar op dit moment had ze Ross hard nodig, hoewel ze vastbesloten was hem dat niet te tonen.

'Steven is op weg naar Hongkong en ik heb niets te vrezen.'

Even keek hij haar aan alsof hij dat wilde bestrijden. Eindelijk gaf hij toe: 'Goed. Maar als je je ook maar èrgens zorgen om maakt, moet je me bellen.'

Ze glimlachte dankbaar. 'Goed.' Ze keek op haar horloge en ging door: 'Maar nu kunnen we maar beter gaan; anders kom ik nog te laat.'

'Ik wist niet dat jullie zulke goede maatjes waren geworden,' zei hij, terwijl ze naar de lift liepen.

'Ik vind haar aardig. Ze is lief en intelligent. Ik geloof dat ze iets met mijn neef heeft.'
'Met Steven?' vroeg hij verbaasd.
'Nee, met Jason.'

Een half uur later ontmoette ze Leann op de afgesproken plek, een gezellig, klein restaurant aan de rand van Washington Square. Het was een van die leuke tentjes waar vaak mensen komen die San Francisco goed kennen. De rubriekschrijver Herb Caen van de *Chronicle* lunchte er vaak, evenals de burgemeester, en politici op doorreis.

Er was slechts plaats voor een tiental tafeltjes, die alle met een wit tafellaken waren gedekt. Het tapijt was mosgroen en de wanden onder de panelen donkerrood geschilderd en de ramen boden uitzicht op het park. Er waren weinig mensen aanwezig: twee paren zaten van hors-d'oeuvres en glazen witte wijn te genieten en een paar zakenlieden kwamen aan het eind van de dag binnenlopen om een glas te drinken.

Leann wuifde naar Christina toen ze binnenkwam.

'Ik dacht dat je misschien van gedachten was veranderd,' zei ze aarzelend.

'Sorry. Ik ben op kantoor opgehouden,' verklaarde Christina.

'Je schijnt het heel druk te hebben met dat voorstel van je.'

'Het veroorzaakt veel werk en er zijn ongetwijfeld ook enkele risico's aan verbonden, maar ik ben ervan overtuigd dat het de moeite waard is.' Christina keek Leann even peinzend aan en ging toen door: 'Maar je hebt me toch niet gevraagd hier te komen om over Fortune International te praten?'

De ober kwam naar hun tafeltje en de twee vrouwen bestelden een drankje. Leann zei niets terwijl ze wachtten tot de man terugkwam. Toen hij dat deed en hen daarna alleen liet, roerde ze nerveus in haar glas. 'Ik weet niet hoe ik moet beginnen.'

'Ik spring er meestal meteen middenin,' zei Christina lachend en probeerde het ijs te breken. 'Dan komt alles meestal wel op z'n pootjes terecht.'

Leanns gelaatsuitdrukking werd verlangend. 'De afgelopen maanden hebben Jason en ik elkaar vaak ontmoet.'

'Is jullie relatie serieus?'

'Jason is heel bijzonder en ik geef veel om hem. Hij is lief en gevoelig. En hij kan zo goed luisteren! We konden het van het begin af aan goed met elkaar vinden en alles verliep prima, tot...' Ze zweeg, en Christina wist wat er nu moest komen.

'Tot ik terugkwam naar San Francisco,' maakte ze de zin af.

Leann knikte. 'Ik wist natuurlijk wel het nodige van je af. Doordat ik voor meneer Lo werk, weet ik veel van de familie Fortune. Het was voor iedereen ook een enorme verrassing toen je terugkwam.'

Christina glimlachte. 'Je drukt het wel heel voorzichtig uit.' Meer zei ze niet, maar wachtte tot Leann zou doorgaan.

Het meisje draaide het glazen staafje in haar vingers om en om en zei toen: 'Ik geloof dat je terugkomst in veel opzichten voor Jason moeilijker was dan voor een van de anderen.'

Christina wist niet goed wat ze moest zeggen. Haar eigen gevoelens voor Jason waren nog steeds verward en behoedzaam zei ze: 'Het is voor iedereen moeilijk.'

'Maar voor Jason erger, gezien zijn gevoelens voor jou.' Leann keek haar met haar donkere ogen onzeker aan. 'Hij heeft me verteld wat er tussen jullie was toen jullie nog tieners waren. En hij heeft zich altijd verantwoordelijk gevoeld voor je vlucht, gezien hetgeen er die laatste avond is gebeurd.'

Plotseling was Christina heel stil. Hoeveel had Jason aan Leann verteld? Zou hij tòch de verkrachter zijn?

Die gedachte alleen maakte haar misselijk. Ze had Jason nooit verdacht. Haar vingers sloten zich om de steel van het wijnglas en heel langzaam zei ze: 'Wat heeft hij je precies verteld?'

'Hij zei dat jullie ruzie hadden gekregen en hij toen vreselijke dingen had gezegd. En toen was je weggehold.'

Christina was enorm opgelucht. Het was Jason niet.

'Hij heeft zichzelf altijd de schuld gegeven van je weglopen,' zei Leann. 'Hij is ervan overtuigd dat het door die ruzie kwam en door de dingen die hij tegen je zei, omdat hij zich van je afwendde op een moment dat je hem juist hard nodig had.' Haar stem klonk bezorgd. 'Vanaf het moment dat je bent teruggekomen, heeft hij er met je over willen praten, maar hij kan het niet opbrengen.' Onzeker voegde ze eraan toe: 'Ik heb zo'n gevoel dat niets ooit helemaal wordt opgelost voordat hij er met je over heeft gepraat.'

Christina keek naar Leann en zag een spiegelbeeld van haar eigen verloren hoop en dromen in de donkere ogen van het meisje. Ze wist maar al te goed dat werkelijk geluk in een ware en blijvende relatie slechts heel zelden voorkwam. Heel even had ze gedacht dat ze het met David had, maar ook dat was ten einde gekomen.

Daarna had ze verschillende korte affaires, die altijd eindigden omdat ze zichzelf niet voldoende kon geven. Het verleden hield haar te veel bezig en ze had geen tijd voor hoop en dromen over de toekomst, waarna ze ging accepteren dat het gewoonweg voor haar niet was weggelegd. Maar Leann was jong en optimistisch genoeg om aan de toekomst te denken – een toekomst met Jason.

'Het is al zó lang geleden,' begon Christina, en ze koos haar woorden zorgvuldig. 'We waren beiden nog heel jong. Ik had toen net mijn ouders verloren en mijn leven stond op zijn kop. Jason was mijn neef, mijn vriend, mijn veiligheidsklep.' Ze lachte zacht. 'Ik denk dat ik veronderstelde een beetje verliefd op hem te zijn, maar het was gewoon kalverliefde.'

Ze nam de hand van Leann in de hare. 'Er was een misverstand. We maakten ruzie, zoals tieners doen, maar ik bezweer je dat het niets te maken had met de reden waarom ik uit San Francisco wegliep. Dat was niet de schuld van Jason, en ik wil alles doen om hem daarvan te overtuigen.'

Omdat ze wist dat Leann dat wilde horen, voegde ze eraan toe: 'Ik heb alles omtrent die ruzie en mijn gevoelens voor Jason al lang geleden van me afgezet. Het was van mijn kant een schoolmeisjesverliefdheid. En ik geloof ècht dat zijn gevoelens voor mij even vluchtig waren.'

Leann kneep in haar hand. 'O, Christina, dank je. Ik maakte me zóveel zorgen! Nu weet ik tenminste dat Jason niet de reden is waarom je bent teruggekomen. Misschien zal Jason mettertijd zijn eigen gevoelens ook beter onderkennen. En... en leren van iemand anders te houden.'

'Ik denk dat daar een grote kans op is,' antwoordde Christina. Ze dronk haar glas leeg en verontschuldigde zich toen dat ze niet kon blijven eten. 'Ik ga naar huis en regelrecht naar bed. Maar ik ben blij dat we samen hebben gepraat.'

Leann zei hartelijk: 'Ik ook!' Ze greep haar tas en mantel en besloot: 'Dank je wel dat je vanavond hierheen bent gekomen.'

Ze namen voor het restaurant afscheid van elkaar. Het was bijna donker en Christina besloot het stukje naar Powell Street te lopen en daar de tram te nemen die haar vlak bij haar flat zou afzetten. De avondlucht was fris en herinnerde haar eraan dat het oktober was. Er waren ook andere voetgangers op straat, op weg van hun werk naar huis of om iemand voor een drankje of een etentje te ontmoeten. De gebruikelijke stroom toeristen die in elk jaargetijde de straten vulde, viel op door hun 'I love SF'-T-shirts, windjacks en Giant-baseballpetjes, die ze een eind over hun oren hadden getrokken.

De kabeltram – geliefd bij de toeristen en een noodzakelijk vervoermiddel voor forensen – was altijd vol, en toen ze de hoek van Powell en Jackson Street bereikte, verdrongen de passagiers zich om binnen te komen. Ze wachtte op de volgende tram, die wel gauw zou komen.

Hij kwam na enkele minuten en voor alle passagiers nog waren uitgestapt, was Christina snel naar binnen gegleden. Ze liep door naar achteren terwijl de andere passagiers instapten. De conducteur riep om het geld en toen zette de kabeltram zich slingerend in beweging. Bij de twee volgende kruispunten bleven ze even staan en bij elke halte liep Christina verder door naar het balkon in het achterste deel van de wagon.

Het was harder gaan waaien en het werd fris, reden waarom ze de kraag van haar mantel hoog optrok om haar hals. Bij het volgende kruispunt liep ze het balkon op; haar halte was de volgende. Ze had haar handschoenen aangetrokken om haar handen weer warm te krijgen en hield zich vast aan een stang. De tram kroop moeizaam de helling op. Een vrouwelijke passagier op de bank naast haar stond op, waarschijnlijk omdat ze er bij de volgende halte uit wilde. Christina drong naar voren om plaats voor haar te maken en verzette een hand. Terwijl ze zich met één hand vasthield, drongen enkele passagiers achter haar tegen haar aan. Ze probeerde zich ook met de andere hand in evenwicht te houden, net toen de tram moeizaam de volgende heuvel nam.

Het gebeurde allemaal in een onderdeel van een seconde. Het ene moment stond ze nog op de rand van het balkon en hield ze zich aan de stang vast, het volgende moment voelde ze een hand die haar midden op haar rug een flinke duw gaf. Eén gedachte was glashelder – ze werd geduwd. Toen greep ze in het luchtledige – ze tastte wanhopig om zich heen teneinde zich aan iets vast te klampen, iets dat zou voorkomen dat ze op straat zou vallen als de tram meer snelheid kreeg...

Hoofdstuk 25

'Lieve God!'

'Juffrouw? Hoe gaat het?'

Versuft keek Christina op naar de kring van gezichten die naar haar keken. Haar hoofd werd helderder en ze besefte dat ze midden op straat lag. Ze voelde zich een malloot zoals ze daar lag en probeerde te gaan zitten, maar diverse handen hielden haar tegen.

'Probeer niet op te staan. U kunt wel gewond zijn geraakt!' zei er iemand.

De handen die haar neerdrukten, vermengd met de instinctieve gevoelens van angst en paniek die in haar boven kwamen, brachten een herinnering naar voren – duisternis, de verwrongen schaduw van een man die op haar neerkeek terwijl zijn grote, sterke handen naar haar grepen...

Doodsbang maakte ze zich los van al die handen en kwam overeind. 'Ik heb níets!' hield ze vol.

Ze merkte dat een arm haar liefdevol ondersteunde terwijl ze werd geholpen weer op haar eigen onzekere benen te gaan staan. Ze werd overvallen door een vlaag van duizeligheid en moest even haar ogen sluiten om die kwijt te raken. Toen ze haar ogen weer opende, keek ze in het gezicht van de al wat oudere conducteur van de kabeltram. 'Weet u zeker dat u niets hebt, juffrouw?' vroeg hij bezorgd.

Ze knikte. 'Alles is oké. Geef me alleen even de tijd.' Ze streek haar verwarde haren uit haar gezicht en bekeek toen snel de gezichten van de mensen om haar heen. En plotseling herinnerde ze het zich weer – *ze was geduwd!* Maar wie deed nu zoiets? Het moest iemand geweest zijn die haar kende, maar ze zag alleen vreemden om zich heen toen de menigte zich langzaam weer begon te verspreiden.

'Ik geloof dat het het beste is als ik dit even meld en u naar een eerstehulppost laat brengen,' zei de conducteur.

'Nee, laat maar. Ik ben niet gewond. Alleen maar wat schrammen en builen.'

Hij keek haar sceptisch aan. 'Laat me dan tenminste iemand bellen die u kan komen halen.'

Ze schudde weer haar hoofd. 'Nee, dank u. Mijn flat is vlakbij. Ik kan daar wel naartoe lopen.'

Hij schudde zijn hoofd, duidelijk bang dat dit op een proces zou uitlopen. Ze legde een hand op zijn arm en zei: 'Heus, ik heb niets.' Toen dacht ze aan haar val van Julies paard en zei: 'Ik heb wel erger smakken meegemaakt.'

'Laat me dan een taxi roepen. Dat kunt u me niet weigeren.'

Hij wenkte een taxichauffeur, die in de rij auto's achter de kabeltram was komen vast te zitten. Nadat hij haar naar de taxi had begeleid en het portier achter haar had gesloten, boog hij zich door het open raampje van de taxi. 'Het zal toch wel nodig zijn dat u op het hoofdkantoor komt en bij de opzichter rapport uitbrengt. Dat zijn de voorschriften.'

'Goed,' zei ze ongeduldig. Ze was hem dankbaar voor zijn vriendelijke hulp, maar nu wilde ze zo gauw mogelijk hier weg en zich terugtrekken in haar veilige flat.

'Dat was een raar ongeluk. Weet u zéker dat u niets hebt?' vroeg de taxichauffeur, en keek haar in zijn achteruitkijkspiegel aan.

'Dat weet ik zeker,' antwoordde ze vermoeid. Nu voelde ze de schok van die val pas goed. Ze had een gevoel alsof haar hele lichaam vol blauwe plekken zat en haar wang deed pijn op de plek waar haar hoofd tegen het plaveisel was terechtgekomen.

In de flat viel ze neer op haar nieuwe sofa. Marie had bewezen meer dan een secretaresse te zijn en ervoor gezorgd dat de lege flat iets huiselijks kreeg – een paar planten, enkele goedkope maar felgekleurde en ingelijste posters hielpen daarbij enorm. Ze had Christina ook geholpen een televisie te bemachtigen en een minimumvoorraad aan schotels, bestek, potten en pannen, handdoeken en lakens. Ze scheen te denken dat Christina verzorging nodig had, althans wat haar huiselijk leven betrof. Toen ze naar beneden keek en de vuile en gescheurde zoom van haar mantel zag, was Christina geneigd het met haar eens te zijn.

Ze trok de mantel uit en tilde toen de zoom van haar wollen rok op. Haar kousen zaten vol ladders en de rode, geschaafde huid was op beide knieën zichtbaar. Ze trok haar kousen voorzichtig uit en gooide ze in een prullenmand. Ze had sinds haar jeugd geen ontvelde knieën meer gehad; in die tijd was ze steeds van haar fiets gevallen wanneer iemand haar wilde leren fietsen.

Haar handen waren onbeschadigd, omdat ze haar leren handschoenen had gedragen, maar er zat een gemene schram op haar pols, waar ze geprobeerd had haar val te breken. Haar wang klopte. Ze kromp in elkaar toen ze hem betastte en besloot dat ze de zaak nader moest bekijken.

Toen ze haar gezicht in de badkamerspiegel bekeek, concludeerde ze opgelucht dat het er allemaal niet zo erg uitzag als ze gevreesd had. Haar jukbeen deed pijn als ze het aanraakte, de huid was rood en eronder zat een blauwe plek, zo groot als een halve dollar. Maar een flinke laag foundation kon de verkleuring verdoezelen en zorgen dat ze er voor de buitenwereld presentabel uitzag.

Maar make-up kon niet het meest verontrustende aspect van de situatie verdoezelen. Alleen in haar flat, moest ze de waarheid onder ogen zien. Het was geen ongeluk geweest. Dit evenmin als het schot dat haar paard had doen steigeren toen ze door de wijngaarden reed. Ze rilde en kromp in elkaar. De afschuwelijke waarheid was dat iemand al twee keer had geprobeerd haar te vermoorden. En wie het ook geweest was, hij of zij was daar bijna in geslaagd.

In de reeds donkere slaapkamer ging ze op de rand van haar bed zitten en staarde naar het licht dat uit de badkamer kwam.

Wie?

Wie zat er achter dit alles?

Richard? Steven? *Beiden?*

Of iemand anders?

Dat was nog het meest beangstigend. Het kon vrijwel iedereen zijn! Alle leden van de familie Fortune hadden redenen om haar uit de weg te ruimen.

Ze hield zich voor dat ze daar niet kon blijven zitten om zich door paniek te laten overmannen. Ze dwong zich op te staan en zich uit te kleden; toen trok ze haar dikke badstof peignoir aan en deed die als een beschuttende deken om zich heen.

Haar blik viel op de telefoon naast haar bed en ze dacht aan Julie. Ze had al een paar dagen rondgelopen met het idee haar te bellen. Hun plannen elkaar weer te ontmoeten en Christina's auto bij haar terug te bezorgen, waren voor onbepaalde tijd uitgesteld. De laatste keer dat Christina met Julie had gesproken, hadden de plaatselijke autoriteiten nog niets naders ontdekt omtrent het geweer dat in de wijngaarden was gevonden.

Ze keek op haar klokradio om te zien hoe laat het was. Pas even over zevenen. Ze nam de hoorn op en draaide Julies nummer in Sonoma.

'Hallo?' zei een vaag bekende mannenstem, die ze zich herinnerde van korte telefoongesprekken jaren geleden, toen zij en Julie nog in Boston woonden.

'Met Carlo? Hier met Chris Fortune... Chris Grant,' verbeterde ze zichzelf toen ze zich herinnerde dat hij haar alleen bij die naam kende. Ze wisselden een paar woorden en hij verontschuldigde zich ervoor dat hij er niet was toen ze op bezoek was geweest. Toen gaf hij de hoorn aan Julie.

'Hallo!' zei Julie uitgelaten. 'Ik heb al van alles over jou in de kranten gelezen. Het ziet ernaar uit dat de scheepvaartwereld nu goed weet dat je er bent, juffrouw Fortune,' voegde ze er plagend aan toe.

Christina begreep dat Julie de berichten over het terugtrekken van alle Fortune-schepen uit de Perzische Golf moest hebben gelezen. Het leek onmogelijk iets te doen dat niet de volgende dag met grote koppen in de krant stond.

'Och, ik ben leuk bezig,' antwoordde ze ontwijkend. 'Ik ga over een paar dagen naar Hongkong, dus laat die auto nog maar even. Ik wilde je laten weten dat ik geen zwerfster meer ben en een flat heb gevonden: twee slaapkamers, twee badkamers, een prachtig uitzicht en een prima buurt.' Haar stem klonk bijna opgewekt, zelfs in haar eigen oren.

'Tjongejonge, dàt klinkt goed! Dan hoef ik tenminste niet op de sofa te slapen als ik bij je op bezoek kom,' merkte Julie gekscherend op.

'Zeg, Julie,' ze probeerde haar stem nonchalant te laten klinken, 'heb je ooit nog iets naders gehoord over het geweer dat in de wijngaard is gevonden?'

'Ze zijn er nog steeds mee bezig. Soms draaien de molens van de gerechtigheid hier heel langzaam. We hebben hier maar één sheriff voor het hele district om dit soort dingen te behandelen, en hij heeft nooit met erger dingen te maken dan met een of andere kerel die in een dronken bui rare dingen uithaalt. Maar ik zal hem morgen weer eens bellen. Misschien hebben ze inmiddels iets ontdekt.'

'Prachtig,' zei Christina quasi-opgewekt. 'Laat het me weten als je iets bijzonders te horen krijgt.'

Het bleef even stil en toen vroeg Julie: 'Wat is er aan de hand?'

Christina lachte onzeker. 'Waarom vraag je dat?'

'Ik weet het niet. Je stem klinkt zo vreemd. Is er iets gebeurd?'

'Nee,' stelde Christina haar snel gerust, vastbesloten Julie niet bezorgd te maken. 'Ik ben alleen wat moe, dat is alles. Zeg, ik bel je als ik zeker weet waar ik de komende weken zoal heen moet. Dan kunnen we een afspraak maken.'

'Is alles ècht in orde?' Julie leek sceptisch.

'Ja, hoor,' verzekerde Christina haar. Ze keek op toen de deurzoemer in de huiskamer overging. 'Ik moet weg, Julie. Er is iemand aan de deur. Ik bel je nog wel.'

Ze fronste haar wenkbrauwen toen ze de hoorn neerlegde. Er werd weer gebeld. Plotseling ging er een rilling van angst door haar heen. Ze verwachtte niemand. De bel ging een derde keer over, nu langdurig, en ze drukte op de knop van de intercom om te horen wie er beneden was.

Het was Ross. 'Mag ik even bovenkomen?'

Op een of andere manier wilde ze hem nu liever niet onder ogen komen. 'Ik ben werkelijk moe en was net op weg naar bed.' Ze merkte hoe belachelijk dat klonk, zo vroeg op de avond, ondanks de uren die ze zo hard hadden gewerkt.

'Ik heb maar enkele minuten nodig en het is belangrijk. Doe de deur even open, Chris.'

Ze had kunnen weigeren, maar de waarheid was dat hij tòch vroeg of laat zou horen wat er gebeurd was – en misschien wist hij het al. De plotselinge verdenking gaf haar een schok. Dat kòn toch niet! Ross zou nooit zo iets doen! En toen dàcht ze eraan hoe hij onverwacht bij Julie was opgedoken, vlak nadat iemand op haar had geschoten. Nu was hij hier, meteen na een tweede 'ongeluk'. Kwam hij kijken hoe erg ze eraan toe was?

Ze voelde zich misselijk worden. Néé. Het kòn Ross niet zijn.

Hij had haar gevraagd hem te vertrouwen, en ze deed dat ook inderdaad. Was ze dwaas geweest? 'God, hoe kan ik zóiets zelfs maar dènken?' mompelde ze zachtjes.

'Chris?' klonk zijn stem door de intercom.

'Kom maar boven,' zei ze eindelijk, en drukte op de knop waarmee ze de deur beneden kon openen.

Ze was in de badkamer toen ze hem even later op de deur hoorde kloppen. Ze had geprobeerd make-up aan te brengen op haar wang, zodat het er niet zo erg zou uitzien als het was, maar dat was niet afdoende.

Ross klopte nog eens voor ze bij de deur was. Er was slechts één lamp aan, achter de sofa, en Christina bleef in de schaduw naast de deur staan toen ze opendeed. 'Kom binnen.'

Ross betrad de flat en zag dat ze haar peignoir aan had. 'Sorry,' zei hij verontschuldigend. 'Ik begreep niet dat je al zó vroeg naar bed wilde.'

'Ik... was moe. Waarover wilde je me spreken?' Ze hield de getroffen wang van hem afgekeerd.

'Ik heb laat doorgewerkt en heb nieuwe cijfers voor de joint venture-financiering, die we Phillip kunnen voorleggen. Met de winstmogelijkheid die we kunnen bieden, denk ik dat we een belangrijk voorstel voor de Chinese regering hebben.' Hij maakte de grote envelop open die hij had meegenomen en haalde er enkele getikte vellen papier uit. Toen keek hij rond naar de ene lamp en liep naar de muur om de plafondverlichting aan te doen.

Maar nadat hij zich had omgekeerd en haar zag, riep hij uit: 'Mijn God! Chris, wat is er in hemelsnaam gebeurd?'

De angst en woede die ze tot dan toe zorgvuldig had weggestopt, kwamen naar boven. 'Ik heb een ongelukje gehad,' zei ze gespannen.

'Ik zou zeggen dat het iets meer dan een ongelukje was.' Ze kromp in elkaar toen zijn vingers zich om haar gewonde pols sloten. Hij maakte zijn greep losser, maar liet haar niet helemaal gaan en in plaats daarvan draaide hij haar pols om.

'Is er nog meer?' vroeg hij zacht, met ternauwernood ingehouden woede.

'Een paar schrammen en builen.' Ze maakte zich van hem los en ging op de sofa zitten, waar ze haar peignoir zo dicht mogelijk om zich heen trok.

Hij was echter niet van plan zich zo gemakkelijk te laten afschepen. 'Vertel me eens wat er gebeurd is?'

Zonder op te kijken, zei ze: 'Bedoel je dat je het nog niet weet?'

'Wat bedoel je dáár nu weer mee?' vroeg hij geprikkeld.

Ze hoorde de woede in zijn stem en had het gevoel dat ze niets meer aankon. Ze wilde wanhopig graag dat ze hem kon vertrouwen, maar wist dat ze dat niet te moest doen – niet kòn doen. Nú niet. De woede en de angst die haar dwarszaten, maakten dat ze opstond en ze keek hem boos aan. 'Ik bedoel ermee dat mijn òngelukje geen ongelukje was! Ik werd vanavond uit de kabeltram geduwd. Het kwam bij me op dat je het misschien al wist. Tenslotte wist jij waar ik vanavond heen ging.'

Zijn donkerblauwe ogen schitterden van nijd. 'Is dat een beschuldiging?'

'Móet dat?' gaf ze meteen terug.

Hij schudde langzaam zijn hoofd. Zijn stem klonk zacht en werd door hem goed in bedwang gehouden, maar toch klonk er een woede in door die haar banger maakte dan ze wilde toegeven. 'We hebben het hier al eerder over gehad. Ik heb je niet uit die tram geduwd en weet ook niet wie het wèl heeft gedaan, maar ik ben wèl van plan dat na te gaan.'

'Zodat je kunt zorgen dat het de volgende keer góed gebeurt?' Ze stond op het punt hysterisch te worden en wist dat ook, maar ze kon haar verwarde emoties niet meer onder controle houden. Ze streek de haren van haar voorhoofd weg en haar hand beefde. 'Je hebt me toch gevraagd je te vertrouwen? En dat deed ik.'

'Je kùnt me ook vertrouwen.' Hij zag de doodsangst in haar ogen en zijn toon werd vriendelijker. 'Denk er even over na, Chris. Als ik je iets zou willen aandoen, dan heb ik daarvoor al tientallen keren de kans gehad.'

Zijn argument was juist. Zij had het zelf ook gebruikt, maar haar rede had nu niet de bovenhand. 'Misschien vind je het beter een ander jouw vuile karweitjes te laten opknappen!'

Hij pakte haar bij de schouders beet. 'Denk eraàn hoe vaak we samen alleen zijn geweest – op de terugweg van Sonoma, die avond in Chinatown en aan boord van de "Resolute" – tientallen keren. Wat jij zegt, is onzin.'

Ze wist dat hij gelijk had. Plotseling begon ze te huilen, hetgeen haar alleen nog maar bozer maakte. 'Verdomme!' vloekte ze. 'Ik háát dat gejank!'

Ross trok haar in zijn armen en toen ze zich wilde verzetten, hield hij haar alleen nog maar steviger vast.

'Huil maar uit. Na hetgeen jij allemaal hebt meegemaakt, ben je wel aan een flinke huilbui toe.' Zijn ene arm had hij om haar middel geslagen en zo drukte hij haar tegen zijn borst. Zijn andere hand streelde kalmerend over haar rug, zoals hij bij een angstig kind zou hebben gedaan. Maar de vrouw die hij in zijn armen hield, wàs geen kind.

Hij was zich daar maar al te goed van bewust. Zijn zinnen werden door haar nabijheid geprikkeld – de zachte geur van haar parfum, haar zijdezachte haren en de soepele huid, die onder zijn aanraking trilde. Al wekenlang had hij de grootste moeite zijn handen thuis te houden, hetgeen vaak bijna onmogelijk was geweest. Zelfbeheersing was niet zijn sterkste punt. Als hij iets wilde, dan nam hij het. Wanneer hij een of andere vrouw wilde, ging hij recht op zijn doel af, even doelbewust als hij in het zakenleven was.

Maar Christina was niet zomaar een vrouw van wie hij het lichaam wilde ontdekken en daarvan genieten. Ze intrigeerde hem en hij werd tot haar aangetrokken op een manier die niet alleen fysiek was. Hij koesterde gevoelens voor haar die hij al in lange tijd niet meer voor een vrouw had gehad. Hij wilde de mysteries van haar geest en hart ontrafelen, alsook de verleidelijke mysteries van haar lichaam.

Maar op dit moment wist hij dat ze bijzonder kwetsbaar was, dus bleef hij staan en hield haar vast om haar, na alle opgekropte emoties, eens flink te laten uithuilen.

Na lange tijd trok ze zich van hem terug en liet de voorkant van zijn overhemd los. 'Ik heb je helemaal nat gemaakt,' fluisterde ze met onvaste stem.

'Daar kom ik wel overheen.' Hij duwde een paar haarlokken weg van haar gewonde wang. 'Heb je nog meer verwondingen?'

Ze glimlachte door haar tranen heen tegen hem. 'Ik heb mijn knieën bezeerd toen ik viel.' Ze deed haar peignoir net ver genoeg open om hem haar knieën te tonen.

Hij grinnikte tegen haar en probeerde de sfeer wat luchtiger te maken; hij voelde dat ze daaraan behoefte had. 'Het lijkt wel of je een robbertje hebt gevochten.'

Ze snoof. 'Ja, en je had die ander eens moeten zien!'

Ze lachten beiden. Toen zei hij: 'Dit rapport kunnen we ook morgen wel behandelen, maar ik dacht dat je wèl zou willen weten dat Phillip Lo heeft opgebeld.' Ze was meteen op haar hoede, maar hij ging door. 'Er is contact gelegd met David Chen.' Toen veranderde zijn gelaatsuitdrukking. 'Je moet heel veel voor hem hebben betekend! Hij is bereid ons te ontvangen.'

'O, Ross, wat héérlijk! Dat betekent dat er werkelijk een goede kans bestaat dat dit voorstel kan worden uitgevoerd, hè?'

'Twijfelde je daar dan aan?'

'Jij twijfelde toch ook?' zei ze glimlachend.

'Maar een beetje. Maar twijfel maakt de uitdaging nòg groter.'

'Heeft Phillip gezegd wanneer David bereid is ons te ontvangen?'

'Hij zal via de diplomatieke kanalen in Hongkong contact met ons opnemen, hetgeen betekent dat we daar zo spoedig mogelijk heen moeten reizen, zodra wij al onze gegevens bij elkaar hebben. Er zal daar nog heel wat te doen zijn.'

Ze knikte. 'We hadden met Steven kunnen meereizen, als we dit eerder hadden geweten.'

Hij schudde zijn hoofd. 'Hoe langer we dit onder ons kunnen houden, hoe groter de kans dat we succes zullen hebben.'

'Ja, natuurlijk. Maar Katherine zal uiteindelijk alles moeten horen. Ik wil niet dat ze het van Richard hoort.'

Zijn gelaatsuitdrukking verstrakte. 'Dit is belangrijk, maar het is op geen stukken na zo belangrijk als wat jou vanavond is overkomen. Heb je iemand gezien die je herkend hebt?'

'Ik heb alleen vreemde gezichten gezien.'

Hij liet zijn handen langs haar armen zakken en nam haar handen in de zijne. 'Chris, je weet dat die val in Sonoma vermoedelijk óók geen ongeluk was.'

'Daar heb ik aan gedacht, en ik heb Julie gebeld.' In antwoord op zijn vragende blik zei ze: 'De sheriff heeft nog niets nieuws ontdekt aan dat gevonden geweer.'

'Van nu af aan zul je uiterst voorzichtig moeten zijn.'

Haar gezicht stond plotseling koppig. 'Ik wil degene die dit doet niet de bevrediging geven om mij doodsbang te zien ronddolen en weiger om met een revolver onder mijn kussen te gaan slapen.'

'Ik geloof dat ik wel een alternatief plan heb,' zei Ross, en glimlachte zó breed dat haar hart fel ging kloppen. 'Maar vanavond heb je rust nodig. Heb je al gegeten?'

Ze schudde haar hoofd. 'Alleen wat gedronken, met Leann.'

'Heb je iets in de koelkast?'

Ze schudde haar hoofd.

'Goed dan,' zei hij. 'Ga jij nu maar in bad. Een lang warm bad kan wonderen doen. Ik zorg voor het eten. En neem maar aan van iemand die het kan weten dat een robbertje vechten je een ongelooflijke eetlust kan bezorgen.'

'Ik vermoed dat jij jouw ervaring op dat gebied in de havens van Hongkong hebt opgedaan?'

Hij grinnikte tegen haar. 'Bij mijn werk voor Katherine.'

Ze lachte en besefte hoe waar die opmerking was.

Toen ze stil werd, keken ze elkaar een tijdlang aan. Zijn glimlach verdween en hij keek vervolgens ernstig bezorgd. Al was ze nog erg van streek, op de een of andere manier was ze niet zo bang meer en zei zachtjes: 'Dank je.'

Zijn vingers grepen haar schouders steviger beet en heel even dacht ze dat hij haar nog dichter naar zich toe zou trekken en haar wilde kussen. In plaats daarvan deed hij zijn hand omhoog en streelde op een wonderbaarlijk tedere manier over haar wang. 'Je hoeft me nèrgens voor te bedanken.'

Ze zei niet wat ze allemaal dacht. Ze was nog niet zover dat ze dat kon. Maar ze hield wèl vol: 'Ja, ik moet je wel bedanken. Ik moet je voor veel dingen bedanken.'

Ze moest wat gedommeld hebben. Toen ze op het kleine gouden klokje op de toog bij het bad keek, zag ze dat ze al bijna een uur in bad lag. Ze liet het intussen lauwe water weglopen, droogde zich af en trok haar peignoir weer aan. Ze wreef haar haren droog en dacht even na of ze zich zou opmaken, maar besloot dat niet te doen. Toen ze geen enkel geluid uit de zitkamer hoorde, nam ze aan dat Ross naar huis was gegaan.

In de zitkamer zag ze dat er een gezellig vuur in de open haard brandde. Op een bijzettafeltje stonden twee gevulde cognacglazen, en de amberkleurige vloeistof ving het gouden licht op van de vlammen. Uit het keukentje kwamen heerlijke geuren.

'Ik wou net naar je komen kijken en dacht dat je misschien verdronken was,' zei Ross, toen hij uit de keuken kwam. Hij had zijn colbert uitgetrokken en zijn overhemd stond open aan de hals; zijn mouwen had hij opgerold, waardoor zijn gebruinde onderarmen te zien waren.

'Ik moet in slaap zijn gevallen en geloof dat mijn huid helemaal verschrompeld is doordat ik zo lang in het water heb gelegen.'

'Daar zie je níet naar uit,' zei hij, en bleef net lang genoeg bij het bijzettafeltje staan om de twee cognacglazen op te pakken. Hij gaf er haar een.

Ze voelde hoe de drank warm en zacht omlaaggleed en de laatste resten van haar vrees meenam.

'Ga zitten,' beval hij. 'Het eten is bijna klaar.'

'Het ruikt heerlijk. Heb je hulp nodig?'

'Kun je goed sla klaarmaken?'

Ze liep de keuken in. 'Ik kan sla klaarmaken en verder alles wat ik in de magnetron kan doen.' Toen hij geschrokken opkeek, verklaarde ze: 'Ik heb het altijd veel te druk gehad om te leren koken. Waar heb jij het geleerd?'

'Och, ik heb zo hier en daar wat opgepikt,' antwoordde hij ontwijkend.

'Juist,' zei ze, en knikte begrijpend. 'Van een oude vriendin?'

Hij lachte ondeugend tegen haar. 'In die tijd was ze níet zo oud en ze kon heel goed koken. We hebben heel wat geëxperimenteerd.'
Een vlaag van jaloezie ging door haar heen. 'Dat zal wel.'
Hij keek haar met een merkwaardige uitdrukking in zijn ogen aan. Toen stak hij zijn arm uit en greep haar beet bij haar niet gewonde pols. En kuste haar... langzaam, grondig, heet, en herinnerde hen beiden zo aan een belofte die nog ingelost moest worden.
'God, wat ben je mooi!' fluisterde hij hees. Hij ging met zijn tong langs de omtrek van haar bovenlip. Toen trok hij zich terug en duwde haar een slacouvert in handen. 'Als je wilt eten, moet je het verdienen.'
Het diner bestond uit gebraden vlinder scampi, gesmoord in knoflookboter en Parmezaanse kaas, zilvervliesrijst met champignons en sjalotjes, een spinaziesalade met een wijndressing en geraspte hardgekookte eieren eroverheen. Daarbij schonk hij een pittige Riesling.
'Helaas hadden ze in de supermarkt op de hoek geen Francettiwijnen,' zei Ross, toen hij haar glas weer vulde.
'Daarover zal ik eens een hartig woordje met hen moeten spreken. Ze zullen dat moeten veranderen als ze mijn klandizie willen houden,' zei ze lui, terwijl ze haar lege bord wegduwde. Ze voelde zich door en door tevreden, geborgen en slaperig en geeuwde, ondanks haar pogingen dat te bedwingen.
'Goed dan, juffrouw Fortune. Ik begrijp een wenk als ik hem zie.'
Hij stond op, liep om de tafel heen en trok haar omhoog uit haar stoel. Toen bracht hij haar naar de bank voor de haard en zei: 'Ga zitten.'
Ze liet haar hoofd tegen de rugleuning rusten en zag hoe hij in de keuken heen en weer liep. 'Waarom ben je nooit getrouwd?' De vraag was eruit voor ze besefte wat ze had gevraagd.
Hij keek haar aan door het doorgeefluik, dat tevens dienst deed als bar. Na zijn handen te hebben afgedroogd, kwam hij de keuken uit en ging naast haar zitten. 'Ben je altijd zo recht op de man af?'
'Ik vind het meestal de beste manier om een antwoord te krijgen.'
Hij nam haar hand in de zijne en speelde met haar vingers. 'Ik heb er eigenlijk geen tijd voor gehad. En ik heb niet het soort leven geleid dat eerlijk is tegenover een vrouw en een gezin. Werk was het belangrijkste in mijn leven, en daar heb ik veel aan opgeofferd.' Het klonk bijna alsof hij dat nu betreurde. Ze begreep zijn gevoelens. Het was iets waarmee ook zij in haar leven te maken had gehad.
Ze geeuwde weer en probeerde dat achter haar hand te verbergen. 'Ik denk dat ik alleen maar verbaasd ben dat geen vrouw er nog in geslaagd is je in haar netten te strikken.' Ze dacht aan Marianne Schaeffer en voelde weer een steek van jaloezie.
'Ik geloof niet in gestrikt worden,' zei hij zacht, terwijl hij haar

handen bestudeerde en haar vingers door de zijne vlocht. 'Wanneer een man en een vrouw een band aangaan, moet dat gebeuren omdat beiden het willen en ze elkaar het enige in de wereld vinden dat belangrijker is dan al het andere. Als het minder is, komt daar alleen maar verdriet en ellende van, en niemand heeft het recht een ander op die manier te laten lijden.' Zijn stem was zacht, bijna gefluister.

Toen keek hij op en glimlachte. 'Het is eigenlijk niet mijn gewoonte mijn disgenoten in slaap te praten.'

Haar ogen waren gesloten en haar wimpers lagen als dikke halvemaantjes op haar bleke wangen. Haar adem ging langzaam en was diep. Hij sloeg een arm onder haar schouders en de andere onder haar benen en tilde haar op die manier zacht op. Zo bracht hij haar naar de slaapkamer en legde haar op bed, waarna hij de lakens en dekens over haar heen trok toen ze zich op haar rechterzij draaide. Ze sliep al.

Hij boog zich over haar heen, kuste een mondhoek en fluisterde: 'Welterusten, Christina... of Ellie.'

Toen hij de slaapkamer uitliep, deed hij de deur zacht achter zich dicht.

In de huiskamer pakte hij de telefoon op en draaide een nummer. Toen er aan de andere kant werd opgenomen, vroeg hij op woedende toon: 'Wat is er vanavond verdomme gebeurd?'

Hij luisterde even en viel toen de ander in de rede: 'Ik wens geen excuses te horen maar wil resultaten zien.' Toen legde hij de hoorn neer en verliet de flat.

Hoofdstuk 26

Het zonlicht stroomde die ochtend de flat in. Christina werd langzaam wakker en voelde onmiddellijk de pijn van de blauwe plekken die ze bij de val uit de tram had opgelopen. Voorzichtig ging ze rechtop zitten en zag toen een briefje van Ross op het nachtkastje liggen. Met een mengeling van verbazing en teleurstelling merkte ze dat hij niet was blijven slapen.

Ze dacht aan de heerlijke maaltijd die hij had klaargemaakt, aan de wijn en de cognac. Daarna was alles nogal vaag. Het laatste dat ze zich herinnerde, was dat Ross haar had opgetild en naar de slaapkamer had gedragen. Ze pakte het briefje op dat hij van het notitieblokje had afgescheurd dat altijd naast de telefoon lag. Er stond alleen maar op:

Neem maar een dagje vrij en rust uit.
Ik bel je nog wel. – Ross.

Daar kwam niets van in, dacht ze, terwijl ze het bed uitgleed en naar de badkamer liep. Elke spier in haar lichaam deed pijn en ze kreunde toen ze haar spiegelbeeld zag. Om met Ross te spreken: ze zag eruit alsof ze een robbertje had gevochten.

Haar wang was geschaafd en enigszins opgezet en op haar jukbeen was een paarsblauwe plek verschenen, die ze even betastte. 'Daar zal meer dan make-up voor nodig zijn,' kreunde ze. Toen inspecteerde ze haar knieën. Gelukkig zouden donkere kousen de schade daar camoufleren.

'Het is nog gemakkelijker om te leren fietsen,' merkte ze zacht op terwijl ze naar de douche liep en de kranen opendraaide.

Een uur later, gedoucht en aangekleed, controleerde ze haar verschijning in de lange spiegel in haar slaapkamer. Ze had een winterse witte wollen rok aangetrokken, met een zijden blouse en een jasje in een warme tint karamel, met hier en daar gouden en donkerrode draden door het weefsel. De kleuren waren warm en opvallend. Het was een opzettelijke keus, die de aandacht vestigde op de elegante snit en niet op haar gezicht, waar bij te veel aandacht de schaafwonden en blauwe plekken zichtbaar zouden zijn.

Als verdere camouflage had ze haar haren losjes op haar schouders hangen, die golvend langs haar wangen vielen en veel verdoezelden.

Ze wilde net een taxi bellen om naar kantoor te gaan, toen de intercom van de hoofdingang beneden zoemde. Ze drukte op de knop en riep: 'Hallo?'

Het bleef even stil, maar toen zei een stem bijna verbaasd: 'Christina?'

Ze hoorde de verrassing in haar eigen stem. 'Oom Brian! Goedemorgen!'

Weer viel er even een stilte, alsof hij vergeten was wat hij nu wilde zeggen. Toen: 'Mag ik bovenkomen?'

Het scheen dat Ross niet de enige was die ontdekt had waar ze nu woonde. Ze aarzelde en vroeg zich af wat Brian naar haar flat bracht zonder eerst op te bellen.

Ze dacht aan haar val van de vorige avond en kreeg een rilling van angst. Toen schudde ze zichzelf geestelijk door elkaar. Van Brian had ze niets te vrezen. Hij was de enige uit de hele familie die haar al van het begin af aan een gevoel had gegeven welkom te zijn.

Christina besefte dat ze veel gemeen hadden. Ze was een buitenstaander – de erfgename op wie niemand gesteld was. Brian was ook een buitenstaander – de man die met een dochter uit de familie Fortune was getrouwd en bij de onderneming werkte, maar binnen die maatschappij geen enkel gezag had... en zelfs niet eens in zijn eigen gezin.

'Ik wilde net naar kantoor gaan,' verklaarde Christina, toen ze op de knop drukte om hem boven te laten. 'Kom maar boven.'

Toen ze hem zag, zei ze: 'Er is koffie in de keuken. Bedien uzelf.'

Ze liep terug naar haar slaapkamer en kwam even later met haar tas en diplomatenkoffertje de keuken weer in. Brian zat op de rand van het aanrecht met een kopje in zijn hand.

'Je zet lekkere koffie!'

'Dat is een van de weinige dingen die ik goed kan,' bekende ze.

'Ik zie dat je besloten hebt niet langer op Fortune Hill te blijven.'

'Ik heb een eigen stek nodig.'

Hij knikte op die rustige, peinzende manier van hem. 'Dat begrijp ik best.'

'Hoe hebt u me ontdekt?' vroeg Christina.

'Dat heb ìk niet gedaan. Richard is op de een of andere manier achter je adres gekomen.'

Natuurlijk, dacht Christina.

Brian zag eruit alsof hij zich absoluut niet op zijn gemak voelde toen hij verder ging: 'Helaas is dit niet zomaar een bezoekje. Richard heeft me gevraagd je naar zijn kantoor te brengen.'

'Waarom?'

Hij zette de koffie neer. 'Katherine is in San Francisco. Ze is vanmorgen vroeg uit Hawaii aangekomen.'

Terwijl ze met Brians auto naar kantoor reden, verklaarde hij: 'Richard moet haar een telegram hebben gestuurd zodra hij ontdekte dat jij opdracht had gegeven al onze schepen uit de Golf terug te trekken.'

Ze staarde uit het raampje en haar gedachten tolden door haar hoofd terwijl ze probeerde te raden in welke stemming Katherine zou zijn en hoe ze haar moest benaderen. Over het motief van Richard bestond geen enkele twijfel. Hij was woedend geweest toen hij het had ontdekt en had er geen twijfel over laten bestaan dat hij al het nodige zou doen om haar tegen te houden.

Verdraaid! dacht ze. Ze had eigenlijk meer tijd nodig gehad. Daarom had ze het uitgesteld om Katherine op de hoogte te brengen van de veranderingen, want elke dag tijdwinst hielp haar om haar plan te doen functioneren.

'Weet Ross hiervan?'

'Katherine doet vrijwel nooit iets waarvan híj níet op de hoogte is. Maar in dit geval...' Brian liet de rest onuitgesproken.

'Er is nòg iets,' voegde Brian er grimmig aan toe en zijn stem verraadde de spijt dat hij het was die haar dit moest vertellen. 'Richard heeft een bijzondere vergadering van de raad van beheer bijeengeroepen.'

Christina liet haar lang ingehouden adem ontsnappen. 'Voor wanneer?'

'Vanochtend om tien uur.'

'Katherine heeft me gewaarschuwd dat Richard alles zou doen wat in zijn vermogen ligt om mij ervan te weerhouden,' overpeinsde ze hardop. 'Dat schijnt hij nu te doen. Hij zal ongetwijfeld proberen me hiermee in diskrediet te brengen.'

Er viel een lange, geladen stilte, terwijl Brian de wagen door het verkeer loodste, op weg naar het Fortune-gebouw. Eindelijk zei hij: 'Sinds de dood van Michael is Richard in een voortdurend gevecht met Katherine gewikkeld omtrent de zeggenschap over de onderneming.'

'Hij vecht voor iets dat hem nooit rechtmatig toekwam,' hield Christina vol.

'Wat Richard betreft, behoort Fortune International hem toe, en hij zal alles doen om er zich aan vast te klampen.'

'Alles,' mompelde Christina peinzend en wreef even over de wond op haar pols, die door de manchet van haar blouse goed werd verhuld.

Ze parkeerden in de garage onder het Fortune-gebouw en Brian zette de zwarte Volvo op zijn aangewezen plek. Naast hem stond de opvallende, glanzend rode Mercedes 580 SL van Diana, die duidelijk van plan was niet te laat voor de vergadering te zijn. Alle andere gereserveerde plaatsen waren eveneens bezet. Alle leden van de raad waren aanwezig en wachtten – als haaien die zich voor de laatste aanval verzamelen.

Brian stapte niet uit. Hij draaide zich om en legde met een vriendelijk gebaar zijn hand op de hare op de bank tussen hen in. 'Er is iets dat je goed moet begrijpen. Wat Richard betreft, doet het er niets toe of je nu al dan niet Christina bent,' verklaarde hij.

Voor het eerst begreep ze de kille werkelijkheid. Het dééd er niet toe wie ze was. Het enige belangrijke was de dreiging die zij belichaamde sinds Katherine haar had geaccepteerd.

Ze kneep even in Brians hand, dankbaar voor zijn vriendelijkheid – de enige werkelijke vriendelijkheid die iemand uit de familie haar had getoond sinds zij naar San Francisco was gekomen. Ze voelde dat hij op zijn manier voor haar zorgde; zijn vriendelijkheid ontroerde haar diep en vervulde haar van een gevoel van verlangen dat zó fel was dat het bijna pijn deed – een verlangen naar de vader, die ze lang geleden had verloren.

Ze boog zich naar hem toe en gaf hem een kus op zijn wang. 'Dank u.'

'Waarvoor?'

'Omdat u om mij geeft. Dat betekent veel voor me.'

Toen ze een paar minuten later uit de lift stapten op de achttiende etage, voelde Christina hoe geladen de sfeer was.

De receptioniste begroette haar aarzelend en keek haar niet aan. 'Goedemorgen, juffrouw Fortune.'

'Goedemorgen, juffrouw Bennett.' Toen zei ze, met een rustige stem die ze volkomen in bedwang had en alsof er die ochtend niets bijzonders aan de hand was: 'Is iedereen aanwezig?'

'Hm... ja, juffrouw Fortune,' antwoordde juffrouw Bennett nerveus.

'Goed zo.'

'Chris.' Ross kwam zijn kantoor uit en liep met grote passen op haar toe. 'Ik heb geprobeerd je te bellen.'

'Brian heeft me verteld dat Katherine er is. En over de vergadering van de raad,' zei Christina.

Brian mompelde iets van dat hij hen nu verliet, zodat ze samen zouden kunnen praten en verdween toen.

Christina zei: 'Richard heeft geen tijd verloren laten gaan.'

Ross haakte zijn arm om de hare terwijl ze naar zijn kantoor liepen. 'Nee, dàt is zo. Ik heb hier pas iets over gehoord toen ik zojuist op kantoor kwam.' Hij fronste zijn wenkbrauwen. 'Het is niets voor Katherine om zo iets te doen zonder eerst met mij te overleggen. Dat is géén goed teken.'

Ze zette haar tas en koffertje neer op het bureau van Ross. 'Wat kunnen we nu verwachten?'

'Richard is niet gek. Zelfs al heeft Katherine in Hawaii die verklaring afgegeven, weet hij heel goed dat zij nu haar beslissingen via jou uitvoert. Zijn sterkste wapen is het feit dat je een uiterst belangrijke beslissing hebt genomen zonder haar eerst te raadplegen.'

Christina wist dat hij gelijk had. Katherine zou ongetwijfeld woedend zijn. En doordat ze nu de lange en vermoeiende reis uit Hawaii had ondernomen, was ze duidelijk vastbesloten iets te doen.

'Wat kan ìk doen?' vroeg ze aan Ross.

'Katherine heeft jou waarnemend president gemaakt. Gebruik die positie. Zorg dat het niet zover komt dat de raad een besluit neemt.'

'Hoe kan ik dat voorkomen?'

'Je moet eerst met Katherine onder vier ogen spreken, zonder de rest van de raad. Dat is je enige kans, Christina. Eis dat!'

'Denk je dat Katherine erin zal toestemmen met me te praten?'

Ross fronste zijn wenkbrauwen. 'Ik zou het echt niet weten. Maar het is je enige hoop.'

Bill stak zijn hoofd om de hoek van de deur. 'Richard wil de vergadering openen.'

Terwijl Christina en Ross de vergaderzaal binnenliepen, dacht ze aan die andere ochtend, nog maar een paar weken geleden, toen ze voor het eerst dit vertrek was binnengekomen en die mensen onder ogen was gekomen. Die ochtend had er zó veel op het spel gestaan, maar nu stond er nòg meer op het spel.

Met één blik in de rondte zag ze dat iedereen aanwezig was, ook Brian. Hij zat naast Diana en hield zijn ogen op de tafel gericht. Haar neven waren er en zaten op dezelfde plaats als die eerste ochtend. Het enige verschil was dat Richard nu op de eerste stoel aan de linkerkant van de tafel zat. Katherine had aan het hoofd ervan plaatsgenomen, in de stoel die voor de voorzitter van de raad van beheer was bestemd.

Bij haar binnenkomst hielden alle gesprekken op en Diana keek zelfvoldaan toen ze even haar blik op Christina liet rusten. Daarna keek Diana over de tafel heen naar Richard. Hij zag er koel en doelbewust uit en was bezig een stapel papieren te ordenen – ongetwijfeld bewijzen, in de vorm van telegrammen en overzeese telexberichten, dat Christina Katherine had verraden.

Jason keek naar Christina en alle oude vragen stonden op zijn gelaat te lezen. Toen keek hij van haar weg.

Maar het kwam in de eerste plaats op Katherine aan, en die weigerde haar blikken te ontmoeten. In plaats daarvan staarde ze grimmig voor zich uit, duidelijk vastbesloten deze zaak zo spoedig mogelijk af te handelen.

Vóór iemand iets kon zeggen en vóór Richard officieel de vergadering kon openen, verklaarde Christina: 'Ik eis dat deze vergadering wordt verdaagd.'

Richard zei: 'Je hebt niet de volmacht om zo'n eis te stellen.'

Christina voelde de zwijgende steun van Ross terwijl hij naast haar bleef staan en putte daar kracht uit. Deze keer was zij tenminste niet alleen om het tegen al die mensen op te nemen. 'Als waarnemend president hèb ik die volmacht,' verklaarde ze. Toen vestigde ze haar blikken op Katherine en zei: 'Ik moet onder vier ogen met u spreken.'

'Dat is belachelijk!' viel Diana uit. 'In godsnaam, moeder, u bent toch niet van plan naar háár te luisteren! Ze is een oplichtster; dat weten we nu al van het begin af. U hebt haar uw vertrouwen geschonken en nu heeft ze u bedrogen. Dat is alles.'

'Daar ben ik het helemaal mee eens,' voegde Steven eraan toe, teneinde zijn moeder te steunen. 'U kunt niet toestaan dat dit doorgaat, oma. De onderneming loopt gevaar!'

Richard sloeg hard met zijn vlakke hand op de vergadertafel. 'Deze vergadering dient thans zonder verder uitstel of interrupties geopend te worden.' Hij wierp Christina een ijzige blik toe. 'Jij hebt hier níets te maken.'

'Toch wel!' was haar antwoord. 'Zolang deze onderneming bestaat, is er tegen de vrouwen in deze familie gezegd dat zij hier niets te maken hebben. Maar dat is niet langer het geval. Dit is míjn onderneming, evengoed als de jouwe. En alles wat ik gedaan heb, was om het voortbestaan ervan te verzekeren. En ik ben níet van plan mijn positie op te geven alleen omdat jíj vindt dat een vrouw geen recht heeft hier te zijn!'

Ze keek Katherine aan en zocht wanhopig naar een teken dat haar woorden de kille woede van de oudere vrouw hadden getemperd. Maar er was geen sprake van enige verzachting van de onverzoenlijke uitdrukking op haar gezicht.

Ik heb verloren, dacht Christina, en ze voelde zich ellendig. Ze kon verder niets meer zeggen of doen. Behalve – misschien – nog één ding.

Ze keek Katherine aan en zei smekend: 'Toe, *grand'mère*.'

Het was een risico en ze was zich daarvan bewust. Katherine had haar bevolen haar nooit meer zo aan te spreken en Christina wist dat ze nu misschien nog woedender zou worden.

Katherine staarde haar even strak aan en Christina kon onmogelijk gissen wat haar reactie zou zijn. Toen stond Katherine tot Christina's verbazing heel langzaam op. 'We zullen deze vergadering voor vijf minuten verdagen, en in die tijd spreek ik onder vier ogen met de... de waarnemend president.'

'Moeder!' Diana stond bruusk op en het leek alsof ze Katherines arm wilde beetpakken om haar fysiek tegen te houden. Maar de oude vrouw keek haar woedend en strak aan.

'Verdraaid, moeder!' schreeuwde Richard, en stond op om naast haar te gaan staan. 'Dat kunt u niet doen! Ze heeft u bedrogen!'

Hij torende boven de frêle gestalte van Katherine uit, maar zij had zich in het verleden ook vaak tegen hem verzet en weigerde zich nu van haar voornemen te laten afbrengen. 'Allen de vergaderzaal uit,' zei ze bevelend. 'Ross, jij kunt blijven.'

De anderen deden boos wat hun gezegd werd, maar terwijl ze langs Christina liepen, wist deze dat ze over precies vijf minuten zouden terugkomen, gereed om af te maken waar ze juist aan begonnen waren.

Vijf minuten. Heel weinig tijd om haar huid te redden.

Christina wendde zich tot Katherine, die weer was gaan zitten; haar vermoeidheid bleek uit de diepe lijnen in haar gezicht. Ze begon snel: 'Ik ben ervan overtuigd dat u weet dat wij twee dagen geleden een van onze schepen in de Perzische Golf hebben verloren...'

'Daar weet ik alles van,' snauwde Katherine.

'Het is heel snel gegaan. Tijd was belangrijk en er stonden veel levens op het spel, evenals de toekomstige positie van deze onderneming. Ik nam het besluit om onze schepen terug te trekken, teneinde levens te redden en het voortbestaan van onze onderneming te waarborgen.'

Christine haalde diep adem en ging voort. 'Er is nog meer. Ik heb enkele andere besluiten genomen en een uitbreidingsplan uitgewerkt, zodat Fortune International handel kan drijven in een nieuwe en veiliger markt. Het terugtrekken van onze schepen uit de Perzische Golf geeft ons een prachtkans om mijn plan uit te voeren. Het voortbestaan van de onderneming hangt ervan af.'

'Welke nieuwe markt?' vroeg Katherine minachtend.

'Eigenlijk is het een oude markt,' reageerde Ross, die zich voor het eerst tot Katherine wendde. 'De markt die Hamish Fortune zijn rijkdom schonk en het hem mogelijk maakte een dynastie te stichten. China!'

Snel schetste Christina in grote trekken het plan dat zij en Ross met Phillip Lo hadden besproken. Toen Katherine vernam dat Phillip van dit alles op de hoogte was, fronste ze geprikkeld haar voorhoofd. 'Hoe durft hij dit achter mij om te doen!'

'Hij is u niet ontrouw geweest,' hield Christina vol. 'We hebben hem moeten verzekeren dat wij u het plan ter goedkeuring zouden voorleggen zodra het volledig was.'

'Wie heeft je het recht gegeven deze beslissingen te nemen?' vroeg Katherine nijdig.

Christina antwoordde: 'Dat hebt ú gedaan. Toen u een overeenkomst met de tegenstander sloot en aan iedereen vertelde dat u mij als uw kleindochter accepteerde.'

Katherine leek geschokt te zijn. Toen keek ze Ross aan. 'Wist jij hiervan af?'

'Ja. Christina heeft die beslissingen met mijn volledige steun genomen. Dit is de enige manier waarop het voortbestaan van Fortune International gewaarborgd is.'

Katherine keek nogmaals de jonge vrouw aan die beweerde haar kleindochter te zijn – de jonge vrouw die zij had geaccepteerd zodat ze haar kon gebruiken om de zeggenschap over de onderneming in handen te houden.

'Wie gaf je het recht dat te doen?'

'Dat hebt ú gedaan.'

De woorden leken een echo van de woorden die Katherine jaren geleden had gehoord. De herinnering was kort en hevig, maar heel intens.

Ze was nog een jonge vrouw en haar man, Alexander, had haar liefdevol terechtgewezen nadat ze een groot feest en een privé-diner op Fortune Hill hadden gegeven, ter ere van een paar leden van het Congres...

Hij trok Katherine in zijn armen. 'Je hebt vanavond onze andere gasten verwaarloosd, lieve, om je geheel en al aan senator Stanton te wijden. En dan wil ik het er nog niet over hebben dat je ook míj hebt verwaarloosd. Wie gaf je het recht dat te doen?'

'Jij,' hielp ze hem herinneren, terwijl ze haar handen op zijn gesteven witte overhemd legde. 'Jij zei dat ik moest zien wat ik kon doen om hem over te halen ten gunste van die nieuwe wet op de handelsuitbreiding te stemmen.'

'En heb je dat gedaan?'

Ze glimlachte tegen hem. 'Hij begrijpt dat het voor vele mensen buitengewoon voordelig zal zijn als Fortune International de kans krijgt tot uitbreiding op de Aziatische markt. Ik geloof dat we op senator Stanton kunnen rekenen...'

Katherine maakte zich met tegenzin los van haar herinneringen en zag het verontrustende feit onder ogen dat deze jonge vrouw haar aan zichzelf deed denken. Christina deed haar aan nòg iemand denken – aan de oude Hamish Fortune.

Katherine had Christina geaccepteerd om haar voor haar eigen doeleinden te gebruiken – teneinde de onderneming te redden. Misschien had Christina dat nu zojuist gedaan. Het was precies iets dat Alexander zou hebben gedaan – en vóór hem de oude Hamish Fortune.

Alle emoties die Katherine de afgelopen twintig jaar zo zorgvuldig had weggestopt, kwamen nu naar boven en ze kon maar met moeite haar tranen bedwingen. Deze jonge vrouw was intelligent, wilskrachtig en niet bang. Bovendien was ze een vechter en gokker, die bereid was alles op alles te zetten om te slagen. Ze bezat alle kwaliteiten die Katherine in haar kleindochter zou kunnen wensen.

'Goed dan,' zei Katherine, met een zachte stem ten gevolge van alle fysieke en emotionele vermoeidheid.

Christina was stomverbaasd over die plotselinge capitulatie. 'Keurt u dus goed wat ik heb gedaan?'

Katherine knikte. 'Ik keur het goed.' Toen voegde ze eraan toe: 'Hou Richard zo lang mogelijk hierbuiten. Hij zal zich tegen je verzetten. Zorg dat je plan werkt, beste kind. Ik word te oud voor al die strijd. Alles hangt van jou af. De hele toekomst van Fortune International ligt in jóuw handen.'

Hoofdstuk 27

Christina en Ellie holden het donkere steegje in...

De stank van rottend afval hing overal en ze vielen bijna over de rommel...

Hij was nu vlak bij hen. Ze hoorden het geluid van zijn voeten op het natte plaveisel achter zich en ze kwamen steeds dichterbij...

Ze renden een ander steegje in. Doodlopend. Snel draaiden ze zich om en zagen de man op een afstandje voor hen staan. Hij kwam op hen toe, met een mes in de hand...

Toen klonk er een gil van pijn, vermengd met het angstaanjagend geloei van een sirene...

Een meisje zat alleen in de wachtkamer van de eerstehulppost...

'Het spijt me zo.' Dìe woorden hoorde ze steeds weer...

Ze klemde zich vast aan de slanke hand die de hare vasthield. 'Nu moet jij voor ons beiden leven.' Die woorden waren slechts een gefluister. 'Beloof het me...'

Ze klemde zich krampachtig vast aan de hand van haar vriendinnetje. 'Ik beloof het je.'

Toen bleef de hand koel en levenloos in de hare liggen.

De tranen stroomden over haar wangen terwijl ze fluisterde: 'Eens zal ik hen laten boeten voor wat ze ons hebben aangedaan. Dat beloof ik je... ik zal hen laten boeten...'

'Chris?'

Ze werd met een schok wakker en de nachtmerrie verdween.

Naast haar zei Ross: 'We zijn er – in Hongkong.'

Ze keek even met knipperende ogen rond naar de prachtige inrichting van de VIP-afdeling in het toestel. Na het harde werken en de talloze vergaderingen was nu alles in orde. Ze zouden snel moeten optreden, vóór Richard ontdekte wat ze probeerden te doen en met een tegenzet kon komen. Phillip Lo had contact opgenomen met de regeringsautoriteiten in Peking en was druk bezig een regeling te treffen, zodat Christina en Ross andere zakenlieden in Hongkong zouden kunnen ontmoeten.

Nu, twee dagen na de misgelopen vergadering van de raad van beheer, waren ze hier. Het was even over één in de ochtend. Het straalvliegtuig vloog laag over de daken van Lai Chi Kok, het industriegebied – met de legendarische *sweatshops*, die zelfs nu nog bestonden en waar je een mooi zijden pak kon kopen voor een vierde van de prijs in het westen.

Het vliegtuig vloog nu recht boven de lichtstreep op het gedeelte waarop zich de enkele landingsbaan van de luchthaven Kai Tak bevond.

In oktober was het koel in Hongkong en de vochtige zomerhitte was door de laatste passaatwinden weggeblazen. Het was nog iets zwoel, dat naar westerse begrippen enigszins exotisch aandeed.

'Dit was 'the Territory', de parel van de Oriënt, een mengeling van het antieke China en een tiental Europese culturen. Het was verleidelijk en sensationeel, een mengsel van Suzie Wong en James Clavell, vijfduizend jaar Chinese geschiedenis en anderhalve eeuw westerse overheersing. Het contrast tussen de oude en de nieuwe wereld, tussen oost en west, was er heel duidelijk. En het betekende belangrijke zakelijke mogelijkheden. Het was een wereld op zichzelf, waar rijkdom macht betekende.

In Hongkong, de Geurige Haven, had Hamish Fortune ruim een eeuw geleden zijn fortuin gemaakt met een lading sandelhout en een dynastie gesticht. Het Hongkong van nu was een andere stad dan die hij had gekend, maar voor Christina hield die toch een belofte in.

Bill Thomason was de vorige dag aangekomen en ondanks het late uur kwam hij hen afhalen. Hij loodste hen snel door de douane heen en langs de immigratieautoriteiten, waar tientallen rijen vermoeide passagiers voor eenzelfde aantal lessenaars stonden en waarachter geüniformeerde immigratieambtenaren zaten.

Een van hen herkende Bill en Ross en gebaarde dat ze konden doorlopen. Bij de paspoortcontrole werden ze even opgehouden voor een stempel en toen bracht Bill hen door een gangetje en langs de VIP-rij naar de taxi's en de elkaar verdringende auto's.

Ze baanden zich een weg tussen wachtende rode en grijze Toyota-taxi's naar de limousine, waar Bill de chauffeur een opdracht gaf en ze regelrecht naar het Regent reden.

Terwijl de chauffeur optrok, vertelde Bill aan Ross: 'Phillip Lo heeft gebeld. Hij heeft voor morgen een ontmoeting voor jou met zijn neef geregeld. Het schijnt dat die relaties heeft met de triadebaas, met wie je te maken zult krijgen. En je eerste bespreking met het kartel is vastgesteld voor de daaropvolgende dag.'

'De triaden?' Christina keek verbaasd op. 'Ik had er geen idee van dat we met hen te maken zouden krijgen!'

Ross hoorde de klank van afkeuring in haar stem. 'Het is een noodzakelijk onderdeel van het zakendoen hier. We hebben regelmatig met hen te maken. Zij beheren het grootste deel van het vervoer in de kroonkolonie en ook in de andere havens.'

'Maar dat is de Chinese maffia!'

'Ze zijn ook betrokken in de gewone zakenwereld. Je moet het beschouwen alsof je met een noodzakelijke tussenpersoon te maken hebt. Zonder hen krijg je geen enkele uitbreiding voor elkaar. Ze zijn al eeuwen hier in Hongkong. Ik zou er een lief ding onder willen verwedden dat de oude Hamish Fortune heel wat zaken met hen deed. Je herinnert je toch wel dat hij zei: "Dit is Azië. Hier worden de zaken anders gedaan." '

'Je wilt daarmee zeker zeggen dat, gezien het feit dat we de oosterse cultuur niet kunnen veranderen, het 't beste is dat we die accepteren,' antwoordde ze, terwijl de lichten van de luchthaven achter hen verdwenen.

'Alexander Fortune, en Michael na hem, wisten hoe ze met deze mensen moesten omgaan. Zij bewogen zich in Hongkong met meer gemak en kregen meer respect dan de meeste *gweilo's*.'

Ze wist dat *gweilo's* alle 'buitenlandse blauwogige duivels' waren, meestal Engelsen, die als eersten dit deel van de wereld voor de handel hadden geopend. Maar de uitdrukking was ook van toepassing op Europeanen en Amerikanen.

'Het zal in andere opzichten nog moeilijk genoeg voor je zijn,' voegde Ross eraan toe.

'Omdat ik een vrouw ben.'

Hij glimlachte. 'Ja. Maar je bent en blijft de dochter van Michael Fortune. Dat zal een grote rol spelen voor de mannen die je zult ontmoeten. De truc is alleen dat je hen niet als vrouw moet benaderen.'

Ze was intens dankbaar dat hij haar de dochter van Michael Fortune noemde. Misschien hadden ze eindelijk de vragen en het wantrouwen achter zich. Misschíen. 'Ik kan moeilijk mijn haren afknippen en een driedelig pak dragen. Wat stel jij je eigenlijk voor?'

'Wees zakelijk,' zei hij ronduit. 'Precies zoals je was toen je de vergaderzaal van Fortune International binnenkwam. In veel opzichten is dit niet veel anders. Je eist het recht op hier zaken te doen en dat is enigszins gevaarlijk, omdat je tegen de status-quo ingaat – een vrouw die zaken wil doen op het terrein van de man.'

Ze zag dat Ross en Bill een blik wisselden. 'Waarom heb ik het gevoel dat me niet alles verteld wordt?' vroeg ze.

Bill bleef Ross aankijken. 'Je moet het haar vertellen vóór ze de vergadering met het kartel bijwoont.'

Ze wendde zich tot Ross. 'Wàt moet je me vertellen?'

Even bleef hij peinzend voor zich uit kijken. 'Ik was bezorgd dat ze zouden weigeren als bekend werd met wie ze te maken kregen. De zakenwereld in Hongkong is een vrijwel gesloten broederschap.'

'Wie denken ze dan te zien te krijgen?' vroeg ze.

Bill keek enigszins geamuseerd. 'Ze denken dat Richard komt. Ze hebben in het verleden al besprekingen over andere voorstellen met hem gevoerd.'

'Richard heeft nooit de betekenis begrepen van woorden als *vertrouwen* en *eer*,' voegde Ross eraan toe. 'Zelfs bij de triaden zijn dat de belangrijkste elementen bij elke overeenkomst.'

'Eer onder de dieven,' merkte Christina droogjes op.

Ze reden langs de westkant van de Victorian Harbor en Bill wees enkele Fortune-schepen aan die daar lagen te wachten om hun lading te lossen bij de goedverlichte containerterminals van Kwai Chung; het waren de drukste terminals ter wereld. Toen sloegen ze Salisbury Road in.

De Groene Draak, het symbool van 'the Territory', woei boven het rode graniet en het glas van de voorgevel van het Regent, waaraan het naambord ontbrak. Het hotel viel op door zijn ligging, een eindje verwijderd van de drukke winkelwijk van Tsim Sha Tsui, dat op palen een eind in de haven was gebouwd. Het was een van de beste adressen in de hele kolonie.

Ross wees naar de ramen op de eerste etage, die uitkeken over de haven. 'Die ramen geven de negen draken gemakkelijk toegang tot de haven en garanderen dat het hotel bij de goden een bijzondere plaats inneemt.'

Christina wist dat de negen draken betrekking hadden op Kowloon zelf – en de legende die vermeldde dat het schiereiland in feite werd gevormd door negen rustende draken die elke dag bij zonsopgang ontwaakten en zich in de haven baadden. Zij waren de legendarische bewakers tegen buitenstaanders die zich in de Oriënt zouden willen wagen.

Zelfs nog voor hun auto helemaal stilstond, liep een geüniformeerde portier onmiddellijk naar de stoeprand om het portier voor hen te openen. Ross stapte eerst uit en stak zijn hand uit naar Christina.

De portier hield de deur van het hotel voor hen open. In de lobby aangekomen, verwijderde Bill zich, nadat hij eerst nog had gezegd: 'Ik moet nog een paar gesprekken met Amerika voeren, maar ik zie jullie later in de ochtend wel weer, als de kantoren opengaan. Dan kunnen we alles nog eens doornemen.'

Ross en Christina werden begroet door een Chinees die een keurig pak droeg. Hij zag eruit als een succesvol zakenman, maar was geen zakenman zonder meer. Hij was de directeur van het Regent, een bevoorrechte positie, die in hoog aanzien stond.

'Goedenavond, meneer McKenna. Prettig u weer hier bij ons in het hotel te zien.'

'Kwang, dit is juffrouw Fortune.'

Kwang boog. 'Welkom in het Regent, juffrouw Fortune. Dit is inderdaad een groot genoegen. Ik heb u al bij de receptie laten inschrijven en zal u nu naar uw kamers brengen.'

Hun kamers lagen op de vijftiende verdieping, vlak tegenover elkaar in een zijgang. Kwang opende de deur van haar suite en ging hen voor naar binnen.

De suite was elegant ingericht, met mahoniehouten meubels, gestoffeerd met zacht, perzikkleurig tapijt en damasten gordijnen. Een dubbele deur gaf toegang tot de aangrenzende slaapkamer met badkamer. Een tweede dubbele deur maakte het mogelijk het als een tuin ingerichte terras te betreden.

Kwang liep even rond, veegde een niet aanwezig pluisje weg, trok een plooi van de overgordijnen recht en verschikte een en ander aan het als een paradijsvogel opgemaakte bloemstuk op de tafel met marmeren blad. Niets ontsnapte aan zijn kritische blikken. Christina was ervan overtuigd dat, als hij iets vond dat niet in orde was, er koppen zouden rollen.

Hij was nu blijkbaar voldaan, liep naar de telefoon, zei enige woorden in het Kantonees en legde toen de hoorn weer neer.

'May-may is het eerste dienstmeisje,' vertelde hij Christina. 'Ze weet nu dat u bent aangekomen en zal voor u zorgen. Hebt u op dit moment ergens behoefte aan?'

'Onze bagage staat nog op de luchthaven,' zei ze tegen Ross.

'Ik zal die boven laten brengen zodra uw koffers hier aankomen,' zei Kwang haar. 'Daar zal May-may voor zorgen.'

Ross bedankte Kwang. 'U hoeft mij niet mijn suite te laten zien.' Kwang boog en verliet geruisloos de suite. Ross zei tegen Christina: 'Wat vind je van halfnegen voor het ontbijt 's morgens?'

'Goed.'

Hij stak zijn hand uit en streelde zachtjes haar wang, die nog niet geheeld was. 'Tot dan,' zei hij rustig.

Na vierentwintig uur in dezelfde kleren in een vliegtuig te hebben gezeten, deed een lang, warm bad wonderen. Ze hulde zich in de dikke badstof peignoir van het hotel en borstelde haar haren nog toen ze uit de badkamer kwam.

Haar kleren, die ze nonchalant over het bed had gegooid, waren meegenomen. Ze liep langs de ingebouwde kast en zag dat haar bagage was aangekomen. Haar kleren hingen op beklede hangers in de kast en haar schoenen stonden keurig op een rij onderin. Haar ondergoed was opgevouwen en opgeborgen in de beklede laden van het dressoir. Dit was duidelijk het werk van May-may, die even stil als efficiënt werkte. In de badkamer had Christina niet gehoord dat ze in haar kamer bezig was.

Toen ze het ordelijke geheel bekeek, moest ze onwillekeurig glimlachen bij de gedachte hoe ze zich thuis gedroeg, waar ze een spoor van kleren achterliet, van de voordeur van haar flat door de huiskamer heen naar de slaapkamer. Hoewel ze zakelijk heel precies was, ontdeed ze zich met opzet van die eigenschap in haar persoonlijke leven. Toen zij en Julie nog samenwoonden, had haar vriendin eens tegen haar gezegd: 'Je bent in je werk zo precies, maar thuis het tegenovergestelde. Dat vormt zeker een soort evenwicht?'

Ze had vaak gedacht hoe heerlijk het zou zijn als iemand alles achter haar opraapte, zodat ze zich daarover geen zorgen hoefde te maken. Maar hier zou ze er toch even aan moeten wennen, dacht ze.

Rusteloos liep ze in de suite heen en weer. Bij aankomst in het hotel was ze heel gespannen geweest en ervan overtuigd dat ze geen oog zou kunnen dichtdoen. Het reizen door allerlei tijdzones bracht haar inwendige klok altijd erg van streek, maar ze moest ook nog over zoveel zaken nadenken.

Zouden de leden van het kartel naar haar voorstel willen luisteren?

En àls ze luisterden, zouden ze dan willen overwégen het aan te nemen? Of zouden ze haar gewoon afdoen als een vrouw, waardoor ze automatisch niet waard was om zaken mee te doen, en haar dus weer wegsturen?

Ze wist dat het voorstel goed was. Met de procentuele aandelen die zij had berekend, bestond er voor allen kans om hun investeringen eruit te krijgen en binnen drie jaar ruim tweehonderd procent winst te maken.

Er had nog nooit zo'n handelsovereenkomst met het vasteland van China bestaan, en het was nu de tijd om ermee te beginnen. Maar zouden de leden van het kartel zelfs maar naar haar willen luisteren?

En dan was er nog het feit dat ze in de waan waren gelaten dat ze Richard voor zich zouden zien.

Ross had het kartel een exclusieve broederschap genoemd, maar was hij ooit onderdeel van zo'n broederschap geweest?

Ze ging op haar bed liggen. Het satijn voelde koel aan onder haar geschaafde wang. Ross had gezegd dat hetgeen ze deden, gevaarlijk kon zijn. Ze dacht aan andere gevaren... de zeer duidelijk aanwezige mogelijkheid dat iemand haar dood wenste. Wíe?

Zonder een antwoord op die vraag te vinden, viel ze in slaap.

Een zachte, prettige toon wekte haar. Ze bleef stil liggen, terwijl haar zintuigen zich aanpasten aan de omgeving die haar even verwarde, aan het zachte licht in de kamer en het koele satijn onder haar schouder. De toon weerklonk nog eens en ze greep naar de telefoon naast haar bed.

'Ben je wakker?' De mannenstem herinnerde haar aan een andere ochtend, aan boord van de 'Resolute'.

'Hmm. Hoe laat is het?'
'Halfacht.'
Ze kreunde.
'Ik heb het ontbijt al besteld. Je hebt precies een uur.'
Ze ging opgekruld op haar zij liggen en trok het satijnen dekbed over zich heen. 'Wàt heb je besteld? Misschien vind ik het wel niet goed!'
Hij grinnikte. 'Als jij hier was geweest, had jij kunnen bestellen. Nu moet je maar afwachten. Tot straks.'
Ze bleef even liggen denken over wat hij had gezegd. '... als jij hier was geweest...'

Om precies halfnegen belde ze aan bij zijn suite en Ross opende de deur. Hij was onberispelijk gekleed in een antracietkleurige zijden broek met een lichtblauw overhemd met een witte boord en manchetten, en een das met een donkergrijs en donkerrood motief. De elegante snit van zijn kleren vormde een interessant contrast met zijn ruige, knappe trekken. 'Goedemorgen,' zei hij, en deed een stap opzij om haar binnen te laten.

Door de openslaande deuren zag ze dat het ontbijt op de veranda klaarstond. Op tafel zag ze warme croissants met sinaasappelmarmelade, verse tropische vruchten en roereieren met kruiden. Plotseling kreeg ze het gevoel alsof ze in dagen niet meer had gegeten. Ze wist niet of haar eetlust werd opgewekt door de frisse bries die over de baai naar binnen kwam waaien, door de lange reis... of door het veel te opwekkende effect dat de aanwezigheid van Ross op haar had.

Wàt de oorzaak ook was, ze at veel meer dan normaal en genoot van elke hap. Naderhand nam ze kleine slokjes van een kop geurige thee, terwijl ze bij de balustrade van het terras stond en naar het prachtige uitzicht over de haven van Hongkong keek.

'Waar denk je aan?' vroeg Ross zacht terwijl hij naast haar kwam staan en met zijn heup tegen de balustrade leunde. Hij keek naar haar in plaats van naar de haven.

In de koele ochtendlucht sloeg ze haar armen om zich heen. 'Ik probeer me voor te stellen hoe het er hier uitzag toen Hamish Fortune voor het eerst de haven van Hongkong binnenvoer.'

Ross volgde met zijn blikken de hare. 'Denk die wolkenkrabbers weg, zet klippers neer in plaats van al die stalen containerschepen en dan is het allemaal vermoedelijk niet zo veel anders.'

'Het moet toen bijzonder spannend zijn geweest,' mompelde ze, terwijl ze haar fantasie de vrije loop liet.

'En gevaarlijk,' merkte Ross op. 'Schepen uit de hele wereld, een houding van ieder voor zich, immigranten, krijgsheren. Velen waren onder dwang aan boord van een schip gebracht dat hierheen voer en vonden nooit meer de weg terug naar huis.'

317

'Waren er toen zeerovers?' vroeg ze.

'Ongetwijfeld. Om je de waarheid te zeggen, denk ik dat die oude Hamish Fortune zelf ook nog weleens voor zeerover heeft gespeeld. Het waren andere tijden. Het werd ook niet als onwettig beschouwd, zolang je maar niet betrapt werd.'

'Hij moet een ondernemende zakenman zijn geweest om in een dergelijke gewelddadige omgeving zo goed te slagen.'

Ross lachte hartelijk. 'Hij was inderdaad heel ondernemend. Hij bezwendelde een koopman met een lading sandelhout in ruil voor een niet bestaande lading opium en was erin geslaagd de ander ervan te overtuigen dat hij die lading opium had overgenomen van een gekapseisd Hollands schip dat op weg was naar Amsterdam.'

Ze had het hele avontuurlijke verhaal al eerder gehoord en wist dat de familie beweerde dat dit alles nooit bewezen was. 'Maar hij heeft nooit in opium gehandeld,' hield ze vol.

'Ik zei dat hij die oude koopman had bezwendeld. Die lading opium heeft zelfs nooit bestaan. Maar de koopman wist dat niet toen hij de lading kocht.'

Ze lachte. 'Dàt was me nog eens een goede verkoper!'

Zijn geamuseerde uitdrukking verdween en hij werd ernstig. 'Jij zult eenzelfde soort verkoper moeten zijn. Ik denk dat je het kunt, Christina.'

Ze dacht: *Hij gelooft in me.* En meteen daarop kreeg ze nòg een gedachte – *Ik zou van deze man kunnen houden.*

Hij had zich omgedraaid en keek nu uit over de haven. Het leek of hij vol energie zat en minder op zijn hoede dan ze hem eerder had meegemaakt, zelfs aan boord van de 'Resolute'.

'Je vindt dit allemaal prachtig, hè?' vroeg ze, en wees met een handgebaar op alles om hen heen, op Hongkong.

'Het is hier opwindender dan waar ook ter wereld waar ik geweest ben. En gevaarlijk. En tijdelijk. Al is het duizenden jaren oud, toch is het altijd weer nieuw. En nu bevinden we ons misschien in de belangrijkste overgangsperiode aller tijden.'

'Je bedoelt omdat de Chinezen hier in 1997 de zaak overnemen.'

'Ja. Je ziet het overal – bijvoorbeeld in de helihavens op al die grote gebouwen.'

Ze keek hem vragend aan. 'Het volmaakte speeltje voor drukke zakenlieden?'

De gelaatsuitdrukking van Ross werd ernstig. 'Een snelle ontsnappingsmogelijkheid als hen de grond te heet onder de voeten wordt nadat de Chinezen het beheer over het eiland overnemen. Het is een betrekkelijk korte vlucht naar het veilige Taiwan.'

Ze keek uit over de stad waarvan hij blijkbaar hield met een liefde die alleen zij die er zijn geboren en getogen kunnen begrijpen.

'Er heerst hier thans een bijna koortsachtige sfeer,' ging Ross door, alsof hij tegen zichzelf sprak. 'Iedereen holt om van alles gisteren te doen en alsof er geen morgen meer komt.' 'En dat is volkomen in tegenspraak met de Aziatische manier van doen,' zei ze peinzend.

'Het herinnert je eraan dat alles hier heel breekbaar is, nerveus, ongeacht de hoeveel geld die iedereen dènkt dat er door de Hongkong and Victoria-banken stroomt.' 'Dènkt?' vroeg ze, en herhaalde het woord. Hij knikte. 'In Hongkong zijn er niet zoveel liquide middelen meer. Iedereen met macht en invloed heeft heel rustig al zijn geld overgemaakt naar banken in Taiwan, of naar Europa. Sinds de overeenkomst hier is getekend, is er een enorme toeloop geweest op nieuwe Zwitserse bankrekeningen.' 'Vind jij dat de Britten die overeenkomst moesten tekenen?' Hij keek peinzend. 'Ze hadden geen keus. De dagen van het kolonialisme en de overheersing door het Britse Rijk zijn voorbij. Dit is Chinees grondgebied; het is geen eigendom van Groot-Brittannië.'

'Maar de Europese handel maakte Hongkong zoals het nu is. Sommigen geloven dat dit alles teruggeven aan China gelijkstaat met het terugzetten van de klok met tweehonderd jaar. En dat houdt duizenden jaren ontwikkeling in.'

'Dat is een risico dat iedereen zal moeten nemen. De taipans hebben hier al lang genoeg de dienst uitgemaakt.' Er lag iets in zijn stem dat veel op bittere woede leek. Hij maakte zijn zin af met: 'Het wordt tijd om de Chinezen over hun eigen lot te laten beslissen.'

Ze was verrast over zijn houding, die zo volkomen anders was dan de opinie van de meeste – vooral Engelse – zakenlieden. Ze had hem aangezien voor een nuchtere denker, die in hoofdzaak door ambitie werd geleid. Nu zag ze in dat hij in feite een hartstochtelijke idealist was. Waar kwam die houding vandaan?

Hij ging voort: 'Natuurlijk zal de overgangsperiode moeilijk en pijnlijk zijn. En sommigen vermoeden dat het helemaal mis zal gaan. Daarom lopen velen dagelijks de deuren van de emigratiekantoren plat, in de hoop dat ze tot de weinigen zullen behoren die de kans krijgen naar Engeland of Canada te mogen emigreren.'

'Zal jij naar Hongkong blijven komen?' vroeg ze. 'Ja. Ik zal altijd terugkomen. Dit is mijn thuis.'

Thuis. Familie. Dat waren zaken die zij in de afgelopen twintig jaar ontzettend had gemist.

'Ik heb altijd gedacht dat mijn thuis was waar ik toevallig woonde,' zei ze zachtjes. 'Maar de laatste tijd krijg ik het gevoel dat ze veel meer betekenen – je wortels, een gevoel dat je ergens bij hoort.'

'Een gevoel dat je ergens bij hoort...' herhaalde hij peinzend. 'Ja, dat is belangrijk. Zonder dat heb je níets.'

Ze keek hem aan en werd nog nieuwsgieriger. Vanaf het moment dat ze in Hongkong waren geland, had ze een verandering in Ross bespeurd en was hij ook veel minder agressief. Ze had het gevoel dat ze nu pas goed de man onder die harde façade zag en wilde daar graag wat meer over nadenken. Hoe voelde hij zich? Wat dacht hij? Wat wilde hij en waar had hij behoefte aan? Hoeveel kon hij geven? En dan het allerbelangrijkste: kon hij van haar houden op de manier waarop zij bemind wilde worden, een manier die ze nu pas was gaan begrijpen. Die vraag kon nog niet beantwoord worden. Op dit tijdstip hadden andere dingen de voorrang. Maar Christina wist dat er een antwoord nodig was. En wel binnenkort.

Ross had altijd een Range Rover in de garage van het Regent staan. Ze reden er nu mee weg en namen de Canton Road, langs het eindstation van het veer, naar de tunnel onder het kanaal door. Binnen enkele minuten kwamen ze er aan de andere kant weer uit – op het eiland Hongkong.

Central, de zakenwijk van Hongkong, was ultramodern en dit deel van de stad had in elke moderne stad kunnen liggen, met zijn jungle van wolkenkrabbers, die zich in de heldere, blauwe hemel verhieven. De straten waren vol taxi's, Mercedessen en talloze keurig geklede zakenlieden die zich ergens naartoe haastten, vergezeld van hun eeuwige aktentas en, tegenwoordig, een draadloze telefoon.

Ze passeerden de buitenwijk Admiralty en de regerings- en rechtsgebouwen en reden daarna de wijk van de banken in.

De architectuur ervan was boeiend, een mengeling van staal en beton vlak naast de zee. Het geheel leek veel op de financiële wijk van San Francisco, afgezien van de ènorme, versierde medaillons, waarop in reliëf oude Chinese karakters waren aangebracht op de granieten en stenen gevels van de Hongkong Bank, de Shanghai Bank en de Bank van China tegenover het Chater Garden park. Ze reden om het park heen de Queensway op en stopten voor een oud, bakstenen gebouw in empirestijl. Ross liep om de auto heen om Christina te helpen uitstappen.

De tuin was prachtig, maar Christina had in de eerste plaats belangstelling voor het zes etages hoge gebouw dat voor haar lag. Een simpel, bronzen bord dat aan de voorgevel was bevestigd, vertoonde de karakters die vermeldden dat dit de kantoren van Fortune waren. Maar ze zou het gebouw altijd herkend hebben aan het gebeeldhouwde anker, dat naast de hoofdingang stond. Het was een zeer nauwkeurige kopie van het anker voor het Fortune-gebouw in San Francisco.

Het gebouw was veel ouder dan de andere gebouwen rondom en

320

aan weerszijden ervan waren enorme, moderne wolkenkrabbers verrezen.

'Hier is het allemaal begonnen,' mompelde ze in zichzelf terwijl ze op het trottoir stapte en met een gevoel van ontzag, vermengd met trots, naar het gebouw keek.

Ze wist dat het oorspronkelijke scheepvaartkantoor niet meer was dan een lessenaar in een pakhuis ergens in Kowloon. Hamish Fortune was hier pas gaan bouwen nadat hij zijn scheepvaartlijn tussen Hawaii en San Francisco had gesticht. Dat eerste gebouw was afgebrand en omstreeks de eeuwwisseling vervangen door het nu bestaande.

Christina stapte de grote hal in en kreeg hetzelfde gevoel dat haar zo vaak had overvallen als ze in Boston een van de oudere gebouwen betrad, een gevoel van historie en van dingen die er al lang waren en zouden blijven bestaan. De hal was heel hoog en de vloeren waren van glanzend hout, met lambrizeringen en hoge ramen met verticale raamstijlen. De portier droeg een oud uniform, uit de tijd van het imperium, en opende met formeel militair vertoon de deur voor haar. Aan de wanden hingen tientallen schilderijen van Fortune-schepen.

Achter een half rondlopend teakhouten bureau, afgewerkt met marmer en koper, zat een jonge vrouw. Het hout rook doordringend en oud en glansde van het zorgvuldig onderhoud met een speciale olie. Het gaf haar het gevoel dat ze een stap terug had gedaan in de tijd, afgezien van de beschaafde, goedgeklede Chinese vrouw die achter het bureau zat. 'Goedemorgen, meneer McKenna, juffrouw Fortune,' begroette ze hen.

De familiariteit was onverwacht en verraste haar. 'Goedemorgen,' antwoordde Christina.

De jonge vrouw zag dat ze verrast was en verklaarde glimlachend: 'Meneer Thomason vertelde me dát u vanochtend zou komen.' Toen wendde ze zich ook tot Ross. 'Hij en juffrouw Jeung wachten boven op u.'

'Wie is juffrouw Jeung?' vroeg Christina, zodra de deuren van de lift achter hen dichtgingen.

'Mijn persoonlijke secretaresse. Als ik er niet ben, leiden zij en Adam Quon in feite mijn kantoor. Je zult met beiden kennis maken, en ook met de rest van de staf, als Lisa even efficiënt is als altijd. Ik heb haar tien jaar geleden bij een andere firma weggelokt. Quon is al vijfendertig jaar in dienst van onze onderneming. Het is een familiebetrekking, maar hij heeft ze ook helemaal verdiend. Hij heeft nog voor je vader gewerkt, en zijn vader en grootvader zijn eveneens voor Fortune werkzaam geweest.'

'Ik dacht dat Steven aan het hoofd van dit kantoor stond.'

Ross glimlachte. 'Hij dènkt dat dat zo is.'

Toen de liftdeuren opengingen, werden Ross en Christina begroet door een aantrekkelijke vrouw van Europees-Aziatische afkomst. 'Goedemorgen, meneer McKenna,' zei ze en lachte vriendelijk. 'Het is fijn u weer eens te zien.' Toen wendde ze zich tot Christina en haar begroeting was bestudeerd beleefd, maar toch enigszins gereserveerd. 'Welkom in Hongkong, juffrouw Fortune.'

'Dank u.'

Christina was niet gewend aan dergelijke beroepsformaliteiten en moest zich voorhouden dat – al was Hongkong een internationale stad met de reputatie een van de modernste en meest verfijnde steden ter wereld te zijn – het toch van een onvervreemdbare Aziatische invloed was doortrokken. Zoals Bill en Ross haar al hadden gezegd, waren eer en respect alles. En het was duidelijk dat de eer en het respect die Ross werden betoond, voortkwamen uit veel meer dan alleen beleefdheid. Hij had die verdiend. Ze zag de warmte achter de formele begroeting. Het was al merkbaar geweest toen de receptioniste hen had begroet toen ze binnenkwamen, maar nu was het er weer, toen zijn secretaresse met hen sprak.

'Lisa is mijn rechter- en linkerhand,' verklaarde Ross terwijl ze door de ontvangsthal liepen. Hij keek om zich heen en zei toen: 'Als je de kans krijgt, moet je eens gaan kijken naar het oude kantoor van je vader. Vroeger heeft Katherine het gebruikt, maar de laatste jaren is het gesloten omdat ze niet meer kan reizen.'

'Het verbaast me dat Richard het niet genaast heeft,' merkte ze op.

Ross schudde zijn hoofd. 'Hij heeft de kantoren genomen die je grootvader gebruikte toen hij nog leefde.' Hij wees het kantoor aan toen ze door de gang liepen en maakte toen een gebaar naar het vertrek dat er pal tegenover lag. Beide vertrekken waren gesloten door deuren met matglazen ruiten. De naam van Michael Fortune stond nog op een van de deuren, maar die van Alexander Fortune was vervangen door de naam van Richard.

'Je vader en grootvader hebben hier samen vele jaren gewerkt. Je grootvader schreeuwde dan door de gang heen naar hem als hij hem nodig had. Je vader probeerde hem aan een telefoon te laten wennen, maar dat weigerde hij.'

Ze liepen een andere gang in en Ross gaf Lisa instructies. 'Juffrouw Fortune en ik zullen samenwerken. Regel dat er een extra bureau en een stoel uit de kelder worden gehaald en in mijn kantoor worden geplaatst.'

De deuren aan weerszijden van de gang stonden open. Op elke drempel ervan stond wel iemand toe te kijken toen zij naderden. Christina keek Ross vragend aan.

'Ik dacht dat juffrouw Fortune met de staf van ons kantoor zou willen kennis maken,' verklaarde Lisa.

Iedereen was duidelijk op de hoogte gesteld van haar aankomst en het was een traditie dat ze iedereen leerde kennen. Weer iets dat deed denken aan de in Hongkong alles dominerende Aziatische invloed.

'Ja, dat wil ik heel graag,' antwoordde Christina.

Terwijl ze langzaam door de gang liepen, werden ze aan alle employés, stuk voor stuk, voorgesteld. Allen begroetten haar stijf en formeel, hun gelaatsuitdrukking gesloten en hun manieren beleefd maar gereserveerd. Ze wisten duidelijk niet wat ze aan haar hadden.

Eerste indrukken waren altijd heel belangrijk. Christina wist dat haar toekomstige verhouding met deze mensen nu werd vastgesteld. En dus koos ze instinctief hen met een kleine buiging te begroeten, op de traditionele Chinese manier, in plaats van hun een hand te geven – en ze verraste hen nog meer door hen in het Kantonees aan te spreken.

De laatste man aan wie ze werd voorgesteld, was klein en heel mager, en zijn zwarte haren vertoonden zilveren strepen. 'Mijn naam is Quon,' stelde hij zich voor. 'Ik heb al voor uw grootvader en uw vader gewerkt. Het is me een eer nu u te mogen dienen.'

'Dank u, meneer Quon,' zei ze omzichtig. 'Ik vind het een voorrecht dat u me op deze manier eert.'

Hij stond een beetje gebogen. Toen hij weer opkeek, straalde zijn gezicht en hij was duidelijk verrast door haar reactie.

Na alle introducties draaide ze zich om en zei tot hen allen in het Kantonees: 'Het is mijn wens mijn plaats in te nemen in dit huis, dat mijn vereerde voorouders hebben gebouwd. Dank u allen dat u me zo'n welkom gevoel geeft.'

Ross keek haar beschouwend aan. Hij kende deze mensen, en achter hun onverstoorbare uiterlijk bespeurde hij verrassing. In tegenstelling tot Richard, die verkoos afstandelijk en autoritair op te treden, of Steven, die ongevoelig was en niets gaf om de mensen die voor hem werkten, deed Christina heel bescheiden. Haar keus hen in hun eigen taal te begroeten, moest hen eraan herinneren dat – hoewel zij hier de baas was – zij hen respecteerde.

Wanneer was hij opgehouden aan haar te denken als de jonge vrouw die beweerde Christina Fortune te zijn en haar nu alleen te beschouwen als Christina?

Ze had iets heel aantrekkelijks en overrompelends, dat maakte dat hij haar wilde geloven. Het was meer dan fysieke aantrekkingskracht – de ronding van haar wang, haar zachte mond of de blik in haar ogen. Het was de werkelijke persoon diep in haar verscholen – kwetsbaar, taai, een vechter, maar geen slachtoffer. Iemand die zich op haar rechterzij legde als ze ging slapen en nare dromen had, waardoor ze in haar slaap begon te roepen.

Hij had zijn eigen geheimen en had altijd de geheimen van anderen gerespecteerd. Maar van deze vrouw wenste hij de geheimen te doorgronden, ze een voor een te ontmantelen totdat er geen schaduwen meer in haar dromen rondwaarden.

Hij keek op toen hij iemand in zijn handen hoorde klappen, een geluid dat de zacht gemompelde begroetingen overstemde. Steven Chandler kwam uit zijn kantoor aan het eind van de gang. 'Goed zo, nichtje,' zei hij, terwijl hij langzaam op haar toe kwam. 'Ik heb gehoord dat je gisteravond bent aangekomen.'

Ross zag even een flits van woede in haar ogen, maar die verborg ze onmiddellijk achter een koele blik.

'Dag, Steven. Ik vond dat het tijd werd om eens hierheen te reizen en me op de hoogte te stellen van onze "Pacific Rim"-onderhandelingen. Bill en Ross gingen hierheen en zij waren zo vriendelijk aan te bieden mij rond te leiden.'

Steven keek haar met een openlijk schattende blik vol seksuele bedoelingen aan en alle employés gingen snel terug naar hun bureaus. 'Laat mij je toch rondleiden! Er zijn heel bijzondere plekjes in deze stad. Ik kan je garanderen dat je je niet zult vervelen.'

Vóór zij kon antwoorden, zei Ross fel: 'Op dit moment heb ik iets met Christina in mijn kantoor te bespreken,' en hij leidde haar langs Steven naar zijn eigen kantoor, waarvan hij meteen de deur achter hen dichtdeed.

'Hij is iets van plan,' zei Ross ronduit.

'Och, hij is net als altijd – oversekst.'

Ross schudde zijn hoofd. 'Het is méér. Hij geloofde geen moment jouw excuus voor je komst hier.'

Even gemakkelijk als hij van het ene onderwerp op het andere overging, bracht hij nu het gesprek op iets anders. 'Ik wist niet dat je Kantonees sprak!'

'Zoals iemand ooit tegen me zei: ik heb hier wat opgepikt en ergens anders nog wat.' Ze lachte tegen hem. 'Ik ken alleen wat begroetingen en ben altijd bang dat ik iemand zal vragen waar het toilet is in plaats van een groet uit te spreken.'

'Je bracht het er heel goed af,' verzekerde hij haar. 'En je hebt niet gevraagd waar het toilet was.'

Ze keek rond in zijn kantoor. Het was eenvoudig ingericht, met zwarte lakmeubels, een kostbaar oosters tapijt op de teakvloer en een paar glazen tafeltjes met daarop Chinese kunstvoorwerpen.

De collectie omvatte een mengeling van dynastieën: een ondiepe Ming-waterschaal, een vaas uit de Soeng-dynastie en enkele kleine, gebeeldhouwde soldaten en paarden, in rijen neergezet, terwijl ze

over een zwarte jade tafel trokken. Het leken prachtige reprodukties van het fantastische levensgrote leger dat een paar jaar geleden was opgegraven.
'Wat prachtig!' zei Christina. 'Ik heb een paar stuks van het oorspronkelijke leger gezien toen ze uitgeleend waren aan het museum in New York. Waar heb je deze schitterend gedetailleerde reprodukties kunnen krijgen?'
'Ik heb ze niet laten reproduceren,' zei Ross, terwijl hij opstond van achter zijn bureau.
Ze keek stomverbaasd op. 'Zijn het originelen?'
'Dat levensgrote leger heeft overal ter wereld de aandacht getrokken. Deze kleine figuurtjes werden op dezelfde plek gevonden, maar er is bijna geen notitie van genomen. Ze zijn nauwkeurige duplicaten, met de hand uitgesneden als een spel voor de keizer. Het spel lijkt veel op schaken.'
'En jij kon ze toevallig kopen?'
'Ik kende een paar mensen.' Hij glimlachte ontwapenend. 'En die levensgrote figuren namen in mijn kantoor te veel plaats in.'
'Het wordt waarachtig tijd dat jullie eens opduiken,' begroette Bill hen, toen hij zijn hoofd om de hoek van de deur stak. 'Ik hoorde dat je bij de employés voor heel wat opspraak hebt gezorgd. En wat zei je tegen Steven? Ik zag hem toen hij wegging. Hij beet me bijna mijn hoofd af.'
'Wat voert hij uit sinds hij is teruggekomen?' vroeg Ross.
Bill haalde zijn schouders op, kwam het kantoor in en ging op een van de rotanstoelen vóór het bureau zitten. 'Ik heb gehoord dat hij veel heeft verloren in een gokhuis in Macau. Nadat hij is teruggekomen, was hij een hele tijd in Wanchai.'
Toen Christina hem vragend aankeek, verklaarde Ross: 'In Wanchai is de laatste tijd veel verbouwd – flats in alle soorten en maten. De meeste jonge zakenlieden hebben er daar een. Het is heel "in", zoals dat heet.'
'Heeft Steven daar ook een flat?' vroeg ze.
Bill haalde zijn schouders op. 'Hij heeft daar een speciaal vriendinnetje. Als hij in Hongkong is, bezoekt hij haar vaak.'
'Quon zei dat hij nogal wat tijd in de haven doorbrengt wanneer er een nieuw schip binnenkomt. Heb je daar iets over gehoord?'
'Dat heeft hij ook tegen mij gezegd.' Bill keek peinzend. 'We hebben geen grote veranderingen onder onze cliënten. Ik weet het niet precies, maar er is iets aan de hand.'
Ross knikte. 'Hou het in de gaten en laat me weten als je iets ontdekt.'
'Goed. Tussen haakjes, Lisa zei dat ze enige onjuistheden heeft ontdekt in het vrachtmanifest voor een van onze schepen.'

Ross kneep zijn ogen halfdicht. 'Wat voor onjuistheden?'

Bill trok zijn schouders op. 'Iets over vermiste containers, die in de haven vertraging hebben opgelopen omdat ze niet door de douanemensen werden ingeklaard. Hoe dan ook, Steven nam het op zich dat probleem op te lossen.'

Ross fronste zijn wenkbrauwen. 'Het is niets voor Steven een taak op zich te nemen die hij door een ander kan laten uitvoeren. Hij heeft altijd meer belangstelling gehad voor de regatta's van de jachtclub en te proberen elke vrouw die hij leert kennen in zijn bed te lokken dan in de werkzaamheden van de onderneming.' Hij keek Bill aan en zei: 'Hou hem in de gaten.'

De hele ochtend en nog een tijd na de lunch werkten ze aan het plan van Christina. Ze gingen alle mogelijke vragen na die het kartel zou kunnen stellen in verband met deelname door investeringen, de risicofactors en de mogelijke winstmarge.

Ze werkten samen als gelijken, completeerden het plan, wisselden ideeën uit en maakten gebruik van elkaars ervaring om het plan absoluut waterdicht te maken.

Christina was blij met die samenwerking. Ze wist dat Ross slim en intelligent was. Die ochtend bewees hij dat weer eens op verschillende manieren, toen hij enkele verbeteringen voorstelde. En toen zij hem verraste door een optie tot procentuele terugkoop als onderdeel van de joint venture voor te stellen, leunde hij achterover in zijn stoel en liet haar dat plan uitwerken.

Hij deed niet schoolmeesterachtig noch probeerde hij haar bijdrage te kleineren, en hij voelde zich duidelijk niet door haar bedreigd. Hij vroeg haar mening over elk detail. Als hij het ermee eens was, zei hij dat. Zo niet, dan was hij oprecht in zijn kritiek.

Opgewonden constateerde ze dat ze goed konden samenwerken. Het zette haar aan het denken over hoe goed ze samen zouden zijn in andere dingen.

Ze waren net klaar toen Bill weer binnenkwam. 'In tegenstelling tot in Amerika, is de lunch in Hongkong een ritueel. Het is ondenkbaar dat mensen tijdens de lunchpauze doorwerken.'

Christina grinnikte. 'Is dat een wenk?'

'Ik weet niet wat jullie van plan zijn, maar ik heb honger.' Hij keek Ross aan. 'Heb je plannen?'

Ross knikte. 'Ik had gedacht Chris maar eens te moeten meenemen naar de Victoria Peak,' zei hij, terwijl hij alle paperassen in zijn privé-safe legde.

'Dan hebben jullie mij niet als waakhond nodig,' zei Bill. Hij boog zich over het bureau heen en zei, zo hard dat Ross het ook kon horen: 'Kijk uit met die vent. Hij is nu in zijn eigen omgeving. Hij kent hier nog heel wat merkwaardige figuren uit zijn jeugd.'

Ze keek vragend naar Ross en dacht dat er weleens veel waarheid in die spottende opmerking kon liggen. Ze glimlachte en zei: 'Ik zal het niet vergeten.'

Bill liep naar de deur. 'Ik ga naar de haven. O, tussen haakjes,' voegde hij eraan toe en bleef bij de deur staan: 'Katherine heeft via haar privé-lijn gebeld. Richard komt binnenkort. Steven moet hem verteld hebben dat jullie hier zijn.'

'Dank je,' zei Ross, en voegde eraan toe: 'Kijk uit!'

Bill keek hem aan. 'Ik pas altijd op mijn tellen.' Toen keek hij Christina aan. 'Kijk jíj ook maar uit!'

'Later in de middag zien we je hier dan wel weer,' zei Ross, bij wijze van een niet te subtiele wenk om Bill weg te krijgen. Maar Bill nam geen notitie van hem en zei tegen Christina: 'Hij mag dan wel mijn vriend zijn, maar kijk uit met die vent. Hij kent geen scrupules.'

'Dàt heb ik al gehoord.'

'Dag, kinderen,' zei Bill, en deed de deur achter zich dicht.

'En nu,' zei Christina, 'waar gaan we lunchen?'

'Ik ken een tentje – fantastisch uitzicht, prima keuken, uitgezocht gezelschap...'

Ze voelde dat hij over een privé-tête-à-tête sprak en vroeg: 'Ook exclusief?'

'Héél exclusief,' verzekerde Ross haar.

Hoofdstuk 28

Christina had door de drukke straten van Boston en New York gereden en geleerd door het centrum van San Francisco te manoeuvreren – een doolhof van doodlopende straten en steile heuvels, terwijl ze intussen kabeltramwagons en trolleybussen moest ontwijken. Maar niets had haar voorbereid op het afschuwelijke, trage tempo in de wijk Central tijdens het spitsuur.

Auto's werden òf opgehouden achter toeristenbussen, taxi's en limousines of vlogen in snelle vaart over de kruispunten, waarmee ze iedereen in gevaar brachten die maar heel even een stap van het trottoir af deed. Heel veel mensen deden het tòch en brachten het er levend af.

Ross reed rustig door de nauwe straatjes en steegjes, kwam uit op Queen's Road Central, daarna op Wellington en een gedeelte dat *The Loop* werd genoemd. Daarna reden ze via Old Peak Road de wijk Central uit en stegen de heuvels in die boven de havenwijk lagen. De lucht was er koeler en helderder en het verkeer werd via een tweebaansweg geleid, die uiteindelijk de weelderige groene heuvels in leidde.

Het leek of iemand als bij toverslag een gordijn had opengetrokken. Het ene moment staarden ze nog naar betonnen en stalen wanden en plotseling waren ze omringd door bosjes pijnbomen, eucalyptus en wilde vijgebomen. De doordringende geur van die bomen was overal merkbaar. Christina deed haar portierraampje open en liet de wind door haar haren waaien. Terwijl ze de slingerende weg door de heuvels volgden, ving ze nu en dan een glimp op van de haven, die zich beneden hen uitstrekte. Het deed haar eraan denken dat er beweerd werd dat het uitzicht vanaf Victoria Peak in alle richtingen het mooiste van het eiland was.

Ze leunde achterover, sloot haar ogen en liet zich door haar andere zintuigen leiden. *Zanshin*, had Ross dat genoemd. Ze voelde, proefde en rook de exotische geur die zo bij Hongkong Island hoorde en liet dat alles tot haar doordringen.

Het verleden, heden en de toekomst – herinneringen, werkelijkheid, dromen. Het was er allemaal. Dit vreemde, boeiende eiland was de oorsprong van een belofte die twintig jaar tevoren was afgelegd. Maar zelfs toen ze die belofte deed, had ze er geen idee van hoe ver weg dat alles haar zou brengen.

'Waar denk je aan?' vroeg Ross. Hij greep haar hand en hield die vast.

Ze keek naar zijn krachtige profiel – de trekken die hem bijna te knap maakten om serieus te worden genomen. Toen draaide hij zich om, keek haar even aan en er verscheen een felle blik in zijn ogen. De kracht ervan had een ander misschien kunnen intimideren, zelfs bang maken. Mogelijk was die blik wel de reden waarom men zei dat hij zo hard en meedogenloos was. Maar zij was niet meer bang voor hem. Ze begreep hem nu, want in die uitdrukking herkende ze dingen van zichzelf en van hetgeen haar nu al twintig jaar lang voortdreef.

Toen verscheen er een verrassend tedere glimlach om zijn lippen, die allerlei gevoelens bij haar opriep. En de geruststellende aanraking van de vingers van Ross om de hare deden haar aan zijn belofte denken – *We zullen ons aan elkaar geven. Maar pas als er tussen ons geen geheimen meer bestaan.*

Wat zíjn jouw geheimen, Ross McKenna?

Ben ik bereid de mijne te onthullen? Ben ik daar sterk genoeg voor? Kan ik je in alle opzichten vertrouwen? Kan ik riskeren mezelf in jou te verliezen?

Eindelijk beantwoordde ze zijn vraag. 'Ik dacht aan beloften.'

'Hoezo?'

'Lang geleden heb ik er een afgelegd die ik moet nakomen.'

Hij keek haar weer even aan en leek erover na te denken.

'Kan ik je helpen die na te komen?' vroeg hij.

'Ik hoop het.'

Hij sloeg weer een hoek om en een villawijk in, waar grote huizen met dito stukken grond de vergelijking konden weerstaan met het soort woningen in het deftige Long Island, Beacon Hill of Pacific Heights in San Francisco.

Na nog een hoek te zijn omgeslagen, werden de huizen minder indrukwekkend – hoewel het woord 'bescheiden' nog nauwelijks van toepassing was op de ruime bungalows en huizen met een verdieping erop, die een eind van de weg vandaan stonden. Hij reed een oprit op, bleef toen staan en wendde zich tot haar terwijl hij nogmaals haar hand in de zijne nam.

'Ik heb je iets beloofd, Chris. Een belofte die ik wil nakomen.' Hij streelde met zijn duim over de palm van haar hand en keek haar intussen strak aan. Toen legde hij zijn linkerhand achter haar nek en trok haar naar zich toe.

Hij bleef haar aankijken, ook toen hij langzaam de gespannen spieren achter in haar nek masseerde. Haar huid voelde aan als warm fluweel. Hij wond haar halflange haar om zijn hand en trok haar langzaam dichter naar zich toe, en toen zijn mond de hare liefkoosde, werd ze zich bewust van alle verlangens en behoeften die ze beiden voelden. Ze proefde zijn adem, die zich met de hare vermengde.

Nadat ze zich eindelijk van elkaar hadden losgemaakt, kon ze geen woord uitbrengen. En zijn stem trilde toen hij zei: 'Ik wil dat je iemand leert kennen.'

Christina streek met een hand door haar verwaaide haren terwijl ze hand in hand de oprit verder opliepen.

Het huis vertoonde een mengeling van architectonische stijlen: stenen metselwerk en hout, waarbij een leien dak de indruk gaf van een Engels landhuis. Die eerste indruk vanaf de met keistenen geplaveide oprit werd nog versterkt door de glas-in-loodramen van de parterre, het steile puntdak en de omringende tuin.

Ross maakte het houten hekje open en ze liepen naar binnen.

Christina had het gevoel dat ze in een sprookjesland belandde. Ze verwachtte elk moment kabouters om de hoek van een boom te zien gluren, zo volmaakt was de achtergrond. Eerst zag ze primula's langs de kanten, die algauw plaatsmaakten voor een wilde mengelmoes van hibiscus, zinneraria's, begonia's, stokrozen en lobelia's. Van een laag stenen muurtje hing bougainvillea als een waterval omlaag. Ze probeerde zich voor te stellen hoeveel uur werk het wel zou kosten om zo'n enorme tuin te onderhouden. Toen dacht ze aan de uren die zij had besteed aan nutteloze pogingen om een enkele gewone plant in huis in leven te houden toen ze nog in Boston woonde.

De treden van het trapje voor het huis waren van rode baksteen en versleten en de deur was zwaar en solide. Ross belde aan en terwijl ze wachtten, draaide hij zich om en keek naar de tuin.

'Mooi, hè? Toen ik nog een kind was, droomde ik altijd van zo'n tuin; een eigen bos om me in te verstoppen.'

Waarvóór moest hij zich verstoppen? vroeg ze zich af. Maar ze wist dat ze hem zo'n intieme vraag niet kon stellen. Nòg niet.

'Hij is prachtig,' zei ze en knikte. 'Ik kan me níet voorstellen hoe iemand dìt voor elkaar krijgt. Binnen een week zou ik alles hebben laten doodgaan door te veel of te weinig water.'

'Het is hier moeilijk planten te laten doodgaan. Alles hier is altijd groen en groeit weelderig.'

Toen werd de deur geopend door een lieve vrouw van Europees-Aziatische afkomst van middelbare leeftijd. Ze sperde haar ogen wijdopen en sloeg haar handen tegen haar wangen toen ze Ross zag. 'O, hemeltje! Ross McKenna, schurk die je bent!' giechelde ze. 'Je hebt ons niet verteld dat je zou komen!'

Vóór ze tijd kreeg om zich te herstellen, had Ross haar opgetild en zwaaide hij haar in het rond.

'Zet me neer!' riep ze verontwaardigd. Toen hij weigerde, begon ze in het Kantonees tegen hem te schreeuwen.

Christina begreep een paar woorden en ze dacht aan wat hij had gezegd over een vrouw die hem als jongeman had ingewijd. Zou zij dat zijn? vroeg ze zich met gemengde gevoelens af.

Nog vastgehouden door zijn armen, beval de vrouw: 'Zet me neer. Je hebt manieren als een *gweilo*!' Toen keek ze langs Ross heen en zag Christina staan, en een ontstelde uitdrukking verscheen op haar gezicht toen ze besefte dat ze zoiets had gezegd waar een andere *gweilo* bij stond.

'Kijk nou eens wat je hebt gedaan!' verweet ze hem. 'Je hebt me onteerd in het bijzijn van je vriendin.'

Ross grijnsde breed en zette haar neer.

'Wat is dat, Lin? Is er iemand aan de deur?'

Een lange en bijzonder aantrekkelijke Engelse verscheen in de hal. 'Ross!'

Met lange passen liep hij de hal door en omhelsde haar, waarna hij haar nog lange tijd vasthield.

Toen hij haar eindelijk losliet, zei ze verbaasd: 'Wat doe jíj hier? Je hebt me niet geschreven of gebeld! Het minste dat je had kunnen doen, was toch me op de hoogte stellen van je komst! Wanneer ben je aangekomen?'

'Gisteravond, schat. Heel laat,' zei Ross, en hij deed een pas achteruit, maar hield een hand van de vrouw vast.

'En je hebt een gast meegebracht,' zei ze, terwijl ze beleefd tegen Christina glimlachte. 'Zou je me niet voorstellen?'

Ross grinnikte wat schaapachtig. 'Waarom geef je me altijd het gevoel alsof ik mijn manieren niet meer ken?'

'Omdat dat vaak zo ìs,' zei ze plagend, met een lach in haar ogen. Die lach vormde een onderdeel van haar rijpe, opvallende schoonheid met een onberispelijke huid en omgeven door zacht golvend donker haar; ze maakte een verrassend jonge indruk.

'Dan zal ik je maar voorstellen voor je me eruit gooit,' zei hij meteen.

'En als zij je er niet uitgooit, dan doe ìk het,' verkondigde Lin vanuit haar positie vlak naast de deur. En het leek af ze dat ook werkelijk van plan was.

Ross wendde zich tot Christina. 'Mag ik juffrouw Christina Fortune uit San Francisco aan jullie voorstellen? Chris, Lin heb je al leren kennen. Ze heeft een verschrikkelijk humeur.'

Lin wierp hem een zogenaamd boze blik toe, sloot de deur en draaide zich toen om. 'Krijg de ziekte,' mompelde ze en verdween.

'En deze lieve dame is Barbara McKenna, mijn moeder,' voltooide hij het voorstellen.

Christina was verstomd.

Barbara McKenna schudde hulpeloos haar hoofd. 'Vergeef mijn zoon maar,' zei ze, met een ondeugende glimlach die Christina erg bekend voorkwam. 'Hij vindt het enig mensen voor een voldongen feit te stellen. Wanneer je dat wilt en jullie vertrokken zijn, heb je míjn toestemming hem eens goed de les te lezen.'

'Misschien doe ik dat ook wel,' zei Christina en keek hem van terzijde aan.

Dit was dus de moeder van Ross, dacht ze. De gelijkenis was onmiskenbaar. Ze waren allebei donker, hadden aristocratische trekken en dezelfde charmante lach.

'Kom binnen, Christina.' Barbara greep haar hand en leidde haar naar de salon, zonder verder notitie van Ross te nemen. 'Het is leuk kennis met je te maken.'

De middag verliep rustig. Ze genoten met z'n vieren – Ross, Christina, Barbara en Lin – van de lunch in de tuin. De geroosterde lamsbout met pruimensaus, verse groente uit de tuin met een witte saus, rijst met kerrie en een chardonnay-wijn waren verrukkelijk. En de omgeving onvergelijkelijk. Christina kon zich niet herinneren wanneer ze voor het laatst in zo'n vredige ambiance had gegeten.

'Ik weet door Ross vrij veel van de familie af,' zei Barbara, toen ze nog eens wijn voor hen inschonk. 'Waarom zijn jullie in Hongkong?'

Christina keek even naar Ross. Hij sloeg zijn ogen niet op, noch gaf hij haar op enige wijze een wenk. Blijkbaar had hij zijn moeder niets verteld over hun plannen, en Christina wist eigenlijk niet hoeveel ze zou loslaten. Omzichtig zei ze: 'Er waren enkele veranderingen die ik in de onderneming wilde aanbrengen. De wereldmarkten zijn aan het veranderen en Fortune International moet daarin meegaan.'

Ross verklaarde: 'Chris wil de onderneming zaken laten doen met de markt op het Chinese vasteland.'

Barbara keek haar zeer geïnteresseerd aan. 'Daar ben ik geboren en heb er een aantal jaren gewoond, in de provincie Guangzhou. Mijn ouders waren daar zendelingen.'

Christina was verbaasd. 'Dat heeft Ross me nooit verteld!'

Barbara lachte. 'Als je hem een tijdlang meemaakt, zul je ontdekken dat hij alleen dát zegt wat nodig is om zijn eigen doel te bereiken. Waarschijnlijk het resultaat van een opvoeding als Engelsman in Hongkong. Dat kan voor een kind heel isolerende effecten hebben.'

'Niet voor u?' vroeg Christina.

Barbara zei rustig: 'Ik hou van China en van de manier van leven waarin ik opgroeide. Veel daarvan is nu verdwenen, sinds de communisten de macht in handen hebben genomen.'

'Wonen uw ouders daar nog?'

'Nee,' antwoordde Barbara met een treurig lachje. 'Ze zijn beiden dood. Toen de Japanners binnenvielen, waren we genoodzaakt te vertrekken. We keerden terug naar Engeland en hebben de oorlogsjaren daar doorgebracht. Mijn oudste broer vloog bij de RAF. Zijn vliegtuig werd boven Het Kanaal neergeschoten. Na de oorlog miste ik het leven in China heel erg. Ik was toen nog jong en avontuurlijk en wilde terug.' Ze glimlachte bij de herinnering.

'Ik kwam bij de diplomatieke dienst in Londen, via vrienden van mijn ouders, en na de oorlog mocht ik terug naar Hongkong. Helaas belette de gezondheidstoestand van mijn ouders hen om terug te gaan.'

'En u bent nooit naar Engeland teruggegaan?'

'Zo nu en dan, voor een bezoekje. Maar na de dood van mijn ouders hadden die bezoeken weinig zin meer. Toen had ik Ross al en had op mijn eigen wijze een stukje Engeland in mijn tuin gecreëerd.'

'Die is prachtig!'

'Je had de tuin van het huis op Connaught Road moeten zien!' viel Ross hen in de rede. 'Ik moet nog steeds aan die rozen daar denken.'

Barbara lachte. 'Iedereen vond dat ik gek was, ook Lin.'

Lin ging door met het verhaal. 'Dat was toen ik pas bij Barbara en Ross kwam. Een dwaze Engelse, die probeerde rozen te kweken in Hongkong.'

Barbara ging weer verder. 'En toen kocht Ross dit huis voor me, en de tuin hier is tien keer zo groot als die bij ons kleine huis daar.'

Christina keek Ross aan. Ze had net weer wat anders aan hem ontdekt – hij, en niet zijn vader, had dit huis gekocht. En gezien de plek, met dat prachtige uitzicht op de haven, begreep ze dat het niet goedkoop geweest kon zijn. Waarom sprak Ross noch zijn moeder over zijn vader, vroeg ze zich af.

Toen ze door de huiskamer waren gelopen om via de openslaande deuren de tuin in te gaan, had ze op de piano een verzameling familiefoto's zien staan. Er stonden foto's van een ouder echtpaar en ze begreep nu dat het de ouders van Barbara geweest moesten zijn. Voorts een afbeelding van een knappe jongeman met een brutale grijns in een RAF-uniform, die precies op Ross leek. Er waren foto's van Ross en Barbara op verschillende leeftijden – een bij de uitreiking van zijn schooldiploma en een van Ross en Bill, die duidelijk genomen waren toen ze elkaar net in Canada hadden leren kennen. Maar ze had geen foto's van iemand gezien die zijn vader zou kunnen zijn.

Ze merkte dat ze te lang was blijven zwijgen en vroeg snel: 'Hoe ging het met uw rozen?'

'Ze wonnen eerste prijzen,' zei Ross trots. 'Ze heeft zelfs een hybride gekweekt die de Barbara Blue Rose is genoemd.'

Christina keek haar verbaasd aan. 'Ik ben diep onder de indruk. Ik heb nog nooit iemand ontmoet naar wie een roos is genoemd.'

'Lieve kind,' zei Barbara, boog zich naar haar toe en klopte op haar hand, 'naar jou zijn schepen genoemd! Daarvan ben ik diep onder de indruk!'

Christina schudde haar hoofd. 'Het bouwen van een schip vereist alleen technische kennis, maar het kweken van rozen betekent schoonheid scheppen. U hebt een prachtige gave – alleen moet die wel veel tijd vergen.'

'Och, nee. Ik heb nog steeds tijd over om voor de diplomatieke dienst als tolk te werken. Dat wil zeggen, tot 1997.'

Bij het vermelden van de veranderingen die in minder dan zes jaar zouden plaatsvinden, keken Barbara en Lin beiden peinzend voor zich uit.

Toen maakte Lin zich los uit haar gedroom en vroeg: 'Zou u die rozen graag willen zien, juffrouw Fortune?'

Christina wist dat dit een beleefde manier was om Ross en zijn moeder samen wat tijd te gunnen. 'Dat zou ik heel prettig vinden,' zei ze.

Lin ging haar voor, een met keien bestraat pad op, dat door een houten hekje toegang gaf tot de rozentuin achter het huis.

'Ze is heel mooi,' merkte Barbara op.

'Ja, dàt is ze,' zei Ross, terwijl hij hen in de rozentuin zag verdwijnen.

'Ben je verliefd op haar?'

Die woorden dwongen hem iets onder ogen te zien dat hij tot dan toe aldoor hardnekkig had omzeild. 'Zó eenvoudig ligt dat niet.'

'Dat is het nooít,' antwoordde ze.

Rusteloos stond hij op, de handen diep in zijn zakken. 'Sommige mensen denken dat zij een oplichtster is.'

'Dat weet ik. Ik heb het in de kranten gelezen.' Tot zijn verbazing glimlachte ze. 'De naam Fortune betekent veel in de geschiedenis van Hongkong. Wat denk jij?'

Hij keek haar lange tijd aan. 'Ik weet niet of het er veel toe doet wie ze is.'

'O, ja? Is dat zo?'

Ze zwegen even en toen vroeg ze: 'Kan het plan van haar succes hebben?'

Ross keek uit over de tuin, alsof hij Christina zocht, maar ze was nergens te zien. Hij gaf niet meteen antwoord. 'Ik heb nog nooit iemand zoals zij gekend. Ze is intelligent en heel warm en een bijzonder goede zakenvrouw.' Hij probeerde niet dat andere deel van haar te verklaren – dat er een kracht in haar was, een koppigheid die alleen het resultaat kon zijn van gevechten met persoonlijke demonen. En een zekere eigenschap die je kreeg als je op straat had rondgezworven. Hij wist wat het was. God wist dat hij dat meer dan eens in zichzelf had ontdekt. Het was een zekere hardheid, meedogenloosheid, een vast voornemen om te winnen. En de mogelijkheid om te verliezen bestònd zelfs niet. Het was iets dat hij begreep en waarvoor hij meer gevoel kon opbrengen dat hij ooit aan de mooie, lieve vrouw naast hem kon verklaren.

'Het kan succes hebben,' ging hij door. 'Alle elementen zijn aanwezig. Als zij slaagt, heeft Fortune de kans om zelfs nòg groter te worden dan de oude Hamish Fortune ooit heeft gedroomd.' Eindelijk keek hij haar aan. 'Maar er zit een voorwaarde aan vast.'

'Dat is altijd zo,' zei Barbara zachtjes.

Op dat moment besefte Ross dat zijn moeder precies begreep hoe hij zich al die jaren had gevoeld – waarom hij werd voortgedreven om succes te hebben, koste wat het kost. Hij nam haar hand in de zijne. 'We gaan het kartel een voorstel doen.' Hij voelde haar fijne hand even trillen, maar toen kwam de kracht weer terug en ze klemde haar vingertoppen tot in haar handpalm.

Haar stem klonk zacht, maar flink. 'Ik heb je zó opgevoed dat je voor jezelf kon zorgen,' zei ze. 'Je moet doen wat jij goed vindt.'

Hij keek verontrust. 'Ik wil je geen pijn doen.'

Ze lachte lief. De tederheid en liefde in haar lach hadden hem in zijn jeugd altijd weer getroost. Toen legde ze haar andere hand op zijn wang. 'Je zult me nooit kwetsen, Ross. Dat ligt niet in je aard.'

'Wanneer ik tegenover hem sta, zou het weleens vervelend kunnen worden. U weet hoe ik over hem denk.'

Ze schudde haar hoofd en dacht aan een oud Chinees gezegde, dat ze in haar jeugd had geleerd. 'Het verleden is slechts een beeld dat we met ons meedragen. Mettertijd vervagen de contouren en de enige werkelijkheid is hetgeen we in onze handen houden.' Ze hield zijn hand stevig vast. 'Ik hou van je en ben trots op je. Ik vertrouw je. Doe wat je móet doen.'

Ross stond op, maar hield nog altijd haar hand vast. Hij boog zich voorover en kuste haar op een wang.

Christina en Lin kwamen toen juist terug uit de tuin. Christina hield een enkele langstelige, blauwe roos vast en Lin verzekerde haar dat Barbara die graag zou willen hebben. Ze hoorde hoe Ross en Barbara diep in gesprek gewikkeld waren en plotseling voelde ze zich verlegen met de situatie, omdat ze zo maar was binnengevallen tijdens iets dat duidelijk heel privé was.

Barbara keek op. 'Mooi zo, ik zie dat Lin je een souvenir aan je bezoek heeft gegeven.'

'Ik hoop dat u het niet erg vindt,' zei Christina aarzelend. Ze had nog nooit iets zo verfijnds gezien als die blauwe roos.

Barbara stond op en stak haar hand uit naar Christina. 'Helemaal niet. Ze groeien niet als we ze niet voortdurend snoeien. Ik moet er altijd veel weggooien. Tussen haakjes, ik ben met een nieuwe soort bezig, waarvan ik binnen enkele weken de eerste bloemen hoop te hebben. Ik hoop dat je in staat zult zijn dan terug te komen om ze te bekijken.'

'Dat zou ik graag willen,' zei Christina oprecht.

'We moeten terug naar kantoor,' hielp Ross haar herinneren. 'We hebben nog heel wat te controleren voor onze bespreking van morgen.'

Bij het vermelden van de bespreking keek Barbara Ross vragend aan, een blik die Christina niet begreep. 'Ik wens je veel succes, lieverd.'

Bij de voordeur nam Ross afscheid van zijn moeder en beloofde dat hij haar binnen enkele dagen zou opbellen. De blik die ze nu wisselden, was dezelfde die Christina in de tuin had opgevangen. Plotseling besefte ze wat die betekende – ernstige, moederlijke bezorgdheid.

Toen pakte Ross Lin bij de pols, haalde een klein, ingepakt doosje uit zijn zak en legde het in haar hand. 'Je verdient het eigenlijk niet,' zei hij nadrukkelijk. 'Je hebt een tong als een feeks.'

'Feeks?' vroeg ze, en keek Barbara vragend aan; het was duidelijk dat ze niet wist wat dat woord betekende.

'Dat is een compliment,' jokte Barbara, en gaf Christina en Ross een knipoog. Ze liep met hen naar de voordeur en het pad af. 'Je moet haar niet zo plagen,' zei ze verwijtend tegen Ross.

'Ze vindt het heerlijk!'

'Dàt weet ik niet zo zeker. Maar ze houdt van je, ondanks het feit dat je onbeleefd en arrogant bent.'

Hij grinnikte even tegen Christina. 'Ik herinner me niet dat iemand ooit tegen me gezegd heeft dat ik zo was.'

Hij hield het portier voor Christina open. Vóór ze instapte, greep Barbara nog een keer haar hand. 'Zorg dat hij je gauw weer meeneemt hierheen.'

Christina was heel ontroerd, zowel door de woorden als door het gebaar. 'Dank u voor de prettige middag.'

Barbara gaf een kneepje in haar hand. 'Dank je dat je gekomen bent,' zei ze. Toen Ross en Christina beiden zaten, wuifde Barbara door het open raampje naar haar zoon. 'Kijk uit, liever.'

Christina hield de blauwe roos stevig vast terwijl ze zwijgend terugreden over de Peak Road. Lin had de bloem in een vochtig doekje gewikkeld en er plastic omheen gedaan, zodat er geen druppels op haar japon vielen. Ze waren bijna beneden voordat Christina opmerkte: 'Ik vind haar aardig.' En ze dacht aan haar eigen moeder en hoe alles had kunnen zijn als het leven anders was gelopen.

'Dat dacht ik al. Jullie tweeën lijken in veel opzichten op elkaar.'
Ze keek hem aan en vroeg zich af hoeveel hij raádde en hoeveel hij aanvoelde. Ze dacht aan *zanshin*, en wat dat betekende met het openstellen van al je zintuigen voor alles. Vroeger had ze zich altijd onprettig gevoeld als ze niet voortdurend op haar hoede was; dan kwamen er weer allerlei oude gevoelens opzetten, alsof ze fysiek bedreigd werd, en dan trok ze zich instinctief terug. Maar nu had ze met Ross dat gevoel niet meer. Ze voelde zich veilig bij hem. Ze besefte hoe ironisch het was zich veilig te voelen bij een man met zijn reputatie. Een man die ambities had die een betere kans op succes hadden als zij ze niet in de weg stond.

Pas na vieren kwamen ze terug op kantoor. Bill was in het kantoor van Ross en keek op toen ze binnenkwamen. 'Kookt Barbara nog even slecht als altijd?' informeerde hij.

'Vermoedelijk,' lachte Ross. 'Gelukkig heeft Lin de lunch klaargemaakt.'

Bill grijnsde. 'Heeft ze je weer uitgemaakt voor alles wat mooi en lelijk is?'

'Natuurlijk.' Toen zei hij tegen Christina: 'Zij beschouwt me als een onwaardige zoon.'

Ze was verbijsterd. 'Onwáárdig?'

'Dat dateert nog uit het grijze verleden,' zei Ross vaag, en hij vermeed duidelijk een uitvoeriger toelichting.

Bill grinnikte. 'Het heeft iets te maken met zijn onhandelbaar gedrag als kind. Hij was een enorme herrieschopper. Op zijn zeventiende liep hij weg van school, ging in de havens werken en verliet Hongkong toen hij negentien was. En toen had ik de pech om verder zijn leven te delen.'

'En dat heeft je veel goed gedaan,' merkte Ross meteen op.

'Dat heb ik geprobeerd aan mijn vrouw uit te leggen, al die avonden dat Ross me aan zijn zakelijke avonturen liet werken. Hij had succes en ik ben gaan scheiden.'

Christina wist dat er werkelijk verdriet schuilging onder Bills grappen. Ze wist nog wat Bill haar van zijn vrouw had verteld en vroeg zich af of er niet een manier bestond om die twee weer bij elkaar te brengen. Ze hield zich voor dat ze op dit tijdstip niets aan de situatie kon veranderen, maar wanneer de huidige crisis eenmaal achter de rug was...

'Wat heb je te rapporteren?' vroeg Ross, en hij veranderde snel het onderwerp van gesprek.

'Lisa moet er nu wel mee klaar zijn.' Hij liep naar de deur, maar Ross was hem voor. 'Laat maar. Ik haal het wel.'

Toen Ross weg was, wees Bill op de blauwe roos die Christina uit het omhulsels had gewikkeld en nu in een karaf met water zette omdat ze nog geen juiste vaas bij de hand had. 'Barbara is een bijzondere vrouw, hè?'

Christina knikte. 'Ik vind haar heel aardig. Je ziet onmiddellijk hoe Ross aan zijn charme komt. Ik vraag me alleen af wat hij van zijn vader heeft geërfd.'

Bill reageerde echter niet. Zou hij iets over de vader van Ross af weten?

Christina ging door. 'Ze woont daar prachtig, heeft een heerlijk huis en de tuin is ongelooflijk. Lin heeft me erin rondgeleid.'

'Lin is een sluwe, oude heks. Zij en Barbara wonen daar al jaren. Haar hele familie is gestorven of weg, dus is ze maar alleen. In haar jeugd was het heel moeilijk als je van Europees-Aziatische afkomst was. Er werd op hen neergekeken alsof het nauwelijks mensen waren. Barbara leerde haar via haar werk kennen. Ze werden vriendinnen en Barbara vroeg Lin bij haar te komen inwonen.'

Christina dacht even na. 'Dat moet dan geweest zijn nadat de vader van Ross gestorven is.'

'Gestorven?' Bill keek haar verbaasd aan. 'Heeft hij je dat verteld?'

'Nee, ik nam het aan. Er stonden geen foto's van hem in het huis en niemand sprak over hem, dus dacht ik dat het een pijnlijk onderwerp was.'

'Dat is het ook. Maar hij leeft, en hoe!'

Hij aarzelde en zei toen: 'Nou ja, verdomme, er is ook geen enkele reden waarom je het niet zou mogen weten. Hongkong is maar klein. Hier bestaan geen geheimen, en je zou het vandaag of morgen toch zelf ook wel ontdekken.'

'Bedoel je dat de vader van Ross hier in Hongkong woont?' vroeg Christina verbaasd.

'Ja, hij is een Engelsman uit de oude, gevestigde aristocratie. Hij is in de kroonkolonie geboren en getogen. Toen de oorlog uitbrak, evacueerde hij met zijn familie naar hun bezittingen in Engeland. Hij is pas een paar jaar na de oorlog hier teruggekomen. Barbara leerde hem via de diplomatieke dienst kennen en werd hevig verliefd op hem.'

'En hij niet op haar,' nam Christina aan, te oordelen naar de toon van Bills stem.

'Wie zal het zeggen? Ik heb de man nooit gekend.' Zijn stem werd hard. 'Maar het feit is dat hij destijds met een ander verloofd was. Met iemand uit een familie met veel invloed. Barbara ontdekte dat op de dag dat ze te horen kreeg zwanger van Ross te zijn.'

Christina schrok ervan. 'O, God!'

'Volgens Lin was hij niet van plan zijn huwelijk op te geven. Hij wilde dat Barbara zich liet aborteren, maar zij weigerde.'

Christina kreeg een wee gevoel in haar maag als ze aan Ross dacht en hoe die wetenschap invloed op hem kon hebben.

Bill ging door. 'Onder dat zachte uiterlijk is Barbara een heel krachtige persoonlijkheid. Ze stond erop háár kind zelf groot te brengen.'

'Dat moet heel moeilijk zijn geweest!'

'In die dagen bijna onmogelijk. En het was nòg erger als je tot de diplomatieke dienst behoorde. Daar houden ze niet van schandalen. Het heeft Barbara blijkbaar de grootste moeite gekost haar baan te behouden en ze werd een uitgestotene.'

'Ongelooflijk dat de vader van Ross hen zo maar in de steek heeft gelaten.'

'Dat deed hij niet,' zei Bill. 'Hij hielp in zoverre dat hij financieel bij de opvoeding behulpzaam was. De eerste paar jaren kwam hij haar zelfs af en toe opzoeken, maar hield daar later mee op. Ross heeft heel heldere herinneringen aan zijn vader, maar de meeste zijn verre van prettig.'

Christina probeerde haar medelijden met een door zijn vader verlaten jongetje te overwinnen – een gevoel van verlies dat ook zij maar al te goed kende, zou een grote rol in Ross' leven hebben gespeeld. 'Waren er nog meer kinderen?' vroeg ze.

'O, ja. Hij kreeg de erfgenamen die de familie nodig had. Ross heeft een halfbroer, Tony, die twee jaar jonger is dan hij. Ik geloof dat hij een burggraaf is. Hij doet aan autoraces om de Grand Prix en is blijkbaar een vrij nutteloos mens. De halfzuster van Ross, Charlotte, is vier jaar jonger en woont in Engeland. Zij is heel erg gesteld op de titels en het familiebezit dat erbij hoort, en ze heeft zelfs uitermate hard haar best gedaan om het schandaal van een halfbroer te ontkennen.'

'Heeft Ross weleens geprobeerd contact met zijn vader te zoeken?'

'Wat Ross betreft, is zijn vader dood.'

'Maar, zoals je al zei, Hongkong is klein. Ze komen elkaar zo nu en dan vast weleens tegen.'

'Ja,' zei hij zacht. 'Zo nu en dan. Maar ze nemen geen notitie van elkaar. Om je de waarheid te zeggen, zal Ross straks met jouw plan tegenover zijn vader staan.'

Ze keek hem aan. 'Waar heb je het over?'

'De vader van Ross is hoofd van het kartel en tevens de president van de Victoria Bank. Hij is al jaren bezig te proberen een joint venture zoals het jouwe op poten te zetten, maar het ontbreekt hem aan de nodige contacten op het Chinese vasteland. Ross zou niets liever doen dan hem te verslaan en het kartel overhalen tegen hem te stemmen.'

'En we kunnen alles verliezen als het kartel tegen ons stemt?' zei Christina bezorgd.
'Zo is het.'

Op het vliegveld Kai Tak landde een klein straalvliegtuig en draaide toen langzaam om. De motoren werden afgezet, het deurtje ging open en het trapje werd neergelaten. Het was een privé-vliegtuig, dat uit Taiwan kwam.

De gezagvoerder en de tweede piloot stapten uit, werkten de gebruikelijke formaliteiten af en overhandigden hun vluchtdocumenten aan luchthavenmensen. Toen kwam de enige passagier uit het toestel, liep het korte stukje over het asfalt naar de ingang van de immigratiedienst en toonde er zijn paspoort met visum. De immigratiebeambte keek vluchtig naar de andere stempels: Londen, Lissabon, Athene, Cairo en verschillende voor Hongkong.
'Met welk doel bezoekt u Hongkong? Zaken of plezier?'
'Zaken.'
'Hoe lang blijft u hier?' vroeg de man, zoals gebruikelijk was.
'Zolang ik nodig heb.'
'U bedoelt?' vroeg de beambte.
'Een paar dagen, misschien wat langer,' antwoordde de ander geprikkeld.
'Waar logeert u?'
'Ik heb een huis in Hongkong.'
De beambte keek hem even aan, stempelde toen zijn visum af en overhandigde hem het paspoort. 'Veel genoegen.'
De man stopte de pas in zijn jaszak en liep toen ongeduldig door. Toen hij bij de taxi's kwam, keek hij op zijn horloge. Het was even over zes in de avond.

Het was ruw weer geweest tijdens de vlucht van Taiwan, want ze hadden in de buurt van een tropische storm gevlogen. Maar hij had het niet durven riskeren een lijnvlucht te boeken, daar hij bij een luchtvaartmaatschappij misschien herkend zou worden door iemand van de groep lieden die regelmatig tussen Hongkong en San Francisco heen en weer reisden.

Hij wenkte een rood en grijze Toyota en vloekte stilletjes terwijl hij achter in de taxi stapte. Hij gaf de chauffeur het adres, leunde toen achterover tegen de rugleuning en verdrong de vlucht, de chauffeur en de vuile taxi uit zijn gedachten. Hij concentreerde zich vervolgens op de enige reden waarom hij hierheen was gekomen – Christina Grant Fortune. Of Ellie Dobbs.

Het deed er niet echt toe wíe ze was. Het enige dat ertoe deed, was dat er een eind aan haar activiteiten moest worden gemaakt.

Hoofdstuk 29

Ze werkten tot laat in de avond door.

Bill, Lisa Jeung en Adam Quon bleven, ook nadat de andere employés naar huis waren gegaan. Steven viel op door zijn afwezigheid. Ze zaten met z'n allen om de zwarte jade tafel in het kantoor van Ross en bekeken het plan zorgvuldig, controleerden of er geen zwakke punten in zaten en er achterdeurtjes of andere problemen nog niet ontdekt waren.

Lisa en Adam bekeken beiden het plan vanuit een ander oogpunt en waren daardoor in staat enkele waardevolle voorstellen te doen tot verandering. Tenslotte werkten zij dag in, dag uit op de kantoren van Fortune in Hongkong en ze kenden de Oriënt.

Adam vooral kende de markt van Hongkong op zijn duimpje en was op de hoogte van alle subtiele veranderingen die in de politiek van de kolonie plaatsvonden, feiten die alleen bekend waren bij mensen die in Hongkong woonden. Hij deed een paar uitstekende voorstellen omtrent de wijze waarop men de tegenpartij met het plan moest benaderen.

Zijn inzichten waren vooral een steun voor Christina. Zoals Ross al had gezegd, was ze bezig muren neer te halen – een stoutmoedig plan in een omgeving waar tot dan toe nog nooit een vrouw iets op zakelijk gebied had mogen presteren. Ze wilde toegang tot het hart van het gesloten mannelijke bolwerk dat de zakenwereld in Hongkong was. Ze was een vrouw, maar ook de nieuwe waarnemend president en voorzitter van de raad van beheer van Fortune International en hoofd van de scheepvaartonderneming van Fortune. De huidige machthebbers zouden gedwongen worden met haar te onderhandelen, of ze dat nu prettig vonden of niet.

Adam raadde haar aan wat ze moest aantrekken, hoe ze diende op te treden en zich moest voordoen. Tenslotte waren het invloedrijke mannen. Het feit dat zij eenzelfde macht vertegenwoordigde, telde bij hen niet.

Het hinderde haar dat ze zich moest veranderen om het die mannen naar de zin te maken, maar ze wist ook geen andere keus te hebben. Ze had de medewerking nodig van zowel de triaden als het kartel om haar plan te kunnen uitvoeren.

De hele avond had Ross het met geen woord over zijn vader, ondanks het feit dat deze voorzitter van het kartel was. En Christina was niet van plan te onthullen wat Bill haar had verteld.

Later, toen de besprekingen eindelijk waren afgelopen en zij en Ross naar hun respectieve suites teruggingen om te proberen zoveel mogelijk rust te nemen voor de kritieke vergaderingen de volgende dag, probeerde ze zich zijn gevoelens voor zijn vader voor te stellen. Zij had al heel jong haar eigen vader verloren, maar haar herinneringen aan hem waren heerlijk en ze twijfelde er nooit aan of hij van haar had gehouden. In het begin van haar leven had ze zich emotioneel heel veilig gevoeld.

Het moest voor een klein kind verschrikkelijk zijn om te merken dat zijn vader niet van hem hield – hem in feite nooit had gewild en als een pijnlijke complicatie in zijn sociale leven beschouwde.

Bill had gezegd dat Ross werd voortgedreven, maar nu begreep ze ook waarom. Zoals zo vele anderen werd hij voortgedreven door een behoefte aan erkenning, een erkenning die hij nooit zou krijgen. Als ze erin slaagden de joint venture met de Volksrepubliek China op poten te zetten, zou zijn vader eindelijk worden gedwongen hem voor vol aan te zien, al was het maar in één opzicht.

Maar het ging om meer, wist ze. Er zat ook een element van wraak in. Bill had haar verteld dat de vader van Ross, Sir Anthony Adamson, al heel lang bezig was een dergelijke joint venture op te zetten, maar – volgens Bill – had Adamson niet de vereiste connecties in Peking om dat plan tot uitvoering te brengen. Als het haar en Ross nu wèl lukte, was er voor hem meer te winnen dan alleen zijn vaders erkenning van zijn succes. Hij zou er dan in slagen iets tot stand te brengen dat zijn vader, met al zijn rijkdom en zijn titel, niet had kunnen bewerkstelligen, ondanks zijn vele connecties in de zaken- en financiële wereld. Ross, het ongewenste onwettige kind, zou hem op zijn eigen terrein verslaan.

Even na middernacht viel Christina eindelijk in een rusteloze slaap, vol zorgen over de besprekingen van de volgende dag. Tevens vroeg ze zich af hoe Ross een confrontatie met zijn vader zou verwerken.

Om vijf uur 's morgens werd ze wakker. Na nog een uur lang te hebben liggen draaien en woelen, besloot ze dat het geen zin had te proberen nog in slaap te vallen. Ze zou eigenlijk doodmoe moeten zijn, maar een ongebreidelde energie scheen haar vooruit te stuwen. Ze verviel van het ene uiterste in het andere; nu eens was ze opgetogen en overtuigd dat het uitgewerkte plan fantastisch was, dan weer werd ze bekropen door gevoelens van twijfels dat ze een of ander belangrijk punt over het hoofd hadden gezien.

Ze stond op, nam een douche en zette de televisie aan, waarna het wereldnieuws in het Kantonees en Engels in de suite doordrong terwijl zij voor de zoveelste keer het plan bestudeerde.

De zoemer bij de deur ging over en ze legde haar papieren neer op het bijzettafeltje. Ze was de vorige avond te moe geweest om te dineren. Nu had ze honger en had een uitgebreid ontbijt besteld.

May-may stond voor haar met de man van room service en glimlachte tegen Christina. 'Ik zal u het ontbijt serveren,' kondigde ze aan, zonder enig commentaar vanwege het ongebruikelijke vroege uur.

Christina keek even enigszins verlegen rond naar de rommel in haar suite. Ze wilde alles graag netjes opgeruimd hebben, maar vond het pijnlijk als iemand dat voor haar moest doen. 'Ik heb er nogal een rommeltje van gemaakt,' zei ze verontschuldigend.

'Ik ruim het wel op,' verzekerde May-may haar, terwijl ze de bediende opdracht gaf het ontbijt op de veranda neer te zetten.

Christina keek op haar horloge en zag dat het zeven uur was. Ze greep naar de telefoon en belde Ross. Zoals ze al verwachtte, was hij eveneens vroeg opgestaan. Zijn stem klonk evenwel enigszins vermoeid.

'Ik dacht wel dat je op zou zijn. Kom je bij mij ontbijten?'

'Goed; graag. Hoe laat?'

'Vijf minuten geleden,' zei ze ondeugend, en hing op.

Tijdens het ontbijt zeiden ze beiden niet veel en spraken ze niet over zaken. Het was ook te laat voor veranderingen. Het plan ging door of niet. Maar Christina merkte dat Ross weinig at en toen ze naderhand op hun gemak een kopje koffie dronken, leken zijn gedachten ver weg.

Bill belde even na negen uur om hen te laten weten dat hij onderweg was. Er was afgesproken dat hij hen bij het hotel zou komen ophalen. Vandaar zouden ze samen naar de plek gaan die voor hun besprekingen met de triaden was afgesproken.

Christina controleerde nog eens haar papieren. De map bevatte het resultaat van weken hard werk en al haar hoop voor de toekomst van de onderneming. De telefoon ging weer over; deze keer was het de portier beneden, die vertelde dat Bill daar stond te wachten.

De lift kroop traag langs de verdiepingen omlaag en hier en daar stopten ze om mensen te laten in- of uitstappen. Ross hield haar goed in het oog, maar er kwam geen herhaling van het voorval in het Hyatt in San Francisco. Nu was ze volkomen rustig, beheerste zichzelf en had meer zelfvertrouwen dan in weken het geval was geweest. Eigenlijk was ze nu net zo als toen ze was binnengekomen bij de vergadering van de raad van beheer om haar erfenis op te eisen.

Buiten scheen de zon en de lucht was helder en koel. Een briesje kwam uit de haven opzetten en bracht zilte zeelucht mee. Christina vroeg zich af of Hamish Fortune op net zo'n dag de haven van Hongkong was komen binnenvaren, onder de dekmantel bezig te zijn met normale zaken. Ross had haar uitgelegd dat niets de haven van Hongkong in- of uitging dat niet tevoren aan de goedkeuring van de triaden onderworpen was geweest.

Er hing veel af van de uitslag van de komende bespreking. De triaden voerden het beheer over de scheepvaartlijnen die Hongkong aandeden, onder de dekmantel van wettige, zakelijke relaties.

Het was noodzakelijk dat de triaden het hogere landingsaanbod goedkeurden dat in transit in Hongkong zou komen, als onderdeel van het plan voor de regering in Peking. Die goedkeuring hield ook haar plan in voor een joint venture met Fortune International betreffende nieuwe containerhavens die nodig zouden zijn om het grotere vrachtaanbod af te handelen.

Het was een zakelijke overeenkomst, die gegarandeerd enorme winsten zou opleveren, mits alle benodigde elementen daarvoor aanwezig waren. Het enige kritieke punt was de bereidheid van de regering in Peking om zaken met haar te doen. Toen ze in de limo stapte, kwam Bill eruit en overhandigde haar een envelop.

'Dit werd net bezorgd vóór ik het kantoor uitging,' zei hij, en keek haar bezorgd aan. Ze staarde naar de ouderwetse tekening van de om de hamer en sikkel gekronkelde draken, het symbool van de communistische regering van China. 'Die werd door een attaché van de Chinese regering bezorgd.'

Christina bleef ernaar staren en zag de Chinese karakters en de Engelse vertaling van het officiële regeringsbureau dat de brief had verzonden. Zolang ze in Hongkong waren, wachtten ze al op aanwijzingen omtrent de tijd en de plaats wanneer en waar vertegenwoordigers van de Chinese regering bereid zouden zijn hen te ontvangen. Ze was al enigszins ongeduldig, ervan overtuigd dat, hoe langer het duurde eer ze bericht ontvingen, hoe kleiner hun kansen op een bespreking werden. Meer dan eens had Ross haar eraan herinnerd dat in het oosten alles veel trager gaat.

Nu, bijna twee weken nadat Phillip Lo via zijn neef de Chinese regering voor het eerst had benaderd, hadden ze dan eindelijk een officieel antwoord. Ze keek naar Ross.

Hij ontmoette haar blik. 'Het is misschien het beste dat we nagaan waar en wanneer de bespreking is voordat we naar de triaden gaan,' zei hij.

Haar vingers trilden toen ze een nagel onder een hoek van de envelop schoof en die opende. Snel las ze de korte boodschap voor die in het Engels was geschreven.

'Ze hebben de oorspronkelijke gegevens nagekeken van het plan dat Phillip Lo hun heeft gestuurd.' Ze keek Ross aan met glinsterende ogen. 'De datum is vastgesteld!' riep ze uit, niet in staat haar opwinding voor zich te houden. 'Over twee dagen, in Peking!' Er was een tweede briefje in de envelop, met een boodschap die heel kort en nietszeggend was. De woorden waren zorgvuldig gekozen, voor het geval dat een regeringsambtenaar een en ander zou lezen voordat de brief de geadresseerde zou bereiken. Het was een persoonlijk briefje van David Chen.

Ze stopte beide brieven in haar koffertje. 'Nu hebben we de sleutel, het allerbelangrijkste – en weten we tenminste dat ze geïnteresseerd zijn in ons voorstel.'

Ross had het tweede briefje gezien en de uitdrukking die even over haar gezicht was gegleden. Hij hoefde haar woorden niet te horen om ervan overtuigd te zijn van wie ze kwamen. Er kwam plotseling een vlaag van jaloezie bij hem op die hem verraste door zijn felheid en hij moest zijn uiterste best doen zich te beheersen. Hij hield het portier van de limo voor haar open en zei: 'Het wordt tijd de dobbelstenen op te gooien, mejuffrouw Fortune. We moeten naar die vergadering toe.'

De plaats voor de vergadering was heel ergens anders dan Christina had verwacht. Op een of andere manier had ze gedacht een eind het land in te moeten rijden naar een privé-villa, afgeschermd door een hoog hek, honden en bewapende schildwachten, of anders naar een rokerig pakhuis ergens in het havengebied, waar alleen een enkel peertje licht op een tafel zou werpen.

Maar ze reden noordwaarts langs de kust, de luchthaven, de winkelcentra, de Tsim Sha Tsui-promenade en de tyfoonhaven bij Yau Ma Tei, die omgebouwd was tot een drijvende stad. De straatnamen waren een mengelmoes van Engels en Chinees en herinnerden Christina er weer eens aan dat daar de twee culturen toch innig verstrengeld waren. Ze reden in de voorsteden dwars door een betonnen jungle met enorme blokken flats, fabrieken en zakencomplexen.

In afstand was het niet ver, nog geen vijftien kilometer, maar toch nam de rit bijna een half uur in beslag, omdat ze door de verkeersopstoppingen in de straten vrijwel nooit harder dan stapvoets vooruitkwamen. Ze stopten ten slotte voor een kantorencomplex naast een industriegebied. Het was er allemaal ultramodern en had zó in een stad in Amerika kunnen staan. Bill wachtte in de auto terwijl Ross en Christina naar binnen gingen.

In de hal van het twee etages hoge gebouw werden ze door een receptionist begroet. Het was een grote, open ruimte met een lichtkap en een trap, die naar de eerste etage voerde. In een vijver binnen ruiste en bobbelde water met kleurige koi-vissen, omringd door weelderige groene planten. Waar waren nu de enkele peertjes boven een houten tafel? dacht ze.

'Wat zoek je?' vroeg Ross, terwijl de receptionist hen naar boven bracht.

'Bewakers,' fluisterde ze omzichtig. 'Ik verwachtte zoiets als in *The Godfather*. Mannen in zwarte pakken, weet je wel, met bulten op opvallende plaatsen onder hun jasje die bij elke deur staan.' Hij had haar vast bij haar elleboog, maar nu boog hij zich voorover en zei zacht: 'Je zíet ze alleen niet.' Ze keek hem geschrokken aan. Ze verwachtte dat hij tegen haar zou lachen en zeggen dat het maar een grapje van hem was, maar dat deed hij niet.

De vergaderzaal had zich in elk kantoor in Amerika kunnen bevinden. Op een buffet stonden koffie en thee klaar en op een hoge tafel tegen de achterwand zag ze een paar telefoons en een fax-apparaat staan. Ze herkende de Gunlocke-stoelen die rondom de gepolijste granieten vergadertafel stonden.

De keurig geklede zakenlieden die op de stoelen zaten, hadden directeuren kunnen zijn van een van de maatschappijen op de *Fortune* 500-lijst. Ze moest eraan denken dat dit alles voor hen, zoals Ross had gezegd, zakendoen was – heel winstgevende zaken. Ze voerden het totale beheer over de havens van Hongkong en zij deed dat over een van de grootste scheepvaartmaatschappijen ter wereld. Ze konden beiden welvaren bij het plan dat ze nu aan hen wilde voorleggen.

De receptionist die hen vanaf beneden hierheen had gebracht, stelde hen nu aan elkaar voor.

Een oudere Chinese heer stond op en kwam op hen toe om hen te begroeten. 'Ik ben Thomas Lai,' stelde hij zich voor, eerst aan Ross. Toen wendde hij zich tot Christina. 'Phillip Lo heeft heel waarderende woorden over u gesproken, juffrouw Fortune.'

Ze herkende zijn naam uit het verslag dat Phillip Lo hun had gegeven toen hij eindelijk haar plan had goedgekeurd. Dit was de neef van Phillip, kleinzoon van de broer die Lai Kwok Lee jaren geleden in Hongkong had achtergelaten. De band van het bloed verbond hen nog steeds, ondanks dat de beide broers – door het maken van totaal verschillende keuzen – hun leven een halve wereld van elkaar verwijderd hadden doorgebracht.

Hij sprak vloeiend Engels, met een beetje een Oxford- of Cambridge-accent. Niets aan hem noch aan een van de andere leden van de raad duidde erop dat zij de levens van duizenden mensen in hun macht hadden, om niet te spreken van de talloze wettige en niet zo wettige industrieën in Hongkong en de New Territories. Deze man, en zijn invloed op de aanwezige leden van de raad, waren van essentieel belang voor het welslagen van haar plan.

'Goedemorgen, vereerde neef van Phillip Lo,' zei ze beleefd. Ze wist dat elk woord en elk gebaar zorgvuldig werd bekeken en verge-

346

leken met de reputatie van zowel Alexander als Michael Fortune, en van Richard Fortune. Ze had een eervolle erfenis die ze moest verdienen, en een andere erfenis die nog veel moeilijker te evenaren zou zijn. Het succes van deze bespreking was van even groot belang als van die met het kartel. Alles hing af van de deelneming van de triaden aan de joint venture. Thomas Lai draaide zich om en stelde hen voor aan de andere leden van de triaden. Toen werden aan hen twee stoelen aan het verste eind van de tafel toegewezen. Het moest hen er even aan herinneren dat zij hier geen gezaghebbende posities bekleedden. Bovendien mocht ze niet vergeten dat zij – in tegenstelling tot Ross – als een buitenstaander werd beschouwd en bovendien een vrouw was.

Christina paste heel goed op wat ze zei en deed. Iets dat Ross had gezegd, kwam steeds weer in haar gedachten – dat het oosten inderdaad heel anders was dan het westen. Oppervlakkig beschouwd leek Hongkong dan misschien een beschaafde, ultramoderne en internationale stad, maar onder het oppervlak was het levensbloed van Hongkong doordrenkt van tienduizenden jaren traditie.

Ze had zich een weg omhoog bevochten bij Goldman, Sachs en de gebruikelijke hindernissen overwonnen die vrouwen er zo vaak van weerhielden invloedrijke posities te bekleden. En daarbij had ze geleerd hoe ze hard met anderen moest omgaan – en ze was geslaagd. Maar die manier om succes te behalen kon hier niet worden toegepast.

Het feit dat de mannen in het vertrek zelfs maar bereid waren haar aanwezigheid bij zo'n bespreking te dulden, vloeide niet voort uit het feit dat ze zo'n goede zakelijke reputatie had, maar werd alleen getolereerd dank zij de invloed van Phillip Lo, en de nog steeds zeer vereerde namen van Alexander en Michael Fortune. Maar die beleefdheid was het enige dat zij bereid waren haar te tonen. Succes was afhankelijk van de levensvatbaarheid van haar plan en de manier waarop het gepresenteerd werd. Ze zou zelf moeten waarmaken dat ze haar voorstel accepteerden.

Thomas Lai ging weer aan het hoofd van de tafel zitten en zei tegen Christina: 'We zullen nu naar uw voorstel luisteren.'

Ze voelde de geruststellende druk van de hand van Ross op de hare terwijl ze opstond. Ze begroette hen met een respectvol gebaar door haar hoofd te buigen, het traditionele teken van gehoorzaamheid. Toen sprak ze omzichtig en in duidelijk Kantonees en stak de speech af die Quon haar had helpen opstellen. Ze voelde de verbazing van de mannen die ze toesprak – en ze merkte ook dat ze haar onwillekeurig respecteerden.

Op het juiste moment vroeg ze Ross om een exemplaar van het

voorstel aan elk lid van de raad te overhandigen. Hij keek haar even aan met een blik die scheen te willen zeggen: 'Het gaat prima'.

Toen ze klaar was met haar presentatie bleef het doodstil in de vergaderzaal. Ze bedankte allen voor hun tijd en aandacht, boog opnieuw en ging weer zitten.

Het bleef stil, een stilte die eindeloos leek te duren. Dat wachten was een onderdeel van hun manier om haar op de proef te stellen, dat wist ze. Na een paar minuten vroeg een van de leden van de raad aan Ross: 'Wat is precies úw aandeel in deze joint venture, meneer McKenna?'

Christina wist dat de deelneming van Ross van levensbelang was voor het succes van hun besprekingen met de triaden. Hij was immers in Hongkong geboren en getogen en de afgelopen vijftien jaar van zijn leven had hij doorgebracht in de zakelijke omgeving van Fortune International, en wel in een leidende functie. En hij had een heel goede reputatie opgedaan als de rechterhand van Katherine Fortune.

'Mijn positie bij de onderneming blijft dezelfde,' verklaarde hij. 'Alle overzeese operaties lopen via mij.'

Achter die nietszeggende gezichten voelde Christina enige twijfel. Ze kenden en vertrouwden Ross, maar ze wantrouwden Richard Fortune en waren onzeker omtrent haar positie binnen de maatschappij.

'Wie heeft de zeggenschap?' vroeg Thomas Lai ronduit.

Christina stond op en keek hen weer aan. Flink en zonder enige aarzeling zei ze: 'Ik heb de zeggenschap over Fortune International.' Toen voegde ze eraan toe, om misverstanden ook in de toekomst te vermijden: 'Dit is mijn voorstel. Ik heb gebruik kunnen maken van de ervaring van de heer McKenna bij de opstelling ervan en zal doorgaan van zijn ervaring te profiteren.'

Toen speelde ze haar troefkaart uit. 'Vanochtend hebben we bericht ontvangen van de regeringsautoriteiten in Peking dat zij het voorstel voorlopig hebben goedgekeurd, op voorwaarde dat u eveneens deelneemt.'

Ze zag even een reactie op het gezicht van Ross, want de regering van Peking had er slechts in toegestemd hen te ontvangen. Maar ze voelde de aarzeling van de triaden en vreesde dat ze op het punt stonden haar voorstel af te wijzen. Het was een gok, maar die moest ze wagen.

'Wanneer spreekt u hen?' vroeg Lai.

'De ontmoeting is vastgesteld voor overmorgen.'

Hij knikte, en wederom viel er een eindeloze stilte.

Toen, zelfs zonder dat de triaden een verdaging vroegen om te beraadslagen, nam het lid dat naar de deelneming van Ross had geïnformeerd het woord. 'De twintig procent die u ons biedt voor onze deelneming is niet voldoende,' zei hij ronduit.

Christina kreeg opeens meer hoop. Ze waren tenminste al bereid voorwaarden te bespreken. Dat was een eerste en belangrijke stap. 'Wat zou volgens u wèl voldoende zijn?' vroeg ze, wetend dat de sfeer in de vergaderzaal heel subtiel veranderd was. Het begon meer te lijken op de openluchtmarkten die in alle straten van Hongkong te zien zijn en waar de verkoper en de klant onderhandelden en redetwistten over de prijs van de koopwaar. Ze bedwong een lachje omdat ze besefte dat, ondanks alle 'high-tech' en keurige pakken, er in de afgelopen tienduizenden jaren in het oosten niets veranderd was. Ze hadden net zo goed om een kom rijst kunnen twisten of over de gevangen vis van die dag.

De nietszeggende blikken hadden plaatsgemaakt voor een scherpe glinstering in hun ogen, die hun belangstelling verraadde, en Christina wist dat ze tot een vergelijk zouden komen.

Dezelfde man zei nu: 'Vijfentwintig procent deelneming.' En hij voegde er meteen aan toe: 'Niets minder.' De andere mannen om de tafel waren het blijkbaar allen met hem eens en Christina besefte dat ze al hadden afgesproken hoeveel ze zouden vragen voordat ze naar de bespreking waren gegaan.

Ze ging weer op de stoel naast Ross zitten en liet de stilte in de kamer voortduren, terwijl ze naar haar gevouwen handen keek. Ze gebruikte de stilte in haar voordeel, zoals zij die eerder hadden gebruikt om haar zelfvertrouwen te ondermijnen.

Ze voelde de spanning in Ross, die naast haar zat, en werd herinnerd aan iets dat hij haar eens had gevraagd – 'Wat ben je bereid te doen om te krijgen wat je hebben wilt?'

Haar antwoord toen was niet anders dan haar antwoord nu – 'Alles wat ervoor nodig is.'

Ze sloeg haar ogen op en keek de mannen om beurten aan, terwijl zij haar geïnteresseerd gadesloegen. Opnieuw begon ze in het Kantonees te spreken: 'Mijn eindbod is dertig procent deelname.'

Ze waren verbijsterd dat Christina hun laatste bod nog eens met vijf procent verhoogde.

Ze voegde eraan toe: 'Ik stel ook voor dat er een afzonderlijke holding company wordt opgezet voor het eigendom van de nieuwe containerhavens. Mijn onderneming zal twee zetels hebben in de zeven man tellende directie van die holding company, en twee zetels zullen bezet worden door leden van het kartel.'

Van opzij zag ze dat Ross haar even aankeek. Christina wist dat ze hem evenzeer verraste als de leden van de triaden.

Een afzonderlijke holding company zou de joint venture volkomen wettig maken. Met de zeven zetels van de directie verdeeld tussen Fortune, de triaden en het kartel was de macht evenredig verdeeld. De triaden zouden weliswaar drie zetels krijgen, maar elke beslissing zou een meerderheid van stemmen vereisen van vier, hetgeen macht betekende voor de leden van het kartel zowel als voor Fortune. Het was een gewiekste manier om de macht te verdelen, en de mannen die daar zaten, wisten dat. En als er één ding was dat ze respecteerden, dan was het sluwheid als het op zakendoen aankwam.

Eindelijk begon het lid van de triade die het oorspronkelijke bod had gedaan te spreken. 'Nog één voorwaarde voor we uw plan verder beschouwen. Meneer McKenna moet een van de zetels in de directie van de holding company krijgen.'

Zonder enige aarzeling stemde ze daarin toe.

Toen stelde hij zijn laatste eis. 'De andere zetel mag niet worden ingenomen door uw oom, Richard Fortune, of door Steven Fortune.' Het was een duidelijke boodschap dat ze met Richard en Steven niets te maken wilden hebben.

Ze hadden er gelukkig niet op aangedrongen dat zíj geen zetel mocht bekleden, bedacht ze opgelucht. Maar hun laatste eis zou wel uitlopen op een confrontatie met Richard, en die zou nietsontziend zijn, wist ze.

Ferm zei ze: 'Akkoord.'

'Wanneer hebt u een bespreking met de leden van het kartel?' vroeg Lai.

'Als u het goedvindt, zien we hen morgenochtend.'

Hij knikte peinzend en keek toen de andere leden van de triaden stuk voor stuk aan. Er waren geen tekenen dat zij het er al dan niet mee eens waren.

Zijn blikken richtten zich vervolgens weer op Christina. 'We zullen zien of u uw vader en grootvader tot eer zult strekken. Wat betreft uw besprekingen van morgen met de leden van het kartel kunt u aannemen dat wij de voorwaarden van uw voorstel hebben geaccepteerd.'

Dat was het. Geen handenschudden of gelukwensen, die ze in een Amerikaanse vergaderzaal zou hebben verwacht. In plaats daarvan stonden de leden van de triaden stuk voor stuk op en verlieten het vertrek. Alleen Lai bleef achter. Hij liep om de tafel heen en bleef bij Ross en Christina staan.

Tot haar verbazing schudde hij hen op westerse manier de hand. 'U bent een zeer slimme jonge vrouw. Mijn vrienden waren niet voorbereid op een dergelijke manier van onderhandelen.'

'Ik vermoed dat ze er volkomen op voorbereid waren, meneer Lai,' was haar antwoord.

Hij glimlachte. 'De overeenkomst is uniek. Niemand is tot nu toe in staat geweest iets dergelijks voor elkaar te krijgen. Maar we zíjn er nog niet. Uw ontmoeting met het kartel zal niet eenvoudig zijn.' Hij keek veelbetekenend naar Ross.

Hij wist dus alles af van de vader van Ross, dacht Christina. 'Dank u voor uw steun, meneer Lai.' Hij hief afwerend een hand op. 'Ik heb niets anders gedaan dan een verstandige beslissing te nemen, zoals elke goede zakenman zou hebben gedaan. Nu moeten we zien of u ook de macht hebt dit alles mogelijk te maken.'

Hij groette hen vervolgens beleefd.

Toen Christina en Ross vertrokken, konden ze nauwelijks geloven dat het voorbij was. De triaden hadden toegestemd in haar plan! Ze voelde zich uitstekend. Als ze met Ross alleen zou zijn geweest, zou ze van verrukking gejuicht hebben.

Buiten voelde ze de handen van Ross op haar armen toen hij haar omdraaide.

'Dertig procent? Twee zetels in de directie? Waar haalde je dat allemaal vandaan?'

Ze glimlachte tegen hem. 'Je hebt me eens gevraagd hoe ver ik bereid was te gaan om te krijgen wat ik hebben wilde. En ik wilde dit heel graag.'

'Je ziet toch wel in dat je, door hun voorwaarden te accepteren, nu een flinke rel met Richard zult krijgen?'

'Dat weet ik.'

Hij keek haar strak aan. 'Dit zal een harde strijd worden.'

'Dat weet ik ook. En ik ben van plan die te winnen.'

Op de lange rit terug naar Kowloon en vandaar naar de kantoren in het Central District van het eiland Hongkong gingen Ross en Bill de veranderingen na die in het plan zouden moeten worden aangebracht, gezien de nieuwe voorwaarden en condities van de triaden.

Christina zei geen woord. Richard had eens gedreigd haar te zullen vernietigen, maar destijds had ze het beschouwd als een loos dreigement, dat voortkwam uit zijn woede en frustratie. Nu was het best mogelijk dat dit dreigement verre van loos zou zijn. Vooral als hij degene was die al twee keer een aanslag op haar leven had gedaan.

Ze tuurde uit het portierraampje toen ze de tyfoonhaven bij Yau Ma Tei passeerden. Het water in de haven leek wel een spiegel. De hemel was vroeger op de dag blauw en glashelder geweest, maar nu leek het een zachtgrijs dak. Er stond geen zuchtje wind dat de internationale vlaggen bij de veerhavens kon doen wapperen.

Er lag iets onheilspellends in de vochtige, warme lucht toen de chauffeur de raampjes sloot en de airconditioning aanzette. Het was een gevoel dat ze in het verleden ervaren had, op net zo'n ongewoon warme avond, twintig jaar geleden.

Ondanks de zwoele warmte die in de limousine was blijven hangen, wreef ze met haar handen over haar armen om de plotselinge kilte te verdrijven die uit haar diepste binnenste opsteeg.

Hoofdstuk 30

Christina hield zichzelf voor dat ze het zich gewoon verbeeldde. Of misschien kwam het door vermoeidheid, vermengd met de wetenschap dat er zo veel op het spel stond. Maar toen ze voor het Fortune-gebouw in het Central District uit de limousine stapte, was dat gevoel nog veel duidelijker – een stilte die zó intens was alsof de hele atmosfeer elektrisch geladen was.

'Het ziet ernaar uit dat er een weersverandering op til is,' merkte Bill op terwijl hij van de andere kant van de auto kwam.

Dat was het, dacht ze, het had met het weer te maken. Omdat Hongkong aan alle kanten door water werd omringd, konden er binnen enkele minuten weersveranderingen komen.

'Denk je dat we onweer krijgen?' vroeg ze, en keek naar de donker wordende lucht.

'Mogelijk,' merkte Ross op. 'Sinds vanochtend vroeg is de barometer al aan het dalen. Om deze tijd van het jaar krijgen we vaak nog een late bui, die dan even goed huishoudt.'

'De stilte voor de storm,' mompelde Christina, en ze voelde zich onprettig.

Maar het leek of Ross zich er niets van aantrok en alleen maar geamuseerd was. 'Ik zou zo zeggen dat wij onze eerste echte storm met succes doorstaan hebben.' Hij glimlachte tegen Bill. 'Je had haar moeten horen onderhandelen met de leden van de triaden over diverse punten in de joint venture! Ze leek wel een viswijf op de markt!'

Bill grinnikte. 'Ik had dat graag willen zien. En ik wil er wat onder verwedden dat geen van die lui het ooit zal vergeten. Ze zijn vermoedelijk die vergaderzaal uitgekomen en hebben meteen onderling afgesproken nooit aan iemand te verraden dat ze met een vrouw hebben onderhandeld. Ze moeten tenslotte hun reputatie hoog houden.'

Terwijl ze de hal van het gebouw binnenliepen, lachte Ross. 'Chris verwachtte dat ze allemaal een revolver bij zich hadden.'

'Ik geef toe dat het me verraste hen zo beleefd en keurig te zien,' bekende Christina. 'Het was heel bijzonder. Het waren precies dezelfde soort mensen als andere directeuren van grote maatschappijen.'

Bill stikte bijna. 'Je méént het!'

Ross merkte droogjes op: 'Misschien zou ik je eens moeten vertellen hoe ze cliënten behandelen die iets doen dat niet naar hun zin is, of lieden die proberen hen de voet dwars te zetten.'

Ze keek beiden minachtend aan. 'Je probeert alleen maar om me schrik aan te jagen. Aan deze bespreking was absoluut niets dat inhield dat zij géén erkende zakenlieden zijn.'

Ze liep langs hen heen naar de lift.

Toen ze op de zesde etage uitstapten, zei Ross op plotseling veel ernstiger toon: 'Het was een gewone zakenbespreking. Maar ik verzeker je dat het allemaal heel gevaarlijke lieden zijn. Oók Thomas Lai.'

Ze werkten de hele middag aan de veranderingen die in het plan moesten worden aangebracht nadat ze met de triaden hadden onderhandeld. De onderhandelingspunten met de triaden waren gescheiden van haar voorstel aan het kartel, maar de deelnamepercentages hadden invloed op de globale winstmarges. Christina en Lisa sloten zich vervolgens op in Lisa's kantoor om alle veranderingen in de computer in te voeren.

Ross was alleen in zijn kantoor toen Bill binnenkwam. 'Hoe ver zijn Chris en Lisa met die veranderingen?'

'Een eind op weg,' zei Bill peinzend. 'Ze zijn straks klaar met een ontwerp van de herzieningen, die wij dan nòg eens kunnen doornemen.'

Bill ging op een stoel tegenover het bureau van Ross zitten, maar zei niets meer. Ross keek hem aan en dacht voor de zoveelste keer dat Bill toch zo'n fantastische hulp was. Hij had hetzelfde soort zakeninstinct als Ross. Evenals Ross begreep hij de vele fijne nuances van het zakendoen met mensen, geld en produkten.

Hun persoonlijke verschillen waren daarbij alleen maar een voordeel. Ross was in staat om door de onbelangrijke details van ingewikkelde kwesties, door de onderhandelingen en alle papieren rompslomp heen te kijken en zo de minst belangrijke factor te vinden die misschien het belangrijkste verschil zou uitmaken. Hij was net een kat en dacht het beste als hij stond, maar hij was ook een doordouwer wat betreft emoties en persoonlijkheden die bij de zaak betrokken waren. Hij had de reputatie verworven sluw en uitgeslapen te zijn, maar dat was niet voldoende als het geheel niet gebaseerd was op solide feiten en cijfers.

En daar verscheen Bill ten tonele. Hij was het alter ego van Ross en had een zuiver analytische geest. Hij kon naar een vel papier vol feiten en cijfers kijken, het binnen enkele seconden analyseren en de uiteindelijke winst of het verlies vaststellen. Ross herinnerde zich mensen en namen, maar Bill wist getallen en percentages met een bijna duivels aandoende precisie in zich op te nemen. Ross werkte het beste in een rommelige omgeving, en dat was te zien aan zijn bureau, dat altijd bedekt was met stapels papieren. Bill was daarentegen uiterst ordelijk. Zijn bureau was altijd leeg, zelfs wanneer hij aan een aantal projecten tegelijkertijd bezig was.

Ross kon een of ander detail van een zaak vergeten, maar Bill vergat nooit iets. Het was alsof hij een kleine camera in zijn hoofd had, waarmee foto's werden genomen van alles dat zijn ogen passeerde. En Ross was er absoluut van overtuigd dat al die geheugenfoto's onmiddellijk volgens index werden opgeslagen, in categorieën ingedeeld en systematisch weggeborgen, om onmiddellijk te worden opgeroepen als dat nodig was. Wat dat betrof, was de man gewoon griezelig, en het was een van de vele redenen dat hij en Ross het samen zo goed konden vinden.

Hij kende Bill even goed als zichzelf en hij voelde dat er iets aan de hand was. 'Wat is er?'

Langzaam zei Bill: 'Weet je nog dát ik zei het gevoel te hebben dat er iets aan de hand was?'

Ross knikte.

Bill stak hem een telex toe, afkomstig van hun havendirecteur in Taiwan.

Ross fronste zijn wenkbrauwen toen hij hem las. 'Wanneer is die binnengekomen?'

'Een paar minuten geleden. Misschien is het niets.'

'Maar jij denkt dat het wèl belangrijk is.'

'Ik zei je al dat ik nergens de vinger op kon leggen. Ik heb alles gecontroleerd, maar er wordt niets vermist. Het zijn alleen maar kleine onjuistheden in de manifesten.' Hij keek naar de telex. 'Ik heb Donovan opdracht gegeven me te laten weten als zich nog iets voordoet. Zoals je ziet, zijn het maar enkele containers die niet op het manifest voorkomen.'

'Waar is Steven?' vroeg Ross bruusk.

'Hij is net terug van een late lunch.'

'Wat denk jij dat er mis is?'

'Ik weet niet wat ik moet denken. Er wordt niets vermist, en de containers komen altijd weer boven water. Dit is al twee keer eerder gebeurd.'

Ross nam meteen een besluit en stond op. 'Kun jij de zaken hier waarnemen tot ik terug ben?'

'Natuurlijk. Waar ga je heen?'

'Dat vertel ik je straks wel.'

Hij bleef op de drempel staan van het kantoor van Lisa Jeung. Lisa was even weg en Chris zat aan haar bureau en liep alle wijzigingen nog eens door. Ze zat over de papieren gebogen en haar haren waren naar voren gevallen, waardoor haar gezicht in de schaduw was.

Hij bleef even zo staan om naar haar te kijken en over haar na te denken. God, wat was ze fantastisch geweest in die bespreking met de triaden! Ze was doodsbang geweest. Hij had het aangevoeld, zoals hij tegenwoordig al haar stemmingen en emoties aanvoelde. Maar ze had zichzelf volkomen in bedwang toen ze in die vergaderzaal kwamen. Ze had geen enkele misstap gedaan die had kunnen verraden hoe nerveus ze in werkelijkheid was. Ze was tegen iedereen opgewassen, ook tegen hem. Maar in plaats dat hij zich daardoor liet intimideren, intrigeerde het hem.

Wat dreef haar zo voort? vroeg hij zich af. Wat lag er in haar verleden dat haar zo naar succes deed hongeren? Minstens evenzeer als hij. Wàt het ook was, ze hadden veel gemeen. Nu keek ze eindelijk op en hij werd zich er wederom van bewust hoe mooi ze wel was.

'Ik ben hier dadelijk mee klaar. Dan kunnen we ze samen controleren.'

Hij liep het kantoor in en ging op een van de stoelen voor het bezoek zitten die voor het bureau stonden. Hij leunde achterover en keek haar peinzend aan. 'Ik moet weg.'

'Waarom?'

'Ik moet naar Taiwan.'

'Vanmiddag nog?'

'Er is iets gebeurd,' verklaarde hij ontwijkend. 'Ik moet het persoonlijk uitzoeken.'

'Kan dat niet wachten?'

Hij schudde zijn hoofd.

Hij zag haar irritatie aan de trek die om haar mond verscheen en aan de houding van haar schouders. Maar het was geen boosheid. Hij begreep dat ze opeens een vlaag van angst kreeg op dit moment aan haar lot te worden overgelaten terwijl er nog zo veel te doen was.

'Kan een ander dat niet doen?'

'Helaas niet.'

Hij zag dat ze geprikkeld haar pen neerlegde en achteroverleunde op haar stoel. Hij liep om het bureau heen en ging op de hoek ervan zitten, naast haar, en nam haar handen in de zijne. 'Het is maar een korte vlucht. Ik beloof je dat ik over een paar uur terug ben.'

'Wat is er zo belangrijk dat je er daarom vandaag nog heen moet?'

'Dat kan ik je nog niet vertellen.'

Haar ogen keken nu boos. 'Verdraaid, Ross...'

Hij viel haar in de rede. 'Ik heb je al gezegd dat ik je bij je voorstel in alle opzichten steunde. En er is níets veranderd. Ik zal op tijd terug zijn voor de bespreking met het kartel. Vertrouw maar op me.'

Ze keek naar hem op. Even leek alles in de waagschaal te liggen – hun vermogen om samen een enorme slag te slaan en, wat nog belangrijker was, hun nog zo broze persoonlijke relatie. Langzaam ademde ze uit. 'Goed dan,' zei ze zacht en zorgde dat haar stem neutraal klonk. Maar ze wilde hem niet aankijken. 'Dan zie ik je wel als je weer terug bent.'

Ross tilde haar kin op en dwong haar zo hem aan te kijken. 'Ik ben heus op tijd terug, dat beloof ik je.' Toen kuste hij haar snel en zijn lippen beroerden de hare nauwelijks. Toch was dat kortstondige contact elektriserend en werd ze er behoorlijk door van haar stuk gebracht.

Hij vertrok met een chartervliegtuig van de helihaven op het eiland. De vluchtduur naar Taiwan en terug bedroeg minder dan twee uur. Hij hield zich voor dat er tijd genoeg was om erheen te gaan, de situatie op te nemen en weer op tijd terug te zijn voor een laat diner. Tenslotte was er vermoedelijk niets aan de hand. Alleen zijn diepgewortelde wantrouwen ten opzichte van Steven zette hem aan een op het oog nietig probleempje tot op de bodem te willen uitzoeken.

In het kantoor van Ross was Christina net klaar met de laatste wijzigingen van het plan die ze met Bill had doorgenomen. Ze had een doffe pijn in haar achterhoofd en keek naar de scheepsklok op de boekenkast achter het bureau. Ross was al enkele uren weg en kon nu elk moment weer terug zijn. Hij had gezegd te zullen opbellen voor hij aan de vlucht terug begon.

'De barometer daalt nog altijd snel,' zei Bill.

Ze keek naar de antieke barometer die aan de wand hing en wendde toen haar blik naar buiten. Het was nu donker, maar ze zag nog net onweerswolken in de verte komen opzetten.

'Denk je dat het erg slecht weer wordt?' vroeg ze angstig.

'Misschien een beetje wind.' Hij probeerde geruststellend te lachen. 'Maak je niet ongerust. Hij is vast op tijd terug.'

Om half acht sloeg Bill de mappen dicht en keek nog eens naar de barometer, die nog steeds daalde. Er was meer dan een beetje wind op komst.

Het gebouw was oud, met houten balken en spanten in plaats van het staal dat het skelet van de nieuwe wolkenkrabbers vormde. Al dat hout maakte nu speciale geluiden, terwijl buiten de storm in kracht toenam. Het was pikdonker. De zware bewolking maakte het nog donkerder en legde een sluier over de stad, die glinsterde in de regendruppels die in stromen langs de ramen omlaaggutsten.

Lisa kwam even langs op weg naar de lift. 'Ze hebben net een waarschuwing bekendgemaakt. Een van onze mensen belde op vanuit de haven. Ze hebben nummer vijf gehesen.'

In antwoord op Christina's vragende blik verklaarde Bill: 'De storm is windkracht vijf. Dat betekent stormwaarschuwing voor alle uitgaande schepen.'

'En hoe staat het met de binnenkomende vluchten?'

Bill keek Lisa vragend aan. 'Er gaan nog vliegtuigen weg en er komen er ook aan. Ik heb naar Taiwan gebeld. Ross en zijn piloot zijn vertraagd. Ze kunnen nog wegkomen als ze binnen het eerstkomende half uur vertrekken.'

Bill wendde zich tot Christina. 'Kom, ga mee. We houden er voor vanavond mee op.' Toen ze met een bezorgde blik bleef staan, sloeg hij een arm om haar schouders. 'Hij redt het wel. De piloot vertrekt niet als hij het niet veilig vindt. Ik zal je naar het Regent brengen.'

De straten van Hongkong waren vrijwel verlaten en iedereen sloot zich op voor de storm. Ze passeerden het aanlegpunt van het veer en waren de laatsten door de tunnel voordat die werd afgesloten. De vlaggen waren veranderd en de storm werd nu al met een zeven aangegeven.

Toen ze aan de kant van Kowloon kwamen, was het daar niet veel beter en de ruitewissers konden de stromen regenwater niet aan die langs het glas gutsten. Een leeg marktstalletje was losgerukt door een windvlaag die de auto deed schudden. Het stalletje vloog de straat over, sloeg tegen een gebouw aan en brak in stukken.

In Salisbury Road was er gelukkig vrijwel geen verkeer, want ze konden nauwelijks de gebouwen aan weerszijden zien. Tsim Sha Tsui was op dat tijdstip van de avond meestal vol met toeristen en winkelende mensen, maar niemand waagde zich in dit weer naar buiten. Er hing een vreemde, griezelige leegte in Kowloon, alsof ze zich op een vreemde planeet bevonden waar geen levende wezens aanwezig waren.

Toen doken plotseling de lichten van het Regent voor hen op en Bill reed naar het overdekte stuk boven de ingang. Ondanks die beschutting waren ze onmiddellijk tot op hun huid doorweekt, want de regen viel in horizontale stralen omlaag. Bill sloeg een arm om Christina's schouders om haar zoveel mogelijk tegen het water te beschermen terwijl ze naar binnen gingen.

Beiden waren kletsnat, maar onmiddellijk verscheen de hotelconciërge in de hal met dikke badhanddoeken.

Terwijl ze in de lift omhooggingen, zei geen van beiden iets over het weer. Eindelijk merkte Bill op: 'Hij redt het wel, Chris.'

'Natuurlijk,' antwoordde ze. Maar ze klonk niet erg overtuigend.

'Ga met me mee eten,' stelde Bill voor. 'Dan kunnen we samen wachten. Ik laat dan een boodschap bij de receptie achter om al je gesprekken naar mijn kamer door te geven.'

Het idee de eerstvolgende uren alleen in haar kamer door te brengen, stond haar niet erg aan en ze accepteerde gretig zijn aanbod. 'Ik kom meteen naar je toe.'

'Goed. Dan bestel ik vast wat eetbaars. Wat wil je graag hebben?' Ik wil Ross veilig en wel terug hebben, dacht ze. Hardop zei ze: 'Wàt je ook bestelt, het is wel goed.'

Het schelle geluid van de telefoon hield maar aan. Eindelijk, na nog enkele keren bellen, werd de hoorn woedend opgenomen.

'Hallo?' antwoordde een zachte vrouwenstem, die nog slaperig klonk en bovendien nog met sporen van een cocaïneroes kampte. Toen: 'Een ogenblikje:' De donker getinte vrouw van Europees-Aziatische afkomst overhandigde de hoorn aan de man naast haar in bed. 'Het is voor jou.'

De hoorn werd uit haar hand gerukt. 'Wie is dit, verdomme?' vroeg Steven woedend terwijl hij naakt uit zijn bed sprong.

Hij deed de grootste moeite om zich te concentreren, maar dat was niet gemakkelijk, want de drug zat hem nog steeds dwars. 'Wanneer ben je binnengekomen?' vroeg hij, om tijd te winnen en een helderder hoofd te krijgen. Toen zei hij: 'Ja. Ze zijn heel hard aan het werk. Vermoedelijk is ze hier maar een paar dagen, om alles eens te bekijken en te controleren.'

Het felle antwoord dat door de telefoonverbinding klonk, deed pijn aan zijn gevoelige zenuwen. 'Ik hou haar in het oog,' antwoordde hij geïrriteerd.

Plotseling ging Stevens stem enkele octaven omhoog. 'Wàt voor besprekingen?' De vrouw naast hem bewoog zich rusteloos en hij nam het toestel mee naar het raam. 'Verdomme! Ik heb je toch gezegd dat dit soort dingen tijd kost! Het moet heel zorgvuldig gebeuren.'

Degene aan de andere kant van de lijn, was niet te vermurwen.

'Het is tè gevaarlijk,' hield Steven vol. 'We moeten nú niets ondernemen. Iemand zou achterdochtig kunnen worden.'

Maar de stem aan de telefoon hield aan.

Steven streek met zijn vingers door zijn haren. 'Goed dan,' zei hij eindelijk. 'Ik zal het doen.' En na een korte stilte voegde hij eraan toe: 'Ja, vanavond.'

Ross keek de stapel manifesten voor het containervervoer door. Aan de andere kant van het bureau zat Mick Donovan, die vol verwachting zweeg. Mick was een keiharde kerel. Hij had in de havens van Liverpool een moeilijke jeugd gehad, maar ook aan boord van talloze vrachtschepen, die vrijwel alle havens ter wereld aandeden. Hij was nu al tien jaar bij Fortune International, een van de employés die Ross persoonlijk had uitgezocht.

Hun vriendschap was tijdens een vechtpartij ontstaan, toen beiden bij de vrachtbehandeling in een van de havens van Hongkong werkten. Mick was één meter vijfennegentig en woog bijna honderdtien kilo, en Ross ongeveer tachtig. Het was een idioot gevecht, en naderhand wist geen van beiden meer waar het om begonnen was. Ross maakte de fout te denken dat zo'n grote vent vermoedelijk langzaam en stom was, maar dat kostte hem een van de ergste afstraffingen van zijn leven. Daarbij leerde hij een heilig respect te hebben voor de man die evenveel woog als een lijnverdediger en bijna net zo groot was als een flinke wilde vijgeboom. Naderhand tilde Mick hem op van de grond, bracht hem naar zijn plaats en verzorgde vervolgens zijn schrammen en blauwe plekken. Tot verbazing van iedereen werden ze daarna vrienden. Ross had respect voor Micks ervaring in de havens en Mick waardeerde de eerzucht en gedrevenheid van Ross. Nadat Ross was vertrokken, bleef Mick in Hongkong hangen – niet omdat hij zo op Hongkong gesteld was, maar omdat het het verst van Liverpool verwijderd was. Hij sprak nooit over Liverpool of over zijn verleden en Ross respecteerde dat.

Een paar jaar later, toen Ross voor Fortune International werkte, had hij een man nodig die hij door dik en dun kon vertrouwen. Hij zocht toen onmiddellijk Mick op en vond hem, bezig de laatste druppeltjes uit een fles gin te verwijderen. Hij woonde toen in een vreselijke, door ratten vergeven vuile flat. Mick was vijfendertig, maar zag eruit als vijftig.

Ross ontnuchterde hem en deed hem toen een aanbod dat een keerpunt in Micks leven betekende. Sindsdien was hij de internationale vrachtdirecteur. Hij loste overal moeilijkheden op, reisde heen en weer tussen de havens die hun schepen aandeden en regelde daar de gang van zaken. Hij nam kapiteins aan en ontsloeg ze en hield goed in de gaten wat er in de havens gebeurde. Hij wist hoe hij met zeelui moest omgaan, met de verschepers en eigenaren van vracht en met de havenautoriteiten. En hij wist hoe hij iets gedaan moest krijgen. Als er iets mis was, had hij het ogenblikkelijk door, en dat had hem nu aangezet de telex te sturen die Ross in Hongkong had ontvangen.

Ross schudde zijn hoofd terwijl hij de computervellen van de manifesten bekeek. 'Hoe ben je daarachter gekomen?'

'Perez was afwezig – longontsteking,' verklaarde Mick. Perez was de havenopzichter van Fortune International in Taipei. 'Zijn assistent belde me om hulp, en omdat ik toch al van plan was daar binnenkort heen te gaan, vertrok ik meteen. Ik had het nooit willen geloven, en was er ook niet achter gekomen als Perez de manifesten niet in zijn vrachtauto bij zijn huis had, aan de andere kant van het eiland.

Ik had haast, ook al gezien de vertraging die ik opliep om Perez nog te helpen. Ik wilde die zendingen weg hebben, maar had geen tijd om naar het huis van Perez te rijden. Onze kantoren waren al dicht en ik kon dus ook geen kopie bemachtigen. Maar ik wist dat de kantoren van "Crown Imperial", waar de vrachten vandaan kwamen, vierentwintig uur per dag open waren. Ik belde hen op en vroeg hun me een kopie van de computeruitdraai te faxen.'

Met een grove vinger vol littekens wees hij op de print-out. 'Toen ontdekte ik het verschil – vierentwintig grote containers en zesendertig kleinere in het ruim. En het tweede aantal klopte niet. Het manifest bij vertrek uit Hongkong toont vierendertig kleinere.'

'Heb je dat gecontroleerd?'

Mick knikte. Hij droeg een baseballpetje, dat tot diep over zijn ogen was getrokken. Ross was een van de weinige mensen die wisten dat het hoofd van Mick bedekt was met kunstig aangebrachte tatoeëringen – hij had geen haar. 'Reken maar dat ik het heb nagegaan! Het gaat om mijn bestaan als die print-outs níet kloppen. Ik heb "Crown Imperial" vervolgens weer gebeld en zij houden vol dat er vierendertig verscheept zijn. Goed. Ik dacht dat zij misschien een fout hadden gemaakt, maar als ze één fout maken, kunnen ze er ook meer maken. Toen besloot ik om nog een paar zendingen van de afgelopen maanden te controleren.'

'En je ontdekte er meer?' vroeg Ross.

Mick knikte. 'In het afgelopen half jaar nog drie.'

'Wie is de verscheper?'

'Allemaal verschillende.'

'Wat hebben ze gemeen?' vroeg Ross. Hij was al heel lang over zijn verbazing heen dat Mick een griezelig geheugen voor cijfers had.

Mick gromde. 'Wat ze gemeen hebben, is dat er géén overeen-komst te vinden is, behalve die fout.' Toen Ross hem vragend aankeek, verklaarde hij: 'Het waren allemaal verschillende soorten lading en verschillende afzenders.'

'Hoe staat het met de bestemmingen?'

'Overal heen.' Mick had blijkbaar alles nagegaan voordat hij Ross inschakelde.

Ross dacht na. Er kwam een nare gedachte bij hem op die hem maar niet wilde loslaten. 'Was San Francisco misschien toevallig een aanloophaven op weg naar de eindbestemming?'

Mick bladerde in de uitdraaien en vergeleek nummers met aantekeningen in logboeken die aan het eind van elke maand werden ingeleverd. Toen keek hij op. 'Ze hebben alle een nacht in San Francisco gelegen. Twee gingen er naar Seattle, een naar Long Beach en de vierde ging door naar Panama.'

'San Francisco,' herhaalde Ross peinzend.

'Wat denk jij dat dit betekent?'
'Ik denk dat iemand deze manifesten heeft veranderd.'
'Waarom zou iemand het willen doen voorkomen dat er meer containers waren dan zich in werkelijkheid aan boord bevonden?'
'Omdat, tegen de tijd dat ze werden bijgeladen, het aantal containers overeenkwam met wat er op het manifest vermeld was.'
'Smokkel?' vroeg Mick onmiddellijk.
'Zeg hier niets over, tegen niemand, voor je meer van mij hoort. Absoluut niets.'
'Afgesproken, baas.' Toen vroeg Mick: 'Heb je een idee wat er aan de hand is?'
'Ik moet nog een paar dingen natrekken. Ik hoop van harte dat ik het bij het verkeerde eind heb. Want als ik gelijk heb, zou dit kunnen verklaren waarom de triaden geen zaken met Richard of Steven willen doen. En dat zou het einde voor de onderneming kunnen betekenen. Daarom wil ik niet dat er een woord over uitlekt. Heb je er al met iemand over gesproken?'
'Alleen met jou, baas.'
'Goed zo. Laten we dat zo houden.' Ross stopte de print-outs in zijn aktentas en deed die op slot.
'Hé, je bent toch niet van plan nu al terug te gaan?'
Sinds de aankomst van Ross was de wind boven het eiland steeds in kracht toegenomen. De wolkenbank was dikker geworden en kolkend komen binnenrollen. Het toestel van Ross was er recht op afgevlogen toen het vanaf de kust van de Stille Oceaan was komen binnenvliegen – het was een late moessonbui.
'Ik moet vanavond nog terug. Rij me even naar de helihaven.'
Het was al na middernacht, en tegen de tijd dat ze bij de helihaven aankwamen, had de storm een kracht van zeven bereikt. De windwijzers draaiden als razend rond terwijl de wind over het kleine luchthaventje loeide. Alle privé-vliegtuigen waren vastgemaakt, maar de piloot van Ross wachtte.
'Wat denk je ervan?' schreeuwde Ross, om zich verstaanbaar te maken. Hij kende de piloot. Hij was een Australiër en een van de besten. Hij kon onder vrijwel alle omstandigheden helikopters en gewone vliegtuigen in de lucht houden en had een paar jaar geleden onder andere verschillende geheime opdrachten voor de CIA boven Thailand en Cambodja uitgevoerd.
De piloot schudde zijn hoofd en wees naar het kleine pakhuis, dat ook als stationsgebouwtje dienst deed. Toen ze binnen waren en de deur sloten tegen de wind, verklaarde hij: 'Toen we binnenkwamen, hadden we een benarde vlucht achter ons. Er is toen schade aan de rotor ontstaan. Niets dat niet gerepareerd kan worden, maar het duurt even en er is nu iemand mee bezig. Maar hoe langer we hier

362

worden opgehouden, hoe kleiner de kans wordt dat we hier vannacht nog vandaan komen. We kunnen in die tyfoon terechtkomen, maat.'
'Is het beter een ander vliegtuig te nemen?'
De piloot schudde zijn hoofd. 'Ze hebben voor alle andere vliegtuigen een opstijgverbod uitgevaardigd. En het ziet ernaar uit dat wij de enige gekken zijn die erover denken in dit weer te vertrekken.' Zijn grijns toonde aan dat hij het alleen maar een enorme uitdaging vond.
Ross keek vloekend op zijn horloge. 'Hoe lang duurt die reparatie nog?'
'Misschien nog een uur. We zijn wat bedrading kwijt en die moet gerepareerd worden. Zoals het toestel nu is, zou ik er niemand in willen meenemen.'
'Goed dan,' gaf Ross toe. 'Een uur. Maar zorg dat die rotor dan in orde is.' Hij dacht aan Chris en de bespreking met de leden van het kartel, die de volgende ochtend zou plaatsvinden. Hij kende het kartel goed genoeg om te weten dat men de vergadering zou laten doorgaan, ongeacht de weersomstandigheden. Hun Britse en koppige houding zou hen niet toestaan iets anders te beslissen.
En als hij niet op tijd terug was, zou Christina alleen naar de bijeenkomst moeten gaan. Ze had zich tijdens de besprekingen die ochtend met de triaden kranig gedragen, maar de familie van Phillip Lo had daar veel invloed. Dat voordeel zou ze bij het kartel níet hebben. Daar stond ze bovendien tegenover het uitgesproken nadeel dat haar voorstel lijnrecht in ging tegen de belangen van de voorzitter van het kartel.
Hij dacht aan zijn vader en aan al zijn eigen redenen waarom hij bij die bespreking aanwezig wilde zijn. Een machteloze woede maakte zich van hem meester, bijna net zo erg als de woede van de storm die het gebouw op zijn grondvesten deed schudden.

De dubbel beglaasde ramen van Bills kamer in het Regent trilden achter de dikke overgordijnen en het uit staal en beton opgetrokken gebouw schudde bij elke windvlaag. In de haven lagen honderden schepen verankerd en tegen de storm beveiligd. Alle vluchten waren gestaakt en nog steeds was er geen bericht van Ross of zijn piloot.
De barometer bleef dramatisch dalen en intussen was stormwaarschuwing negen over het hele schiereiland van kracht.
Bill legde de hoorn op de haak en keek Christina aan. 'Ze hebben een uur geleden vergunning gekregen op te stijgen, maar vrijwel onmiddellijk daarna is het radiocontact verloren gegaan. Niemand weet waar ze zich bevinden.'

Hoofdstuk 31

Christina werd met een schok wakker. Regenvlagen en wind geselden de ramen van haar zitkamer. Ze had zich op een van de banken opgekruld en dwong zichzelf wakker te blijven om te horen hoe de storm zich ontwikkelde, maar ze was uiteindelijk toch even in slaap gesukkeld.

Nu keek ze verward rond in de duisternis waarin de suite was gehuld.

'Bill?'

'Hier ben ik,' zei hij met vermoeide stem ergens rechts van haar. 'De elektriciteit is uitgevallen. Deze hotels hebben een eigen noodcentrale, die het meteen wel zal overnemen.'

Inderdaad gingen de lichten weer aan. Ze flikkerden even, maar bleven toen branden. Christina ging rechtop zitten en duwde haar verwarde haren achterover. 'Hoe laat is het?'

'Even over drieën. Vlak voordat het licht uitging, heb ik de luchthaven nog gebeld. Daar geldt nog steeds een vertrekverbod en er is geen binnenkomend verkeer.'

'Is er nog een boodschap van Ross of zijn piloot gekomen?'

'Nee, niets.'

Het hart zonk haar in de schoenen. Néé, dacht ze. Lieve God, néé.

Op dat moment rinkelde de telefoon. Bill was er onmiddellijk bij en pakte de hoorn op. 'Ja? Nee, alles is in orde. Nog nieuws? Juist. Bedankt, Kwang.' Hij hing op en schonk haar een vermoeid glimlachje. 'Hij belde alleen even om te horen of wij geen last van het weer hebben. Ik heb een paar minuten geleden thee besteld. Die zal dadelijk wel komen.'

Christina stond op en begon nerveus heen en weer te lopen, van het ene raam naar het andere. Het water stroomde er aan de buitenkant langs.

'Luister eens, als Ross... vertraagd is... dan zullen we proberen een andere tijd voor de bespreking vast te stellen,' stelde Bill voor.

Ze schudde haar hoofd. 'Daar is geen tijd meer voor. Over twee dagen vlieg ik naar Peking en dan moet alles in orde zijn.' Ze keek Bill aan en dacht aan hetgeen hij haar over de vader van Ross had verteld. Ze dwong zich zelfvertrouwen te tonen, dat ze echter niet had, en ging door: 'Hij is nog wel op tijd. Dat móet. Deze bespreking betekent evenveel voor hem als voor mij.'

Bill knikte bemoedigend. 'Hij haalt het natuurlijk wel.' De warme thee kwam en ze dronken die snel op, dankbaar voor de kalmerende warmte. Toen zetten ze de televisie aan en luisterden naar de weersverwachtingen, maar die waren niet vrolijk. De hele kust en alle eilanden ervoor gingen gebukt onder de tropische storm, die nu als tyfoon werd betiteld.

Pas na vier uur besloot Christina eindelijk naar haar eigen suite terug te gaan. Bill vergezelde haar. Hij maakte de deur voor haar open en gaf haar toen haar sleutel. 'Hij redt zich wel; heus! Vermoedelijk zit hij nu ergens droog en wel en wacht daar op het eind van de tyfoon. Hij mag dan roekeloos zijn, maar hij is niet gek, en Ross kent dit weer beter dan wie ook. Hij weet wanneer hij voor anker moet gaan en veiligheidsmaatregelen tegen een storm dient te nemen.'

'Dat weet ik. Ik wou alleen dat we iets van hem hoorden.'

'Hij belt wel als hij de kans daarvoor krijgt. Intussen moet jij zorgen een beetje te slapen, zodat je fit bent voor de besprekingen morgen.'

Ze knikte. 'Ik besef dat we nog maar een paar uur hebben.' Ze herinnerde zich dat Ross had gezegd: naar Taiwan was het maar een korte vlucht. Hij kon nog op tijd terug zijn, als de wind maar wat ging liggen.

'Welterusten,' zei ze met een vermoeid lachje en probeerde niet bezorgd te kijken.

'Alles komt in orde,' herhaalde Bill. Hij bukte zich en gaf haar een kus op haar wang. 'Probeer wat te slapen.'

Christina keek voor de zoveelste keer op de klok in haar zitkamer. Ross haalde het niet meer! Ze vond dat feit des te moeilijker te accepteren omdat ze wist dat hij zich door niets zou laten weerhouden. Als hem maar niets was overkomen...

Maar ze weigerde daar verder over door te denken. Hij had vast niets. Dat móest. Want ze zou het niet kunnen verdragen als ze hem zou moeten verliezen.

De wind was eindelijk gaan liggen, maar de regen kwam nog steeds met bakken uit de lucht. Toen ze naar het ochtendnieuws op de televisie luisterde, hoorde ze de verslagen van de schade die de storm had aangericht. De luchthaven was nog altijd gesloten.

Er waren geen berichten van verongelukte vliegtuigen. Aan die zwakke strohalm hield ze zich vast terwijl ze zich aankleedde voor haar bespreking met het kartel. Ze koos een kobaltblauw pakje van Armani – een speciale kleur blauw, die haar deed denken aan de kleuren van Fortune.

Ze dronk koffie, sterk en zwart, en knabbelde zonder veel eetlust aan een croissant. Ze zette het blad met haar ontbijt echter alguw opzij en liep een laatste keer het voorstel nog eens door.

De hele nacht had ze erop gewacht dat de telefoon zou rinkelen, maar toen dat even na acht uur gebeurde, sprong ze nerveus en angstig op. Ze pakte de hoorn zó snel op dat ze het toestel bijna tegen de grond smeet. 'Ja?'

'Goedemorgen,' zei Bill.

'O... Bill!' Ze kon haar teleurstelling niet verbergen. .

'Ik heb de luchthaven gebeld, maar er is nog geen nieuws over Ross.' Hij aarzelde en stelde toen voor: 'We zouden de bijeenkomst kunnen afzeggen.'

Tijdens de lange nacht die achter haar lag, had ze dat al enkele malen overwogen. Die vergadering was het laatste waar ze nu iets voor voelde. Die was van geen enkel belang meer, vergeleken met haar angst om Ross. Maar als ze de bijeenkomst afzeiden of uitstelden, hadden ze geen enkele garantie dat het kartel bereid gevonden zou worden alsnog met hen te vergaderen. Ze kwamen elke maand twee dagen bijeen. Als ze haar kans deze keer miste, was het beste waarop ze kon hopen een nieuwe gelegenheid over een maand. Ze dacht niet dat het kartel bereid zou zijn haar een speciale bespreking toe te staan, maar dat deed er nu ook niet meer toe. Het móest vandaag, omdat ze morgen naar Peking moest vertrekken.

Ze wilde alleen nog maar blijven zitten en op berichten wachten van of over Ross. Maar de toekomst van Fortune International stond op het spel. Ze had Katherine beloofd alles te zullen doen waartoe ze in staat was om dit plan te doen slagen. Hoe moeilijk het haar ook viel, ze móest haar persoonlijke gevoelens opzij zetten.

'Ik zal hen op de afgesproken tijd ontmoeten,' zei ze tegen Bill. Ze aarzelde even en voegde er toen aan toe: 'Ik zou graag willen dat jij met me meeging. Je kent het hele plan, en ik kan wel wat steun gebruiken.'

Bill gaf zonder enige aarzeling toe. 'Goed.' Toen liet hij er meteen op volgen: 'We moeten over ongeveer tien minuten vertrekken.'

Christina's vingers klemden zich om de telefoonhoorn. 'Goed, ik ben bijna klaar.'

Tien minuten later klopte Bill op haar deur en hij keek haar goedkeurend aan toen ze voor hem opendeed. 'Ze zullen niet weten wat ze zien.'

Ze slaagde erin een nerveus lachje te voorschijn te brengen. 'Ik wil dat ze weten wie er voor hen staat en vervolgens dat ze ons plan aannemen.' Toen werd ze ernstiger. 'Welke kans hebben we volgens jou dat ze het zullen accepteren?'

Bill maakte haar en zichzelf niets wijs. 'Je zult al je overredingskracht nodig hebben, beste meid, en méér.' Hij glimlachte, zodat zijn hele gezicht rimpeltjes vertoonde, en voegde er toen bemoedigend aan toe: 'Ross zou dit niet hebben afgesproken als hij niet had gedacht dat je het aankon.'

Ze glimlachte, dankbaar voor het vertrouwen dat ze in haar stelden. 'Daaraan zal ik proberen te denken als zij trachten me met huid en haar te verslinden.'

De tunnel was vol verkeer op die vroege ochtend en overal waren de gevolgen van de storm te zien. Er lag van alles op de straten, hetgeen de drukte nog meer verhoogde. Het duurde twee keer langer dan gewoonlijk om het eiland te bereiken.

De vergadering was vastgesteld voor negen uur in het gebouw van de Victoria Bank en ze waren er enkele minuten voor negen.

Toen ze uit de limousine stapte, keek ze op naar het gebouw. Het was een statig en indrukwekkend bouwwerk, dat herinneringen opriep aan een voorbije tijd, toen de zon in het Britse Rijk nooit onderging. Ze besefte dat heden, evenals toen, geld de overheersende factor was op het eiland.

Ross had gezegd dat er heel weinig werkelijke weelde in Hongkong was overgebleven, maar de Victoria Bank, en zij die daar de scepter zwaaiden, waren nog even machtig als vroeger. En ergens in het gebouw, in een vergaderzaal waar al anderhalve eeuw alle belangrijke financiële beslissingen waren genomen, zaten de leden van het kartel op haar te wachten.

Terwijl ze daar stond, werd ze overmeesterd door een gevoel van déjà vu. Niet zo lang geleden had ze op het plein voor het Fortunegebouw in San Francisco gestaan en al haar angsten opzij gezet. Nu, net als toen, hing er veel af van wat er zou gebeuren als ze dat gebouw binnenging.

'Klaar?' vroeg Bill.

Ze knikte, hoewel ze verre van klaar was.

Het gebouw was een mengeling van de oude en de nieuwe wereld. Op de parterre was de commerciële afdeling van de bank gevestigd met een rij loketten met glanzend koper en glazen ramen; ze hadden in een bank in Londen kunnen zijn, in de tijd dat Victoria nog koningin was. Reusachtige pilaren vulden de foyer en ook het meubilair stamde uit de Victoriaanse tijd. Groene varens vormden een warm contrast met het hout en het koele marmer en de plafonds waren hoog en gewelfd. De wanden hadden panelen van kersehout en waren bedekt met behangsel in zachtgouden en donkerrode kleuren.

Maar het traditionele was vermengd met high-tech. Aan de andere kant van de commerciële afdeling zaten heren in indrukwekkende kantoren met computerterminals binnen hun bereik, waarop ze allerlei gegevens uit alle steden ter wereld konden verkrijgen.

Zelfs zo vroeg op de ochtend hing er al een sfeer van grote bedrijvigheid in de bank: klanten kwamen binnen en achter gesloten deuren vonden besprekingen plaats.

Een Chinees in een zwart butlerpak en met een gesteven wit overhemd en das kwam hen begroeten. Hij bracht hen vervolgens naar de lift, die hen naar de achtste etage zou brengen, waar hun bespreking zou moeten plaatsvinden.

Op de achtste etage werden ze opgevangen door een goedgeklede Chinese employé, die Christina wederom deed denken aan een butler uit een Engelse roman, vooral door zijn plechtstatige houding. Hij deelde hun mee dat alle leden van het kartel binnen waren en bracht hen regelrecht naar de vergaderzaal.

Christina vroeg zich af of Hamish Fortune eens door diezelfde deuren was binnengekomen. Toen gingen de dubbele deuren van de vergaderzaal open en werden ze aangekondigd.

Macht. Die had een gezicht, en zou er precies zo uitzien als de negen mannen die nu voor haar rondom de tafel zaten. Samen hadden zij alle zeggenschap over de belangrijkste financiële interessen van de rijkste naties aan de oevers van de Stille Oceaan.

Vervolgens werden ze aan elkaar voorgesteld, en Christina merkte de reacties van enkele mannen van het kartel toen haar naam werd bekendgemaakt. Die reacties varieerden van verrassing tot verhulde nieuwsgierigheid en duidelijke afkeer.

De enige reactie die ze niet kon gissen, was die op het gezicht van de man die aan het hoofd van de tafel zat, Sir Anthony Adamson, het hoofd van het kartel. Ze was er niet op voorbereid geweest dat Ross zoveel op hem zou lijken, met zijn donkere haar en felblauwe ogen. Zelfs zijn aanvankelijke houding was dezelfde die Ross had getoond toen zij voor het eerst de vergaderzaal van Fortune International was binnengekomen – een houding van koele gereserveerdheid.

Terwijl zij en Bill stoelen aan één zijde van de enorme tafel kregen toegewezen, kon ze er niets aan doen dat ze zich afvroeg wat voor soort man een vrouw in de steek liet die zwanger was van zijn kind. Wat voor man liet dat kind aan zijn lot over en weigerde het te erkennen? Wat voor man is tot een dergelijke wreedheid in staat?

Ze kreeg het antwoord in de vorm van een vraag die ze zichzelf talloze malen had gesteld – wat voor man zou er een vijftienjarig meisje verkrachten?

Al waren de situaties verschillend, bij beide was er sprake van wreedheid en werden er naderhand emotionele wonden achtergelaten.

Ross had de reputatie keihard en sluw te zijn, maar dat was de harde beroepskant van hem, die niets te maken had met zijn werkelijke karakter. Als hij zijn emoties de vrije loop liet, zoals die avond in Chinatown en aan boord van de 'Resolute', ontdekte ze een intieme en tedere kant aan hem.

Ze twijfelde eraan of de man die haar nu met een gereserveerde blik bekeek ooit dergelijke emoties had gekend. En àls dat al zo was, dan waren ze zó diep verborgen dat hij niet in staat was nog een sprankje liefde voor zijn eigen zoon te vinden.

Ze wist dat het resultaat van de stemming heel goed door deze man bepaald kon worden. Ze concentreerde zich op hem en vroeg zich af wat Ross wel gedacht had, want hij wist dat hij tegenover zijn vader zou komen te staan. En plotseling wist ze het... Hij wilde zich wreken, net zoals zij had gewild toen ze besloot terug te gaan naar San Francisco.

Ze dacht eraan hoeveel deze bespreking voor Ross betekende en hoe dolgraag hij deze confrontatie met zijn vader gewild zou hebben om eindelijk hun verhouding duidelijk te maken. Net zoals zij een confrontatie met de familie Fortune had gezocht.

Toen zag ze hoe de leden heel subtiel hun aandacht van haar op Bill overbrachten toen ze aannamen dat hij het plan zou presenteren. Hij zag dat ook en stond even op. 'Als waarnemend president van Fortune International zal mejuffrouw Fortune de presentatie doen,' verkondigde hij, en deelde vervolgens exemplaren van het plan aan elk lid van het kartel uit.

Haar zenuwen waren tot het uiterste gespannen, want alles hing af van het succes van deze bespreking. Ze wilde dolgraag een goed resultaat, voor Ross zowel als voor zichzelf.

Ze wilde net met de presentatie beginnen, toen er op de deur werd geklopt. De klerk kwam even terug en sprak fluisterend met Adamson. Een uitdrukking van verbazing en nog iets dat ze niet kon thuisbrengen, verscheen op diens gezicht. Toen knikte hij langzaam tegen de klerk.

'Een ogenblik alstublieft, heren... en juffrouw Fortune,' zei hij. Ze keek naar Bill. Hij schudde zijn hoofd. Even dacht ze dat men van gedachten veranderd was en op het punt stond de bespreking af te gelasten. Maar toen ging de deur open en de klerk deed een stap opzij terwijl hij aankondigde: 'De heer McKenna is zojuist aangekomen.'

Ze kon zich nog maar net ervan weerhouden om in tranen van vreugde uit te barsten en er ging een vlaag van ongekende opluchting door haar heen, waardoor ze hopeloos begon te beven. Goddank, fluisterde ze zachtjes. Hij lééft! In vergelijking daarmee was niets anders – niet deze bespreking, noch het plan om de onderneming te redden – van belang.

Hij kwam heel beheerst de vergaderkamer binnen en liet zijn blikken over alle leden van het kartel dwalen. Ze bleven slechts heel even langer gericht op de man die aan het hoofd van de tafel zat.

Tijdens het moment dat hij zijn vader aankeek, hield Christina haar adem in. Ze voelde heel duidelijk de intense emoties aan die de sfeer tussen de beide mannen beladen maakten. Toen liep Ross naar de kant van de tafel waar zij en Bill plaats hadden genomen.

Hij begroette hen beiden met een hoofdknik, maar ze wist dat, als ze alleen waren geweest, hij haar in zijn armen zou hebben gesloten en zij zich dan niet zou hebben verzet. Ze had nu grote moeite haar aandacht weer te concentreren op het onderwerp van de bespreking. Op dit moment had die bespreking prioriteit, maar later, dacht ze... later zou alles anders zijn.

Toen ze de vorige dag het plan aan de triaden had voorgelegd, was het nodig geweest de naam Fortune weer in ere te herstellen. Alleen Christina kon dat doen, dus was het noodzakelijk geweest dat zij het middelpunt vormde. Hier lag de zaak evenwel anders – dit was een bespreking voor Ross, en ze had er niets op tegen de leiding aan hem over te dragen. Hij was in elk geval tòch al degene die dat het beste kon doen, want hij kende deze mannen en had ook in het verleden zaken met hen gedaan. Hij wist wat hun vragen en bezwaren zouden zijn en kende hun zwakke punten.

Maar het allerbelangrijkste was dat hij dit dolgraag zou doen.

Ze wendde zich even tot de leden van de kartel en zei: 'Als hoofddirecteur van Fortune International zal de heer McKenna thans het voorstel toelichten.'

Hij gaf een onberispelijke presentatie en beantwoordde scherpe en soms heel kritische vragen vrijwel nog voor ze gesteld werden. Hij verschafte hun feiten, cijfers en schema's. Toen haalde hij Christina erbij en benadrukte haar belangrijkheid in het plan in haar capaciteit als waarnemend president van Fortune International.

Toen hij de presentatie besloot, merkte Christina dat hij het had vermeden hun ontmoeting met de triaden te vermelden, die de vorige dag had plaatsgevonden, en evenmin had hij haar komende besprekingen met David Chen bekendgemaakt. En ze wist dat hij dat met opzet niet had gedaan.

Ze keek naar de reactie van Adamson. Ross mocht dan de ogen van zijn vader hebben, maar in de blik van Adamson lag geen spoor van de warmte die Ross vaak in zijn ogen had. Zijn ogen stonden hard en hadden een gesloten blik.

Even daarna deed Adamson de map dicht die voor hem lag, een gebaar om aan te geven dat de vergadering ten einde was. En zijn toon was bijna minachtend toen hij opmerkte: 'Dit plan is niets nieuws. Iets dergelijks is ook in het verleden al geprobeerd. Mijn medeleden van het kartel kennen alle duidelijke bezwaren.' Toen werd zijn toon heel laatdunkend. 'De winstkansen die u hebt berekend, zijn heel indrukwekkend en vindingrijk. Helaas is dat het belangrijkste feit – dit plan is bedacht door iemand met een tè vindingrijke fantasie.'

Zijn toon was bijtend scherp toen hij voortging met het plan af te kraken en hij zei tegen Ross: 'U hebt twee zeer belangrijke elementen uit dit plan weggelaten. Zonder die feiten is dit alles niet meer dan verspilling van onze kostbare tijd.' Hij keek Ross strak aan. 'Ongetwijfeld is dat het gevolg van onvoldoende ervaring in dit soort zaken.'

Christina balde haar handen tot vuisten op haar schoot. Ze kon niet geloven dat hij iemand zo toesprak, en dan nog wel zijn zoon... Of deed hij het omdàt Ross zijn zoon was?

Ze kreeg een brok in haar keel van afkeer en minachting als ze eraan dacht hoe Ross zich moest voelen. Daar stond hij tegenover de man die hem jaren geleden in de steek had gelaten. Maar Ross gaf geen enkel teken dat de woorden hem ook maar íets deden. Bill, naast haar, stak zijn hand uit en kneep even in de hare.

'Het komt wel in orde,' fluisterde hij. 'Ross weet precies wat hij doet.'

Ze zag hoe de andere leden van het kartel eveneens hun exemplaren van het voorstel langzaam sloten. Enigszins angstig keek ze naar Ross, maar hij zag er bijzonder rustig en blakend van zelfvertrouwen uit.

'U hebt het ongetwijfeld over de deelneming van de triaden,' zei Ross. 'Het is mij bekend dat dit een noodzakelijk element is bij elke zakelijke operatie hier in Hongkong, evenals de betrokkenheid van de Chinese regering.'

'Dat zijn twee vitale elementen bij uw plan,' merkte een heer op die Zuid-Korea vertegenwoordigde. 'Zonder dat hebt u geen enkele kans op succes.'

Christina keek geboeid toe hoe Ross het spel speelde. 'Daar hebt u natuurlijk gelijk in,' zei hij. 'De triaden, bij monde van de heer Thomas Lai, hebben erin toegestemd aan ons plan deel te nemen. Tijdens een bespreking gisteren met de triaden heeft juffrouw Fortune over de voorwaarden ervan met hen onderhandeld.' Hij keek even naar Bill, die onmiddellijk opstond en kopieën van een formele brief van de triaden liet circuleren waarin het voorstel werd aanvaard.

'Bovendien heeft de minister van Economische Zaken van de Volksrepubliek China erin toegestemd juffrouw Fortune te ontvangen,' ging Ross door. Hij zweeg even om dat goed te laten bezinken. 'Die bijeenkomst is vastgesteld voor morgen, in Peking.'

Toen liet Bill een kopie van de brief van David Chen rondgaan.

Er viel een stomverbaasd zwijgen in de zaal, gevolgd door papiergeritsel, terwijl de leden van het kartel de kopieën van de betreffende brieven lazen.

Christina trilde van opwinding. Ross had precies geweten hoe dit plan moest worden gepresenteerd, wat hun bezwaren zouden zijn en hoe hij die kon wegwerken. Hij had de leiding van de vergadering overgenomen uit de handen van zijn vader en het dusdanig gedaan dat de leden thans geïnteresseerd vragen begonnen te stellen: Wanneer kon Fortune International meer schepen hiervoor inzetten? Hoe snel waren de triaden bereid de containerterminals te gaan uitbreiden? Hoe lang zou het duren voor er goederen van de spoorwegstations in het binnenland naar de havens langs de kust van China konden worden gebracht?

Dat waren geen vragen met àls. De vragen gingen om het wannéér. Alsof de belangrijkste kwestie – de deelneming van het kartel – al een uitgemaakte zaak was.

De vader van Ross zat woedend zwijgend aan het hoofd van de tafel. Zijn gelaatsuitdrukking veranderde pas toen Ross eindelijk zijn exemplaar van het voorstel in een aktentas deed en vervolgens sloot – een teken dat híj de vergadering wilde afsluiten.

Ze keek even naar Adamson, en in dat moment zag ze een blik op zijn gezicht die haar verbijsterde – het was bijna een blik van bewondering! Toen werd die meteen weggestopt achter zijn koude, gevoelloze façade.

Ross ging een eindje opzij om haar te laten passeren en samen verlieten ze de vergaderzaal.

In de lift trok Ross Christina in zijn armen. 'God, je was fantastisch!' riep hij uit toen hij zijn handen door haar haren naar haar nek liet glijden en haar zo tegen zich aan trok. Hij kuste haar hartstochtelijk, innig en vol overgave. Het was een heerlijke kus en ze had gewild dat hij eeuwig doorging.

Geen van beiden trok zich er iets van aan dat Bill heel nieuwsgierig toekeek. .

Toen Ross zich eindelijk losmaakte, zei Christina buiten adem: 'Ik was zó bang!'

'Dat weet ik,' fluisterde hij. 'Ik weet het, en het spijt me. Maar ik kon er niets aan doen.'

Toen verscheen er een gewiekst lachje om zijn mond. 'Weet je wel dat alleen die tyfoon me gisteravond bij je vandaan heeft kunnen houden?'

'En vanavond?' vroeg ze, en keek hem strak maar zonder enige verlegenheid aan.

'Vanavond...'

'Eh-hem.' Bills overdreven gekuch herinnerde hen eraan dat ze niet alleen waren.

Toen de liftdeur openging en ze de hal inliepen, zei Christina: 'Hoe lang, denk je, zal het duren voor ze met hun antwoord komen?'

'Ze hebben al een beslissing genomen, maar natuurlijk zal Adamson proberen daaraan te gaan peuteren.'
'Dan kunnen we maar het beste wachten.'
'We wachten,' gaf hij toe. 'Maar níet lang. Ze weten hoeveel tijd ze hebben.'

In de directievergaderzaal op de achtste etage van het gebouw van de Victoria Bank bleef Sir Anthony Adamson als laatste zitten, nadat de leden van het kartel waren vertrokken. De deur sloeg met een klap achter de laatste dicht.

Hij staarde langs de hele lengte van de enorme tafel en liet die ochtend nog eens de revue passeren. Hij dacht aan de man vol zelfvertrouwen die daar op slechts enkele meters afstand van hem had gestaan. Binnen een uur had die jongeman bereikt wat hij, Adamson, nooit had kunnen bereiken – een plan voor een exclusieve handelsovereenkomst met de Volksrepubliek China. Alle relaties die Adamson jaren had gehad, alle tijd die hij in Hongkong had gewoond en alle invloed die hij op anderen had – toch had hij nooit met een dergelijk plan de kroon op zijn werk kunnen zetten.

Maar terwijl hij daar zat, alleen met zijn gedachten en geconfronteerd met de harde werkelijkheid dat de andere leden van het kartel tegen hem hadden gestemd, besefte hij hoeveel hij was kwijtgeraakt. Achtendertig jaar lang had hij geweigerd zijn natuurlijke zoon te erkennen. Nu had die zoon hem op zijn eigen terrein verslagen. Maar Ross wàs zijn zoon niet. Adamson had al heel lang geleden die band vernietigd toen hij de enige vrouw de rug toekeerde van wie hij werkelijk had gehouden, en dat alleen uit een misplaatst maar diepgeworteld gevoel van familieplicht en sociale druk.

En nu – nu hij de koude realiteit onder ogen moest zien van het einde van zijn leven en de gevolgen van zijn keuze – besefte hij dat het verlies van die zoon het ergste van alles was.

Hoofdstuk 32

Christina had erop gestaan dat ze op kantoor bleven tot er zou worden opgebeld. Toen dat eindelijk gebeurde, duurde het gesprek maar kort en Ross zei niet veel.

Toen hij ophing, vroeg Christina nerveus: 'En? Wat zeiden ze?' 'We hebben gewonnen,' zei hij slechts.

Door haar gevoel van opluchting heen dacht ze: *Nee, jíj hebt gewonnen, Ross.*

Bill schonk voor allen champagne in en hief toen zijn glas op voor een toost. 'Op de piraten,' zei hij tegen Ross en Christina, terwijl Lisa Jeung en Adam Quon goedkeurend knikten en in hun handen klapten. 'En de schatten die ze zoeken.'

Lisa en Adam namen na hun laatste slok champagne afscheid. Het was al laat en op beiden wachtte een gezin.

Toen ze weg waren, zei Bill: 'Ik ga ook. Ik moet nog bellen.'

'Gebruik mijn toestel maar,' zei Ross en wees ernaar.

Maar Bill schudde zijn hoofd. 'Nee, dank je. Ik wil dat gesprek liever vanuit mijn hotelkamer voeren.'

Christina boog zich naar hem toe en kuste hem op zijn wang. 'Dank je voor al je hulp en aanwezigheid de afgelopen nacht en vanochtend. Ik weet niet wat ik zonder jou had moeten beginnen.'

Hij glimlachte enigszins verlegen. 'Je had je heus wel gered.'

'Dat weet ik nog zo net niet. Maar zelfs in dat geval was het toch veel prettiger iemand naast me te hebben in plaats van het allemaal alleen te moeten verwerken.'

Hij keek ernstig. 'Ik weet wat je bedoelt. Je zegt precies wat ook ik vaak denk.'

'Heeft dat iets te maken met het telefoongesprek dat je wilt gaan voeren?'

Hij knikte.

Ze voelde met hem mee en wist dat het een hele stap voor hem was, maar hij volgde zijn hart. 'Veel succes, Bill.'

'Dank je. Ik zal het nodig hebben.'

Toen hij weg was, vroeg Ross: 'Waar hadden jullie het over?'

'Ik geloof dat Bill eindelijk eens het zwaarst laat wegen wat het zwaarst is. Als het hem lukt, is het maar het beste dat jij je erop voorbereidt dat hij niet altijd op kantoor is.'

Ross begreep het kennelijk niet, maar hij wilde er op dat moment niet verder op ingaan. 'Genoeg wat Bill betreft. Ik heb óók nog een toost.' Hij tikte met zijn glas dat van Christina aan en zei: 'Op een succesvol partnerschap.'

Ze aarzelde. Betekende dit alles wat ze dacht dat het deed? Ze keek hem onderzoekend aan en zag zo'n intense warmte en tederheid in zijn ogen dat haar hart sneller begon te kloppen. Misschien, dacht ze. Misschien.

Ross stelde voor om samen te gaan eten en natuurlijk accepteerde ze die uitnodiging. Ze namen plaats in zijn Range Rover en terwijl hij zich door het verkeer manoeuvreerde en Connaught Road nam, op weg naar de tunnel, vroeg hij: 'Eten we vanavond uitgebreid of zomaar een hapje? Iets exotisch of hot dogs?'

'Iets exotisch.' Christina legde haar hoofd tegen de hoofdsteun en sloot haar ogen terwijl ze genoot van de nawerking van de champagne. 'Hot dogs kan ik altijd nog krijgen. Dìt is om iets te vieren dat je maar eens in je leven overkomt.'

Na de storm was de avondlucht nog zwaar en zwoel. Ze hadden de raampjes van de auto openstaan en de warme lucht vermengde zich met de geur van het zachte leer van de bekleding en Ross' pittige eau de toilette. Christina voelde zich ontspannen en gelukkig en ze vond het bijna jammer dat ze al zo spoedig door de tunnel heen waren.

In haar suite nam ze vlug een douche en verkleedde zich. Ze had gevraagd om iets exotisch als diner – en daar kleedde ze zich nu naar – alsmede naar de man en naar wat ze vierden. Haar zwartsatijnen japon viel tot op haar knie en had een wijde rok die de nadruk vestigde op haar lange benen. Het lijfje sloot eng om haar slanke middel en volle borsten en de bovenkant plus de lange mouwen waren van heel dunne zwarte zijde, bezet met zwarte gitten, die glinsterden tegen de illusie van blote huid, die de stof wekte. Het enige sieraad dat ze daarbij droeg, waren lange paarlen oorringen – drie volmaakt witte parels, die aan een zwarte parel in traanvorm hingen, en gezet in goud filigrein.

Ross had gezegd dat hij haar om negen uur zou komen afhalen, de gebruikelijke tijd om in Hongkong te dineren. Ze was evenwel eerder klaar en besloot hem in zijn suite te gaan afhalen. Ze liep naar de overkant van de gang en drukte op de bel. Toen Kwang de deur opendeed, was ze verbaasd hem daar te zien.

'Goedenavond, juffrouw Fortune.'

'Goedenavond, Kwang.'

Hij glimlachte en zei: 'Meneer McKenna is bijna klaar.' Hij bracht haar in de suite en gaf de kamerbediende opdracht een drankje voor haar in te schenken.

Toen kwam Ross de slaapkamer uit, formeel gekleed in een

zwarte smoking en een stijf gesteven wit overhemd. In zijn manchetten droeg hij sierlijke manchetknopen van goud met zwarte jade. Hij zag er fantastisch uit, even knap en elegant als de jeugdige Sean Connery in zijn eerste James Bond-film.

Kwang wendde zich tot hem en vroeg: 'Is dat alles, meneer McKenna?'

'Ja, dank je, Kwang. Alles is volmaakt, zoals altijd.'

Ze vroeg zich af waarover ze het hadden. Toen lachte Ross ondeugend tegen haar, en meer dan ooit deed hij haar aan een piraat denken – wat ook haar eerste indruk was geweest. Een heel elegante en knappe piraat, met donker, golvend haar over zijn voorhoofd en bij zijn slapen.

Hij keek haar strak aan, net zoals die avond in Chinatown en die andere keer aan boord van de 'Resolute'. De avond was opeens gevaarlijk geworden, vol beloften en mogelijkheden. Ze ontdekte dat ze dat gevaar wilde onderzoeken en alle mogelijkheden wilde nagaan.

Ze liep op hem toe en bleef vlak voor hem staan, haar ogen even donker en mysterieus als de Oriënt, waar ze haar deel was komen opeisen. Hij stak zijn hand uit, greep die van haar en kneep zacht in haar vingers. Hij zag de amberkleurige streep in haar ogen zich versmallen tot een gouden band om de inktzwarte irissen terwijl ze hem aankeek en hoorde hoe ze vol verwachting haar adem inhield.

Als hij een heer was in plaats van een piraat, zou hij nu mijn hand kussen, dacht ze. En alsof hij haar gedachten kon lezen, draaide hij langzaam haar hand om, maar hield zijn vingers nog vervlochten met de hare. Hij bleef haar aankijken terwijl hij zijn hoofd boog en toen met zijn lippen heel even de gevoelige huid aan de binnenkant van haar pols beroerde.

Maar hij was tòch een piraat, want zijn lippen lieten het niet bij de rug van haar hand, maar gingen naar haar keel en wonden haar zodanig op dat ze nauwelijks meer kon ademhalen.

Ze was er nog niet klaar voor, trok zich terug en zocht bescherming in een gesprek. 'Ik heb honger,' fluisterde ze en onderkende onmiddellijk de dubbele betekenis van die woorden. Ze beheerste zich en vroeg toen: 'Waar gaan we vanavond eten?'

Hij liep langs haar heen naar de openslaande deuren die toegang gaven tot het terras, drukte ze open en daar stond een voor twee personen gedekte tafel met wit linnen, elegant porselein en glanzend zilver. In een paar bij elkaar horende kandelaars brandden kaarsen en er stond een fles champagne te koelen in een ijsemmertje.

'Het voedsel is hier fantastisch en het uitzicht uniek. En bovendien hoeven we niet te wachten tot er een plaats vrij is.'

Ze liep het terras op. Dat was met rode tegels geplaveid en er ston-

den exotische, bloeiende planten. De geur ervan hing in de avondlucht en maakte die zoet en zwaar. Palmen en varens beschutten het
terras tegen blikken van anderen. Een paar treden omhoog leidden
naar de verzonken marmeren whirlpool, grenzend aan de slaapkamer. Het licht van nog enkele kaarsen op de rand van het bad werd
door het water daarin weerkaatst.

Toen werd haar blik naar het uitzicht getrokken.

Duizenden lichtjes schitterden als juwelen in de halvemaanvormige haven van Hongkong. Boven de heuvels hing de nacht als een
zwartfluwelen gordijn. Het was exotisch, prachtig en mysterieus.

Toen draaide ze zich om, keek naar het silhouet van Kowloon achter hen en glimlachte.

'Waarom lach je?' vroeg Ross, terwijl hij naast haar kwam staan.

'De negen draken,' zei ze, en dacht aan de oude legende. 'Ze hebben ons niet verjaagd.'

'Misschien voelden ze aanverwante geesten,' merkte hij op.

'Misschien.' Toen zei ze: 'Luister eens.'

Beiden stonden aan de rand van het terras en keken uit over de
haven, luisterend naar het geluid dat haar aandacht had getrokken –
het zware geluid van een eenzaam luidende bel.

'Het hemelgewelf,' zei ze en dacht aan een andere Chinese legende over de vorm van de bel.

'Die de uitersten van goed en kwaad voorstelt,' voegde hij eraan
toe.

Ze draaide zich om en keek hem aan. 'En triomfeert het goede
altijd over het kwade?'

'Ze houden elkaar in evenwicht, als yin en yang.'

'Positieve en negatieve krachten,' herinnerde ze zich uit haar les
aan boord van de 'Resolute'.

'Om de een te hebben, moet je ook over de ander beschikken.'

Plotseling verscheen er een jonge Chinese bediende, alsof hij door
een onhoorbaar signaal was opgeroepen. Hij ging naast de tafel
staan en keek vol verwachting.

'Het diner is gereed, meneer McKenna,' kondigde hij aan.

'Dank je.'

Ross begeleidde Christina aan tafel.

De champagne was een Salon tweeëntachtig, fris en droog, en
smaakte vaag naar hazelnoten. Die smaak bleef hangen lang nadat
de bubbeltjes verdwenen waren. Hij was anders, ongewoon en even
intrigerend als de man die tegenover haar zat.

'Dit is een bijzonder jaar, als ik het me goed herinner,' merkte ze
op. 'Een cliënt met wie ik bij Goldman, Sachs veel te maken had,
dronk alleen Salon. Zijn lievelingsjaar was negenenzeventig.'

'Ik heb geprobeerd een negenenzeventig te krijgen, maar die is niet meer verkrijgbaar, of als het wèl zo is, dan is iemand bezig die op te slaan. Vermoedelijk een of ander oud dametje dat bij bijzondere gelegenheden graag een glaasje drinkt.'

Christina lachte om de beelden die hij opriep. Dat was nòg iets dat ze zo leuk aan hem vond – de manier waarop hij haar op onverwachte momenten aan het lachen maakte.

'Deze champagne heeft minder belletjes dan de meeste andere soorten,' zei ze.

'Dat komt omdat hij minder vaak is omgedraaid, en dan nog alleen met de hand. En in plaats van de gebruikelijke mengeling van chardonnay- en pinot-druiven, die de meeste wijnmakers in hun champagnes combineren, is er in de Salon alleen chardonnay gebruikt, die in één gebied groeit, in het dorp Le Mesnil-sur-Oger.'

Ze lachte hem plagend toe. 'Je bent dus een expert, zowel wat champagnesoorten betreft als op het gebied van *t'ai chi*, houtbewerking, zeilen en God mag weten wat nog meer.'

Zijn blauwe ogen keken schalks. 'Om je de waarheid te zeggen, staat het allemaal op het etiket.'

Ze lachte en vond het enig dat hij dat zo ruiterlijk bekende. Hij had zoveel leuke trekken.

Er werden zilveren deksels van de schotels gelicht en voor hen stond een verlokkend maal van Brie bisque, soufflé almondine en Chinese garnalensoorten, geserveerd met bourbon-eendesaus en een geurige gember-sojasaus. De hoofdschotel was fazant met pruimen op sherry. Het was een volmaakt diner voor een feestelijke gelegenheid.

Het voedsel, de champagne en de zwoele avondlucht werkten op haar zintuigen als een drug. Toen naderhand de borden waren weggehaald en de bediende was vertrokken, zat ze langzaam van haar champagne te nippen. Ross zat ontspannen op zijn stoel, één been nonchalant ver voor zich uit gestrekt. Hij leek een voldane kat – onder de formele zwarte kleding was hij een bonk ingehouden energie.

Ze wilde de prettige sfeer niet verbreken, maar er was iets dat ze moest zeggen. 'Jij wilde deze overeenkomst om je vader.' Het was de eerste keer dat ze iets zei over Anthony Adamson waardoor ze te kennen gaf dat ze wist dat hij de vader van Ross was.

Hij antwoordde zonder enige aarzeling. 'Gelijk heb je.' En alsof hij dat misschien te hard vond klinken, ging hij door met: 'Mijn levendigste herinnering aan mijn vader dateert uit de tijd dat ik zeven jaar was. Hij had ons tot dan toe zo nu en dan bezocht. Mijn moeder had tegen me gezegd dat hij door zijn werk niet bij ons kon wonen, maar mijn vriendjes op school vertelden me dat het was omdat ik onwettig was.'

Ze probeerde zich voor te stellen hoe het voor hem geweest moest zijn om die afschuwelijke plagerijen van andere kinderen te moeten aanhoren en haar hart deed pijn om hem.

'Ik begreep dat woord niet,' ging hij door. 'Maar ik begreep wèl dat het mij anders maakte dan zij waren. Hun ouders vroegen mij niet op hun feestjes en ze maakten me heel duidelijk dat ik niet het soort kind was met wie ze hun kinderen graag zagen spelen. Toen ik op een dag thuiskwam uit school, was hij in mijn moeders huis, het kleine huis op Connaught Road.'

Hij zweeg even en ging toen verder: 'Hij en mijn moeder waren in een gesprek gewikkeld toen ik binnenkwam. Mijn God, ik had nooit een indrukwekkender man gezien, zo keurig gekleed en met een gouden horloge. Op mijn zevende wist ik dat een vader verondersteld werd in hetzelfde huis als jij te wonen en deel uitmaakte van het gezin. Hij was mijn vader, maar een volkomen vreemde.

Hij werd boos en ik herinner me dat ik hem aanstaarde, me heel goed bewust van het verschil tussen hem en mijn moeder. Zij verhief nooit haar stem en was altijd lief en zacht. Ik haatte hem omdat hij boos op haar was. Later, toen hij weg was, vroeg ik mijn moeder wat het woord onwettig betekende. Het is de enige keer dat ik haar heb zien huilen en ik wist dat het door hem kwam.'

Christina stak haar hand over de tafel heen naar hem uit. 'Wat erg voor je! Het moet heel pijnlijk voor je geweest zijn.'

Hij staarde over het terras heen naar een onzichtbaar punt in de verte. 'Het was voor haar pijnlijker, want ze hield nog altijd van hem. Maar hij was getrouwd.' Hij keek haar weer aan. 'Die middag, toen ik haar zag huilen, heb ik gezworen hem voor elke traan te laten boeten.'

'En je hebt al die jaren moeten wachten.'

'Terwijl ik opgroeide, kwam ik veel over hem te weten.' Hij glimlachte cynisch. 'Ik was het geheim waarvan iedereen in de kolonie op de hoogte was. Het was gemakkelijk van alles over hem te weten te komen, want Hongkong is maar klein. Ik wist altijd wat hij deed. Toen ik de kans kreeg voor Fortune International te gaan werken, heb ik die met beide handen aangegrepen.'

'Je wist ook alles af van zijn voorstellen voor een joint venture met de Volksrepubliek China,' nam ze aan.

'Hij is daar al jaren mee bezig. Ik heb allang geleden ontdekt dat de beste manier om Anthony Adamson te kwetsen is hem iets af te nemen.'

'En nu heb je dat gedaan.'

Hij keek haar aan en zei zonder enige aarzeling: 'Nee, jíj hebt het gedaan. Jíj hebt mijn wraak mogelijk gemaakt.' Meteen voegde hij eraan toe: 'Ik geloof dat het ook voor jou voordelen heeft. Als dit

voorbij is, heb je hetgeen waarvoor je bent teruggekomen. Je erfenis. Zeggenschap over een gezonde en succesvolle onderneming.'
Ze gaf geen antwoord. In plaats daarvan stond ze op van de tafel en wandelde naar de balustrade van het terras. Daar leunde ze tegenaan en staarde voor zich uit, in de donkere avondhemel.
Hij observeerde haar en probeerde de raadselachtige uitdrukking op haar gezicht te ontcijferen, tot hem plotseling iets inviel. Ze was om meer redenen teruggekomen dan alleen haar erfenis, meer dan de behoefte te bewijzen dat zij de onderneming kon leiden. Hij vroeg: 'Waaróm ben je na al die tijd teruggekeerd?'
'Evenals jij wilde ik me ook wreken,' zei ze rustig.
Haar handen klemden zich om de reling en ze hield zich er stevig aan vast, hoewel er geen gevaar bestond dat ze kon vallen. Ze vertelde hem een verhaaltje omdat dat de eenvoudigste oplossing was. 'Twintig jaar geleden liep een vijftienjarig meisje weg van huis. Het jaar daarvoor waren haar ouders gestorven en ze werd naar haar grootmoeder gestuurd, die verder voor haar zou zorgen.' Ze zweeg even, haalde diep adem en ging toen verder. 'Dat was een heel moeilijk jaar, maar ze vond een vriend, iemand met wie ze alles deelde en die haar eenzaamheid en verdriet begreep.'
Ross wist dat ze het over Jason Chandler had. Hij had gehoord dat Jason en Christina het als tieners heel goed met elkaar hadden kunnen vinden en misschien zelfs een beetje verliefd op elkaar waren geweest. Haar ogen glinsterden door de tranen toen ze probeerde door te gaan. Hij wilde naar haar toe gaan en haar in zijn armen sluiten, maar dat zou te snel zijn. Hij begreep instinctief dat ze hem nu alles wilde vertellen, nu ze de moed daartoe had en het juiste moment daarvoor was aangebroken.
'Ze waren dol op elkaar,' ging ze door. 'En het was allemaal heel onschuldig, maar zijn moeder zag dat met andere ogen.'
Diana, dacht hij, wetend hoe wreed ze was, hoe ze vaak probeerde mensen te beïnvloeden en in haar macht trachtte te krijgen.
'Dat najaar moesten ze beiden naar een andere kostschool, maar ze beloofden elkaar te schrijven. Weken verstreken, maar er kwamen geen brieven. Later begreep ze dat hun brieven aan elkaar onderschept waren. De eerstvolgende keer dat ze elkaar ontmoetten, was in het huis van haar grootmoeder, toen ze daar hun eerste vrije weekend doorbrachten.'
Christina moest slikken om de brok uit haar keel weg te krijgen. 'Ze waren beiden boos en gekwetst. Hij volgde haar naar het tuinhuisje en ze kregen ruzie, waarbij ze vreselijke dingen tegen elkaar zeiden.'
Haar vingers knepen in de reling en haar nagels drukten zich in haar handpalmen. Ze kneep haar ogen stijf dicht om de tranen tegen

te houden. 'Hij ging weg en ze bleef lange tijd alleen achter. Toen kwam er iemand anders het tuinhuisje in. Er was die avond een Halloweenfeestje geweest voor de familie. De man die het tuinhuisje binnenkwam, had een masker op. Het was er heel donker en ze kon niet zien wie het was.'

Haar stem brak, maar ze dwong zich door te gaan. 'Toen... verkrachtte hij haar.'

Er kwam een kille woede op in Ross. Wie kon er zoiets hebben gedaan? Jason? Was hij teruggekomen en had hij haar in een vlaag van woede overvallen? Of was het een ander? Andrew? Steven? Beiden waren ertoe in staat. En hoe stond het met Brian Chandler? Op een of andere manier betwijfelde hij dat. Maar ja, wie wist hoe een verkrachter redeneerde?

Er was nòg een mogelijkheid. Zou het Richard geweest zijn? Hij had het meeste te verliezen als Christina haar erfenis kreeg, een erfenis die hij altijd als rechtmatig de zijne had beschouwd. Hij moest zijn nicht bitter haten en de macht die zij eens over de onderneming zou krijgen.

Ross liep op haar toe. Hij ging achter haar staan, wilde haar aanraken en vasthouden, maar was bang dat ze te kwetsbaar was na hetgeen ze zojuist had onthuld, en dat ze misschien niet aangeraakt wilde worden.

'Chris,' zei hij zacht en zijn keel werd door emotie dichtgeknepen, want hij wist dat het meisje van wie ze vertelde zijzelf was. Hij legde heel voorzichtig zijn handen op haar schouders, maar ze kromp onder zijn aanraking niet in elkaar. In plaats daarvan draaide ze zich om en keek naar hem op.

Toen ging ze door: 'Er was nòg een vijftienjarig meisje. Maar haar omstandigheden waren... anders. Minder bevoorrecht. Haar vader was dood en haar moeder hertrouwd. Haar stiefvader was een dronkaard.'

Loomis, dacht Ross vol afschuw.

'Hij... hij raakte het meisje op verschillende manieren aan die ze heel naar vond, maar toen ze dat aan haar moeder wilde vertellen, werd ze beschuldigd van leugens. Ik geloof dat haar moeder bang geweest moet zijn om de waarheid onder ogen te zien, want dan had ze de man moeten verlaten, die haar tenminste nog enige financiële zekerheid had kunnen verschaffen. Na de dood van haar eerste man waren ze verschrikkelijk arm geweest.'

Christina haalde diep adem en ging toen weer moeizaam verder. 'Op een avond liet de stiefvader het niet bij betasten en... verkrachtte haar. Daarna liep ze weg. Ze wist dat het weer zou gebeuren en moest er níet aan denken.'

Die twee meisjes ontmoetten elkaar in New York, waar ze op

straat leefden en vriendinnen werden, dikke vriendinnen. Ze rekenden op elkaar om in leven te blijven. Toen, op een avond...'
Christina zweeg en het duurde even voor ze weer kon doorgaan.
'Een van de meisjes werd vermoord. En haar vriendin bezwoer dat ze eens wraak zou nemen op de mannen die hen beiden hadden mishandeld en hen hadden gedwongen een toevlucht te zoeken in een wereld die de hunne niet was.'
Ze had naar de baai staan staren, maar nu draaide ze zich om en keek Ross aan. 'Ik ben teruggekomen omdat ik wilde weten wie het was; ik wilde hem aan de kaak stellen en hem laten boeten voor wat hij heeft gedaan.'
Ross nam haar in zijn armen en ze verzette zich niet. Ze kwam bereidwillig, drukte zacht haar slanke lichaam tegen het zijne en sloeg haar armen om zijn middel.
Hij hield haar lange tijd zo vast, met zijn wang tegen haar haren gedrukt. Toen tilde hij met zijn vingers haar kin op en zag dat er tranen in haar donkere ogen stonden, die over haar wangen gleden. Hij kuste eerst één traan weg, daarna de volgende en ook die daarop volgden. Haar mond was even geopend terwijl ze hem aanstaarde. Toen boog hij zich nogmaals over haar heen en zijn mond beroerde de hare met een bijna pijnlijk aandoende tederheid.
De kus werd langer en dieper en riep langzaam allerlei behoeften en verlangens op. Ross liet zijn handen door haar zijden haren glijden, nam haar hoofd in zijn handen en trok haar zo dicht mogelijk tegen zich aan. Hij voelde onder zijn vingers hoe warm haar lichaam werd. Hij hief zijn hoofd op en keek op haar neer – de strepen die de tranen op haar wangen hadden aangebracht en haar volle mond, en voelde de ader in haar hals onder zijn vingers kloppen.
Hij probeerde zich de kracht en moed voor te stellen die het haar moest hebben gekost om te verwerken wat haar twintig jaar geleden was overkomen. Verkrachting was een gewelddaad die zijn slachtoffer emotioneel getekend achterliet, soms levenslang. En zij had over de vreselijke nasleep van die aanval getriomfeerd, zodat ze zich nu kon openstellen voor de liefde, en zelf kon liefhebben.
'Ik verlang naar je,' fluisterde ze zacht en nauwelijks verstaanbaar. Hij voelde aan hoe kwetsbaar ze was en de moed die het haar moest kosten om die woorden te uiten.
Hij had beloofd dat ze zich aan elkaar zouden geven wanneer er geen geheimen meer tussen hen zouden bestaan. Maar er was nog een laatste geheim. *Wie wàs zij?* Maar op dat moment was haar gevoelshonger veel belangrijker dan zijn behoefte om de waarheid omtrent haar te weten.
Hij kuste haar weer en voelde een hitte in zich opstijgen toen haar tong contact maakte met de zijne. Zijn vingers gleden langs haar hals

omlaag, over haar schouder en sloten zich daar zacht omheen terwijl hij haar omhelsde.

Hij had een zekere meedogenloosheid, waardoor hij nooit toestond dat de verlangens van een ander belangrijker waren dan die van hem. Maar nu wilde hij alleen maar aan háár verlangens voldoen, aan háár behoeften.

Met zijn handen op haar schouders gleed hij met zijn duimen over de holten onder haar sleutelbeen toen verder naar de aanzet van haar borsten. De fijne zijde van haar japon voelde zacht en glad aan. Ze bracht haar armen omhoog, sloeg ze om zijn hals en haar vingers gleden door zijn zwarte haren. Haar mond ging open onder de zijne en proefde de smaak van zijn tong.

Hij nam haar mee naar een plek waar alleen nog gevoelens bestonden, gevoelens waarvan ze nauwelijks het bestaan had vermoed – een plek die ze door haar oude angsten nooit had willen bereiken en waarvan ze zich steeds tijdig had teruggetrokken.

Ross sloeg nu een arm om haar middel en legde de andere onder haar knieën terwijl hij haar optilde. Het satijn van haar japon ruiste zacht in de zwoele avondlucht toen hij zich omkeerde en haar naar zijn slaapkamer droeg.

Het vertrek was in zachte schaduwen gehuld. Het enige licht kwam van de glans van de kaarsen op het terras. De deuren stonden open toen hij haar naar het bed droeg. Haar benen gleden tussen de zijne; de welving van haar heupen steunde tegen hem aan en riep allerlei krachten in hem op.

Er waren andere vrouwen geweest, andere minnaressen en vrouwen die hij zó kort had gekend dat je hen geen minnaressen kon noemen. Hij maakte altijd meteen duidelijk hoe weinig hij wenste aan te bieden. Hij wilde eerlijk blijven, misverstanden vermijden en spijt voorkomen. En hij was altijd zichzelf gebleven en had zijn gevoelens en verlangens in toom kunnen houden. Nu, voor het eerst sinds hij volwassen was, aarzelde hij.

Christina voelde zijn onzekerheid aan. Ze zag die in de donkere schaduwen van zijn ogen toen hij haar aankeek, ze merkte het aan de manier waarop hij plotseling heel stil bleef staan en aan zijn handen, die haar loslieten. O, God, dacht ze, laat hem nu niet ophouden! Ik verlang zo naar hem!

'Chris, als je er niet helemaal klaar voor bent, dan begrijp ik dat,' zei hij teder.

Ze ging op haar tenen staan en legde hem met haar lippen op de zijne het zwijgen op. Daarna stak ze haar handen uit en trok langzaam het smokingsjasje van zijn schouders. Toen dat in de duisternis aan hun voeten was gevallen, trok ze zijn das los. Ze maakte, knoopje voor knoopje, zijn overhemd open en gleed toen met haar handen over de harde, platte spieren en zijn ribben. Toen kuste ze hem, liet haar tong over zijn borst dwalen en dronk die speciale smaak van schone huid, geurige eau de toilette en man in. Zijn vingers sloten zich zacht om haar polsen. 'Chris!' zei hij, zacht waarschuwend, en keek in het vage licht van de slaapkamer op haar neer. 'Als we hieraan beginnen, is er maar één manier waarop dat kan eindigen.'

'Dan moet je niet ophouden,' mompelde ze. 'Toon me hoe het kàn zijn.' Ze stak haar hand uit en legde haar handpalm plat tegen hem aan, waarbij ze de eerste *t'ai chi*-beweging uitvoerde die hij haar aan boord van de 'Resolute' had geleerd. Langzaam trok ze haar hand terug, zelfs al was haar mond nog vlak bij de zijne, en er ontstond een ondraaglijke spanning tussen beiden.

'Toon het me,' fluisterde ze.

Hij kleedde haar langzaam uit, pelde laag voor laag af, tot ze alleen nog haar zwartkanten teddy aan had. Toen stroopte hij de kant van haar slanke lichaam af.

Haar kleren vielen naast de zijne op de grond.

Zo stonden ze voor elkaar, naakt, in een vage schaduwplek.

Ze sloot haar ogen, hield haar handen omhoog voor zich en gaf zich over aan al haar zintuigen.

Hij bracht hun handpalmen samen tot ze elkaar stevig raakten. Langzaam begon hij toen zijn hand in een hoge, brede boog te bewegen. Zij had zich volkomen aangepast aan zijn bewegingen, maakte elke beweging met hem mee toen hij zijn linkerhand terugbracht naar het begin van de boog. Daarna begon hij met zijn rechterhand aan een nieuwe boog.

Ze maakten samen nog een aantal bewegingen, hun lichamen vlak bij elkaar, zonder de ander aan te raken. Alleen hun handen lagen tegen elkaar. Toen haalde hij zijn handen weg van de hare. Elke keer dat hij zijn hand in haar nabijheid bracht of om haar heen bewoog, voelde ze zijn nabijheid aan en bewoog met hem mee terwijl ze *zanshin* toepaste. Het was net een langzame oude dans, waarbij hun handen vlak bij haar middel kwamen, bij haar dijen en haar platte buik.

Ze voelde nu alles aan en het leek of haar huid in brand stond. Hoe meer haar zintuigen zich openstelden, hoe feller ze zich van hem bewust werd, en haar verlangens namen toe. Het was begonnen met een beetje hitte in haar buik bij de eerste kus en was nu een laaiend vuur, dat tot in al haar zenuwen zat. Toen ze zich omdraaide en zijn volgende beweging opving, moest ze een geschrokken zucht inhouden omdat zijn hand haar borst beroerde.

Het liefdesspel met David was heerlijk en teder geweest, maar had nooit het peil van ongebreidelde hartstocht bereikt. Aan boord van de 'Resolute' had ze er een glimp van gekregen wat hartstocht kon betekenen. Maar ze had het zich nooit zó voorgesteld, nooit beseft dat ze een man zó hevig kon begeren als ze nu Ross begeerde. Weer bewoog hij zich en weer paste ze zich onmiddellijk aan. Het contact was kort en drong tot diep in haar door toen zijn hand over haar naakte heup zweefde. Met gesloten ogen fluisterde ze dringend: 'Raak me aan!' Plotseling voelde ze zijn aanwezigheid achter haar en toen was er de schrikbarende hitte van zijn handen om haar borsten. Ze slaakte een kreet en legde haar handen op de zijne. Zijn lichaam kneedde haar terwijl hij haar achteruit tegen zich aan trok.

Haar hoofd rolde achterover tegen zijn schouder en hij liet snel zijn tong over de kloppende ader in haar hals glijden. Hij merkte dat ze heel oppervlakkig ademhaalde, alsof ze zich uit een diepe afgrond omhoog worstelde, en ze probeerde niet meer haar rillingen te verbergen.

Zijn mond vond de hare en was nu eisend, en samen vielen ze neer op het bed, de benen om elkaar heen geslagen. Overal waar hij haar aanraakte en proefde, ontstond er hitte. Hij gleed met zijn handen langs de golving van haar middel en vervolgens omhoog, naar haar volle borsten. Haar tepels werden stijf en hard onder de kringvormige beweging van zijn duimen. Toen liefkoosde hij haar platte buik en spreidde zijn handen over haar heupen, om haar dichter tegen zich aan te trekken.

Ze haalde scherp en diep adem toen hun dijen elkaar raakten en hun heupen contact maakten. Plotseling sidderde ze en opende haar mond onder de zijne, een mengeling van zacht fluweel en vurige hitte. Hij ging even verliggen, met zijn lichaam nu boven haar, vol verlangen de begeerte te bevredigen die hij had gevoeld vanaf het eerste moment dat hij haar had gezien.

Ze keek naar hem, haar ogen donker en mysterieus. Hij greep naar haar handen en legde de palmen plat tegen elkaar aan, op de manier waarop ze elkaar het eerst hadden aangeraakt. Vervolgens vervlocht hij zijn vingers met de hare, bewoog zijn been en langzaam kwamen ze samen.

Ze drukte zich omhoog tegen hem aan, sloot haar vingers om zijn hand en gaf zichzelf totaal en zonder enige angst over.

Ross sidderde en ging volkomen in haar op. Hij bracht zijn mond op de hare, hun vingers nog steeds vervlochten. En *zanshin* – de zintuiglijke waarneming van de krachten om hen heen – werd een verrukkelijke zintuiglijke gewaarwording van elkaars hart, lichaam en ziel, terwijl hij langzaam, diep en volkomen in haar opging.

Naderhand droeg Ross haar naar buiten, het terras op. Naakt gleden ze samen in de verwarmde whirlpool, terwijl de nacht zich om hen heen sloot. Het water glinsterde in het maanlicht op hun huid. Hun benen waren verstrengeld, hun handen en monden verlangden weer naar elkaar en ze beminden elkaar opnieuw in de schaduw van de negen draken.

Toen Christina veel later naast hem in bed lag, wist ze dat ze eindelijk met het verleden had afgerekend. Door zichzelf volkomen voor Ross open te stellen, was ze erin geslaagd de oude angsten te overwinnen die haar gevoelsmatig gevangen hadden gehouden. Nu voelde ze zich goed, op een manier als in geen twintig jaar het geval was geweest. Of ze ooit de identiteit zou ontdekken van degene die op die avond naar het tuinhuis was gekomen, deed er niet toe. Zij had iets veel belangrijkers bereikt dan wraak. Ze had vrede gevonden.

Hoofdstuk 33

Het zachte geluid van de telefoon naast het bed bleef aanhouden en Ross draaide zich om en pakte de hoorn. Christina naast hem bewoog zich in haar slaap.

'Ja?'

'Het spijt me dat ik je op dit uur moet storen, baas.' De stem van Bill klonk vermoeid door de telefoon. 'Ik heb net een telefoontje gekregen van Mick Donovan op Taiwan.'

Ross werd onmiddellijk klaarwakker en keek naar het klokje op zijn nachtkastje. Even na vieren in de ochtend. 'Wat is er aan de hand?'

'Moeilijkheden. Een van de de containers aan boord van de *Bountiful Fortune* was beschadigd. Toen Mick en zijn mannen aan boord gingen om een schaderapport op te stellen, ontdekten ze dat lading niet op het manifest stond.'

Ross was meteen op zijn hoede en er rinkelde een alarmbel in zijn hoofd. 'Wat voor lading was dat?'

'Zuivere, onversneden heroïne. Een paar honderd kilo.'

De bel werd een volledige alarminstallatie. 'Wie weet hiervan af?'

'Alleen Mick en zijn mannen, maar er is nòg een probleem.'

'En dat is?'

'De originele lading kwam niet in Taiwan aan boord. Die werd vier dagen geleden ingeladen in een container met kleding, hier in Hongkong.'

'Dat betekent dat het spoor híer begint?'

'Juist,' zei Bill.

'Verdomme!' vloekte Ross zacht. Afgezien van de justitiële problemen kon dit verreikende en heel onaangename gevolgen hebben. 'Hou het stil. Als het bekend zou worden dat wij in heroïne handelen, zou ons dat de handelsovereenkomst met de Volksrepubliek China kunnen kosten.'

'Mick zal zijn best doen het geheim te houden,' probeerde Bill hem te sussen. 'Maar je weet zelf ook dat dit soort gevallen vaak uitlekt. We zullen het in geen geval lang kunnen verzwijgen.'

'Ik heb niet veel tijd nodig,' zei Ross. Hij keek even naar Christina. Zij was nu ook wakker en zat rechtop in bed.

'Wat wil je doen?' vroeg Bill.

'Ik moet zien te ontdekken wie de schuldige is en het zaakje dan regelen. Laten we hopen dat dit gebeurt voordat iemand anders het ontdekt.' Ross dacht al diep na wat hij zou doen.

'Je hebt niet veel tijd,' herhaalde Bill. 'Misschien vierentwintig uur. Dan weet het hele eiland het.'.

'Dat weet ik.'

Toen hij had neergelegd, vroeg Christina bezorgd: 'Wat is er aan de hand?'

'Moeilijkheden,' zei hij ronduit. 'Grote moeilijkheden.'

Hij keek haar aan. Haar ogen waren groot en donker in de ochtendschaduw terwijl ze hem aankeek. Het laken lag verfrommeld om hun heupen, terwijl zij daar intiem vlak naast elkaar lagen. Er verscheen een frons op zijn voorhoofd toen hij zijn hand uitstak en een lokje van haar wang wegstreek.

Hij vervolgde: 'Mick Donovan en zijn mannen hadden beschadigde lading aan boord van de *Bountiful Fortune* in Taiwan.'

Ze herkende de naam van een van de nieuwere containerschepen.

'Was het een omvangrijke schade?'

'Nee. Maar ze vonden heroïne in de beschadigde containers.'

'Heroïne!'

'Een paar honderd kilo.'

'O, God!' Zelfs in Hongkong, waar vrijwel alles kon worden gekocht en verkocht, was dat het enige artikel waarbij eerlijke zakenlieden ver uit de buurt bleven. 'Maar hoe was die daar gekomen? Waarom?'

' "Waarom" is eenvoudig genoeg. Zoveel heroïne is miljoenen dollars waard. Wat het "hoe" betreft: iemand heeft ze in een lading kleding aan boord gesmokkeld.'

'Wie?' vroeg ze, en haar schrik werd nu woede.

'Dat weten we nog niet. Bill is het aan het onderzoeken en Mick is er aan zíjn kant mee bezig. Maar die zending kwam uit Hongkong.'

'Die containers zijn al verzegeld als ze aan boord komen,' merkte ze op. Ze wilde zo graag dat er geen mensen van de onderneming bij betrokken zouden zijn.

'Dat helpt niet veel.'

'Het betekent dat niemand van ons personeel erbij betrokken is,' hield ze vol.

'Misschien. Misschien niet. Die containers staan vaak wekenlang in pakhuizen voordat ze verladen worden. Het kan gebeurd zijn op een of ander moment voor of nadat die containers van de fabriek kwamen tot aan het moment dat ze aan boord van ons schip werden gehesen.'

'Dan is het dus mogelijk dat personeel van ons pakhuis erbij betrokken is.'

'Of iemand anders bij Fortune,' merkte hij op. 'Die mogelijkheid kunnen we niet uitsluiten.'

Ze werd misselijk van bezorgdheid. Iemand in de onderneming, háár onderneming, smokkelde heroïne! 'Heb je er enig idee van wie het zou kunnen zijn?'

'Nog niet, en we hebben ongeveer vierentwintig uur om het zelf te ontdekken. Tot nu toe weten de autoriteiten nog nergens van. Als ze het ontdekken, zouden ze heel Fortune International kunnen sluiten.'

Plotseling besefte ze de volle omvang van het probleem. 'Dit zou onze onderhandelingen met de Volksrepubliek China in gevaar kunnen brengen.'

Hij knikte. 'Ja, als ze het ontdekken. Maar we hebben een nòg urgenter probleem.' Toen ze hem vragend aankeek, zei hij: 'De triaden controleren al het drugvervoer vanuit de Gouden Driehoek. Dit is een van hun niet zo wettige ondernemingen en is zeer winstgevend.'

'Wat gebeurd er als de triaden dit ontdekken?'

Hij keek ernstig. 'Ze zijn er niet zo op gesteld als iemand hen concurrentie wil aandoen.'

'Onze joint venture,' dacht ze hardop.

'We kunnen rustig aannemen dat die het eerste slachtoffer zou worden.'

Ross stapte het bed uit en liep naar de douche. 'Ik heb vierentwintig uur om uit te zoeken wie dit heeft gedaan.' Hij draaide de gouden kranen open en het water spatte neer. Hij stapte in de marmeren en glazen ruimte en voelde het water op hem neerkomen. De badkamer stond algauw vol stoom. Toen kwam Christina de badkamer in en ging bij hem onder de douche staan.

'Wij hebben vierentwintig uur.'

'Het is beter dat jij op kantoor blijft,' zei Ross tegen haar toen ze een half uur later klaar waren met aankleden.

'Daar kan Bill alles regelen. Ik ga met jou mee.' Ze trok haar nog vochtige haren samen in een paardestaart. Ze was even naar haar kamer aan de overkant van de gang gegaan om zich te verkleden terwijl Ross zich ging scheren.

'Dat wordt een lange dag, en heel iets anders dan besprekingen voeren in een directiekamer. Bovendien moet jij je voorbereiden op je ontmoeting morgen in de Volksrepubliek China.' Toen ze hem verbaasd aankeek, voegde hij eraan toe: 'We gaan daar gewoon mee door. Als we ons nu zouden terugtrekken, zouden ze weten dat er iets mis is.'

'Ja, goed. Maar ik heb me al helemaal op die besprekingen daar

voorbereid en ga nu met jou mee. Als we hier beiden aan werken, kunnen we het misschien binnen korte tijd oplossen.'
'Chris...' zei hij waarschuwend.

Ze schudde haar hoofd en richtte een blik op hem die hij zich nog herinnerde van de avond dat ze de zeggenschap over Fortune International op zich had genomen. Ze was koel en volkomen beheerst.
'Ik ga met je mee.'
'En als ik nee zeg?'
'Dan kan ik je altijd nog ontslaan.'

'Ja,' zei hij en lachte even, 'maar jij spreekt geen Mandarijnenchinees en ik heb zo'n idee dat ze je in de haven niet voor vol zullen aanzien als je daarheen gaat en naar die lading vraagt.' Toen voegde hij eraan toe: 'Je hebt me nodig.'
Ze keek hem aan en haar gelaatsuitdrukking werd plotseling veel zachter. 'Dat heb ik gisteravond ontdekt.' Maar onmiddellijk werd haar uitdrukking weer ernstig. 'Ga mee. Laten we eens zien te ontdekken wie die heroïne aan boord van mijn schip heeft gesmokkeld.'

Ross overhandigde haar nog enkele vrachtbrieven, die in het Engels en met Chinese karakters waren geschreven; toen sloot hij de archiefkast in het kantoor van het pakhuis van Fortune. Ze waren alleen in het grote, lege gebouw en het was er griezelig donker en stil.
'Dat zijn de laatste vrachtbrieven voor de data waarop lading aan boord van de *Bountiful Fortune* werd genomen.'
Ze maakten er kopieën van, verlieten het kantoor en liepen naar de Range Rover. Hij reed terwijl zij de kopieën van de vrachtbrieven nakeek. 'Waar zoek ik eigenlijk naar?'
'Het zal niet iets opvallends zijn. Kijk of er onjuistheden staan in de aantallen containers, speciale opmerkingen door de opzichter van het pakhuis over een beschadigde container of misschien een speciaal verzoek van de fabrikant.' Hij stopte bij een druk maar klein restaurant en parkeerde de Rover. Ze vonden een tafeltje en bestelden thee en rijstgebak.
Daar keek ze de papieren door en nam af en toe een slok thee of een hapje rijstgebak. 'Wie was de fabrikant van de kleding in die container?'
'Far East Manufacturing. Dat is de grootste in Hongkong, met fabrieken in Lai Chi Kok.'
Ross nam de helft van de facturen van haar over en keek die door. Ze schudde ongeduldig haar hoofd. 'Alles lijkt in orde. Er staan nergens aantekeningen over schade of veranderingen in een container. Alles klopt, voor zover ik kan nagaan.'
Ross dacht aan zijn bezoek aan Taiwan en de veranderde manifesten die Mick had ontdekt. Er móest een verbinding zijn. 'We hebben

kopieën nodig van de verschepingsvouchers van de transportfirma die de containers heeft vervoerd en de scheepsdocumenten van de plaats waar ze vandaan komen.'
'Dat is vreemd,' mompelde ze, tussen een hapje rijstgebak door.
'Heb je iets ontdekt?'
Ze duwde een paar vrachtbrieven over de tafel naar hem toe. 'Die zijn allemaal door dezelfde persoon ondertekend.'
Ross bekeek ze en knikte. 'Ze zijn ondertekend door de route-opzichter van de expediteur die de lading bij Far East heeft opgehaald.'
Toen schoof ze er nog een zijn kant op. 'Maar deze is door iemand anders ondertekend. Ik herken zijn handtekening niet.'
De datum was van tien dagen geleden – omstreeks de tijd dat de kledingstukken en de heroïne in de pakhuizen van Fortune in Hongkong waren ontvangen. Ross vouwde de kopie op en stak ze in zijn binnenzak. 'Laten we eens zien te ontdekken wie die vent is.'
Empress Trucking was een grote firma, vlak bij het industriegebied van Lai Chi Kok. De assistent-manager was evenwel niet erg tot medewerking bereid. Toen Ross vroeg met de man te mogen praten van wie de naam op het formulier stond, keek de assistent-manager hem met een achterdochtige en onheilspellende blik aan. Hij antwoordde in gebrekkig Engels dat hij de vraag van Ross niet begreep. Nadat Ross overschakelde op Kantonees, kneep de man zijn lippen op elkaar en beende weg.
Binnen een paar minuten kwam hij terug met een andere man – de verschepingsopzichter. Hij was de man van wie de naam op alle andere documenten stond. Ross vroeg waarom die ene handtekening anders was. De opzichter keek en zei toen onverschillig dat hij niemand kende die zo heette.
Ross werd nijdig. Toen ze weggingen, zei hij: 'Laten we Far East Manufacturing eens proberen. Misschien weten zij wat meer van die speciale zending.'
Op het kantoor van Far East werd hun beleefd gevraagd even te wachten.
Ross maakte daarvan gebruik om Bill op kantoor te bellen en noemde enkele mensen die Bill discreet moest ondervragen. Een paar minuten later werden ze het kantoor binnengelaten van de assistent-manager die belast was met overzeese contracten.
Christina legde een hand op de arm van Ross. 'Laat mij het deze keer eens proberen,' fluisterde ze.
Ze stelde zich voor als de inkoper van een van de grootste zakenrelaties van Far East in Amerika en verklaarde dat ze in Hongkong was om enkele problemen op te lossen die zij met hun zendingen hadden. Ross luisterde met een geamuseerd lachje terwijl zij de rol van een

391

boze klant speelde die bijzonder verontwaardigd was over het feit dat een inventaris ter waarde van miljoenen dollars, te lang in een pakhuis in Taiwan lag. Ze eiste om met de opzichter te spreken die de verschepingen regelde.

'Goed, juffrouw Grant,' antwoordde de man en gebruikte de naam die zij hem had opgegeven. 'Ik zal het nagaan en zien of meneer Hue beschikbaar is. Ik ben ervan overtuigd dat we dit keurig in orde kunnen brengen.' Hij nam de telefoonhoorn op en er ontspon zich een geanimeerd gesprek in het Chinees. Toen hing hij op en had een eerbiedige uitdrukking op zijn gezicht.

'Meneer Hue zal u met het grootste genoegen ontvangen. Ik zal u naar zijn kantoor brengen.'

De fabriek van Far East was enorm groot en omvatte verschillende hectaren industriegebied, overzeese verschepingsafdelingen, kantoren en garages met vrachtwagens. Naar de scheepvaartkantoren rijdend, zei Ross: 'Dat was een interessant gesprek!'

Christina keek hem vragend aan. 'Heb je iets over die zending opgepikt?'

'Niet bepaald, maar meneer Hue had er niet veel zin in met ons te praten.' Ross parkeerde de Rover en ze gingen naar boven, waar de kantoren waren. Daar vroegen ze naar meneer Hue

'Het spijt me,' zei de secretaresse, 'maar meneer Hue is voor een noodgeval weggeroepen. Ik weet niet wanneer hij terugkomt.'

Ross ondervroeg de vrouw boos in het Kantonees, maar gaf het uiteindelijk op. Ze hield vol dat ze niet wist waarom haar chef zo dringend weg moest. Toen ze zich omdraaiden om te vertrekken, zag Christina een beweging bij het raam van het kantoor achter dat van de vrouw. De jaloezieën werden meteen gesloten. Volkomen automatisch reageerde ze door de arm van Ross te pakken en zich langs de secretaresse te wringen, naar de deur van dat andere kantoor.

'Daar mag u niet naar binnen!' gilde de secretaresse.

Christina nam echter geen notitie van haar en duwde de deur open, met Ross vlak achter haar.

Het was een groot kantoor met een paar kleine, afgesloten kamertjes aan de ene kant en een grote conferentietafel in het midden. Aan het eind ervan ging net een andere deur dicht. Ze snelden erheen en ontdekten dat die toegang gaf naar buiten en naar een trap die naar het parkeerterrein voor de employés leidde. Een man – ongetwijfeld meneer Hue – holde over het terrein. Ross draaide zich meteen om.

'Ik haal de Rover hierheen,' riep hij en holde weer naar binnen.

Even later stond hij beneden met snerpende remmen stil en Christina stapte haastig in.

'Waar is hij?' vroeg Ross.

'Hij is in een beige Toyota gestapt.' Christina deed haar best de wagen te ontdekken toen ze het drukke parkeerterrein afreden. 'Daar is hij!' Ze wees naar de uitgang aan de andere kant en Ross reed onmiddellijk die richting op.

Buiten het parkeerterrein kwamen ze in een smal steegje terecht. Vlak voor hen ging de beige Toyota de volgende hoek om. Ross ontweek nog net een paar grote containers met afval van het industrieterrein en ging dezelfde hoek om.

Ze reden hard door het drukke verkeer, de ene baan op, de andere af, over kruispunten, namen geen notitie van verkeersborden en reden slippend allerlei zijstraatjes door.

Toen stonden ze bijna bumper aan bumper met de Toyota en reden over nog twee kruispunten in het drukke indrustriegebied. Plotseling moest Ross remmen toen een vrachtauto een steegje uitkwam en vlak voor hem stopte. Hij vloekte, stuurde scherp naar links. Geschrokken voetgangers en fabrieksarbeiders schoten alle kanten op terwijl hij om de vrachtauto heen reed. Na een scherpe bocht reed hij de straat in waar de Toyota in verdwenen was en stopte toen plotseling.

Het was een steegje, en halverwege stond de Toyota stil. Het portier aan de bestuurderskant stond open. Ross schakelde in de vrijstand en sprong uit zijn auto.

'Wacht!' riep ze, maar hij rende verder het steegje in. Ze pakte het sleuteltje uit de Rover en rende achter hem aan.

De gebouwen aan weerszijden van het steegje waren hoog, met boven de opslagplaatsen en traditionele *sweatshops* armoedige flats.

Dit was de gevaarlijke buurt van Hongkong, een buurt die de toeristen nooit te zien kregen, waar groezelige was te drogen hing en vuile, naakte kinderen in de goot speelden. Ross kende de omgeving goed. Hij volgde de doolhof van steegjes, zijstraatjes en doorgangen die naar de kade leidden. Die man was de sleutelfiguur in deze duistere zaak en Ross wilde er meer van weten.

Van de muren droop het vocht af. Hij rende voort en dacht even aan de avonturen uit zijn jeugd. Jonge vrouwen met donkere, schuinstaande ogen, oud voor hun leeftijd, stonden bij de deuren en boden zichzelf aan tegen de prijs van een heroïne-injectie of van de laatste drug: *fad-ice*.

Hij struikelde bijna over een kleuter en holde een hoek om. Hue was hem nog maar een paar meter voor. Toen draaide de man zich om en sloeg het volgende steegje in. Dat kwam uit op een kleiner stuk haven aan het eind van de laadstations, waar oude vrouwen hun ochtendvuil over de kant van hun jonken gooiden, oude mannen in groepjes op de pier bij elkaar zaten en mahjong speelden terwijl ze rookten en jongere mannen handel dreven op de openluchtmarkten die overal langs de haven aanwezig waren. Er hing boven dit alles een doordringende geur van rotte vis, een rioolstank en een mengeling van de rook van diverse drugs, bijna alsof je een opiumhol binnenging.

Hue sprong van de kade op de boeg van een jonk, hield zich nog maar net op de rand ervan in evenwicht en sprong toen op een andere. Ross volgde hem en sprong eveneens van de ene boot op de andere.

Hij volgde de draak naar zijn hol en waagde zich waar slechts weinige *gweilo's* dat zouden durven. Hij voelde hoe hij nieuwsgierig en vol afkeer werd bekeken terwijl hij voortging met zijn hindernisrace over jonken, watertaxi's en woonboten. Toen kwam hij plotseling tot staan. Hue was verdwenen.

Hij voelde hoe vele ogen hem gadesloegen terwijl hij weer op adem probeerde te komen. Hij wist dat Hue zich ergens dichtbij verborgen had en wanhopig zou proberen zijn gegevens over de lading heroïne geheim te houden.

Ross keek zoekend om zich heen, naar al die jonken en andere boten. Maar er was geen spoor van Hue te bekennen.

Een oude Chinese vrouw kakelde boos tegen hem dat hij zo maar bij haar kwam binnenvallen en beval hem van haar boot af te gaan. Terwijl hij dat deed, zag hij op de kade enige beweging bij een groepje mannen die niet zo gekleed waren als de andere mensen daar.

Toen hoorde hij iemand roepen en draaide zich bliksemsnel om. Het kleine maar gevaarlijke mes dat hij nog uit zijn handschoenenkastje had meegenomen, flikkerde open in zijn hand.

'Ross!' riep Christina buiten adem. Ze bleef een eindje van hem af op de kade staan. Ze haalde moeizaam adem en keek met wijd opengesperde ogen naar het mes in zijn hand.

'Wat doe jij hier, verdomme?' schreeuwde Ross, terwijl hij terugging naar de oever.

Christina knipperde even met haar ogen en kwam toen voldoende op adem om te zeggen: 'Ik ben achter je aan gegaan.'

Hij greep haar bij een arm en door de stof van haar jasje heen deden zijn vingers haar pijn toen hij haar voor zich uit duwde. Hij gaf haar geen kans helemaal op adem te komen voordat ze een eind verder in een straat stonden die hen uit het havengebied leidde.

'Doe dàt nooit weer!' schreeuwde hij woedend tegen haar.

Verstomd rukte ze zich van hem los. 'Ik wilde je helpen.'

'Je hebt er geen idee van wat je had kunnen overkomen! Dit is een heel gevaarlijke buurt!'

'Ook voor jou,' zei ze en begon boos te worden.

'Je vergeet dat ik hier geboren ben. Ik ken de weg,' zei hij woedend, terwijl hij haar met zich meetrok. Toen liep hij een steegje in, door weer een zijstraatje en plotseling stonden ze voor de Rover. Hij wist de weg, dat moest ze bekennen; zij had de auto nooit alleen teruggevonden en zou hopeloos verdwaald zijn.

'Ik was bang dat hij zou ontkomen,' zei ze eindelijk, ietwat rustiger.

Ross stapte in en Christina nam naast hem plaats. Hij was nog niet klaar met haar. Hij was woest – op Hue, op degene, wie dan ook, die drugs aan boord van de Fortune-schepen smokkelde.

'Hij kan niet zo maar verdwijnen,' zei ze terwijl hij de Rover een nauwe U-bocht liet maken.

'In Hongkong verdwijnen er constant allerlei mensen. Daarom wilde ik ook niet dat jij achter me aan kwam.' Hij keek haar even schattend aan. 'Je zou op de blanke-slavinnenmarkt een aardig prijsje opbrengen.'

'Die bestaat niet!' antwoordde ze. 'Al niet meer sinds de tijd van Victoria en de geheime ontmoetingen in het Raffles hotel. Dat was een andere tijd en een ander land.'

Ze waren weer terug op de hoofdweg die naar de tunnel leidde. Hij keek nog eens naar haar. 'Vijfduizend Hongkong-dollar,' zei hij ruw. 'Dat is een vrouw met een blanke huid waard op de open markt, en iets meer als ze geen littekens heeft. En dat is ongeveer de helft van wat het kost om een nacht in het Regent te logeren.'

Ze zei geen woord meer en zat daar maar, volkomen verstomd.

Zijn gelaatsuitdrukking veranderde toen hij even naar haar keek terwijl ze door een tunnel reden. Hij had haar diep gekwetst en hij wist waardoor – toen hij haar op zich af zag rennen bij de haven, omringd door al het vuil en de bedreiging die uitging van dat gevaarlijkste deel van Hongkong, was hij doodsbang voor haar veiligheid geweest.

'Het spijt me,' fluisterde hij, er niet aan gewend zich te verontschuldigen.

Ze keek hem lange tijd zwijgend aan. Toen antwoordde ze zacht: 'Ik begrijp het wel. Het spijt mij ook. Ik heb gewoon niet nagedacht.'

Hij nam haar hand in de zijne terwijl hij zijn andere hand op het stuur hield. 'Laten we het maar vergeten.'

Maar ze wist dat het verkeerd was gelopen. Ze waren de man kwijt die een antwoord op al hun vragen had kunnen geven. En Christina wist dat het vermoedelijk onmogelijk zou blijken hem terug te vinden.

In de vroege middag kwamen ze op kantoor aan. Ross vertelde Bill wat er gebeurd was en Bill bracht hen op de hoogte van alles wat hij had vernomen toen hij alle papieren rompslomp over die zending nog eens had gecontroleerd. Maar het was heel weinig. Ze stonden voor een muur.

Ross dacht even na en zei toen: 'Ik ga een oude kennis van me bellen, die me misschien kan helpen Hue te vinden.'

'Een van die ongure kennissen van je uit je verleden?' vroeg Bill met een droog lachje.

'We kunnen met hetgeen we nu hebben niet bij de autoriteiten aankomen. Nòg niet.'

Er werd op de deur geklopt en Lisa Jeung kwam binnen. Ze zei tegen Christina: 'Er is een gesprek voor u van Thomas Lai.'

Christina keek naar Ross. Ze hoopte vurig dat dit gesprek een toeval was, maar haar hoop verdween toen ze door de versterker de stem van meneer Lai hoorde in het kantoor van Ross.

'Er is ons een heel ernstige zaak ter ore gekomen, juffrouw Fortune. Ik zou die graag onder vier ogen met u willen bespreken.'

Ross keek over het bureau Christina aan. 'Juffrouw Fortune en ik zijn beiden vrij u te ontmoeten wanneer u dat schikt,' antwoordde hij.

'Uitstekend,' zei meneer Lai. 'Zullen we zeggen over een uur bij de orchideeëntentoonstelling in de botanische tuin?'

'Graag. We zullen er zijn.' Ross schakelde de versterker uit.

'Hij weet het,' zei Christina zacht.

'Maar hij is tenminste bereid met ons te spreken,' merkte Ross op. 'Dat betekent dat de triaden de joint venture graag willen sparen. Anders hadden ze ons niet opgebeld en zouden ze rustig de zaak zelf hebben afgehandeld.'

'Denk je dat zij weten wie hier achter zit?'

'Ik weet het niet. Maar zij hebben hun bronnen om dat te ontdekken.'

Christina stond op. 'Laten we maar eens gaan kijken wat ze wensten te bespreken.'

Ze waren een paar minuten te vroeg op de orchideeëntentoonstelling en wachtten op Lai.

'Denk eraan hoe je met hem omgaat,' waarschuwde Ross haar. 'Hij mag dan een neef van Phillip Lo zijn, maar is toch een topfiguur van de triaden. En die is hij in de eerste plaats trouw.'

'Wat wil je daarmee zeggen?' vroeg ze.

'Ik heb je eens gevraagd wat je bereid was te doen om de onderneming te redden. Op zijn manier stelt hij nu diezelfde vraag, behalve dat híj je nu voor de keus gaat stellen.'

'Wat voor keus?'

'Een heel moeilijke. En je moet die maken en toch de eer redden. Eer is het allerbelangrijkste, zelfs bij de triaden,' hielp Ross haar herinneren. 'Omdat hij weet dat jij alles naar eer en geweten doet, is hij bereid dit met je te bespreken.'

Terwijl ze rondwandelden, kreeg ze het idee in een val te lopen.

Een die zich kon sluiten en haar, Ross en alles dat ze hadden geprobeerd te bereiken zou vernietigen.

De tentoonstelling was een weelderig, tropisch paradijs vol groene varens, bananebomen en exotische uitstallingen van bloeiende orchideeën. Na korte tijd voegde Lai zich bij hen. Het was moeilijk te geloven dat deze man, die een neef was van Phillip Lo – en een paar dagen geleden met hen om de conferentietafel had gezeten om over een winstgevend en volkomen geoorloofd handelsproject te onderhandelen – ook de machtigste en meest gevreesde man in het oosten was.

Hij was slechts een paar centimeter langer dan Christina. Zijn haren waren zilverwit bij de slapen en hij had een prettige, bespiegelende uitdrukking op zijn gezicht. Hij zag eruit als een lief oud opaatje, niet het soort man die met een enkel woord de dood van een mens kon bevelen. Ze merkte dat ze onwillekeurig rondkeek tussen de grote, weelderige planten om hen heen, waar ze zocht naar de mannen die altijd dicht bij hem in de buurt waren.

Ze dwong zichzelf met een rustige, koele stem te spreken. 'Dank u dat u ons uw kostbare tijd wilt schenken, meneer Lai.'

Hij glimlachte tegen haar. 'En dank u, juffrouw Fortune, dat u hierheen bent gekomen. We moeten een uiterst ernstige zaak bespreken. Wilt u een eindje met me oplopen?'

Het was duidelijk dat hij haar onder vier ogen wilde spreken. Ze keek even naar Ross, die knikte, en antwoordde: 'Ja, natuurlijk loop ik een eindje met u op.'

Even later kwamen zij en Lai terug. Hij zei: 'Ik heb uw vader gekend. Hij was een man van eer. Vandaag ben ik hier gekomen omdat ik hem altijd heb gerespecteerd. Nu zullen we merken of u evenveel gevoel voor eer bezit. Goedendag, juffrouw Fortune.'

Ross kwam naast haar staan en toen Lai uit het zicht was, vroeg hij: 'Wat heeft hij gezegd?'

Ze wendde zich tot hem en haar ogen waren groot en donker. Ze keek somber. 'Jij vroeg wat ik bereid was te doen om de onderneming te redden.' Toen verklaarde ze zacht: 'Ik heb een afspraak met hem gemaakt. Zijn mannen hebben meneer Hue gevonden. Hij heeft me niet verteld hoe hem dat is gelukt en ik heb het ook niet gevraagd. Het allerbelangrijkste is dat zij weten wie er achter die smokkelaffaire zit.'

Ross had gevoeld dat ze die ochtend gevolgd waren vanaf het tijdstip dat ze het hotel hadden verlaten. Hij vroeg zich af of Hue nog in leven was, maar vermoedde dat die vraag met 'nee' moest worden beantwoord.

'Wie is het?' vroeg hij grimmig.

Haar keel leek dichtgeknepen. 'Steven. Ze hebben me tot middernacht de tijd gegeven om de kwestie op te lossen – een kwestie van familie-eer.'

'Ik zal deze keer niet met je in discussie treden.' Ross was onvermurwbaar toen hij de muursafe achter zijn bureau opende. 'Dat wordt te gevaarlijk. Steven mag dan een dwaas zijn, maar hij is niet dom. Hij weet dat die lading gevonden is en verbergt zich, maar Bill gaat alle gebruikelijke plaatsen na waar hij zich zou kunnen ophouden. Ik vind hem wel, maar jij kunt je niet vertonen op de plaatsen waar ik heen moet.' Hij haalde een dik pak Hongkongdollars te voorschijn. Toen sloot hij de safe weer en draaide het cijferslot een paar keer rond. Hij hing het schilderij van een Fortune-klipper weer op zijn plaats en stopte het geld in zijn zak. Vervolgens liep hij op haar toe en sloeg zijn armen om haar heen. 'Tot nu toe zijn we in staat geweest dit geheim te houden, maar het was onvermijdelijk dat de triaden het zouden ontdekken. Zij hebben overal een ondergronds netwerk van informanten. Ik zou er wat om willen verwedden dat ze het al wisten op het moment dat Bill me vanochtend belde. Nu moeten we alleen nog zorgen de autoriteiten erbuiten te houden. Het is het beste als je hier blijft en Bill helpt.'

'Waarom heeft Steven dat gedaan?' fluisterde ze.

'Waarom doen mensen dat soort dingen? Om het geld. Hebzucht kan een heel verleidelijke maîtresse zijn.'

'Maar het is zo zinloos! We hebben allemaal een aanzienlijk trustkapitaal, en Steven krijgt ook nog een flinke som van de onderneming. Hij heeft meer dan genoeg.'

'Bepaal jij maar eens wat "genoeg" is,' zei Ross cynisch. 'Steven heeft een heel dure smaak.' Hij tilde met zijn vingers haar kin op. 'Luister eens, Chris, dit is Stevens eigen keus. Als we hem vinden, kunnen we misschien zijn leven redden, maar we zullen niet in staat zijn hem buiten de gevangenis te houden. Zoals het er nu voor staat, is een gevangenisstraf het beste waarop hij kan hopen.'

Ze wist dat Ross gelijk had. En ze voelde absoluut geen sympathie voor Steven. Drugshandel was afschuwelijk. En de mogelijkheid bestond nog steeds dat hij verantwoordelijk was voor de twee aanslagen op haar leven. Toch zag ze Steven liever in de gevangenis verdwijnen dan te worden opgejaagd en vermoord door de triaden.

'Wat gebeurt er als ze hem vinden?'

Ross legde zijn handen op de hare. 'Lai zal zich aan zijn deel van de afspraak houden en Steven pas straffen als de tijd daarvoor rijp is. Daarna...'

Hij hoefde het niet nader toe te lichten.

'We hebben elfeneenhalf uur,' zei hij. 'We móeten hem vinden, ter wille van onszelf en ten wille van hem. God mag weten wat hij nog allemaal kan doen. Alles is nog ongewis.'

Ze huiverde. 'Pas alsjeblieft op.'

Hij streek met zijn duim langs haar onderlip. 'Ik zal goed uitkijken.'

Hij keek op toen Mick Donovan naar binnen kwam. Op verzoek van Ross was hij met een zestal van zijn beste mensen uit Taiwan komen overvliegen. Ross stelde allen aan elkaar voor en wilde met Mick weggaan, maar bij de deur draaide hij zich om en zei tegen Christina: 'Ik bel je wanneer ik daarvoor de kans krijg.' Toen was hij weg.

Bill en zij hadden genoeg te doen. Er moesten de nodige telefoongesprekken worden gevoerd met mensen die Steven mogelijk hadden gesproken en konden weten waar hij zich nu bevond. Ze verdeelden de lijst tussen hen beiden. Toen ging ze zitten en begon het eerste nummer te bellen.

Zes uur later gooide ze woedend en teleurgesteld haar pen neer op het bureau.

'Ik neem aan dat dit betekent dat je niet veel geluk hebt gehad,' zei Bill, die haar kantoor binnenkwam.

Ze schudde haar hoofd. 'Hij is verdwenen, zó maar, in het niets.'

'Ik kan nog enkele mogelijkheden nagaan. Jij bent nu al de hele avond bezig. Zal ik de rest van de mensen op jouw lijst voor mijn rekening nemen? Dan kun je naar het hotel gaan en zien wat slaap in te halen,' stelde hij voor.

'Jij bent al langer bezig dan ik,' zei ze.

'Ja, maar ik ben eraan gewend.'

Ze keek even naar de scheepsklok op het bureau van Ross en wreef over haar slapen, waar een doffe pijn kwam opzetten. 'Ik heb nog maar twee namen op mijn lijst...'

Bill zag hoe moe ze was. 'Mooi zo. Dan vertrek je nu naar het Regent.' Hij nam de hoorn op en liet de limo voorbrengen.

'Bill...!'

'Dit kan nog uren duren, en dan ben jij òp. Eet wat en ga slapen. Op dit moment kun je toch niet veel meer doen.'

Toen ze wilde protesteren, pakte hij haar schoudertas op van de stoel waarop ze hem onverschillig had laten vallen en duwde hem in haar handen. 'Met Ross gebeurt niets, Chris. Hij zei dat hij zou bellen, en als hij de kans krijgt, dóet hij dat ook. Maar dat kan nog wel even duren. Ik blijf zolang hier met Lisa en Adam.'

Eindelijk gaf ze toe. 'Maar zodra je iets van Ross hoort, wil ik het weten.'

'Dat beloof ik je. Ik bel je zodra ik met hem gesproken heb.'

Toen ze beneden in de limousine stapte, wendde ze zich tot Bill en vroeg: 'Tussen haakjes, hoe is het afgelopen met dat gesprek? Het gesprek dat je gisteravond in je kamer wilde voeren.' Ze wist dat hij zijn ex-vrouw had gebeld.

Hij grinnikte schaapachtig. 'We hebben ruim twee uur lang gepraat. Die telefoonrekening lijkt vast en zeker op onze nationale schuld.'

'Ruim twee uur, hè? Dat klinkt bemoedigend.'

Ze was intussen ingestapt en Bill leunde tegen het halfopen portierraampje. 'Ik heb nagedacht over wat je zei – mijn prioriteiten verleggen. Als het allemaal is uitgepraat, zal ik misschien eens een gesprek met Ross moeten hebben om hem te zeggen dat ik tòch wat minder tijd in de zaak wil steken.'

Ze legde haar hand op de zijne. 'Daar luistert hij vast wel naar. Dat beloof ik je.'

'Ik hoop het. Weet je, Bonnie is bereid om na mijn terugkomst een ontmoeting met me te hebben en nog wat verder te praten.'

'O, Bill, daar ben ik ècht blij om!'

'Er is nog heel wat te regelen, maar ik geloof dat we het misschien toch allemaal zullen kunnen oplossen.'

'Ik hoop het. Het leven is te kort om er alleen doorheen te gaan.'

'Dat weet ìk nu ook.'

Bill gaf de chauffeur enkele instructies en deed toen een stap achteruit. 'Ik laat het je meteen weten als ik iets van Ross hoor,' zei hij.

Terug in haar eigen suite in het hotel bestelde Christina een maaltijd. Maar ze bleek geen eetlust te hebben en het voedsel ging onaangeroerd weer terug. Ze nam een douche, maar draaide toen bijna onmiddellijk de kranen weer dicht, uit angst dat ze de telefoon niet zou horen, hoewel er een toestel in de badkamer stond. Rusteloos liep ze in de suite heen en weer. Toen de telefoon even na elf uur eindelijk overging, greep ze hem meteen.

'Even een levensteken,' zei Bill. 'Nog geen bericht van Ross.' Vóór ze haar angst onder woorden kon brengen, stelde hij haar al gerust. 'Hij redt het wel. Vergeet niet dat hij hier de weg kent. En hij is niet alleen. Maar er is nu eenmaal geen telefoon op elke hoek van een straat, de draadloze in de Rover heeft een beperkt bereik.'

Ze kon haar enorme teleurstelling niet verbergen. 'Dank je dat je me belde.'

Een klein half uur later ging de telefoon weer. Christina was ervan overtuigd dat Ross intussen contact met Bill had opgenomen en nam de hoorn snel en opgelucht op.

'Juffrouw Fortune?' vroeg een zachte vrouwenstem.

'Ja?'

'Bent u alleen?'

Ze was onmiddellijk op haar hoede en antwoordde aarzelend: 'Ja.'

Het bleef even stil en toen zei de vrouw: 'Ik ben Andrea Santos, een vriendin van Steven.'

De vrouwenstem klonk zó zacht dat Christina maar net kon horen wat ze zei. Ze herkende de naam. Hij stond boven aan de lijst van mensen die ze had opgebeld. Andrea Santos – half Portugees, half Chinees, uit Shanghai afkomstig – was de maîtresse van Steven! Ze woonde in zijn huis in Wanchai. Christina had daarheen in de loop van de avond enkele keren gebeld, maar geen gehoor gekregen.

'Bent u er nog?' vroeg Andrea, duidelijk bang dat Christina de hoorn had neergelegd.

'Ja... ja, ik ben er nog.'

En toen, voordat Christina iets kon vragen, zei Andrea: 'Ik bel wegens Steven.'

Christina probeerde haar stem rustig te doen klinken. 'We hebben geprobeerd hem te vinden. Weet u waar hij is?' Het bleef aan de andere kant van de lijn heel lang stil.

'Hij verkeert in moeilijkheden,' zei Andrea, met een stem die uitliep op een gefluister. 'Heel veel moeilijkheden.'

'Dat weten we.' Christina begreep meteen dat als Andrea wist dat Steven in moeilijkheden verkeerde, zij ook wist waar hij zich bevond. Het was duidelijk dat hij contact met haar had gezocht.

'Hij heeft me gevraagd u te bellen,' ging Andrea zacht door. 'Hij heeft hulp nodig.'

Christina was stomverbaasd. Het laatste dat ze verwachtte, was dat Steven haar om hulp zou vragen. Hij moest wel wanhopig zijn.

'U zult me moeten vertellen waar hij is.'

'Niemand mag dit weten... hij is bang. U moet me beloven dat u niemand zult zeggen waar hij is,' hield Andrea aan. Haar stem werd duidelijker, maar nu klonk er toch iets in door dat veel op paniek leek.

Ross had het al gezegd: Steven mocht dan een dwaas zijn, maar hij was niet gek. Hij wist dat de triaden naar hem op zoek waren. Ze wenste vurig dat ze op een of andere manier Ross kon bereiken om hem te laten weten wat er gebeurde. Maar ze moest zelf beslissen.

'Goed,' zei ze. 'Ik zal hem helpen. Waar is hij?'

Weer stilte, afgezien van een duidelijk gesnuif. Toen zei Andrea: 'Hij is in het China Harbour View Hotel in Causeway Bay... kamernummer tweehonderdvierentwintig. Kunt u daar alstublieft over een half uur zijn? Hij wacht daar op u. En alstublieft, juffrouw Fortune, kom alleen.'

Toen werd de verbinding verbroken.

Christina legde de hoorn neer, maar pakte hem meteen weer op en belde het kantoor van Fortune. Al was het al heel laat – bijna middernacht – toch antwoordde Bill onmiddellijk. 'Ik heb net met Ross gesproken...'

Ze viel hem in de rede. 'Ik weet waar hij is, Steven. Andrea Santos heeft me zojuist gebeld.'

'Waar is hij?'

Toen ze hem het adres gaf, zei Bill op woedende toon: 'Jij blijft waar je bent. Ik zal Ross bellen.'

'Ik ga daarheen.'

'Chris...!'

'Andrea zei heel nadrukkelijk dat ik alleen moest komen. Steven weet dat de triaden naar hem op zoek zijn en hij is doodsbang.'

'Jij gaat het hotel niet uit! Begrepen? Verlaat het Regent niet!'

'Ik móet gaan. Als ik niet ga, vertrekt hij misschien en God mag weten hoe lang het dan duurt om hem weer te vinden. We hebben maar twee uur over om dit te regelen; dan nemen de triaden de zaak in handen.' Ze haalde diep adem. 'Zij vermoorden hem, dat weet je.'

'Dat kan me niet schelen. Ik wil niet dat jij daarheen gaat. Het is veel te gevaarlijk.'

'Ik móet wel, Bill,' herhaalde ze, en hing toen op voor hij verder bezwaren kon gaan maken. Ze bad dat hij wel spoedig Ross zou kunnen bereiken.

Het China Harbour View Hotel lag op Gloucester Road, tussen Wanchai en Causeway Bay. Het was een van de tientallen goedkopere hotels in Hongkong, waar in hoofdzaak groepen toeristen uit Zuidoost-Azië en Japan kwamen. Ondanks het late uur stopten er nog drie bussen voor de hoofdingang. Passagiers stapten uit en dromden naar de receptie toe. Met al die verwarring en het lawaai was het gemakkelijk er ongemerkt tussendoor te glippen.

Er was geen portier of iemand anders die vroeg wat ze hier zocht en ze liep langs de toeristen naar de liften. Daar wachtte ze een kwartiertje, in de hoop dat Ross zou komen. Toen werd ze bang dat iemand zou merken dat ze geen gast was en stapte ze in de lift.

Kamer 224 was aan het eind van de gang op de tweede etage gelegen, bij de nooduitgang die naar buiten leidde. Ze bleef aarzelen en probeerde tijd te winnen, maar er gebeurde niets.

Als Bill Ross nu eens niet had kunnen vinden?

Andrea had gezegd dat Steven bang was. Misschien wilde hij zich alleen maar overgeven en trachten bescherming tegen de triaden te krijgen. Ze hief haar hand op en klopte op de deur. En nog eens, maar niemand reageerde. Impulsief probeerde ze de deur te openen, wat gemakkelijk ging.

'Steven?' riep ze, en liep langzaam het vertrek in. Het was het soort kamer dat je in alle goedkopere hotels vindt, met meubels van multiplex, formica tafelbladen, een koffiepot met koffie voor twee personen en een televisietoestel dat vastgeschroefd was zodat het niet kon worden meegenomen.

Een lamp brandde bij de tafel naast de eenvoudige slaapbank, bekleed met stof in bruine, beige en crème kleuren. Een damesjasje hing over de rug van de bank, een zijden jasje in een mooie tint smaragdgroen.

Ze riep weer. Er kwam een geluid uit de aangrenzende slaapkamer. Ze aarzelde en dacht aan de waarschuwingen van Ross omtrent Steven. Ze wilde dat Ross bij haar was, maar ze had geen tijd nog langer op hem te wachten. Andrea had erop gestaan dat Christina binnen een half uur in het hotel zou zijn. Wàt hij ook gedaan had, ze moest Steven bereiken vóór de triaden hem vonden. Ze liep naar de slaapkamer en duwde de deur open.

Ze zag een vrouw op bed liggen. Het was laat en omdat ze dacht dat Andrea in slaap was gevallen nadat ze met haar had afgesproken, liep ze naar het bed toe. Ze stak haar hand uit en raakte zacht de schouder van de jonge vrouw aan om haar te wekken.

'Andrea?'

Ze lag op haar zij, van Christina afgekeerd en met haar gezicht naar de andere kant. Ze kromp in elkaar toen Christina haar schouder aanraakte. Toen draaide ze zich langzaam om en haar lange, zware haren gleden van haar blote schouder af.

Christina schrok ervan hoe dat gezicht eruitzag. Het was opgezwollen en ze had paarsachtige zwarte vlekken om beide ogen. Aan de linkerkant van haar kaak had ze een lelijke schaafwond en haar lip was kapot en bloedde. Ze was vreselijk toegetakeld.

'Andrea?'

De jonge vrouw antwoordde door te knikken en probeerde toen haar gezicht weer af te schermen.

Er was geen spoor van Steven te bekennen. Christina was bang dat er al mannen van de triaden waren geweest die de zaak in eigen handen hadden genomen.

'Wat is er gebeurd?' vroeg ze.

Andrea duwde haar weg en sloeg haar handen voor haar gezicht. Ze steunde zielig.

Christina liep de badkamer in en maakte een washandje nat met koud water. Toen ze bij het bed terugkwam, trok ze Andrea's trillende handen weg van haar gezicht en legde het natte washandje erop.

'Waar is Steven?'

Andrea jammerde zacht terwijl Christina probeerde het bloed te verwijderen. 'Weet je waar hij heen is gegaan?' Haar vragen werden echter alleen met gesnik beantwoord. Andrea probeerde weer zich van haar los te maken. Terwijl ze dat deed, gleed haar jurk een eind over haar slanke benen omhoog en Christina zag gemene blauwe plekken en bloedvegen op haar dijen.

Christina staarde er geschrokken naar. Andrea was flink geslagen en... verkràcht.

'O, God!' fluisterde Christina, toen ze het bloed en de blauwe plekken zag. Gedurende een afschuwelijk moment kon ze alleen maar staren. En een andere nachtmerrieachtige belevenis kwam bij haar boven, ook op een avond, twintig jaar geleden... *harde handen die haar beetpakten... haar kleren kapotscheurden... het vreselijke gewicht van een mannenlichaam...*

Ze verzette zich tegen die herinnering en haalde diep adem terwijl ze zichzelf dwong goed na te denken. Ze verdrong de misselijkheid die in haar opkwam en de verlammende zwakte die in haar benen zakte toen ze opstond en holde terug naar de badkamer.

Even bleef ze tegen het wastafelblad geleund staan terwijl ze al die gedachten van zich afzette en zich dwong weer enige zelfbeheersing terug te krijgen. Haar huid was koud en klam en het kille zweet stond op haar voorhoofd. Ze sprenkelde wat koud water op haar gezicht; ze mòcht niet toegeven. Dat kon nu niet.

Het duurde even voor ze haar zelfbeheersing voldoende hervonden had, spoelde vervolgens het washandje uit en liep toen terug naar de slaapkamer.

Haar stem klonk zwak en iel toen ze vroeg: 'Wie heeft dat gedaan?' Andrea's rechteroog zat nu dicht en ze keek Christina door het overgebleven spleetje van haar linkeroog aan. Toen zei ze met trillende stem: 'Steven.'

Christina werd opnieuw door misselijkheid bevangen. 'Waarom?' vroeg ze, en haar keel werd dichtgeknepen.

Andrea antwoordde zielig: 'Dat doet hij altijd als hij boos wordt.' Altijd?

'Dag, Chris.'

Ze draaide zich snel om. Steven stond plotseling op de drempel van de slaapkamer en liep langzaam op haar toe. Achter haar begon Andrea doodsbang te jammeren en probeerde zo ver mogelijk van Steven weg te komen, naar de andere kant van het bed. Maar Steven nam totaal geen notitie van haar. Hij staarde naar Christina met koude, harde ogen, die glinsterden van woede.

'Ik wist wel dat je zou komen.' Toen verscheen er een afschuwelijk lachje om zijn lippen. 'Net zoals ik wist dat ik je in het tuinhuisje zou vinden, die avond op Fortune Hill.'

Hoofdstuk 34

Christina staarde Steven aan. Haar mond werd droog en het leek of haar hart bleef stilstaan.

Natúúrlijk, dacht ze. Steven was tot een dergelijke gewelddaad in staat. Steven, die altijd zo arrogant en zelfverzekerd was, de man die altijd over iedereen de baas speelde en elke situatie in de hand had. Hij had de reputatie een wilde te zijn. Zelfs toen hij nog jonger was, gingen er geruchten dat er ouders waren die niet wilden dat hij met hun dochter uitging.

In de tijd dat de meeste tieners hun eerste sekservaringen opdeden met vrienden of vriendinnen met wie ze een geregelde relatie hadden, pochte Steven erop dat hij uitstapjes maakte naar de gevaarlijker buurten van San Francisco om wèrkelijk ervaring op te doen bij de prostituées die in de bars aan de North Beach kwamen. Er was zelfs eens een probleem met een van die vrouwen geweest.

Hij had het nooit kunnen aanvaarden als een vrouw hem afwees, en het moest bijzonder moeilijk voor hem geweest zijn dat Christina hem weigerde en bevriend was met zijn verlegen jongere broer.

'Je kon de zaak niet met rust laten, hè?' vroeg Steven op een zachte, dreigende toon. Hij kwam langzaam op haar toe. 'Je móest terugkomen.'

Hij schudde zijn hoofd. 'Weet je, eerst dacht ik dat je een oplichtster was, net als al die anderen. Gek – nu ben ik daar niet meer zo van overtuigd. Maar of je het nu bent of niet, het doet er niet meer toe. Je vormt een probleem. En dat ga ik nu eens voorgoed oplossen.'

Wèg, ging het door haar heen, maar het leek of de doodsangst haar van al haar kracht beroofde. Ze leek verlamd. Haar voeten waren loodzwaar en haar handen ijskoud. Hij leek Andrea op het bed achter hen totaal niet op te merken. Al zijn aandacht richtte zich op Christina.

Het had haar jaren gekost om alle afschuw en de gevoelens van vernedering te overwinnen; dat alles ging nu door haar heen als beelden die je door een kapotte ruit zag. Achter haar lag Andrea van pijn en angst te jammeren.

Die zielige geluidjes schokten Christina; het leek of ze zichzelf twintig jaar geleden hoorde. Toen werd ze door een blinde woede overmeesterd.

Ik zal hen laten boeten voor wat ze ons hebben aangedaan.

Toen Steven op haar af kwam, balden haar handen zich tot vuisten. Ze gilde en verraste hem toen ze zich op hem wierp en uit balans bracht. Meteen daarna holde ze langs hem heen de zitkamer in, naar de deur. Daar kreeg hij haar te pakken en zijn hand sloot zich om haar haren. Met een harde ruk trok hij haar terug. Nu werd zij uit haar evenwicht gebracht en stond op haar benen te trillen door de harde kláp op haar wang.

'Nee!' schreeuwde Christina. Maar deze keer was het niet het zielige gejammer van een jong meisje dat smeekte niet gepijnigd te worden. Het was de woede van iemand die terugvocht, iemand die vastbesloten was nooit meer het slachtoffer te zijn.

Ze kronkelde zich heen en weer in zijn greep en was zich vaag bewust van een stekend gevoel op haar schedel toen hij haar haren om zijn vuist wond. Ze verzette zich tegen de pijn terwijl ze haar best deed zich te bevrijden uit de handen die tot zo veel wreedheid in staat waren. Heel even dacht ze aan Andrea en bedacht dat als een van hen dit zou overleven, zij, Christina, moest zien weg te komen om hulp te halen.

Hij probeerde haar met slaag tot onderdanigheid te dwingen. Ze rukte en trok en probeerde zich van hem los te maken, maar hij was sterker dan zij en werd voortgedreven door zijn woede. Hij vloekte en gromde terwijl hij haar hardhandig beetpakte, zijn hand klaar voor een nieuwe klap.

Toen hoorde ze geschreeuw en werd er luid op de deur gebonsd, waarna Steven haar meetrok de slaapkamer in. Ze probeerde zich aan de meubels en aan de muur vast te houden, wat het ook was, en ze gilde zo hard ze kon.

De deur van de hotelkamer vloog open en aan de scharnieren hingen stukken versplinterd hout. Steven trok haar zijn slaapkamer in en sloeg de deur met een slag achter hen dicht. Maar even later vloog ook die deur open en Ross holde de kamer in, met Mick en zijn mannen vlak achter hem aan.

Steven had een arm om de hals van Christina geslagen en met de andere arm drukte hij haar beide armen op haar rug tegen elkaar. Hij had zich tegen de verst verwijderde wand van de kamer opgesteld en leek op een in het nauw gebracht wild dier.

'Laat haar los!' beval Ross. Hij hief zijn hand op, als teken voor Mick en zijn mannen om te blijven staan.

Steven schudde zijn hoofd. 'Blijf daar of ik breek haar nek! En dat méén ik!'

'Je hebt één kans,' zei Ross, en zijn stem klonk dof en zacht. 'Neem die en laat haar gaan of je krijgt met Thomas Lai te maken.'

Christina voelde dat er een siddering door Stevens lichaam voer. Maar hij was wanhopig. Er was geen tijd om iets redelijks te doen. 'Ik vermoord haar! Dat bezweer ik je!' Hij knelde zijn arm steviger om haar hals en ze hapte naar adem.

Ross zei met een harde, koude stem: 'Als je haar iets doet, is er niets meer voor Thomas Lai van jou over. Dan vermoord ik je.'

Ze voelde dat Steven in paniek raakte; zijn greep werd steeds steviger en zijn adem ging moeizaam. Er welden woede en angst in haar op. Ze draaide zich een eindje om in zijn greep en deed een uitval over haar schouders heen. Haar nagels krabden over zijn gezicht en hij schreeuwde van pijn.

In dat korte moment was zijn greep iets verslapt. Ross greep Steven beet en werkte hem tegen de grond. Daar bleven ze worstelend even liggen. Toen hees Ross Steven omhoog en gaf hem flinke klappen. Steven wankelde onder de kracht ervan en viel een paar stappen achteruit, waarna hij tegen de muur naast het bed in elkaar zakte.

Terwijl Mick en zijn mannen Steven beetgrepen, nam Ross de trillende Christina in zijn armen.

Hij keek op haar neer. De rode afdruk van een hand was op haar wang te zien. Maar hij zag geen bloed en haar ogen stonden helder en fel. Iets in die ogen zei hem dat de ergste schade inwendig was aangebracht. Zacht fluisterde hij in haar haren: 'Is alles oké?'

Haar stem beefde toen ze zei: 'Het was Steven... in het tuinhuis, twintig jaar geleden – *het was Steven.*'

'Lieve God,' zei Ross. Hij had de grootste moeite haar niet los te laten en zich weer woedend op Steven te werpen, hem het pak slaag te geven dat hij verdiende. Maar zij had hem nu nodig. Op dat moment had hij haar niet kunnen loslaten al zou zijn leven ervan afhangen.

Hij drukte haar hoofd tegen zijn schouders, hield haar stevig vast, drukte zijn gezicht in haar donkere haren en fluisterde: 'Het komt allemaal best in orde. Hij kan je niets meer doen.' Hij moest er niet aan denken wat er had kunnen gebeuren als ze hier even later waren aangekomen. Dan zou hij zonder enige aarzeling of gewetenswroeging Steven hebben vermoord.

Hij voelde hoe de spanning uit haar lichaam week toen ze zich liet gaan en begon te huilen. Hij bleef haar vasthouden en wenste vurig al haar angst en ellende van haar te kunnen afnemen, maar hij wist dat dit onmogelijk was. Op een of andere manier moest zij zelf de kracht vinden om de eerste stap te doen en alles achter zich te laten.

Eindelijk hield ze op met huilen. Ze liet de voorkant van zijn overhemd los en slikte haar tranen weg. Ross haalde een zakdoek uit zijn zak, tilde met zijn vingers onder haar kin haar gezicht op en wiste teder de tranen van haar geschaafde wangen.

Hij legde heel even zijn mond op de hare, die naar tranen en Witte Gember smaakte, en hij wist dat hij voor het eerst in zijn leven werkelijk en onherroepelijk verliefd was.

Op de achtergrond schraapte Mick zijn keel en zei toen wat onhandig: 'Zeg, hm, Ross, wat wil je dat we met dit stuk vuil doen?' 'Breng hem voorlopig maar naar het pakhuis. Ik zal me later wel met hem bemoeien.'

Mick knikte en maakte een gebaar naar zijn mannen. Terwijl Steven uit de kamer werd gesleept, dwong Christina zich naar hem te kijken hoe hij slap tussen twee stevige kerels hing, als een dronken vent of iemand die te veel van zijn eigen smokkelwaar had gebruikt. 'Waar brengen ze hem heen?' vroeg ze aan Ross.

'Hij wordt in veilige bewaring gebracht. Lai houdt zijn woord wel zolang wij het onze houden en inderdaad de toestand meester blijven.'

'Wat betekent dat?'

'Dat betekent dat Steven aan de autoriteiten moet worden uitgeleverd.'

'Zo is het. Het recht moet zijn loop hebben. Eindelijk!'

'Ongeacht wat dat voor de naam van de familie betekent?' vroeg hij.

Ze knikte zonder enige aarzeling.

Mick had Andrea in een deken gewikkeld. 'Kom maar, meisje, het komt allemaal wel goed. Niemand doet je meer iets.' Hij tilde haar voorzichtig op, zachter dan Christina van zo'n zware man verwacht had. Zo droeg hij haar de kamer uit en Christina wilde achter hen aan gaan, maar Ross hield haar tegen.

'Hij zorgt wel voor haar. Ze zal de nodige zorg krijgen.'

'En wat gebeurt er daarna met haar?'

'Dat hangt van jou af.'

Ze knikte. 'Ze moet hulp krijgen.' Ze sprak uit ervaring. 'Daarna zal ik haar graag helpen een nieuw leven te beginnen. Misschien moet ze hier weg, als ze dat zelf ook wenst.'

Ross knikte. 'Ja... wat ze nu het hardst nodig heeft, is een goede vriend of vriendin.'

Christina aarzelde en zei toen: 'Iedereen heeft die zo af en toe nodig.' Haar stem brak bij de herinnering aan haar vriendin. Maar die herinnering was niet meer zo pijnlijk als voorheen. Nu kon ze denken aan alle liefde en steun die ze elkaar hadden gegeven, in plaats van steeds weer die laatste tragische avond opnieuw te beleven. Dat was eindelijk afgelopen. Ze had een belofte gedaan en die gehouden. Steven zóu boeten voor wat hij had gedaan.

Toen ze het hotel verlieten, steunde ze op Ross. Tijdens de rit terug naar Kowloon werd ze door een vreselijke emotionele en fysieke vermoeidheid overvallen en haar hoofd viel tegen zijn schouder aan. Bij het Regent aangekomen, kwam ze slaperig overeind en speelde het nog net klaar om in de lift naar de vijftiende etage rechtop te blijven staan. Ze bleven even bij haar kamerdeur staan; toen tilde Ross haar op in zijn armen en droeg haar de gang door naar zijn suite.

De volgende ochtend waren er kringen van vermoeidheid onder haar ogen, afgezien van de donkerder blauwe plekken die Steven haar had bezorgd.

Steven was overgedragen aan de politie van Hongkong en had tot dan toe geweigerd iets los te laten over anderen die bij de smokkel betrokken waren geweest. Maar Christina wist dat Steven niet alléén zo'n ingewikkelde – en een tijdlang ook winstgevende – smokkeloperatie had kunnen uitvoeren. Er moest nòg iemand bij betrokken zijn en zij dacht dat die persoon heel waarschijnlijk Richard was.

Bill werd binnenkort verwacht en zou hen naar de luchthaven brengen, voor hun vlucht naar Peking. Het ontbijt was net gebracht en op het terras opgediend. Het was een heerlijke morgen, fris en helder en een zacht briesje verdreef de gebruikelijke stank van de haven naar zee.

Ross stond bij de balustrade en keek uit over het water. Hij was al heel vroeg opgestaan en dacht aan iets waarover hij niet met haar wilde spreken. Terwijl ze samen in bed lagen, had ze gemerkt dat er iets was dat hem hinderde. Ze hadden elkaar niet bemind en hij had haar de hele nacht alleen maar in zijn armen gehouden. Ze wist dat iets hem bezighield; dat zag ze aan de intense, onderzoekende blikken die hij af en toe op haar richtte. Alsof er iets was dat hij wilde vragen.

Instinctief wist ze dat het niet de bekende vraag over haar identiteit was, maar iets anders. Maar ze vroeg niets. Ze zou wachten tot hij bereid was onder ogen te zien wat hem bezighield, wat hem zo stil en afwezig maakte.

Ze stond op van tafel en van het ontbijt, dat hij niet had aangeroerd, en liep toen op hem toe. Ze sloeg haar armen om zijn middel en leunde tegen hem aan.

Hij keek op haar neer, sloeg zijn armen om haar middel en trok haar dicht tegen zich aan.

'Je bent heel lief,' fluisterde hij. Hij streelde haar wang, en zijn aanraking was heel licht en teder. Toen gleden zijn vingers naar haar kaak en naar haar nek, terwijl hij haar zo dicht mogelijk tegen zich aan hield. 'Tot gisteravond ben ik me niet bewust geweest hoe belangrijk jij voor me bent.'

Ze deed haar hoofd achterover om hem weer aan te kijken en hij kuste haar, voor het eerst sinds zijn lippen de vorige avond teder de hare hadden aangeraakt. Die kus benam haar de adem en wond haar onmiddellijk op. Zijn handen kneedden haar terwijl hij ze langs haar rug liet glijden en haar billen door de stof van haar ochtendjas omvatten. Zijn tong gleed tussen haar lippen en liefkoosde haar met een primitief ritme, terwijl hij haar beurtelings streelde en dan diep in haar mond naar binnen drong.

Christina voelde de seksuele aantrekkingskracht die haar opeiste. Ze voelde hoezeer hij haar begeerde, haar nodig had. En zij wilde hem zoals ze nog nooit een andere man had begeerd – ze had niet geloofd dat ze nog in staat was ooit nog een man te begeren, zelfs David niet.

Hij tilde haar op en droeg haar naar de slaapkamer, waar ze de hele nacht naast elkaar op bed hadden gelegen. En toen ze elkaar beminden en ze alles om zich heen vergat, voelde ze zich veiliger dan ze zich ooit in haar leven had gevoeld.

Maar toen het voorbij was, voelde ze dat er nog steeds iets onverklaard was gebleven.

Later, toen ze zich beiden hadden aangekleed en koffie op het terras dronken, ging de deurbel.

Ross zei: 'Dat zal Bill zijn.'

Toen Bill en hij samen terugkwamen, vroeg hij: 'Heb je het voorstel?'

'Hier is het,' antwoordde Bill aarzelend en keek even naar Christina.

'Goed,' zei Ross en pakte zijn jasje. 'Chris kan het tijdens de vlucht nog eens doornemen.'

Terwijl ze naar de privé-landingsbaan reden die aan de luchthaven Kai Tak grensde, bespraken Christina en Bill haar tocht. Ross was opvallend stil en staarde peinzend door het portierraampje. Toen ze aankwamen, liep hij naar de kleine balie om te kijken of het straalvliegtuig van Fortune dat haar naar Peking zou brengen al gereed was. Bill wachtte met Christina.

'Is alles tussen jullie in orde?' vroeg hij.

'Natuurlijk,' zei ze, met een te snelle geruststellende glimlach. 'Het komt alleen maar door de spanning van de afgelopen week.'

Ze wenste dat ze haar eigen woorden kon geloven.

Bill schudde zijn hoofd. 'Ja, het is me het weekje wèl geweest.' Toen keek hij langs haar heen naar Ross, die naar hen terugkwam.

'Je toestel staat klaar,' zei hij tegen Christina en wees op een wit straalvliegtuig dat een honderd meter verder gereedstond.

'Ik wacht wel in de limo,' zei Bill en gaf Christina de dikke map die het eindvoorstel bevatte. Toen stak hij zijn duim tegen haar omhoog.

Ross liep met haar mee naar het wachtende vliegtuig. De straalmotoren brulden toen de piloot door de laatste controles voor vertrek heen ging. Een purser stond bij het trapje te wachten.

Christina zocht naar iets om te zeggen dat de drukkende stilte tussen hen zou overbruggen en herhaalde maar wat ze beiden al wisten. 'Mijn besprekingen met het Centraal Comité vinden in de late namiddag plaats. Ze zeiden dat ze me binnen vierentwintig uur een antwoord zouden geven, dus zal ik morgenmiddag terug moeten kunnen zijn.'

Ross knikte.

Christina keek hem aan en wachtte tot hij iets zou zeggen, maar hij staarde over haar schouder heen. Hij had zijn gelaatsuitdrukking en zijn emoties volkomen in bedwang.

Wat is er? vroeg ze zich af. Maar ze wist dat het zinloos was hem die vraag te stellen. Hij zou het haar wel vertellen als hij de tijd daarvoor rijp achtte.

'Goed dan,' zei ze, en voelde een brok in haar keel terwijl ze naar het vliegtuig liep. 'Tot ziens.'

Ze had het toestel bijna bereikt, toen ze hem achter zich hoorde roepen: 'Chris!' Hij snelde op haar af, greep haar beet en trok haar tegen zich aan. Toen hij haar eindelijk en met tegenzin losliet, keek hij haar onderzoekend aan, alsof hij iets zocht, maar ze wist niet wat.

Het toenemend lawaai van het toestel dat voor de vlucht werd klaargemaakt, zorgde dat ze elkaar loslieten en Christina holde naar het trapje. Toen draaide ze zich nog één keer om en keek hem aan; hij stond daar maar naar haar te kijken.

Ross stapte in de limo. Een tijdlang zei hij niets terwijl ze via de havenweg naar de tunnel reden, om op die manier het eiland te bereiken.

'Ze redt het wel,' zei Bill vol vertrouwen en probeerde de sombere stilte te verbreken. 'Ik weet dat je van streek bent omdat Chen Li heeft gevraagd haar alleen te laten komen, maar maak je geen zorgen. Zij kan best op zichzelf passen.'

Ross zat maar door het raampje naar buiten te staren, helemaal in zijn gedachten verdiept. Eindelijk keek hij Bill aan. 'Ik weet het. Ik maak me ook geen zorgen over de besprekingen.'

'Waarover dan wèl? Ik heb je al eerder meegemaakt als je helemaal in een project opging. Je bent dan meestal zo "high" dat zelfs een kop thee nog gevaarlijk zou kunnen zijn. Jullie hebben beiden hard gewerkt om dit in elkaar te zetten, maar nou doe je alsof je alles verloren hebt in plaats van op het punt te staan de zaak voor elkaar te krijgen.'

'Misschien hèb ik wel verloren,' zei Ross rustig en dacht aan dat laatste moment voor het vertrek waarop hij haar had gekust. En aan eerder die ochtend, toen ze hadden gevrijd. Hij probeerde zich voor te houden dat ze niet anders was, er was tussen hen niets veranderd. Misschien verbeeldde hij het zich alleen maar... Maar hij wist dat het in feite daarom ging dat hij bang was haar te verliezen aan een man van wie ze achttien jaar geleden veel had gehouden.

Hij probeerde zijn gedachten over haar gevoelens voor David Chen van zich af te zetten en even koel te blijven als altijd. Hij was er immers steeds in geslaagd zijn emoties voor anderen verborgen te houden! Maar deze keer ging het niet. Ze had zelf toegegeven dat zij en Chen destijds minnaars waren geweest, tijdens een belangrijke periode in haar leven. En Chen was de man die haar zowel fysiek als emotioneel had geholpen. En Ross wist dat zoiets een speciale band tussen twee mensen vormde die niet door de tijd of een afstand werd verbroken. Die band had de deur geopend voor de bespreking die van het grootste belang was voor de instandhouding van Fortune International.

Wat dacht ze nu terwijl ze naar Peking vloog om met David Chen te onderhandelen? Dacht ze aan de voorgestelde handelsovereenkomst? Of dacht ze aan die man, en aan alles wat ze eens voor elkaar hadden betekend?

David Chen, nu Chen Li, had het voordeel dat hij een deel van haar leven met haar gemeen had, en Ross had slechts de paar afgelopen weken met haar doorgebracht. Maar in die weken was ze belangrijker voor hem geworden dan wie ook in zijn leven. Nu was hij bang dat deze overeenkomst, die zo belangrijk was voor de toekomst van de onderneming – een overeenkomst waarvoor hij had gevochten om haar tot stand te brengen – haar in feite van hem zou kunnen afnemen.

Christina had haar kleding voor het bezoek aan Peking met bijzondere zorg gekozen. Het was uiterst belangrijk dat ze zich aanpaste en er niet als de stereotiepe Amerikaanse uitzag die met haar rijkdom en macht te koop liep. In China is de favoriete kleding voor mannen een effen donkere broek en een wit overhemd. De vrouwen die ze in Peking op straat zag, droegen eenvoudige effen jurken of een rok met witte blouse, met zo nu en dan wat kleur in een sjaal. Daarom had zij een eenvoudig, zwart mantelpakje gekozen met een zachtgrijze zijden blouse. Haar enige juweel was de jade hanger – haar mascotte. Ze droeg haar haren los tot op de schouders, maar had met opzet geen oorbellen of armbanden aangedaan. Haar enige andere sieraad was haar horloge, ten dele verborgen onder de mouw van haar jasje.

Het was nu vijf uur. Haar vergadering met het Centraal Comité was achter de rug en de voorzitter bedankte haar formeel voor de presentatie van haar voorstel. David Chen – die zijn medecomitéleden kenden als Chen Li – was tijdens de besprekingen voor beide partijen als tolk opgetreden. Het was een teken dat de vergadering ten einde was. Nog vóór ze naar Hongkong terugreisde, zou ze hun antwoord krijgen.

Christina bedankte hen beleefd voor hun tijd en de zorgvuldige aandacht. Toen deed ze haar exemplaar van het voorstel in haar koffertje en stond op. Als laatste gebaar van respect boog ze even haar hoofd, draaide zich toen om en verliet de vergaderzaal. David voegde zich onmiddellijk bij haar en samen wandelden ze door de prachtig aangelegde tuinen die het gebouw omringden.

Ze hadden sinds haar aankomst nog geen gelegenheid gehad samen een gesprek te voeren. Een auto had haar van de luchthaven afgehaald en regelrecht naar de besprekingen gebracht. Voor het eerst in achttien jaar begroetten David en zij elkaar persoonlijk, maar met alle comitéleden om hen heen was het een stijve en formele ontmoeting geweest.

Hij bracht haar nu naar de wachtende taxi die haar naar het hotel zou terugbrengen en zei spijtig: 'We hebben nog geen kans gekregen samen wat te babbelen. Er zijn veel dingen die ik je zou willen vragen. Kunnen we vanavond samen praten?'

Ze lachte tegen hem. Hij was in die achttien jaar niet veel veranderd en nog steeds maar een paar centimeter langer dan zij. Zijn trekken waren niet meer zo vol als toen hij nog jonger was en hij was nu heel slank. Om zijn ogen waren een paar rimpels van vermoeidheid te bespeuren, maar zijn lieve glimlach was nog precies zoals ze zich die van vroeger herinnerde.

'Dat zou ik heel prettig vinden.' Zacht voegde ze eraan toe: 'Ik heb jóu ook veel te vertellen.'

'Ik zou graag willen dat je kennismaakte met mijn gezin. Kun je vanavond bij ons komen eten?' Toen ze knikte, gaf hij haar zijn adres. 'Laat het hotel een taxi voor je bestellen. Ik zou je zelf wel willen afhalen, maar dat is niet gepast. We moeten oppassen.'

Sinds hun eerste telefoongesprek had ze al gemerkt dat hij op zijn hoede was. 'Ik begrijp het.'

De maaltijd die avond verliep niet moeizaam, zoals ze gevreesd had, en ze maakte kennis met Davids vrouw, Soon Li, en zijn twee dochters. Zijn vrouw was knap, had mooie gelaatstrekken een een snelle, oprechte lach. Af en toe merkte Christina dat Soon Li haar opnam en ze vroeg zich af wat David haar over hun relatie in het verleden had verteld.

Zijn dochters waren twaalf en veertien. Ze waren intelligent en niet veel anders dan tieners elders op de wereld. Hoewel ze heel eerbiedig tegen hun ouders waren, vertrouwde Soon Li Christina toe dat ze hen had betrapt bij experimenten met lippenstift en oogschaduw, die door Chinese schoolmeisjes nauwelijks werden gebruikt.

Iedereen in het gezin sprak Engels, evenals Kantonees en Mandarijnenchinees. Het gesprek tijdens het diner was een geanimeerde mengeling van alle drie de talen en Christina probeerde het gebabbel van de meisjes te volgen. Uiteindelijk gaf ze het op en de kinderen barstten in lachen uit. Soon Li wees hen ernstig terecht om hun gebrek aan manieren tegenover een gast. Ze verontschuldigden zich toen en gingen naar hun kamer, om een naaiproject af te maken waaraan ze bezig waren.

'Ze zijn mooi,' complimenteerde Christina Soon Li. 'U zult wel heel trots op uw kinderen zijn.'

Ze zag dat Soon Li en David elkaar even aankeken. Toen mompelde Soon Li: 'Erg lief van u, juffrouw Fortune.' En na zich verontschuldigd te hebben, lachte ze verlegen tegen Christina en begon de tafel af te ruimen.

'Kom,' zei David. 'Ga mee wat wandelen in de tuin. Hij is klein, maar de trots en glorie van mijn vrouw.'

Ze bewoonden een eengezinswoning, in een rij van soortgelijke bescheiden huizen, die tegen elkaar aan gebouwd waren. Ze hadden het geluk dat hun huis aan een eind van de straat lag en daardoor een dicht met bomen begroeide tuin had.

Ze moest aan een lievelingsverhaal uit haar jeugd denken – De geheime tuin. Die deed veel hieraan denken, met zijn dikke, hoge muren die hem van de andere gebouwen scheidden. Er stonden een met vruchten beladen pereboom en een kerseboom. Fuchsia's verdrongen elkaar naast azalea's en rododendrons. In de lente zou het hier één grote massa kerse- en fuchsiabloesem zijn. Nu was het een groene wildernis en lantaarns gaven aan waar de paden zich bevonden.

Zwijgend liepen ze samen voort, elk voor zich onzeker hoe ze de gesprekken moesten voortzetten die ze jaren geleden waren begonnen, toen een jonge Chinese student, ver van zijn huis op het vasteland van China, een verlegen en eenzaam meisje had ontmoet dat van haar familie was weggelopen.

David keek naar haar zoals ze daar voor hem uit over het tuinpad liep. Hij was stomverbaasd geweest toen hij had gehoord dat zij om een zakengesprek had gevraagd. Hoewel het al heel lang geleden was dat ze elkaar hadden ontmoet, was zij nooit helemaal uit zijn gedachten verdwenen. Hij had zich vaak afgevraagd wat er met haar gebeurd was, of ze de universiteit had afgemaakt en wat voor leven ze nu leidde.

Maar dit was niet de Christina Grant die hij zich herinnerde. Nu was ze Christina Fortune – een geheim dat ze ook voor hem verborgen had gehouden.

Toen hij voor zijn studie naar Amerika was gegaan, had zijn neef hem gezegd: '*Je kunt niet te midden van de westerse cultuur leven zonder erdoor beïnvloed te worden.*' Hij had ontdekt dat dit waar was. Christina had hem veranderd.

Spijt hoorde niet bij de Chinese cultuur, maar toch voelde het deel van hem dat zo veel veranderd was doordat hij Christina had gekend en liefgehad een soort spijt over hoe zijn leven had kunnen zijn als hij bij haar was gebleven. Zij wist niet hoe na hij eraan toe was geweest om bij haar te blijven en alles de rug toe te keren wat hij in China had achtergelaten – met inbegrip van Soon Li.

David zag hoe Christina haar hand uitstak om even de zachte, witte bloembladeren van een azalea aan te raken. Hij herinnerde zich die laatste keer dat ze samen waren geweest voordat hij uit Boston was vertrokken. En hij realiseerde zich dat er meer was veranderd dan alleen haar naam. Zij was niet meer het stille, teruggetrokken, jonge meisje dat zo leed onder haar verdriet en eenzaamheid, en zo'n verbazingwekkende geestkracht had. Christina had destijds iets heel dieps in hem geraakt en voor hem het gevoel van verdriet en eenzaamheid verbannen.

Ze was nu een rijpe vrouw met een houding vol zelfvertrouwen, en heel mooi. Die stille kracht had ze nog steeds, nu mèt een vastbeslotenheid en herstellingsvermogen waarvan hij bij de tere jonge vrouw van toen slechts een spoortje had waargenomen. En hij begreep nu eindelijk dat ze samen alles hadden gedeeld wat mogelijk was. Al die jaren was hij een beetje verliefd gebleven op zijn herinnering aan dat verloren en eenzame meisje. Dat meisje bestond niet meer.

Ze draaide zich om en lachte tegen hem. En heel even zag hij een glimp van dat jonge meisje. Het was een voorbijgaand beeld en meteen weer verdwenen, evenals het verleden.

'Je bent veranderd,' zei hij. 'Je bent niet meer de Christina die ik me herinner. Je bent sterker van geest en hebt meer zelfvertrouwen.'

'Jij bent ook veranderd,' merkte ze rustig op. 'Jij hebt me kracht gegeven en me geholpen om te genezen. Daar zal ik je altijd dankbaar voor blijven.'

'Ben je gelukkig?' vroeg hij.

Ze dacht aan Ross en glimlachte. 'Ja. Het heeft lang geduurd, maar ik ben gelukkig.'

'Je bent niet getrouwd. Is er iemand in je leven?'

'Ja. Een heel bijzondere man. Hij heeft me geholpen het voorstel op te zetten.'

'En hoe staat het met jullie toekomst samen?'

Ze lachte om de vrijmoedigheid die zo echt bij David hoorde, alsof hij heel wat vragen te stellen had en maar zo weinig tijd om alle antwoorden te horen.

'Ik weet nog niets van de toekomst af,' antwoordde ze eerlijk. 'Maar ik ben nu tenminste bereid de mogelijkheden na te gaan.'

'Je bent niet meer eenzaam,' zei hij met een tedere stem. Het was gemakkelijk die conclusie te trekken. 'Nee. Ik heb eindelijk het verleden kunnen afsluiten. Het werd tijd.' Vreemd genoeg moest ik terug naar het verleden om de toekomst onder ogen te kunnen zien.' 'Je spreekt als een wijze oude Chinees,' zei hij plagend. 'Ik heb goede lessen gehad van een man die wel Chinees was, maar niet zo oud.' Toen merkte ze op: 'Je hebt een fijn gezin. Nadat je was weggegaan, was ik erg gekwetst en eenzaam. Ik kon zelfs niet begrijpen waarom je naar China terug moest. Maar nu begrijp ik het wel. Soon Li is heel bijzonder.' 'We hebben een goed huwelijk. We hebben dezelfde hoop en idealen voor de toekomst van China en passen heel goed bij elkaar.' Hij bleef staan en keek haar recht aan. Zijn stem klonk een beetje spijtig. 'Maar ik ben er heel na aan toe geweest bij je te blijven. De keus was heel moeilijk. Uiteindelijk wist ik eigenlijk geen keus te hebben.'

'Nee,' fluisterde ze. 'Dat begrijp ik nu ook.'

'Zelfs toen wist ik dat er eens een grote verandering in China zou plaatsvinden. En ik wist ook dat ik deel van die verandering moest uitmaken.'

'En ik kon daar geen deel van zijn,' merkte ze rustig en begrijpend op.

'Maar misschien, met de goedkeuring van het Centraal Comité, zul je er nu deel van uitmaken – jij en Fortune International.'

'Wat ga je hun vertellen?' vroeg ze. Het was een beladen vraag.

Hij dacht even na. 'Ze weten niets van onze verhouding van destijds. En dat moet zo blijven, anders zou de overeenkomst weleens gevaar kunnen lopen.'

'En zou dat ook voor jou gevaar kunnen opleveren?' vroeg ze zacht.

Hij keek somber. 'In China vinden veranderingen slechts heel langzaam plaats.' Toen werd zijn gelaatsuitdrukking anders. 'Ze zouden mijn enthousiasme om het door een vrouw voorgestelde plan te accepteren verkeerd kunnen uitleggen. Maar zelfs hier, op het vasteland van China en in het Centraal Comité, zijn er mensen die zich herinneren dat Alexander Fortune een eervol man was. En zij begrijpen ook dat verandering onvermijdelijk is.'

'Ons jaar samen heeft veel voor me betekend,' zei ze rustig. Na al die jaren wilde ze hem zeggen wat ze toen niet onder woorden had kunnen brengen.

'Het heeft voor mij ook veel betekend.' Hij raakte even met een bekend, lief gebaar van hem haar wang aan. En toen zei hij iets dat hij haar nooit had onthuld. 'Je hebt me in dat jaar iets heel bijzonders gegeven.' Hij keek haar aan met zijn donkere ogen die zowel hoopvol als bedroefd stonden. 'Je hebt me geleerd wat moed en kracht beduiden. Ik heb nog nooit iemand met zo veel kracht ontmoet. Door wat ik van jou had geleerd, was ik in staat het besluit te nemen naar China terug te gaan.'

Hij liet zijn hand van haar wang glijden en liep een paar passen langs haar heen, terwijl hij naar de donkere hemel staarde.

Toen zei zij iets waarover ze vaak had nagedacht. 'Ik heb me weleens afgevraagd wat er zou zijn gebeurd als we samen waren gebleven. Ik hield van je, David.'

'En ik van jou,' zei David zonder enige aarzeling. 'Maar het was niet mogelijk ons voorbestemde lot te veranderen,' voergde hij er rustig aan toe. 'Dat stond allang vast vóór jij en ik elkaar leerden kennen. Er werd alleen op gewacht dat wij onze rol vervulden.'

'En wat is ons lot nu?' vroeg ze, en ging dicht bij hem staan.

'Om zo gelukkig en tevreden mogelijk te zijn.'

Natúúrlijk, dacht ze. Het was zo eenvoudig. Ze moest zich alleen volkomen openstellen voor de mogelijkheid van het geluk dat Ross bood.

Ze glimlachte warm tegen David. 'Je hebt me zoveel gegeven, zo veel dingen mogelijk gemaakt. Wat kan ik je in hemelsnaam teruggeven, beste vriend?' vroeg ze.

Toen draaide David zich volledig naar haar om. Het flakkerende licht van de lantaarns weerspiegelde zich in zijn donkere ogen alsof daarbinnen een geest woonde, en zijn gelaatsuitdrukking werd somber. Op dat moment zag hij er veel ouder uit dan zijn eenenveertig jaar. Hij nam haar hand in de zijne en fluisterde: 'Ik moet je een heel grote gunst vragen.'

Ze hield zijn hand vast en zonder enige aarzeling antwoordde ze: 'Ik zal alles doen wat je me ook vraagt.'

'Wacht eerst tot je hoort wat het is. Er schuilt gevaar in.'

'Er is niets dat ik níet voor je zou willen doen, David.'

Ze gingen samen op een stenen bank in de tuin zitten terwijl de nachtelijke geluiden van zoemende insekten om hen heen klonken.

'Ik heb drie kinderen,' verklaarde David. 'Ik heb ook een zoon, van zestien. Ik had graag gewild dat hij vanavond hier was. Het is een goede jongen, maar hij is weg.'

Ze dacht dat hij bedoelde dat hij weg was, op school. Maar David ging door: 'Voor ieder ander, behalve voor Soon Li en mij, is hij dood.'

Christina staarde hem verbijsterd aan en het duurde even voor ze iets kon zeggen. Toen richtten haar gedachten zich op iets dat hij had gezegd. 'Je zei "voor ieder ander" is hij dood. Wat is er gebeurd?'

Hij fluisterde nu, alsof hij doodsbang was te worden afgeluisterd, zelfs in zijn eigen tuin. 'Hij heet James. Hij was student aan de universiteit van Peking tijdens de gebeurtenissen op het Tien-An-Menplein.'

Christina had in juni 1989 het studentenoproer dat zich op het Tien-An-Men-plein had afgespeeld op de voet gevolgd. De naweeën, en vooral de executies van enkele studenten, hadden de hele wereld geschokt.

David zei: 'Hij deed mee aan het studentenoproer en is de hele tijd op het plein gebleven. Toen de arrestaties begonnen, slaagde hij erin met een paar anderen de stad uit te vluchten. Nog weken daarna bleven de militairen arrestaties uitvoeren. Broers werden tegen elkaar opgezet, vaders tegen zonen. Ze verraadden elkaar uit angst.

Zijn naam stond op een lijst van studenten die moesten worden opgepakt en ondervraagd. Anderen waren al gearresteerd en verhoord. Niemand heeft ooit meer een woord van hen gehoord. Gezien mijn positie in de regering wist ik wat er met die studenten is gebeurd.'

Hij hield zijn stem zorgvuldig in bedwang. 'Ik wist dat het slechts een kwestie van tijd was vóór ze James zouden vinden. En om die reden besloot ik dat iedereen moest denken dat hij dood was. Mijn zoon logeerde bij een verre neef en die regelde een "ongeluk". Ik heb de dood van mijn zoon officieel bij het Centraal Comité aangemeld. Zelfs mijn dochters weten niet wat er wèrkelijk gebeurd is. Ik kan hun leven niet met die kennis bezwaren. Hij moet ondergedoken blijven. Maar uiteindelijk zal hij gevonden worden, misschien algauw.'

Ze legde haar hand op die van David. 'Wat verschrikkelijk voor je! Hoe kan ik je helpen?'

Toen wendde hij zich tot haar en sloot zijn vingers in een bijna pijnlijke greep over de hare. 'Als ze hem vinden, is dat zijn dood.' Zijn stem brak. 'Ik vraag je het leven van mijn zoon te redden. Hij moet weg uit China. Jij bent onze enige hoop. Maar, Christina, mijn liefste vriendin, het is gevaarlijk voor je.'

Lange tijd geleden had ze van deze man gehouden. Wat zij samen hadden gehad, had niets met politieke ideologieën te maken gehad. Ze waren gewoon twee jonge mensen geweest die op een bepaalde tijd en plek samen waren gekomen. Hij was haar vriend geweest, haar minnaar, en in zekere zin haar redder. Hij had onvoorwaardelijk en zonder enig oordeel van haar gehouden. Zijn vriendelijkheid en zorg hadden geholpen om de diepe emotionele wonden, die ze had opgelopen, te helen. In veel opzichten had hij haar weer het leven geschonken. Zij kon nu niet anders voor hèm doen.

Ze zei slechts: 'Natuurlijk doe ik dat.'

Hoofdstuk 35

Het straalvliegtuig van Fortune taxiede over de kleine landingsbaan en bleef toen staan, waarna Christina haar veiligheidsriem losmaakte. Ze bedankte de piloot voor de vlotte vlucht en stapte toen uit het vliegtuig.

In haar koffertje had ze het officiële handelsvoorstel dat eerder die ochtend door het Centraal Comité was goedgekeurd en ondertekend. Ze had ook een brief bij zich met een reeks plaatsen en persoonsnamen. Een daarvan was de aangenomen identiteit van James Li, de zoon van David. De plaatsen waren de stadjes en dorpjes op het vasteland van China waar hij de eerstvolgende vier dagen bij vrienden en verre verwanten zou verblijven, voortdurend onderweg om te vermijden door de militaire autoriteiten gearresteerd te worden.

Ze zocht naar de limo, maar zag in plaats daarvan de Rover op een paar honderd meter afstand van de rand van de baan. Ross stond ernaast. Hij had zijn handen nonchalant in de zakken van zijn donkergrijze pak gestopt, maar ze voelde dat hij zich verre van nonchalant voelde. Hij had iets aarzelends, en dat hoorde totaal niet bij zijn gebruikelijke houding.

Daar stond hij gespannen te wachten terwijl het gehuil van de motoren steeds meer afnam en ze liep langzaam op hem toe. Ze had diezelfde aarzeling bij hem gevoeld toen ze de vorige dag was vertrokken en had niet begrepen wat de oorzaak daarvan was – waarom hij zo koortsachtig afscheid van haar had genomen. Waarom had hij haar zo onderzoekend aangekeken, alsof er iets was dat hij dolgraag wilde zeggen? En dan zijn afscheidskus. Die was zo dringend en bijna angstig geweest.

Nu begreep ze het wel. Ross wist wat David voor haar had betekend en hij wist dat ze zich in zeker opzicht aan haar herinnering aan die jeugdliefde vastklampte. Nu ze David weer had ontmoet en zich had kunnen verzoenen met het feit dat hun liefde nooit een goed einde was beschoren, kon ze dat alles eindelijk loslaten. David was een heel dierbare vriend en zou dat ook altijd blijven. En ze zou de tijd die ze in het verleden samen hadden beleefd altijd blijven koesteren.

Maar nu had ze de toekomst voor ogen, en de man die daar op haar stond te wachten.

Ze bleef vlak voor hem staan en zag de vraag in zijn ogen. Ze beantwoordde die door zich in zijn armen te laten vallen, de hare om zijn middel te slaan en haar handen op zijn rug te drukken terwijl ze hem vurig kuste. Ze gaf zich ten volle aan hem over en liet hem zo alles weten waarvan ze wilde dat hij het wist.

Meteen losten de angst en de onzekerheid die Ross had gevoeld zich op. Ze was weer terug in zijn armen, en in het heerlijk zachte fluweel van haar tong tegen de zijne voelde hij haar verlangen. Hij drukte haar ruw tegen zich aan en kuste haar nog hartstochtelijker. Als hij haar ìn zich had kunnen drukken, zou hij het zeker hebben gedaan, zo innig waren zijn verlangen en behoefte.

Eindelijk, na lange tijd, trok hij zich terug.

'Ik geloof dat ik vaker moet weggaan,' fluisterde ze met onvaste stem, terwijl ze met het puntje van haar tong langs een wondje aan zijn bovenlip gleed.

'Alles in orde met je?' vroeg Ross.

Ze begreep de volle betekenis van die vraag. Terwijl ze hem over zijn wang streelde, antwoordde ze ronduit: 'Ja, alles is nu in orde. Hélemaal in orde.'

Hij kuste haar weer, deze keer heel teder.

'Vraag je me niets over de handelsovereenkomst?' plaagde ze.

'Goed dan. Hoe staat het ermee?'

'Het Centraal Comité heeft ze goedgekeurd en ondertekend; dat is vanochtend gebeurd.'

'En hoe staat het met David Chen?'

'Ik had het zonder hem niet voor elkaar gekregen,' antwoordde ze naar waarheid. 'Enkele leden van het comité verzetten zich ertegen, maar hij overtuigde hen van de voordelen van de overeenkomst. Uiteindelijk gingen ze in hun stemmen allemaal met zijn aanbevelingen mee.'

'En jouw gevoelens voor hem?'

Een eerlijke vraag vereiste een even eerlijk antwoord. Ze sloot haar vingers om de zijne en was zich ervan bewust hoeveel ze van deze man hield. 'Hij is mijn vriend en zal dat ook altijd blijven. Maar wat wij samen hadden, ligt in het verleden. Dat behoort toe aan de mensen die wij tóen waren, niet aan de mensen die we nu zijn.'

Ross begreep dat het verleden voor haar had afgedaan. Bij de confrontatie met zijn vader en het verkrijgen van de goedkeuring van het kartel had hij eindelijk zijn verleden achter zich gelaten, en door haar naar David Chen te laten gaan, had hij haar toegestaan hetzelfde te doen.

Ze aarzelde even en zei toen voorzichtig: 'Er is nòg iets. Iets dat ik voor David moet doen...'

'Er bestaat geen enkele twijfel aan. Iets dergelijks is uitzonderlijk gevaarlijk,' zei Bill, die tegenover hen in het kantoor van Ross zat.
'Maar is het te dóen?' vroeg Christina.
'Het ìs te doen,' zei Bill uiteindelijk. 'Om je de waarheid te zeggen, gebeurt het heel vaak.' En hij voegde er meteen waarschuwend aan toe: 'Maar niet zonder veel bloedvergieten. Vooral omdat die jongeman al op hun lijst staat. Het is net zoiets als een gevangene die aan een hele politiemacht wil ontsnappen terwijl iedereen die hij tegenkomt een gewillige informant is.'
'Niet iedereen. David heeft vrienden die hem verbergen. Maar dat kunnen ze niet blíjven doen.'
Christina stond op en begon in de kamer heen en weer te lopen. 'Er móet een uitweg zijn.'
Bill schudde zijn hoofd. 'De gebruikelijke wegen naar buiten komen niet in aanmerking. Zij houden de luchthavens in de gaten als de Gestapo in oude films. Hetzelfde gaat op voor controlepunten op wegen tussen het vasteland en de New Territories. Ross en ik zijn een paar keer naar Macau geweest. Ze hebben sinds de opstand ook daar alles meer in de hand en letten vooral op iedereen die Chinees is.'
Tijdens het hele gesprek had Ross gezwegen, maar nu vroeg hij: 'Hoe staan het met een boot?'
Bill en Christina staarden hem beiden aan. Toen zei Bill sceptisch: 'Ik zou zeggen dat het dwaasheid is. Jij weet evengoed als ik hoeveel boten vol vluchtelingen na de opstand zijn aangehouden of teruggestuurd. Ze zijn veel te kwetsbaar.'
'Ik heb het niet over een motorjacht,' zei Ross aarzelend, 'maar over een zeilboot.'
'Het zou op klaarlichte dag moeten gebeuren, maar dan bestaat er altijd nog de kans door de kustpatrouilles te worden opgemerkt.'
'Het zou na het invallen van de duisternis kunnen gebeuren.'
'Weer hield Bill vol. 'Het is ònmogelijk. De wind en de stroom tussen de kust en het vasteland zijn verraderlijk, vooral voor zeilboten.'
'Ik heb mijn hele leven in deze wateren gezeild.'
'Onmogelijk!' hield Bill vol. 'Jij gaat daar niet in je eentje heen om te proberen tussen de kust hier en het vasteland heen en weer te zeilen.'
Christina staarde Ross aan. 'Bill heeft gelijk. Er móet een andere oplossing zijn.'
Ross nam haar hand in de zijne en spreidde haar vingers uit elkaar. Hij keek heel somber. 'Er is geen andere oplossing, Chris.'
Toen ze wilde protesteren, legde hij het haar uit. 'Als het er alleen om ging om hem het land uit te krijgen en het niet kon schelen wat voor tegenmaatregelen er zouden worden getroffen, zouden we con-

tact kunnen opnemen met de mensen bij wie hij logeert, hem naar de luchthaven van Shanghai laten smokkelen en daar gewoon aan boord van het Fortune-toestel nemen. Maar zo eenvoudig is het niet. De regeringsautoriteiten denken dat hij dood is. En dat moeten ze blíjven geloven, om Chen Li en zijn positie bij de regering veilig te stellen. En dan is er onze betrokkenheid. Als zij maar een moment zouden vermoeden dat wij probeerden hem het land uit te krijgen, zouden ze die handelsovereenkomst onmiddellijk annuleren, en het resultaat zou kunnen zijn dat de onderneming dat niet overleeft.'

'Wil je daarmee dus zeggen dat we het maar moeten vergeten? Dat kan ik niet doen; ik heb het beloofd! En ik wil die belofte houden.'

'Ik ben van plan die voor je te houden,' zei hij en wreef met zijn duim langs de vorm van haar hand. 'Heb vertrouwen in me. Laat me het op mijn manier doen.'

'Maar...'

Koppig viel hij haar in de rede. 'Ik vlieg met een lijnvliegtuig naar Kanton, waar ik vaak voor zaken ben geweest. En daar verdwijn ik gewoon in de menigte.'

'Hoe kan een *gweilo* verdwijnen in een land met miljoenen Chinezen?' vroeg Bill met spottende stem.

'Er zijn daar genoeg *gweilo's* om niet op te vallen. Daar regel ik iets om een boot te krijgen met mensen die ik ken en neem daarna contact op met Davids zoon.'

'Ze moeten hem over vier dagen weer doorsturen,' hielp ze hem herinneren.

Ross knikte. 'Als alles goed gaat, kunnen we al over drie dagen van het vasteland wegzeilen.'

'Als alles goed gaat,' mompelde Bill, en wreef met zijn vingers over zijn voorhoofd. 'Afgezien van de militairen die in die wateren voortdurend patrouilleren. En hoe staat het met dat volkomen onvoorspelbare weer hier?'

Zonder Ross de kans te geven hem te antwoorden, ging hij door: 'Ik vind het vreselijk hier voor advocaat van de duivel te moeten spelen...'

Ross viel hem in de rede. 'Doe het dan níet. Het is de enige manier om dit voor elkaar te krijgen, en dat weet je.'

'Maar waarom moet jij dit in godsnaam doen?'

'Omdat ik die wateren ken, en ook nog een paar plekjes waar we ons kunnen schuilhouden als het verkeerd loopt. Bovendien ben ik niet van plan kogels te horen. Daar wil ik een eind bij uit de buurt blijven. Wat het weer betreft, dat zullen we controleren bij de meteorologische dienst van de marine. Als we een beetje boffen, zijn ze in staat ons een nauwkeurige verwachting te geven voor de eerstkomend vier dagen. En verder vertrouw ik op mijn instinct.'

422

'Jezus!' zei Bill. 'Ik geloof niet dat ik iets kan zeggen dat je ervan af brengt, hè?'

Ross lachte. 'Je hebt het al mooi geprobeerd!'

Bill keek hulpeloos naar Christina. 'Probeer jij hem wat gezond verstand bij te brengen.' Toen beende hij het kantoor uit.

'Maak je om hem maar niet bezorgd,' zei Ross. 'Die komt wel terug. Hij is alleen even de weerkaarten gaan controleren.'

'Hij heeft gelijk,' zei Christina flink. 'Het is te gevaarlijk. Ik wil niet dat je het doet.'

Hij lachte tegen haar en trok haar op schoot. 'Je wilt niet dat ik het doe?' vroeg hij, en trok een wenkbrauw op. 'Het leven van die jongeman loopt gevaar en je hebt beloofd hem te helpen.'

'Ja, ìk heb het beloofd, niet jij. Ik kan jou niet vragen je leven hiervoor te wagen.'

'Dat hèb je ook niet gevraagd.'

'Waarom doe je het dan?'

Hij keek even naar hun in elkaar gestrengelde handen vóór hij antwoordde: 'Ik wist niet of je naar me terug zou komen. Ik bedoel, ècht terug, naar geest zowel als naar lichaam. Ik had je aan hem kunnen kwijtraken.' Toen ze wilde protesteren, bracht hij haar tot zwijgen door een vinger op haar lippen te leggen.

'Maar nu begrijp ik wat je voor David Chen voelde. En ik aanvaard het, omdat ik van je houd. Dat heb ik nog nooit tegen een vrouw gezegd. Ik vond altijd dat die woorden veel te gemakkelijk werden gebruikt en daardoor te gauw een leugen werden. Jij hebt iets beloofd. En omdat het voor jou belangrijk is, is het belangrijk voor òns.'

Hij eindigde met: 'Je moet me vertrouwen, want ik ben heus geen dwaas en weet absoluut wat ik doe.'

Ze sloeg haar armen om zijn hals en drukte haar voorhoofd tegen het zijne. 'Ik vertrouw je. Ik wil je alleen niet verliezen.'

'Och, schat, je zou me niet kunnen kwijtraken zelfs al zou je het proberen.'

'Ik ga met je mee,' kondigde Bill koppig aan toen hij het kantoor van Ross binnenkwam. Het was al laat in de avond en de dag nadat Christina was teruggekomen van het vasteland van China. Er was contact gezocht met een van de mensen op de lijst die ze op de terugtocht had meegenomen. Een paar uur geleden hadden ze daar antwoord op gekregen. Er was een ontmoetingsplaats vastgesteld en tevens bevestigd dat Ross James Li daar zou ontmoeten. Op het bureau van Ross lagen weerkaarten en getijdentafels, alsmede vervalste persoonsbewijzen. Ross keek op.

'En dat van een man die al groen wordt op het veer van Sausalito.

Aanvaard het, beste kerel, jij bent niet de meest geschikte persoon voor een zeereisje.'

'Misschien heb je hulp nodig. Ik neem wel pillen in tegen zeeziekte. En mijn Kantonees is niet zo slecht.'

'Nee, maar je Mandarijnenchinees lijkt nergens op, en je kunt niet goed liegen. Als het erop aankomt, ben ik vermoedelijk gedwongen een paar flinke leugens weg te geven om ons eruit te kletsen.'

'Waarvoor heb je dat nodig?' Bill wees op een metalen handgreep die uit een open lade van het bureau van Ross stak. Het was de kolf van een pistool. Ross sloot de lade.

'Dat is voor het geval ik niet zo goed lieg als ik dacht.'

'Verdomme! Kan ik dan níets zeggen om je hier vanaf te brengen?' vroeg Bill weer.

Ross grinnikte tegen hem. 'Als Chris me niet kan overhalen – en ik verzeker je dat ze heel wat overredingskracht heeft, vooral bij mij – waarom denk jij dan dat jij het wel kunt?'

'Och, ik weet het niet,' gromde Bill nijdig. 'Ik blijf maar hopen dat er even wat gezond verstand bij je gaat spreken en je dan naar rede kunt luisteren.'

Ross lachte. 'Dat zit er niet in, beste kerel.' Vóór Bill verder kon gaan, zei hij: 'Ik moest maar eens gaan. Mijn vliegtuig naar Kanton vertrekt over een kleine twee uur van Kai Tak.'

Hij had met opzet een late avondvlucht gekozen en zou zich afmelden in een plaatselijk hotel waar reeds een reservering was gemaakt, zogenaamd voor een zakenreis. De zojuist getekende handelsovereenkomst gaf hem een logische reden om het vasteland van China te bezoeken.

Hij was van plan vroeg in de ochtend het hotel uit te gaan en tussen de menigte op straat te verdwijnen. Dan zou hij een paar keer een taxi nemen, een paar verschillende achter elkaar, die hem naar Kanchou in het noorden zouden brengen, waar hij James Li zou vinden. Als alles goed verliep, zouden ze samen naar de kust gaan, waar een boot voor het laatste stuk van hun reis China uit op hen zou wachten. Als het even meezat, zouden ze zonder verdere avonturen de haven van Hongkong kunnen binnenvaren.

Een binnenkomend vliegtuig vloog laag over de luchthaven Kai Tak. Ross was, samen met Bill, bezig in te boeken voor zijn vlucht naar Kanton. Hij had alleen handbagage bij zich, maar ook een dikke rol Chinees geld, want Hongkong-dollars zouden hem daar niet helpen. Christina wachtte in de passagiersruimte op hem.

Toen Ross van het boekingsloket vandaan kwam, nam hij Bill even terzijde. 'Neem contact op met Thomas Lai en vertel hem wat je te weten bent gekomen over die ladingspapieren die we hebben gevonden en in San Francisco waren veranderd. Wé moeten zien te ontdekken wie er nog meer bij deze smokkelaffaire is betrokken. Lai kan je misschien helpen.'

'Goed.'

'Zeg hem dat hij alles moet doen wat nodig is om een eind aan deze zaak te maken.'

'Wat ben jij soms toch een kille schoft!' zei Bill zacht.

Ross keek hem strak aan. 'Ik denk dat Steven niet de enige is die bij dit smokkelzaakje is betrokken en durf het niet te riskeren om andere smokkelaars in de buurt van Chris te laten komen. Hij heeft al twee keer geprobeerd om haar te vermoorden en faalde toen. En nu zijn smokkelpraktijken aan de kaak zijn gesteld, heeft hij niets meer te verliezen. Misschien is hij bereid om alle nodige risico's te lopen om haar te elimineren.'

Hij zweeg even en ging toen zacht door: 'Als ik om een of andere reden niet terugkom...'

Bill viel hem in de rede. 'Hou je bek. Zèg dat zelfs niet.'

Maar Ross ging door. 'Als mij iets overkomt... dan wil ik dat jij me nu belooft voor haar te zorgen, Bill.'

De twee vrienden keken elkaar aan, omgeven door een menigte zich verdringende toeristen. Bills blikken werden zachter. Hij greep de hand van Ross alsof hij die wilde schudden, maar in plaats daarvan hield hij hem stevig vast. 'Jij bent de grootste bofkont die ik ken. Jij haalt het wel.'

Ross knikte. 'Dank je, kerel. Voor alles.'

Zijn vlucht werd afgeroepen en hij liep naar Christina toe. Bill ging niet mee, maar liep naar de ramen die uitzicht boden op de verlichte startbaan, waar juist een toestel naar Europa vertrok.

Ross raakte met zijn vingers haar wang aan. 'Overmorgen vroeg ben ik terug, nog voor het licht wordt.'

'Belóóf je me dat?' vroeg ze, en drong haar tranen terug.

'Absoluut. Tenslotte heb jij me ervan beschuldigd dat ik een piraat ben en dit is nu net waar piraten goed in zijn.'

Ze probeerde te lachen, ondanks de opkomende tranen. Toen kuste hij haar met de soort tederheid die ze zich herinnerde van de allereerste kus in een stad een halve wereld hiervandaan.

'Ik hou van je,' fluisterde hij met zijn mond tegen de hare. En toen draaide hij zich bruusk om en liep weg.

'Ik zal op je wachten,' riep ze hem na toen hij uit het zicht verdween.

Het was na één uur 's nachts toen Bill en Christina samen de luchthaven verlieten en naar het parkeerterrein gingen. Bill reed en sloeg de richting in naar de haven, en verder naar Tsim Sha Tsui, om haar terug te brengen naar het Regent.

Terwijl ze zwijgend in het stille, donkere interieur van de auto zat, bedacht Christina dat de eerstvolgende zesendertig uren vast heel lang zouden duren.

De onopvallende grijze gehuurde Toyota reed weg van zijn parkeerplaats een eind achter hen. Hij remde af als zij langzamer reden en volgde hen over de weg om de haven heen. Daarna volgde hij de Rover zonder te hard te gaan rijden, maar óok zonder hem uit het oog te verliezen.

Toen ze Salisbury Road inreden, volgde de Toyota, om vervolgens een plaatsje aan de overkant van de straat te zoeken toen zij het bewaakte parkeerterrein van het Regent opreden.

Handen klemden zich om het stuur toen de man zag hoe Christina afscheid nam van de man in de Rover en daarna de lobby inging. Daar werd ze begroet door de portier en binnen vervolgens door een andere Chinees – vermoedelijk de directeur van het hotel, dacht hij.

Hij overwoog haar in het hotel te volgen nu McKenna weg was, maar hij zag de geüniformeerde veiligheidsagent naar hem kijken vanuit de auto die voor het hotel stond. Het Regent was een van de duurste en deftigste hotels in de Territory en telde hoogwaardigheidsbekleders en beroemdheden onder zijn gasten en de bewaking was er streng.

Zijn knokkels staken wit af tegen het stuur terwijl hij zijn greep eromheen verstevigde. Toen de veiligheidsagent langzaam op hem toe kwam, gaf hij gas en reed snel weg. Hij kon het er niet op wagen dat de autoriteiten hem zouden gaan ondervragen. Snel reed hij Salisbury Road uit en verdween in de duisternis.

Bij aankomst in Kanton boekte Ross een kamer in een van de hotels waar veel zakenlieden kwamen, ging naar bed en probeerde een paar uur te slapen voor hij om zes uur moest opstaan. Hij had zijn hotelrekening van tevoren betaald, zodat er geen vragen zouden komen als hij niet op de gebruikelijke vertrektijd verscheen.

Vier uur later drukte hij op het knopje van zijn kleine reiswekkertje vóór het afliep. Toen nam hij een douche, kleedde zich aan en verliet kort na zeven uur het hotel. In plaats van een van de taxi's te huren die voor het hotel stonden, ging hij lopen.

Ondanks dat het nog vroeg was, was het toch al warm en vochtig. Het was normaal in die tijd van het jaar dat het in het binnenland al vroeg op de dag drukkend was. Hij liep een openluchtmarkt op, waar kooplui hun handkarren en wagens met groenten en vruchten, gevogelte en verse vis neerzetten. De lucht daarvan vermengde zich met de wolken dieseldamp die al op straat hingen en met de kwalijk riekende stank van rottend afval in de goten. Taxi's en vrachtauto's scheurden tussen de dicht opeengepakte rijen fietsers door en overal klonk een kakofonie van stemmen – tandeloze oude vrouwen schetterden tegen ongehoorzame kleinkinderen, geüniformeerde schoolkinderen gilden luid tegen elkaar en bezorgers schreeuwden vanuit hun wagens naar de winkeliers die hen op straat stonden op te wachten.

Ross kende Kanton, of Guangzhou, zoals het nu heette. Voor hem was het altijd Kanton geweest, vanaf de tijd dat zijn moeder hem op zijn eerste uitstapje naar het binnenland had meegenomen, omdat ze daar was geboren. Voor hem zou het altijd Kanton blijven.

Op straat, ergens tussen de markt en de stedelijke kantoren, hield hij een taxi aan. Hij betaalde de chauffeur de helft van het afgesproken tarief vooruit en daarna reden ze de stad uit.

De vierbaansweg sneed recht door het landschap van vlakke velden, met slechts hier en daar bossen. Ruim twee uur later kwamen ze ten slotte aan in Shao-kuan. Ross betaalde de chauffeur de rest van het tarief, plus een fooi. Voor geld kon je veel kopen, ook het zwijgen van een man – althans voor korte tijd.

Shao-kuan was een plattelandsgemeente. De vlakke velden strekten zich uit tot aan de verre heuvels en achter die heuvels lag Kanchou, waar hij James Li hoopte te vinden.

Hij bezocht een oude vriend van zijn moeder en informeerde waar hij een auto zou kunnen kopen. Hij werd verwezen naar een garage aan het eind van het dorp.

Het vervallen, uit metalen platen opgetrokken gebouw bevatte een slordige werkplaats vol auto-onderdelen en gereedschappen. De eigenaar, Wah-yim, was de neef van de vrouw die Ross daarheen had verwezen. Hij nam Ross op met een achterdochtige blik, tot hij de dikke rol Chinese bankbiljetten in zijn hand zag. Toen nam hij Ross mee naar de achterkant van de garage en trok een stuk zeildoek van een versleten oude kar af die in de jaren zestig eens een Chevrolet was geweest.

'Loopt goed!' verkondigde Wah-yim grijnzend en sloeg met zijn hand op de blauwe, halfverroeste motorkap van de auto.

'Dat moet ook,' zei Ross hem in het Kantonees, terwijl ze aan het onderhandelen gingen. 'Als hij níet goed loopt, kom ik mijn geld terughalen, en het kan me niet schelen hoe ik dat dan loskrijg.'

Het dreigement was voldoende om Wah-yim te doen buigen en in het Kantonees te bezweren dat hij nooit een vriend van zijn tante zou durven bedriegen, want dan zou ze hem ongetwijfeld met een vleesmes van enkele dierbare lichaamsdelen komen ontdoen.

'We zullen zien,' antwoordde Ross en ging achter het stuur van de Chevy zitten. Er steeg een stofwolk op uit de versleten bekleding en hij kon nauwelijks door de voorruit kijken, zo vuil was die. Toen

Wah-yim er een emmer water tegenaan gooide, droop de modder erlangs. Door het glas heen grinnikte hij tegen Ross en sloeg weer met zijn vlakke hand op de motorkap. 'Prima conditie.'

Ross betaalde hem voor de auto en een volle benzinetank en hij nam tevens nog een paar volle jerrycans mee op de achterbank. Toen gooide hij zijn tas daarnaast, reed achteruit de weg op en zette koers naar de bergen.

Kan-chou was een plattelandsgemeente zoals zo vele, die als een parelsnoer langs de oevers van de rivier lagen die daar door China stroomde. Het was na vijf uur 's middags toen Ross aankwam. Daar bleek dat de Chevy elke cent waard was geweest van de tegenwaarde van vijfduizend dollar die hij ervoor had betaald. Met zijn verroeste carrosserie en portieren met deuken, olierook uit de roestige uitlaat puffend, viel hij niet op tussen de andere overblijfselen van de Amerikaanse auto-industrie.

Ross reed naar de rand van het dorp. Het was al donker toen hij stopte achter het rijtje werkplaatsen en vervallen hutten. Hij vond het derde huis aan het eind en klopte op de achterdeur. Het licht binnen werd getemperd en toen werd de deur krakend geopend.

In het Kantonees zei Ross: 'Ik kom om de zoon van Chen Li.' In het donker werd een hand naar hem uitgestrekt en zo werd hij naar binnen getrokken.

Er werd een enkel peertje ontstoken in de bescheiden tweekamerwoning. Er stonden vier aluminiumstoelen met kapotte vinyl zittingen om een tafel met een formicablad. Tegen de andere muur stond een bank. Voor de ramen hingen zware overgordijnen. Aan de tafel zaten twee mannen – de man die hem naar binnen had getrokken, knikte tegen de slanke jongeman die uit een aangrenzend vertrek kwam.

James Li was zestien, had een tenger postuur en nogal lange haren en heldere, donkere ogen achter ouderwetse brilleglazen. Hij had een spijkerbroek aan, een sweatshirt waarvan de mouwen even boven de ellebogen waren afgeknipt en Adidas-sportschoenen met slijtplekken. Ross herkende zijn gezicht van de talloze aanplakbiljetten die na de studentenopstand in de straten van Hongkong waren verschenen.

Daar stond een jongen die moest vluchten om zijn leven te redden.

Hij werd voorgesteld en er werd een maaltijd geserveerd. Toen vertelde Ross aan James wat de ontvluchtingsplannen waren.

'Hoe gaat het met mijn ouders en zusjes?' vroeg James.

'Voor zover ik weet, goed. Een kennis van me heeft met je vader gesproken en deze regeling getroffen. Zij kan je alles over hen vertellen als we straks in Hongkong zijn.'

'Ze heet Christina.' James herhaalde wat hem verteld was. 'Ik verheug me erop haar te leren kennen. Mijn vader heeft me het nodige over haar verteld.' Er werd weer op de deur geklopt en meteen gingen de lichten weer uit. Toen hun gastheer naar binnen kwam, gingen de lampen weer aan. Hij kwam terug van een verkenning van hun vluchtweg.

'Het is tijd. Als je nu gaat, heb je ruim de tijd op de Chin Chiang-weg om je bestemming te bereiken.'

Er werd afscheid genomen. Het was een schrijnend moment, dat Ross goed begreep. James liet zijn vrienden en familie voor lange tijd achter zich. Hij wist niet of hij de vrijheid zou bereiken – en of hij ooit in staat zou zijn terug te keren.

'Pas goed op onze vriend,' werd er tegen Ross gezegd. 'Als ze hem vinden, vermoorden ze hem.'

Even daarna reden ze op de Chin Chiang-weg en snelden door de nacht naar de oostkust van het vasteland van China, terwijl ze baden dat niemand hen zou aanhouden.

Ze reden uren door en stopten alleen om de inhoud van de jerrycans in de tank te ledigen. James sprak uitstekend Engels. Hij was duidelijk een heel intelligente en weetgierige jongeman. Hij sprak over de studentenopstand in Peking en over de kleine veranderingen die er thans in zijn land hier en daar plaatsvonden.

Toen, kort na middernacht en op de weg naar Shan-t'ou, ontmoetten ze een gestrande automobilist, die hen aanhield. Ross liet het pistool achter zijn riem glijden. Ze reden langzaam langs de man heen en stonden toen stil. Het was een oude man met een lading meloenen. Zijn oude vrachtauto was zonder benzine komen te staan Ross gaf hem een van hun nog resterende jerrycans.

'Het dragen van een vuurwapen op het vasteland van China is heel gevaarlijk,' merkte James op toen ze weer verder gingen.

'Het is nòg gevaarlijker er zelf geen te hebben en in de loop van een Russisch machinepistool te kijken.'

Vlak na twee uur 's ochtends kwamen ze in het vissersplaatsje Shan-t'ou aan. Als jongeman had Ross daar vaak vandaan gezeild en hij kende de wateren in die omgeving goed. Ze deden de kleren aan die Ross had meegebracht – zwarte broek, zwarte coltruien en zwarte schoenen met zachte zolen. Al het andere werd in zijn tas gepakt, ook hun vervalste identiteitspapieren en bezoekersvisa.

Ze lieten de auto staan met de sleutel erin, voor de gelukkige die hem zou vinden. Toen liepen ze de rest van de weg het plaatsje in, maar vermeden de hoofdweg.

Ze begaven zich vervolgens naar een kleine baai, waar vissersboten lagen gemeerd. Andere boten waren op het strand getrokken. Er liep een steiger langs het diepere water met een klein boothuis. Ross liep zachtjes over de steiger en klopte op de deur van het boothuis, die piepend openging. Er werden enkele woorden gewisseld en de oude man die daar woonde stapte naar buiten.

Hij zei tegen Ross in het Kantonees: 'Ik heb alles waar u om gevraagd hebt.' Hij tilde zijn lantaarn op, zodat het licht ervan op het gezicht van James viel.

Ross hield hem tegen. 'Ik neem mijn vriend mee om een nachtelijk zeiltochtje te maken,' verklaarde hij. Toen drukte hij enkele bankbiljetten in de hand van de oude man.

De man knikte, stopte het geld in een zak van zijn loshangend overhemd en bracht hen toen over de steiger naar de boot die hij voor hen had klaargelegd.

Het scheepje was tien meter lang en leek op een kits, lang en laag, met een middenmast en een mast op het achterdek. De zeilen waren opgebonden en de lijnen bewogen in het briesje dat van het water af kwam opzetten. Wat voor kleur het scheepje oorspronkelijk ook had, het was nu zwart – een kleur die vrijwel onzichtbaar was tegen de horizon, voor het geval ze andere schepen zouden tegenkomen.

Ross vroeg naar de bevoorrading. De oude man knikte en bevestigde dat er vers water aan boord was, een zak met voedsel in het vooronder, reddingsboeien en lantaarns.

De boot had Ross tien keer zoveel gekost als hij er ergens anders voor had moeten neertellen, maar was elke cent waard. Ross controleerde hem van voor tot achter. Het scheepje was waterdicht en alles leek in orde. Er was geen tijd om de zeilen te controleren en hij zou de oude man op zijn woord moeten geloven dat ze zeewaardig waren, net zoals de rest van de boot.

Toen alles was gestouwd, gingen ze op weg en gleden langzaam weg van de steiger, voortgedreven door de 10 pk-motor. Zodra ze buiten de golfbrekers waren, liep Ross naar voren, hees de fok en zette de motor af. Hij lachte even toen hij het zeil zag, dat vol donkere verfspatten zat. Het was in het nachtelijk duister nauwelijks zichtbaar.

Terwijl de wind hen de Zuidchinese Zee in dreef, liet hij James het roer vasthouden terwijl hij het grootzeil hees. Toen ging hij terug en stuurde James naar de boeg om uit te kijken naar lichten op het water. Hij wilde niet per ongeluk een patrouille van de kustwacht tegenkomen.

De wind hield aan en bracht hen gestaag naar open zee, terwijl Ross controleerde waar hij zich bevond. De negen draken deden hun best voor hen, want de storm die de vorige nacht had gedreigd, was verdwenen. De kust was helder verlicht, maar hoewel dat Ross duidelijk de richting aanwees, maakte het hem ook zichtbaar voor patrouilleboten.

'Hoe lang duurt het?' vroeg James, die een zwart windjack over zijn sweatshirt had aangetrokken. De wind op het water sneed dwars door hun kleren heen.

Ross stelde het roer bij, omdat de stroom zigzagde met de loop van de kustlijn. 'Als de wind zo blijft, zijn we vóór het aanbreken van de dag in Hongkong.'

James werd stil en staarde over het water, op zoek naar lichten die hen zouden waarschuwen dat er schepen aankwamen. Ross maakte ondertussen het pistool achter zijn riem schietklaar.

Even na vier uur 's ochtends sprong Christina op toen de telefoon in haar suite rinkelde. Ze had niet kunnen slapen en nam meteen de hoorn op. Het was Bill.

'Sorry dat ik je wakker maakte.'

'Ik kon tòch niet slapen.'

'Ja, dat begrijp ik. Mick en de anderen zijn al weg en ik vertrek nu ook. Over ongeveer twintig minuten haal ik jou op.'

'Is er nog bericht gekomen?' vroeg ze angstig.

'Voor hij wegging, heeft Ross gezegd dat hij geen contact met ons zou zoeken. We moeten erop vertrouwen dat hij het zal halen.'

'Hoe staat het met de havenpatrouilles?'

'Daarom hebben we Mick en de anderen daar op die trawler,' verklaarde Bill. 'Ik zie je straks wel.'

Toen Bill voor het Regent stopte, holde ze naar de Rover. Zwijgend reden ze Hongkong door naar het eiland en volgden daar de oostelijke oever, voorbij Causeway Bay, naar de kleinere havens en steigers die door de officiële vissersschepen werden gebruikt. Ze vroeg niet hoe Mick en de anderen erin geslaagd waren een trawler te bemachtigen en had het gevoel dat dit een van de details was waarover ze later wel meer zou horen.

Daar bevond zich het oudste deel van de vissershavens, waar de kleinere schepen uit Taiwan en Shanghai meestal binnenvielen. De grotere containerhavens waren aangelegd langs de haven van Kowloon, om de oceaanreuzen ruimte te geven af te meren. Maar daar ergens in de buurt was ongetwijfeld de plek waar de oorspronkelijke steigers en havens door het Britse Rijk waren aangelegd en daar was Hamish Fortune destijds voor het eerst Victoria Harbor komen binnenzeilen.

Het was nog donker toen ze bij een van de lange steigers aankwamen, maar zelfs om die tijd in de ochtend was het er al druk. Een van de havenarbeiders maakte zich los van zijn groepje en kwam op hen toe. Christina herkende hem als een van Micks mannen.

'Mick heeft net van het schip gebeld. Ze hebben de afgesproken plaats bereikt, maar er is nog geen spoor van hen te ontdekken. Er staat daar een heel sterke zeegang met hoge golven.'

'Denk je dat het gaat stormen?' vroeg Bill, en hij keek naar de hemel.

'Pas vanavond laat, maar het kan daarbuiten wèl flink gaan spoken.'

'Laat het ons weten als je iets naders hoort,' zei Bill. De man knikte en ging terug om naar de binnenkomende gesprekken te luisteren die in het grote boothuis binnenkwamen.

'Het is koud hier,' zei Bill, toen de wind over het water aanwakkerde en hen er beiden aan herinnerde dat het herfst was en het weer ging veranderen. 'Wil je liever binnen wachten?' Ze schudde haar hoofd en trok het windjack van Ross steviger om zich heen. 'Ik wil hier buiten blijven. Hier zie ik het eind van de haven beter.' En zo wachtte ze tot na zessen, toen er grijze strepen licht aan de oostelijke horizon verschenen.

Christina was vrijwel bevroren door de wind, maar ze weigerde naar het boothuis of terug naar de Rover te gaan. Toen kwam het gesprek binnen en de man van Mick kwam snel op hen toe.

'Ze hebben hen! Ze hebben hen net te pakken gekregen. Het schijnt dat ze wat moeilijkheden met een van de kustpatrouilles hebben gehad. Er zijn enkele schoten gewisseld, maar ze zijn ontkomen.' Toen keek hij naar het geschrokken gezicht van Christina. 'Sorry, mevrouw. Dat had ik niet moeten zeggen, maar geen van beiden mankeert iets. Niemand is gewond. Mick en de jongens brengen hen nu hierheen en binnen een uur moeten ze hier zijn.'

Hij ging terug om verdere berichten op te vangen. Christina wendde zich tot Bill en sloeg toen haar armen om zijn hals. 'Ze zijn ongedeerd!' riep ze verrukt uit, terwijl de tranen over haar wangen stroomden. Ze knuffelden elkaar en beiden lieten nu de emoties de vrije loop die ze niet hadden durven vertonen in de zesendertig uur sinds Ross naar Kanton was vertrokken.

Christina liet zich nu eindelijk door Bill naar het boothuis brengen. Daar nipten ze van de hete koffie, terwijl ze naar de binnenkomende berichten luisterden die van verschillende schepen kwamen die vanaf die steiger opereerden. Er kwamen enkele routineboodschappen van de kapitein van het schip dat Ross had opgepikt, maar geen persoonlijke berichten.

Eindelijk kwam de boodschap binnen dat ze de haven waren binnengevaren. Christina ging voor het grote raam staan kijken naar de trawler met de brede, rode band van de boeg naar de achtersteven, die aangaf dat het een schip van de officiële vissersvloot van Hongkong was.

Toen zag Bill hem en wees hem aan. Hij tufte over het water en het leek dat het eindeloos langzaam ging. Maar Bill merkte op dat het de gebruikelijke snelheid van een binnenkomende trawler was, en de kapitein zou wel zorgen de havenautoriteiten niet achterdochtig te maken en hun aandacht te vestigen op de ongebruikelijke lading die hij bij zich had door te snel de haven in te varen.

Het leek eeuwig te duren. De grote dieselmotoren van de trawler draaiden langzamer toen hij naar de steiger voer en gingen toen in hun achteruit, waardoor het schip nu bijna stil lag. Er werden lijnen overgegooid en bevestigd, terwijl Christina en Bill het boothuis verlieten en over de steiger holden.

Bill was vooruitgegaan om met het afmeren te helpen en Christina stond nu alleen bezorgd te wachten. Ze zocht de gezichten van de mannen af die aan het dek van de trawler stonden. Het waren enkele leden van de Chinese bemaning, maar er was er een bij die heel jong leek. Dat was ongetwijfeld James Li.

Ze slikte de brok uit haar keel weg. Ze had haar belofte aan David gehouden – nee, verbeterde ze zichzelf, Ross had die belofte namens haar gehouden.

Toen zag ze Ross, die naast James aan de reling kwam staan. Ze wuifde heftig naar hem en dacht dat hij haar had gezien. De loopplank werd neergelaten en ze holde erheen.

'Christina!'

Het horen van haar naam en de woede waarmee die werd uitgeroepen, bracht haar tot staan. Ze draaide zich om, zich niet bewust van het gevaar dat daar opdook. Maar Ross zag het. Hij zag het licht van de opkomende zon schitteren op de stalen loop van een revolver en ontwaarde de man die het wapen recht op Christina gericht hield.

'Chris!' schreeuwde hij waarschuwend, holde de loopplank af en duwde de mannen opzij, in een wanhopige poging nog op tijd bij haar te zijn.

Tussen al het geschreeuw en gegil door weerklonk door de koele ochtendlucht bij de steiger de luide knal van een schot.

Hoofdstuk 36

Christina bleef als verlamd staan en kon zich niet meer bewegen. Ze staarde ongelovig naar de man die zijn wapen op haar gericht hield. Hij had het recht op haar hart gericht, maar zakte toen plotseling op de steiger in elkaar. Daar lag hij met nietsziende ogen gericht naar de hemel, terwijl zich een grote, vuurrode plek over de voorkant van zijn overhemd verspreidde.

Brian Chandler lag dood op de steiger, zijn vinger nog om de trekker van een revolver geklemd.

'Chris! Ben je niet gewond?' Ross greep haar en trok haar in zijn armen. 'Goddank!' fluisterde hij met zijn mond tegen haar gezicht terwijl hij haar stevig tegen zich aangedrukt hield en zorgde dat ze het vreselijke schouwspel vlak voor zich niet kon zien.

'Ross!' Ze klampte zich aan hem vast alsof ze hem nooit meer wilde loslaten. 'Het is Brían... Maar waarom? Wat deed hij hier? Ik begrijp er níets van.'

'Het komt allemaal wel in orde.' Hij hield haar vast terwijl zich een groepje mensen om hen heen vormde. In de verte was het gehuil van sirenes al te horen.

'Maar waarom wilde Brian me nu vermoorden?' vroeg ze verward.

Vóór hij antwoord kon geven, zag ze een man naderbij komen. Thomas Lai maakte een kleine buiging als teken van eerbied. 'U hebt úw belofte gehouden,' zei hij tegen Christina, en dacht daarbij duidelijk aan Steven. 'U hebt de naam Fortune weer in ere hersteld. En nu moet ik míjn belofte houden.'

Hij keek even achterom naar het lijk van Brian Chandler. Natuurlijk had hij niet zelf geschoten. Een van zijn mannen had dat gedaan en was toen onmiddellijk daarna verdwenen.

Terwijl het gejank van de sirenes naderbij kwam, nam hij afscheid van hen. Zelfs al gingen er geruchten dat de triaden het juridisch apparaat in Hongkong beheersten, toch paste het niet dat het hoofd van een van de machtigste triaden gezien zou worden op de plek waar een moord had plaatsgevonden.

Hij glimlachte vaag terwijl hij uitkeek over Victoria Harbor en naar de gloed van de opkomende zon op het water. 'De negen draken slapen weer vredig, juffrouw Fortune. Goedendag.'

Laat in de avond, na een lange en vermoeide dag van praten met de politie van Hongkong, de immigratieautoriteiten en het Amerikaanse consulaat, kwamen Christina en Ross terug in hun hotel. De dag was met gevaar en geweld begonnen en geëindigd in een zee van papieren. James Li zou in Amerika politiek asiel krijgen. Zijn Amerikaanse verwanten in Boston, dezelfden die zijn vader hadden geholpen toen hij daar studeerde, zouden hem in hun huis opnemen. James vertelde Christina dat hij ervan overtuigd was op een goede dag naar China te kunnen terugkeren. Het was slechts een kwestie van tijd tot de oudste· generatie dood was of haar macht kwijtraakte en een jongere en soepeler generatie de macht zou overnemen. Ze hoopte dat hij gelijk had.

Toen de moeilijkheden voor James waren opgelost, bezochten Christina en Ross Steven, die naar de gevangenis was overgebracht. Ross zei hem ronduit dat zijn vader dood was en dat Stevens enige hoop om zijn straf verminderd te krijgen eruit bestond om volledig mee te werken en alles te vertellen wat hij wist. Alleen en doodsbang en volkomen geïntimideerd door de sfeer in de gevangenis, gaf Steven al snel zijn verzet op en bekende alles.

De drugsmokkel was een idee van Brian geweest en hij en Steven hadden die verscheidene maanden met veel succes toegepast. Ze waren ervan overtuigd geweest dat Ross en Richard het te druk hadden met elkaar te bestrijden om hun handeltje te ontdekken. Toen was Christina komen opduiken – en meer en meer bij de onderneming betrokken geraakt. Brian had tegen Steven gezegd dat ze moesten zorgen haar kwijt te raken en ze hadden twee aanslagen op haar leven gedaan – eerst op de ranch van Julie en de tweede keer in de tram. Brian had de aanslagen voorbereid en Steven had ze uitgevoerd.

Christina luisterde ernaar hoe Steven zonder enige emotie sprak over de verschrikkelijke wandaden die hij en zijn vader hadden begaan. Het enige waar hij spijt van had, was dat hij betrapt was. Ondanks al zijn oppervlakkige charme was hij een echte psychopaat, volkomen zonder enige moraal. Of het er nu om ging om zijn jeugdige nichtje te verkrachten, drugs te smokkelen of te proberen iemand te vermoorden die zijn illegale handel bedreigde – het was voor hem allemaal hetzelfde.

Toen ze Steven verlieten, voelde Christina zich misselijk. Slechts één keer eerder had ze iemand meegemaakt die zo duidelijk een monster was – Cal Loomis.

Terug in de suite van Ross viel ze neer op de sofa, geestelijk zowel als lichamelijk uitgeput. Ross had thee besteld en terwijl ze voorzichtig van de sterke, hete vloeistof nipte, zei ze: 'Steven is ziek. Dat zie ik nu pas goed. Zo moet hij altijd geweest zijn, maar niemand wilde het zien. Maar ik begrijp oom Brian niet... Waarom zou hij al dat vreselijks hebben gedaan?'

Zacht antwoordde Ross: 'Iedereen had veel te verliezen toen jij je erfdeel kwam opeisen, maar Brian nog het meest.'

'Maar waarom moest hij zich tot drugsmokkel verlagen? Hij had toch geld genoeg van Diana?'

'Ik denk dat hij bij Diana weg wilde. Denk er maar eens over na. Zij vernederde hem voortdurend en hun huwelijk was een mislukking. Maar als hij bij haar zou weggaan, zou hij niets hebben.'

'Hij zag er altijd al zo ongelukkig uit,' zei Christina fluisterend.

Ross ging door: 'Steven was volkomen bereid zijn vader bij diens plannen te helpen. En alles verliep prachtig, totdat jij op het toneel verscheen. Jij moest dus verdwijnen.'

Christina zei met een schuldig gezicht: 'Een tijdlang heb ik zelfs jou verdacht, omdat je op zulke vreemde momenten opdook.'

Tot haar verbazing begon Ross vrolijk te lachen. 'Je instinct was goed. Ik heb je, via Bill, steeds in de gaten gehouden. Eerst wilde ik alleen zo veel mogelijk omtrent je ontdekken. Toen, na dat ongeluk bij Julie op de ranch, wist ik dat iemand probeerde je te vermoorden. Daarna heb ik die arme Bill veel laten overwerken. En die avond waarop jij van die tram werd geduwd, heb ik hem uitgescholden omdat hij je niet beter had bewaakt.'

Christina slaagde erin even te lachen. 'En te denken dat ik bang voor je was, terwijl je eigenlijk de hele tijd voor mijn beschermengel speelde.'

Hij ging naast haar op de sofa zitten en vroeg dringend: 'Ben je nu weer helemaal in orde?'

Even gaf ze geen antwoord. Toen zette ze haar theekopje neer en wendde zich weer tot hem. 'Ja, nu is alles in orde. Weet je, ik ben niet om die erfenis teruggekomen en was niet van plan me zo intens met de onderneming te bemoeien. Ik kwam terug om te ontdekken wie de verkrachter was geweest en te zorgen dat hij gestraft werd.'

'Dat heb je nu bereikt,' antwoordde Ross. 'Steven zal heel, heel lang in de gevangenis van Hongkong moeten blijven.'

Ze voelde even een soort frustratie. 'Ja, maar niet als straf voor die verkrachting. Ik weet niet of je het begrijpt, maar dat betekent meer voor mij dan die drugsmokkel – zelfs meer dan zijn aanslagen op mijn leven.'

Ross nam haar handen in de zijne en hield ze stevig vast. 'Ik begrijp het, lieverd. Maar toen ik mijn vader bij die bespreking ontmoette en versloeg, heb ik iets over wraak geleerd. De bevrediging over het feit dat ik hem nu eens een lesje had geleerd, ging algauw voorbij. Ik begreep dat ik al die woede en pijn van me af moest zetten en achterlaten waar ze thuis hoorden – in het verleden.'

Hij had gelijk. Het werd tijd het verleden te vergeten en zich op de toekomst te concentreren, op het hier en nu. En op Ross. Maar vóór ze dat kon doen, was er nog één ding dat afgehandeld moest worden.

Hoofdstuk 37

De zon van Hawaii scheen vanuit een helderblauwe hemel. Uit de nabijgelegen oceaan kwam een koele, zilte bries, die de lokken van Christina's haar verspreidde en ze over haar wangen blies. Ze stond een beetje apart van de anderen en keek ernaar wat er over was van de rijke, machtige en verre van volmaakte familie Fortune die rondom het graf van Brian Chandler stond.

Diana leek kil en gereserveerd in haar strenge, zwarte japon. Andrew, naast haar, leek erg van streek. En toch was Christina ervan overtuigd dat hij het wel zou overleven dat zijn vader tot zonde was vervallen. In zeker opzicht was Andrew een van de weinige gelukkigen door een doel en betekenis in zijn leven te hebben ontdekt.

Naast Andrew zag Jason er heel jong en ontdaan uit. Christina was er niet zo zeker van dat Jason in staat zou zijn de harde realiteit onder ogen te zien dat zijn vader een bedrieger was geweest. Ze maakte zich zorgen om hem en wist eigenlijk niet wat ze moest zeggen of doen om hem te helpen deze tragedie te verwerken.

Naast Jason stonden Richard en Alicia. Richard had slechts met moeite zijn woede beheerst over de gebeurtenissen in Hongkong. Brians misdaad was al erg genoeg, maar het feit dat Christina en Ross erin geslaagd waren een overeenkomst te sluiten die hun de totale zeggenschap over de onderneming opleverde, had hem nog kwader gemaakt.

Christina vroeg zich af of hij nu gewoon bij de onderneming zou weggaan of blijven en zijn uiterste best doen haar gezag te ondermijnen. Ze was niet bang voor hem als hij zou blijven en vertrouwde erop dat zij en Ross samen hem wel aan zouden kunnen.

Katherine stond midden in de groep en leunde zwaar op haar stok. Ze had de stoel geweigerd die de bezorgde dominee voor haar had laten neerzetten. Haar gelaatsuitdrukking was ondoorgrondelijk, zoals altijd. Maar Christina wist dat het een slag voor haar familietrots moest zijn geweest om te horen dat haar schoonzoon niet alleen zijn eigen zoon op het slechte pad had gebracht maar ook de naam van de onderneming schade had berokkend.

Het had alle invloed en macht van de familie Fortune gekost om Brians rol als drugsmokkelaar en zijn pogingen tot moord uit de pers te houden. De publiciteit zou vernietigd zijn geweest. Om het geheel te verdoezelen, had Diana erop gestaan dat hij in het familiegraf op de ranch op Hawaii zou worden bijgezet.

Christina keek naar Diana, die er met een bleek en grimmig gezicht bij stond en vroeg zich af wat er in haar zou omgaan. Het besef dat haar man haar zo fel had gehaat dat hij wanhopige pogingen had ondernomen om onder haar uit te komen en daarbij hun zoon bij een drugsmokkelzaak had betrokken, moest verschrikkelijk zijn. Merkwaardig genoeg had ze medelijden met Diana, want in zeker opzicht was het niet echt Diana's schuld. Evenals alle Fortune-vrouwen, en zo veel andere vrouwen die hun zogenaamd bevoorrechte bestaan in een gouden kooi doorbrachten, was ze nooit even hoog aangeslagen als de mannen in de familie.

Het was hoog tijd dat die wrede gewoonte uit het verleden veranderde, dacht ze. Als zij een dochter kreeg, zou dat kind worden aangemoedigd te doen waar ze aanleg voor had, hetgeen zou kunnen betekenen dat ze eens Fortune International zou beheren.

De geestelijke, een oude familievriend die erin had toegestemd bij zijn afscheidswoorden discreet te blijven, eindigde zijn korte en in vage bewoordingen gestelde lof op Brian. Zwijgend verspreidde de groep zich. Christina ontmoette even de blik van Jason, maar hij keek snel van haar weg. Leann, die met Phillip Lo was meegekomen, keek zielig toe toen Jason alleen wegliep.

Christina had met Leann te doen en ze mompelde tegen Ross: 'Ik ben zó terug,' en haastte zich achter Jason aan.

Net toen hij in zijn auto wilde stappen, had ze hem ingehaald. 'Jase!'

Geschrokken keek hij op. In dat moment dat hij niet op zijn hoede was, onthulden zijn ogen zijn verdriet en een zó fel gevoel van verlies dat ze hem als een kind in haar armen had willen nemen. Maar hij was geen kind meer. Hij was zelfs niet meer de bedroefde en eenzame jongeman die zich eens tot zijn jeugdige nichtje had gewend om de liefde en geruststelling te vinden die hij thuis niet kreeg. Hij was nu een man. En het werd tijd dat hij een nieuw leven ging leiden als een man, met een vrouw naast zich die duidelijk veel van hem hield.

'Ik... ik moet weg,' stotterde hij.

'Néé. Er is iets dat we eerst moeten uitspreken. Je kunt niet van me blijven weglopen, Jase. Of van het verleden. Ik heb het onder ogen gezien en overleefd. En dat kun jíj ook.'

'Ik weet niet wat je bedoelt.'

'Ja, dat weet je wèl. Jase, luíster naar me. Ik ben twintig jaar geleden niet weggelopen omdat wij ruzie hadden gehad, maar ging weg omdat een ander me diep had gekwetst en ik bang was. Ik dacht dat mijn enige kans in een ontsnapping was gelegen. Nu weet ik dat het verkeerd was. Ik had moeten blijven, om de situatie onder ogen te zien. Maar ik was jong en bang.'

Ze aarzelde en ging toen hartelijk verder: 'Jase, ik hield van je. En ik weet dat jij van mij hield. Maar we hielden van elkaar zoals wanhopig ongelukkige kinderen van elkaar houden. Nu zijn we geen kinderen meer. We moeten beiden iets goeds van ons volwassen leven maken.'

Zijn ogen glinsterden door de ingehouden tranen. 'God, Chris, ik ben door een hel gegaan!'

Ze ging naar hem toe en nam zijn bevende lichaam in haar armen terwijl ze zacht mompelde: 'Ik weet het, Jase, ik weet het. Maar dat is nu voorbij. Jij hebt je nergens schuldig aan gemaakt en je was mijn enige werkelijke vriend toen ik die hard nodig had.'

Het beven hield op en hij keek haar aan. 'Voel je het wèrkelijk zo aan?'

Ze lachte hem hartelijk toe. 'Ja!'

Hij veegde met een arm over zijn vochtige ogen om ze af te wissen en zei toen huiverend: 'Ik weet niet wat ik nu moet doen.'

'Ik weet het wel.' Ze keek veelbetekenend naar Leann, die stond te wachten en hen aandachtig observeerde.

'Ga naar haar toe, Jase. Ze houdt heel veel van je. Laat haar niet los!'

Hij aarzelde en liep toen langzaam op Leann toe. Hij bleef nog even staan en keek achterom naar Christina, om haar een dankbare glimlach te schenken. Toen draaide hij zich om en wendde zich heel duidelijk tot Leann. Ze keken elkaar alleen even aan. Daarna nam hij haar hand in de zijne en samen wandelden ze naar het strand. Het was een goede plek voor hen om samen een lang en ernstig gesprek te voeren, dacht Christina.

Achter zich hoorde ze Katherina zeggen: 'Het wordt tijd dat die twee het eindelijk samen eens worden.'

Christina draaide zich naar haar om. 'U wist het dus?'

'Natuurlijk! Iedereen kon dat toch zien?'

Katherine zag er nog ouder en vermoeider uit dan de laatste keer dat Christina haar had gesproken. Bezorgd zei Christina: 'Ik zal u naar de auto brengen. U moet thuisblijven en rust nemen.'

'Het is duidelijk dat jij en Ross de onderneming heel kundig kunnen leiden. Maar ik heb de rest van mijn leven nog, hoe lang of hoe kort dat ook mag duren, om niets anders te doen dan te rusten,' snauwde Katherine.

Plotseling verzachtte haar gelaatsuitdrukking zich. Ze had het bestaan van haar onderneming op het spel gezet en op deze jonge vrouw vertrouwd. En Christina had het schitterend gewonnen. Katherine voelde zich trots bij de gedachte aan alles wat haar kleindochter had bereikt.

Haar kleindochter... Verbijsterd merkte dat ze deze jonge vrouw werkelijk als haar kleindochter beschouwde. Ze keek Christina peinzend aan.

Christina ontmoette die blik en bereidde zich al voor op de onvermijdelijke vraag – *wie bèn je eigenlijk?*

Tot haar verbazing stelde Katherine die vraag echter niet. In plaats daarvan zei ze: 'Vanaf het moment dat ik je voor het eerst zag, was ik ervan overtuigd dat je mijn kleindochter niet kon zijn. Ik hield mezelf voor dat, als Christina nog in leven zou zijn, ze al jaren geleden weer naar huis zou zijn gekomen. Toen verstreek de tijd en ik zag dingen in jou die me aan Christina deden denken. Ik was in tweestrijd – was je nu mijn kleindochter of een oplichtster? Ik begon het gevoel te krijgen dat ik het zeker móest weten, hóe de waarheid ook was.'

Ze zuchtte diep, een onuitsprekelijk vermoeid geluid, dat het resultaat was van jaren strijd en eenzaamheid. 'Je had gelijk toen je zei dat ik mijn kleindochter heel erg in de steek had gelaten. Ik heb aan een groter schuldcomplex geleden dan je je kunt voorstellen.'

Katherine zweeg even, maar haar volgende woorden verbijsterden Christina. 'En nu lijkt het op een of andere manier niet meer van enig belang of je Christina bent of niet.'

Ze glimlachte aarzelend. 'Er bestaat een traditie onder de bewoners van Hawaii. Een gezin neemt een weeskind op en voedt het op als een eigen kind, heel informeel, maar het is een heel goede en lieve regeling. Ze noemen dat kind een *hani*-kind – *een kind van het hart*. Ik zou graag willen dat jouw komst hier mij nog eens een kans geeft het soort mens te zijn dat ik vroeger had moeten zijn – het soort grootmoeder dat ik behoorde te zijn.'

Ze eindigde met de woorden: 'Ik aanvaard jou als mijn *hani*-kind, Christina. Ik hoop dat jij ook míj wilt accepteren.'

Christina werd overmeesterd door een merkwaardige mengeling van gevoelens – liefde en verlies, opluchting en spijt. Ze fluisterde: *'Grandmère,'* en haar stem beefde; toen omhelsde ze Katherine innig.

Katherines tengere lichaam voelde aan alsof het niet tegen zo'n heftige omhelzing was opgewassen. Maar ze weigerde lange tijd Christina los te laten. Toen ze dat eindelijk toch deed, wees ze met haar hoofd naar Ross. 'Het is het beste als je nu naar hem toe gaat. Hij is een heel geduldige man, weet je.'

Christina was verbaasd. 'Weet u het dan van ons?'

'Ik heb het geluk gehad om lief te hebben en ook geliefd te worden. Het is al heel lang geleden, maar ik herken het gevoel nog wel.' Ze kneep even in Christina's hand en herhaalde: 'Ga naar hem toe.'

Toen Christina bij Ross kwam, trok hij vragend een wenkbrauw op. 'En?'

'Ik wil er hier liever niet over praten,' antwoordde ze. 'Laten we naar het toevluchtsoord gaan. Daar zal ik je alles vertellen.'

Toevluchtsoord.

Wat toepasselijk, dacht ze. Ze had eindelijk een veilige plek gevonden, na jaren in doodsangst voor haar genadeloze achtervolgers, de geesten van haar verleden, te zijn gevlucht. Ze had haar belofte gehouden en er was recht gedaan, tenminste voor zover dat na twintig lange jaren mogelijk was. Ze voelde zich meer verlicht en opgelucht dan in lange tijd, alsof er een zware last van haar schouders was genomen.

Christina dacht aan een gesprek dat zij en Ellie hadden gevoerd kort nadat ze elkaar hadden leren kennen. Ellie had gevraagd: 'Als je nu één wens zou kunnen doen, wat zou je dan wensen?'

En Christina had zonder enige aarzeling geantwoord: 'Alles weer te hebben zoals het was. Toen ik zo gelukkig was.'

En Ellie had gemompeld: 'Ja, ik ook.'

Nu had ze aanvaard dat het leven vol overgangen was, en niets kon ooit meer worden zoals het geweest was. Maar ze voelde ook dat er weer geluk binnen haar bereik lag. Het was alleen een ander soort geluk, met andere mensen, of – liever gezegd – een ander mens.

Zij en Ross stonden samen op het kleine, halvemaanvormige strand. Achter hen stonden hoge palmen en het blauwe water van de Stille Oceaan glinsterde voor hen. Het was een echt paradijs, dacht ze. Er mankeerde slechts één ding aan het volmaakt te maken.

De waarheid.

Ze deed haar mond open om iets te zeggen, maar hij sprak al. 'Er is iets dat ik eerst wil zeggen.' Langzaam en zorgvuldig ging hij door: 'Het kan me niet schelen of je Christina of Ellie bent. Ik vind het alleen belangrijk dat je van mij bent, nu en voor eeuwig.'

Ze kreeg een brok in haar keel van emotie en er welden tranen van geluk op in haar ogen. *Ik hou zo veel van je*, dacht ze. Hardop zei ze: 'Ik hou meer van je dan ik ooit voor mogelijk heb gehouden.'

Toen kuste hij haar teder. De kus hield zoveel liefde en behoefte in en een hoogst verleidelijke hoeveelheid passie dat ze het gevoel kreeg dat zo'n vreugde onmogelijk echt kon zijn.

Eindelijk deed ze haar ogen open en keek hem aan, en ze wist dat het mogelijk wàs. Ze zei: 'Ik bèn Christina. En ik ben van jou, nu en voor eeuwig!'